Anatomy standing practice

그림으로 배우는 해부학 실습서

신용어 구용어 공용

저자 해부학실습서편찬위원회

군자출판사

그림으로 배우는 해부학 실습서

셋째판 1쇄 인쇄 | 2016년 4월 15일
셋째판 1쇄 발행 | 2016년 4월 22일

저　　자 해부학실습서편찬위원회
발 행 인 장주연
기　　획 김봉환
편집디자인 신익환
표지디자인 김재욱
일 러 스 트 오제훈
발 행 처 군자출판사
등록 제 4-139호(1991. 6. 24)
본사 (10881) **파주출판단지** 경기도 파주시 회동길 338(서패동 474-1)
전화 (031) 943-1888　　팩스 (031) 955-9545
홈페이지 | www.koonja.co.kr

※ 파본은 교환하여 드립니다.
※ 검인은 저자와의 합의 하에 생략합니다.
※ 본책은 색연필로 색칠하기에 적합한 종이를 사용하였습니다.

ISBN 979-11-5955-037-9

정가 35,000원

머리말

인체해부학은 의학과 간호학 및 보건학의 가장 기본이 되는 학문입니다. 하지만 처음 해부학을 접하는 학생들은 많은 의학용어 때문에 매우 어려워하고 흥미를 갖지 못하는 경우가 많습니다. 이러한 문제점을 해결하기 위해 그림에 색칠을 하면서 해부학 용어를 쉽게 이해하고 암기할 수 있는 "그림으로 배우는 해부학 실습서"를 저술하게 되었습니다.

본 저서는 의학을 공부하는 학생들이 보다 쉽게 인체를 이해할 수 있도록 일반적인 계통해부학의 단원 순서로 구성하였으며, 세부 각 장별로 숙지해야 할 내용을 간단하게 정리하였으며, 이것을 쉽게 이해할 수 있도록 그림으로 색칠하기로 구성하였습니다. 마지막으로 해부학 용어를 신용어(구용어, 원어) 순으로 건강관련종사자들도 쉽게 이해할 수 있도록 정리하였습니다.

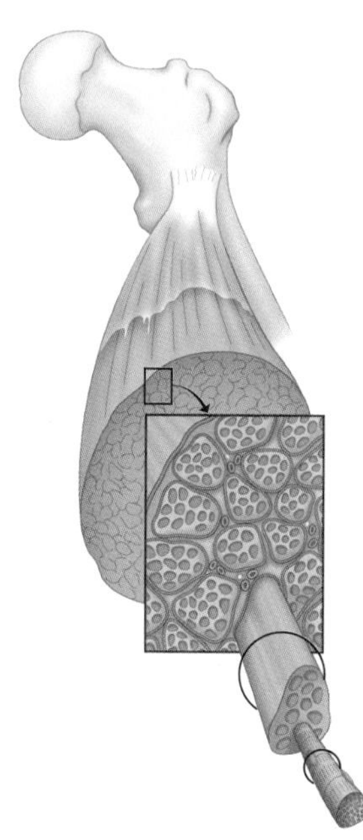

끝으로 "그림으로 배우는 해부학 실습서"를 통해 많은 학생들이 해부학을 이해하는데 많은 도움이 되었으면 하는 바람을 가져 봅니다. 그리고 이 책이 출간될 수 있도록 지원을 아끼지 않은 군자출판사 장주연 사장님과 편집부 직원들에게 감사의 뜻을 전합니다.

2016년 3월

저자 일동

목 차

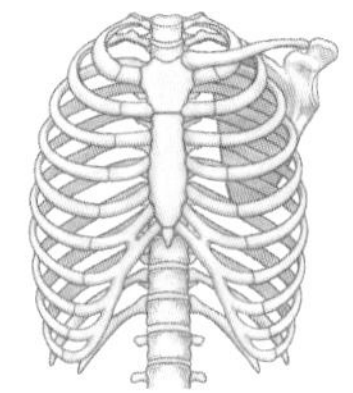

저자

박 종 항 광양보건대학교

고 대 식 호남대학교
김 미 종 한남대학교
김 순 영 대전보건대학교
김 승 미 진주보건대학교
김 윤 환 광양보건대학교
문 미 선 춘해보건대학교
서 태 화 상무힐링재활요양병원
전 재 근 한려대학교
정 대 인 광주보건대학교
안 준 일 무등한방병원
이 미 옥 안동과학대학교
이 영 미 선린대학교
이 영 희 동남보건대학교
이 인 숙 창원대학교
임 소 희 신성대학교
조 헌 하 고신대학교
최 원 제 한려대학교

Anatomy standing practice

그림으로 배우는

해부학 실습서

저자 해부학실습서편찬위원회

CHAPTER 1 인체의 구분과 조직

Division & organization of the Body

인체를 구성하는 기본 구조는 세포(cell)이다. 세포의 다음 단계는 조직(tissue)으로서, 세포가 연합하여 근육과 뼈와 같은 조직을 형성하게 된다. 또한 이런 조직이 모여서 심장이나 간(liver)과 같은 기관(organ)을 형성하며, 서로 관련된 기관이 모여 심혈관계(cardiovascular system)와 골격계(skeletal system)와 같은 뼈대계(골격계; organ system)를 형성한다. 마지막으로 이 모든 기관계가 모여서 유기체(개체, organism) 즉 인체(human)를 형성하게 되는 것이다.

- **세포(cell)**는 모든 생명을 구성하는 기본 단위이다. 모든 세포는 물, 단백질, 탄수화물, 산, 지방, 다양한 무기질 등으로 구성된 물질을 함유한다. 세포막(cell membrane), 핵(nucleus), 염색체(chromosome), 세포질(cytoplasm), 미토콘드리아(mitochondria), 세포질그물(endoplasmic reticulum) 등으로 구성된다.

- **조직(tissue)**은 특정 기능을 함께 수행하는 유사한 세포들의 집단이다. 같은 유형에 속하는 조직들이 한 곳에만 모여 있지는 않으며, 위치하는 인체 부위에 따라 매우 다양하다. 인체에 분포하는 조직은 상피조직(epithelial tissue), 근육조직(muscle tissue), 결합조직(connective tissue), 신경조직(nerve tissue)으로 구분된다.

- **기관(organ)**은 여러 종류의 조직으로 구성된다. 즉 하나의 기관은 근육조직, 신경조직, 상피조직, 결합조직으로 구성된다.

- **계통(system)**은 함께 작용하여 복잡한 기능을 수행하는 기관들의 집단이다.

학습목표

1. 인체의 부위 및 구조적 단계를 이해할 수 있다.
2. 인체의 몸 안 구조를 이해할 수 있다.
3. 인체의 4대 기본조직의 구성을 이해할 수 있다.
4. 결합조직의 구성 성분을 이해할 수 있다.

1. 인체의 부위 및 구조적 단계와 몸 안 구조 I

인체의 부위

해부학적 자세(anatomical position)는 바로 서서 얼굴과 눈은 앞을 향하고 팔은 몸통 옆으로 내려 손바닥이 앞을 향하며 두 발은 모아 발끝이 앞을 향한 자세이다.

인체의 위치와 방향에 관한 용어는 다음과 같다.

superior(cranial) 위쪽(머리쪽) 인체의 머리쪽 또는 장기의 위쪽방향이다.		**inferior(caudal) 아래쪽(꼬리쪽)** 인체의 아래쪽, 머리에서 먼쪽방향이다.
anterior(ventral) 앞쪽(배쪽) 인체나 장기의 앞면을 향한다.		**posterior(dorsal) 뒤쪽(등쪽)** 인체나 장기의 뒷면을 향한다.
medial 안쪽 정중면에 가까운 안쪽이다.	**intermediate 중간** 정중면과 옆면 구조 사이이다.	**lateral 바깥쪽, 옆에** 정중면에서 바깥쪽이다.
distal 먼 쪽 인체기시부에서 떨어진 또는 팔다리가 몸통에 부착된 곳에서 먼 쪽이다.		**proximal 가까운 쪽** 인체 기시부 또는 팔다리가 몸통에 부착된 지점에서 가까운 쪽이다.
deep 깊은 인체표면에서 내부 깊은 안쪽을 향한다.		**superficial 얕은 부분** 인체 표면을 향한다.
supine 바로눕기 등을 대고 바로 눕는다.		**prone 엎드린** 배를 대고 눕는다(엎드림).

인체의 면

인체의 면(plane)은 해부학적 자세를 기준으로 절단방향에 따라 이마면전두면(관상면), 시상면, 가로면으로 나눌 수 있다.

- **이마면(전두면; frontal plane)** : 인체를 앞, 뒤 부분으로 나누는 수직면이다.
- **시상면(saggital plane)** : 인체를 오른쪽과 왼쪽으로 나누는 수직면이다.
- **가로면(transverse plane)** : 인체를 지면에 평행하게 가로지르는 수평면이다.

1. 해부학적 자세에서 인체의 위치와 방향을 구분하여 색칠하시오.
2. 인체의 면을 구분하여 색칠하시오.

Main Point. 인체의 구분과 위치와 방향에 대하여 학습한다.

괄호에 알맞은 용어를 쓰고 도색하시오.

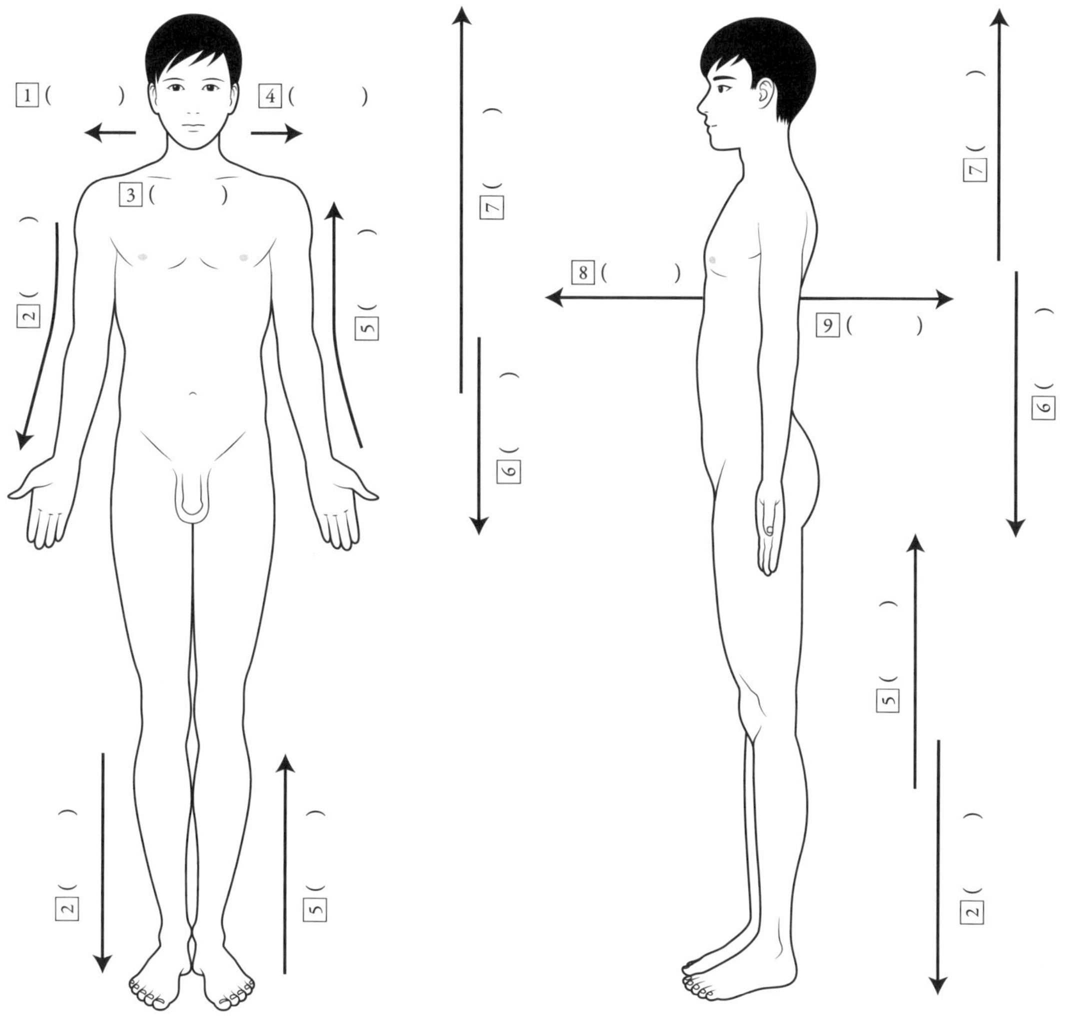

1 오른쪽(우측; right) 2 먼쪽(원위; distal) 3 정중선(midline) 4 왼쪽(좌측; left) 5 몸쪽(근위; proximal) 6 아래쪽(하부; inferior) 7 위쪽(상부; superior) 8 앞쪽(anterior) 9 뒤쪽(posterior)

괄호에 알맞은 용어를 쓰고 도색하시오.

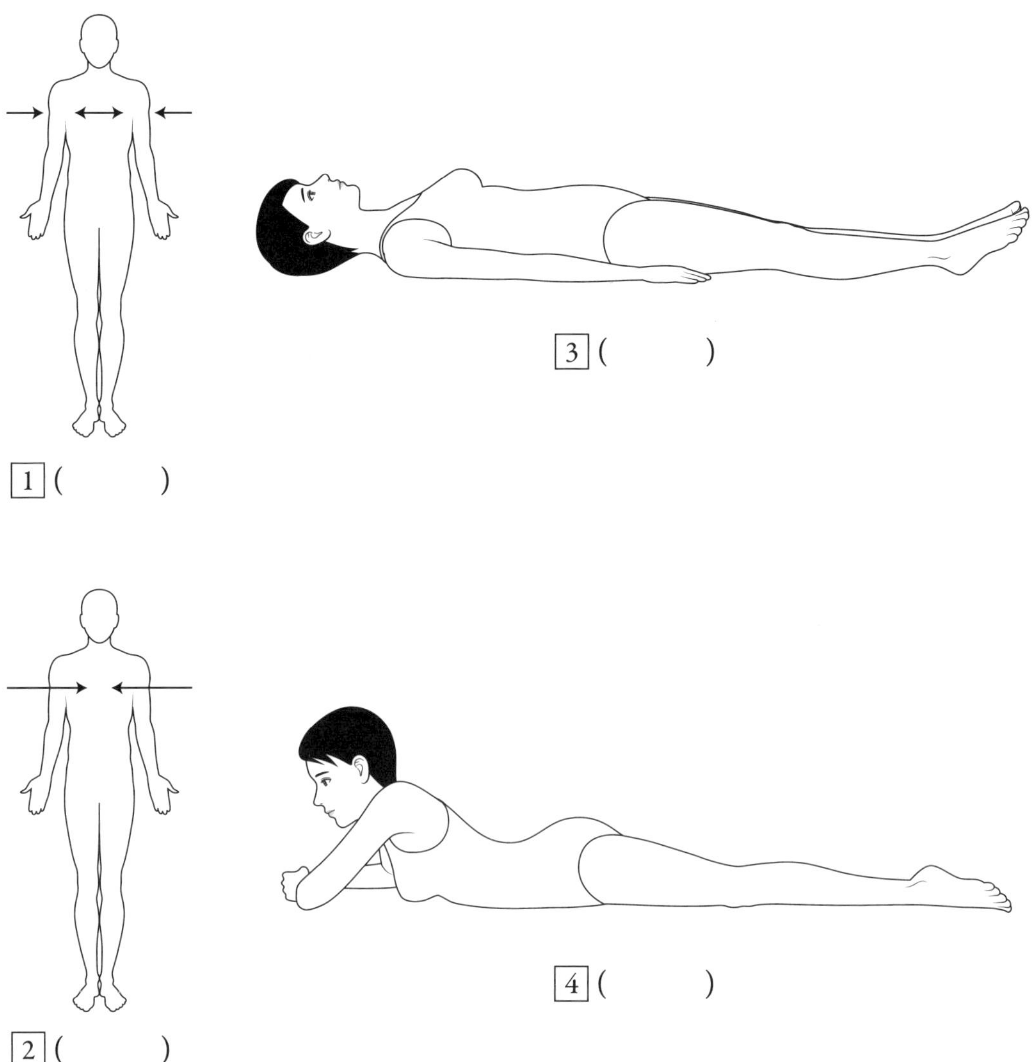

1 얕은(천부; superficial) 2 깊은(심부; deep) 3 바로누운(앙와위; supine) 4 엎드려누운(복와위; prone)

괄호에 알맞은 용어를 쓰고 도색하시오.

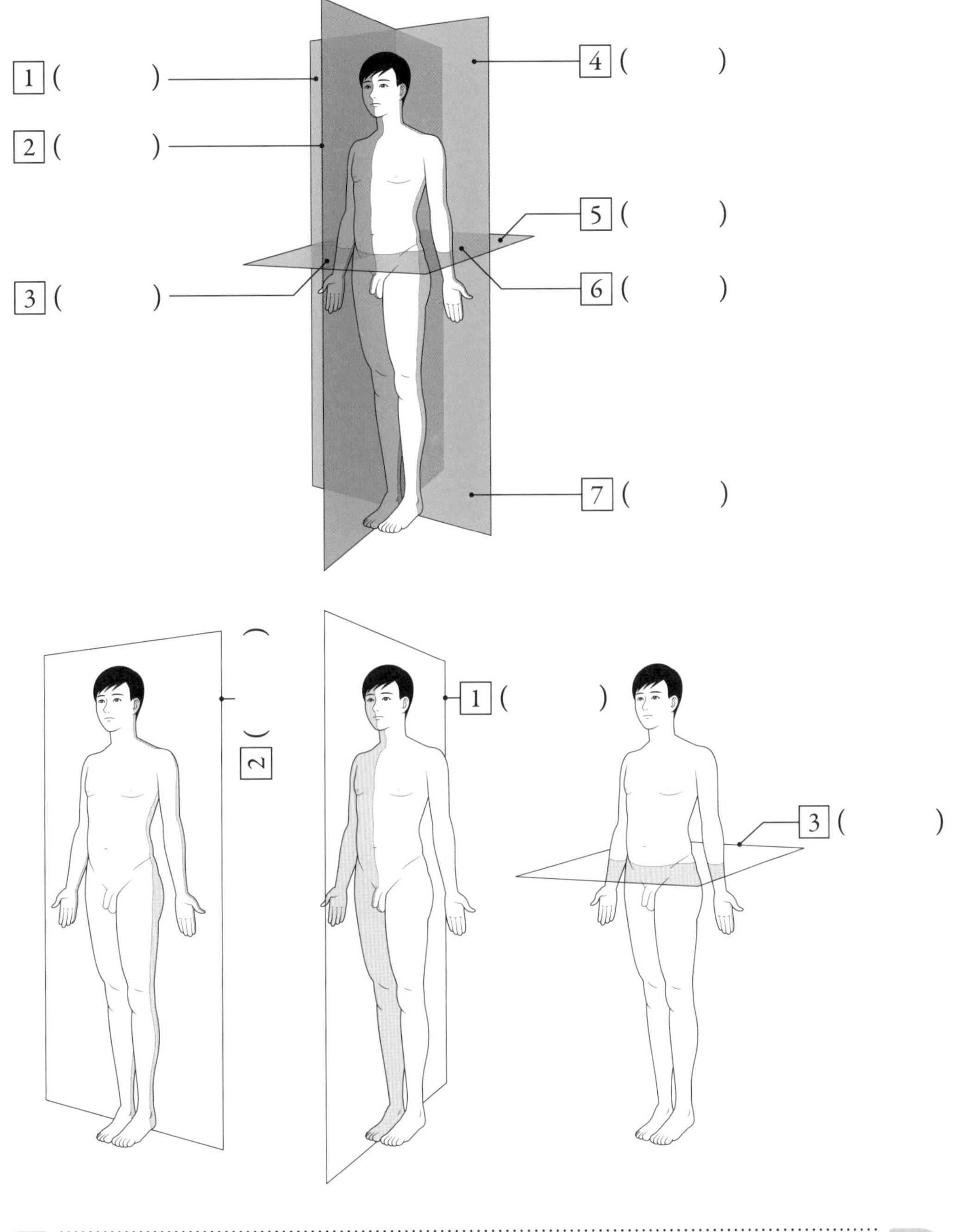

1 이마면(전두면,관상면; frontal plane) 2 시상면(saggital plane) 3 가로면(수평면; transverse plane) 4 위(상부; superior) 5 뒤(posterior) 6 앞(anterior) 7 아래(하부; inferior

2. 인체의 부위 및 구조적 단계와 몸 안 구조 II

인체의 부위

인체는 단계별로 가장 작은 것에서부터 나열하면 **세포(cell)**, **조직(tissue)**, **기관(organ)**, **기관계(system)**, **유기체(개체, organism)**로 나눌 수 있다.

인체의 몸안 구조

몸안체강(body cavity)은 내부장기(internal viscera)를 포함하고 있는 몸속의 공간이다.

- **등쪽몸안(등쪽체강; dorsal body cavity)** : 머리안두개강(cranial cavity), 척추안척추강(spinal cavity)이 있다.
- **배쪽몸안(배쪽강체; ventral body cavity)** : 가슴안흉강(thoracic cavity), 배안복강(abdominall cavity), 골반안골반강(pelvic cavity)이 있다.

1. 인체의 구조적 단계를 구분하여 색칠하시오.
2. 인체의 몸안 구조를 구분하여 색칠하시오.

Main Point 1. 인체의 구조적 단계에 대하여 학습한다.
Main Point 2. 인체의 몸안 구조에 대하여 학습한다.

괄호에 알맞은 용어를 쓰고 도색하시오.

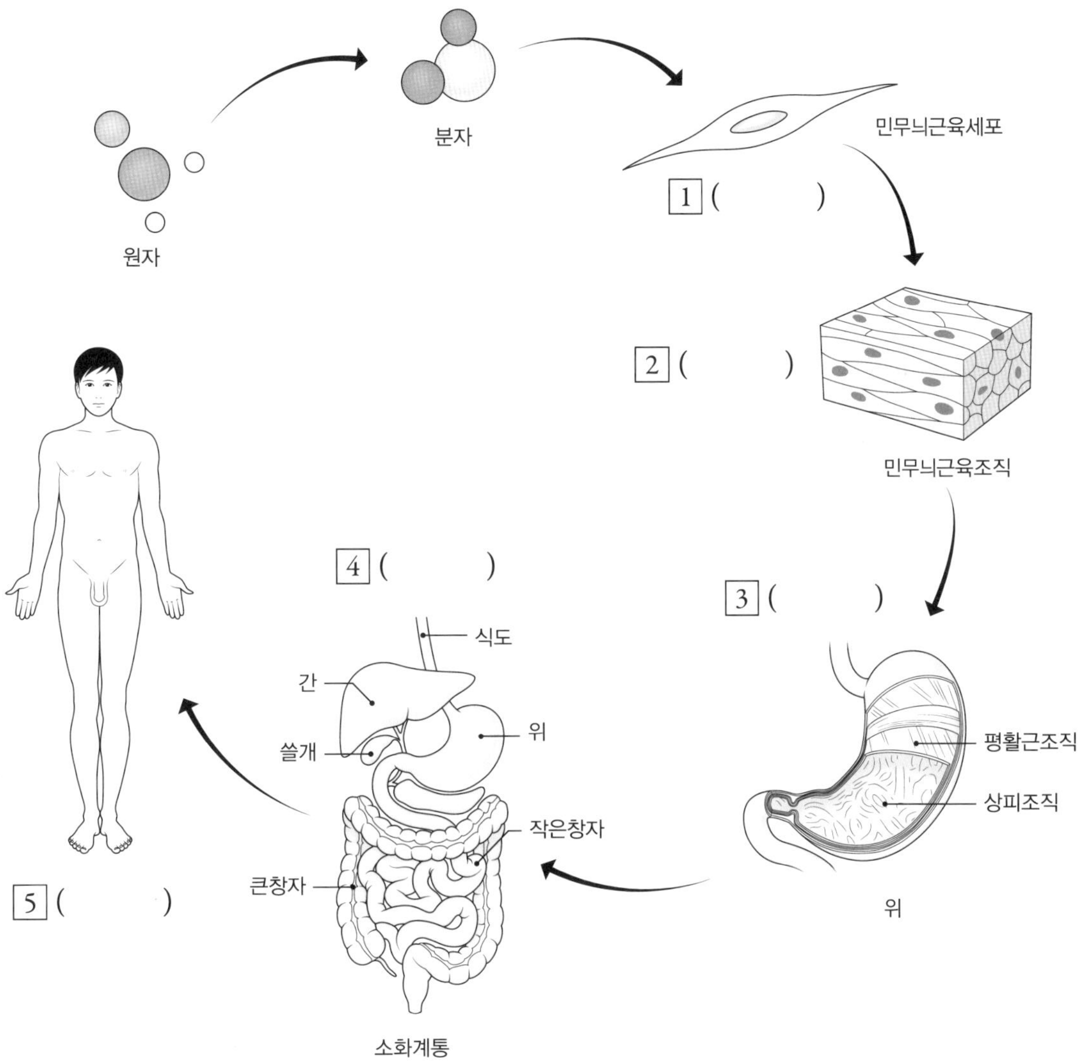

1 세포(cell) 2 조직(tissue) 3 기관(organ) 4 계통(system) 5 유기체(개체; organism)

괄호에 알맞은 용어를 쓰고 도색하시오.

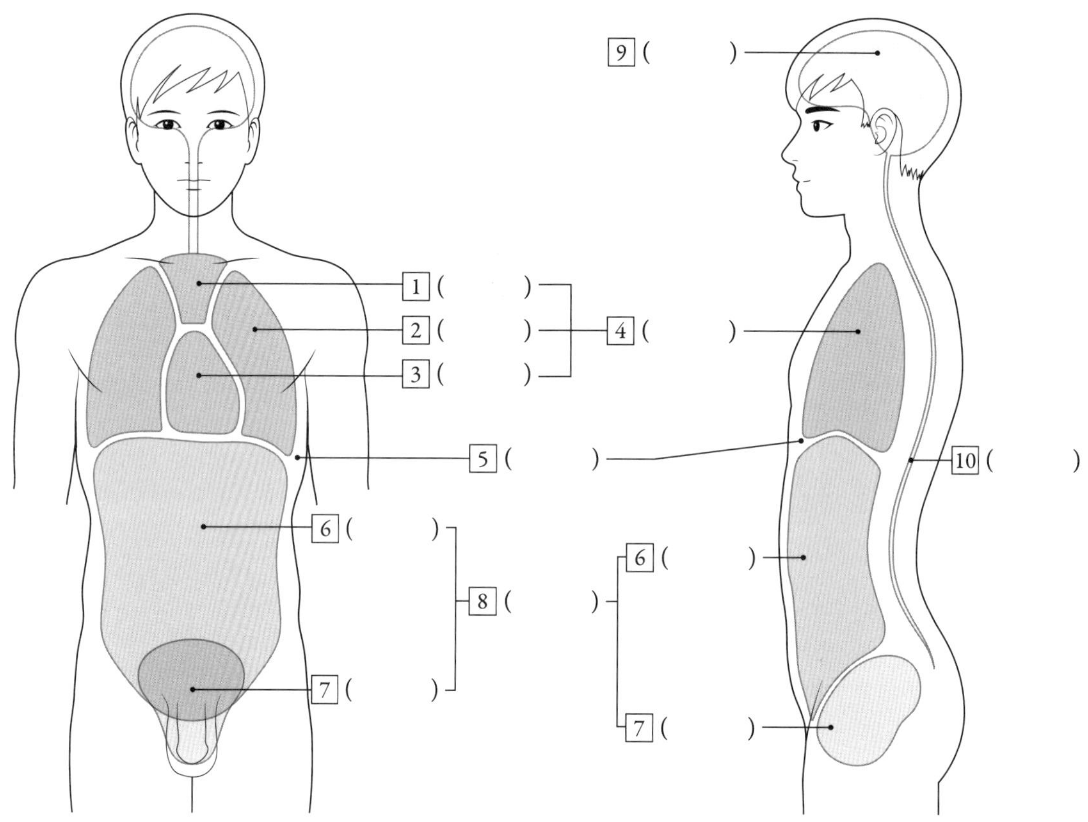

1 위세로칸 (위종격; superior mdiastinum) 2 가슴막안(흉막강; pleural cavity) 3 심장막안(심장막강; pericardial cavity) 4 가슴안(흉강; thoracic cavity) 5 가로막(횡격막; diaphragm) 6 배안 (복강; abdominal cavity) 7 골반안(골반강; pelvic cavity) 8 배골반안(복골반강; abdominopelvic cavity) 9 머리안(두개강; cranial cavity) 10 척추안(척추강; spinal cavity)

3. 인체의 4대 기본조직의 구성

인체를 구성하는 네 가지 기본조직은 상피조직, 결합조직, 근육조직, 신경조직 등으로 구분된다.

- **상피조직(epithelial tissues)** : 인체의 바깥표면이나 인체 몸안체강(가슴안, 배안), 맥관의 안쪽표면, 그리고 각 기관의 바깥표면과 안쪽공간면을 모두 덮는 막성 조직이다. 상피는 층의 종류에 따라 단층(simple) 또는 중층(stratified)으로 구분된다.
- **결합조직(connective tissues)** : 인체의 여러 구조를 결합하며, 지지하는 중배엽성 조직이다. 뼈와 연골, 혈액과 림프, 지방조직 등이 있다.
- **근육조직(muscular tissues)** : 인체의 근육조직은 구조와 기능에 따라 뼈대근육골격근(skeletal muscle), 민무늬근육평활근(smooth muscle), 심장근육(cardiac muscle)으로 나눌 수 있다. 뼈대근육과 심장근육은 가로무늬근육횡문근이며, 내장근육(visceral muscle)은 민무늬근육이다. 뼈대근육은 수의근(voluntary muscle)이고, 심장근육과 내장근육은 불수의근(involuntary muscle)이다.
- **신경조직(nervous tissues)** : 신경세포(neuron)와 신경교신경아교(neuroglia)가 있다. 신경세포는 세포체와 돌기로 구성된다. 신경조직은 흥분을 전달한다.

1. 상피조직, 결합조직, 근육조직, 신경조직을 구분하여 색칠하시오.
2. 근육조직의 신체부위에 따라 구분하여 색칠하시오.

Main Point. 인체의 4대 기본조직에 대하여 학습한다.

괄호에 알맞은 용어를 쓰고 도색하시오.

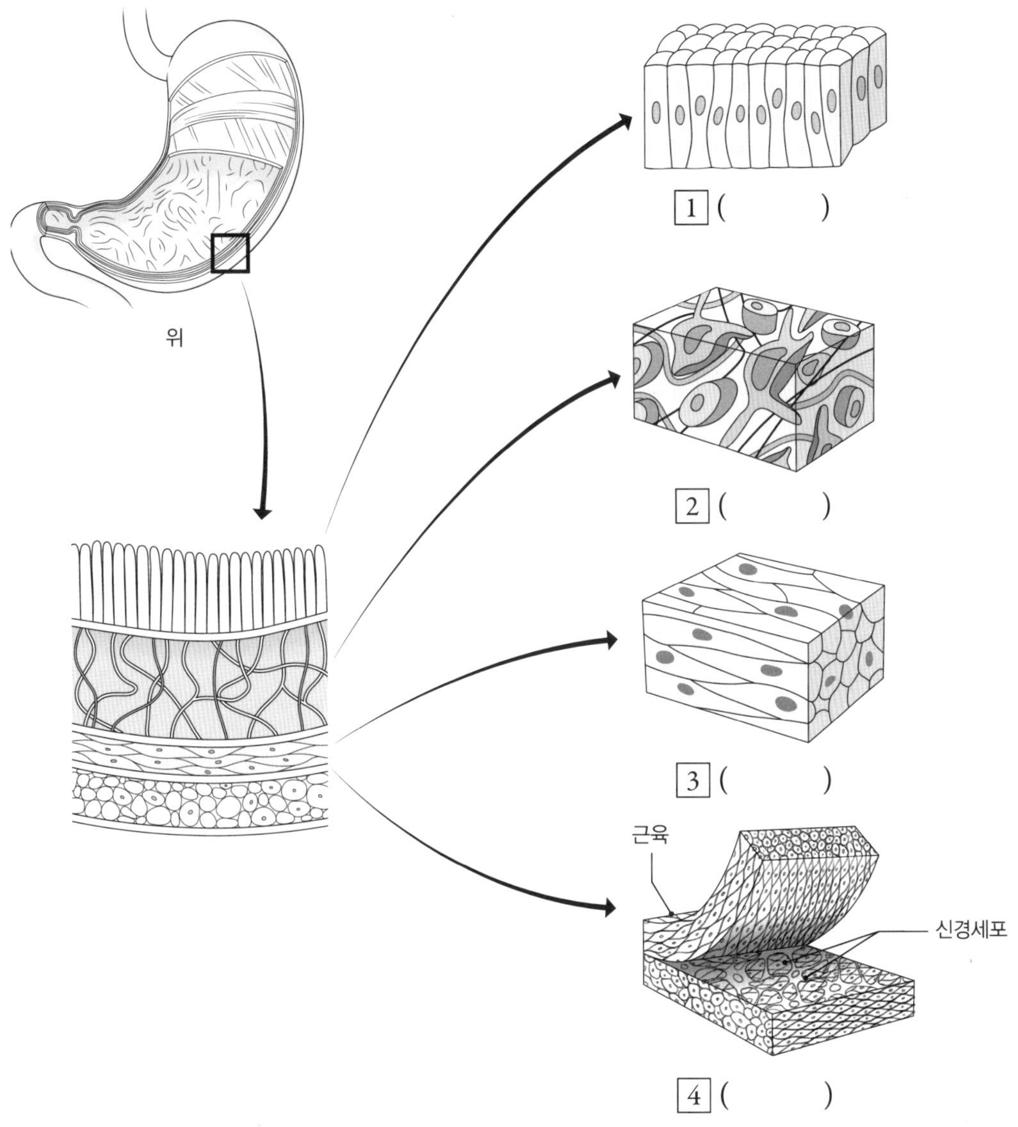

1 상피조직(epithelial tissue) 2 결합조직(connective tissue) 3 근육조직(muscular tissue) 4 신경조직(nervous tissue)

괄호에 알맞은 용어를 쓰고 도색하시오.

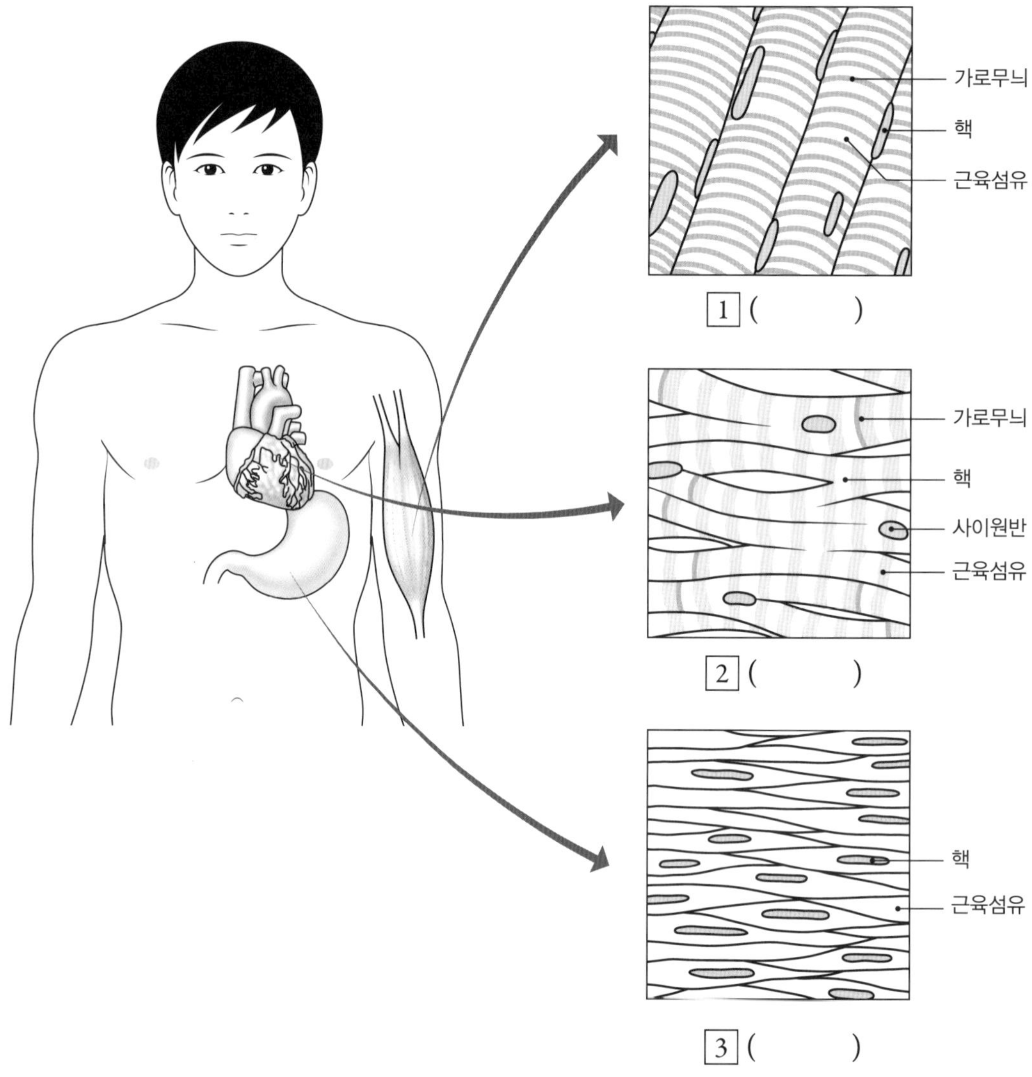

1 뼈대근육(골격근; skeletal muscle) 2 심장근육(심장근; cardiac muscle) 3 내장근육(내장근; visceral muscle)

note

4. 결합조직의 구성 성분

인체의 결합조직

결합조직은 인체 내에서 가장 널리 퍼져 있고 가장 많은 양을 차지하는 조직이다. 다른 조직을 지탱하거나 조직과 조직을 서로 연결하여 형태를 유지시킨다. 결합조직을 구성하는 세포는 섬유아세포섬유모세포(fibroblasts), 큰포식세포계통대식세포(macrophages system), 세포질세포형질세포(plasma cell), 비만세포(mast cell), 지방세포(fat cell)로 구성된다.

- **느슨결합조직(소성결합조직; loose connective tissue)** : 조직 사이에 많은 공간이 형성되어 매우 엉성한 조직으로, 대부분 교원섬유이다. 주로 피부아래, 근육사이에서 볼 수 있다.
- **치밀결합조직(dens connective tissue)** : 교원섬유가 치밀하게 배열되어 있는 조직으로 인대, 뼈막, 근막에서 볼 수 있다.
- **지방조직(adipose tissue)** : 느슨결합조직소성결합조직내에 거대지방혈구를 포함한 지방조직으로 구성된다. 주로 피부아래 부위에 분포한다.
- **연골조직(cartilage tissue)** : 연골세포와 연골기질로 구성된 조직이다. 다른 결합조직에 비해 더 단단하다.
- **뼈조직(골조직; bone tissue)** : 교원성 뼈기질과 뼈세포골세포로 구성된 조직이다. 뼈는 교원섬유로 인해 내구성과 강성을 가지고 있다.
- **혈액조직(blood tissue)** : 대표적인 유동성 결합조직이다. 혈액 뿐만 아니라 림프도 유동성 결합조직에 포함된다.

0。인체의 결합조직을 구성하는 세포를 구분하여 색칠하시오.

Main Point. 인체의 결합조직에 대하여 학습한다.

괄호에 알맞은 용어를 쓰고 도색하시오.

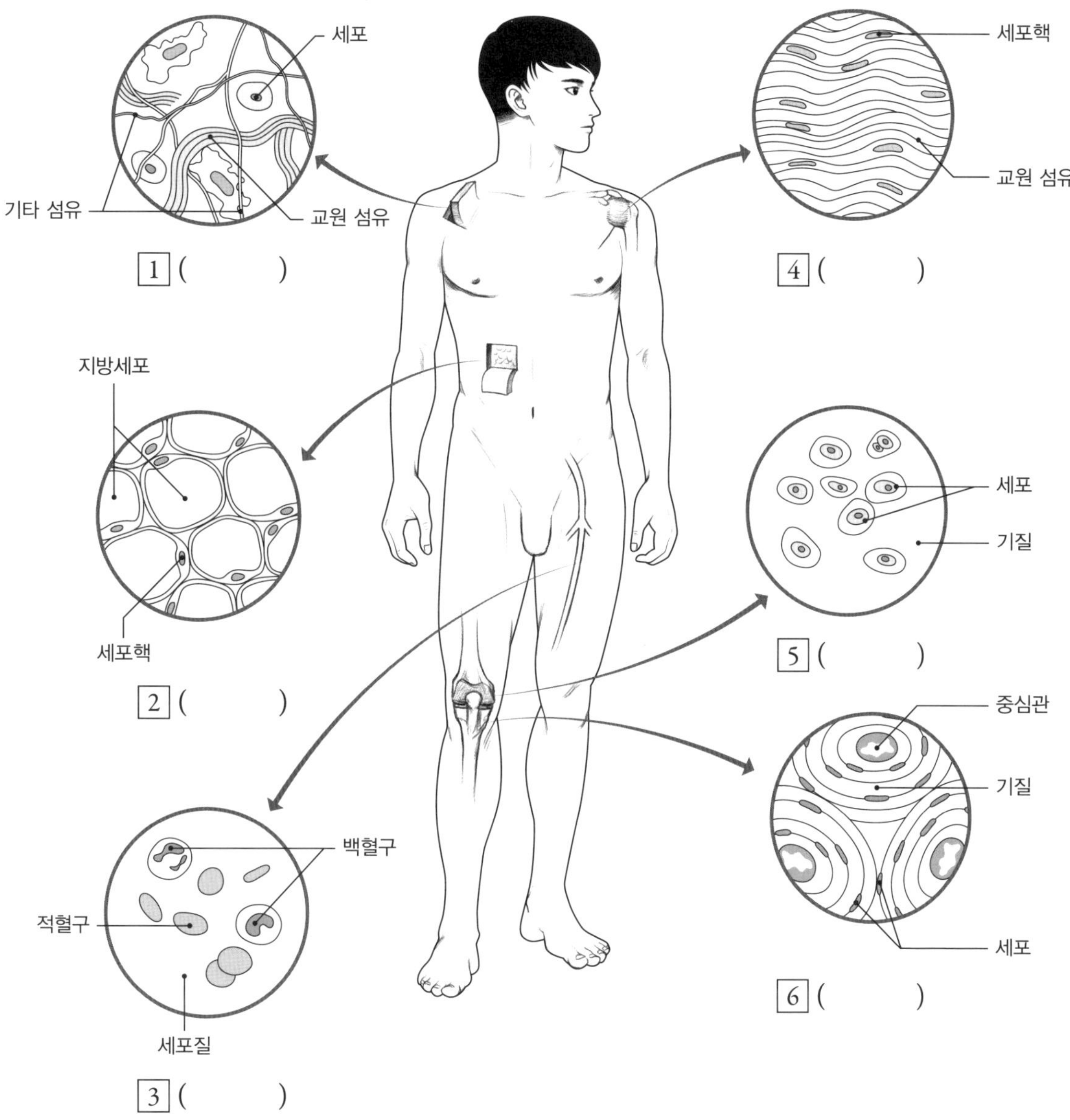

1 느슨결합조직(소성결합조직; loose connective tissue) 2 지방조직(adipose tissue) 3 혈액조직(blood tissue)
4 치밀결합조직(dens connective tissue) 5 연골조직(cartilage tissue) 6 뼈조직(골조직; bone tissue)

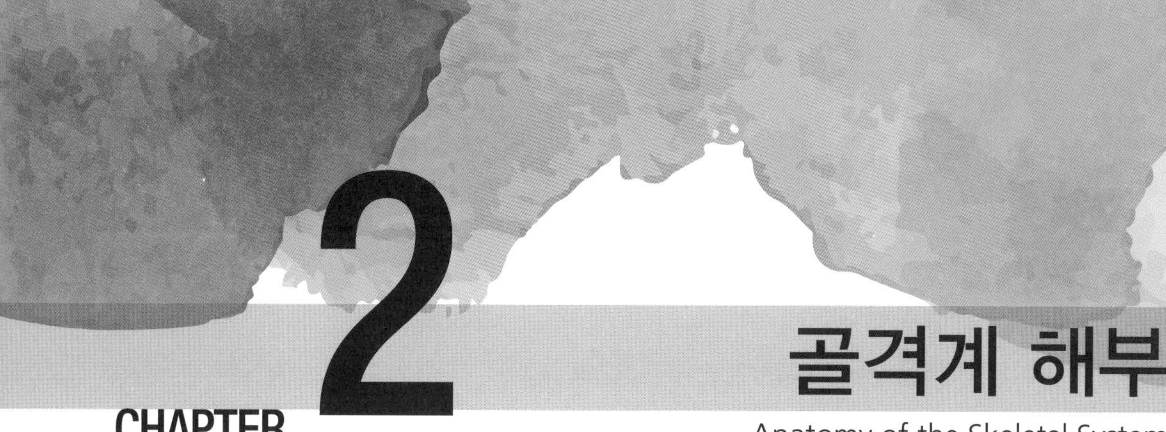

CHAPTER 2 골격계 해부

Anatomy of the Skeletal System

인체의 뼈대(골격)는 출생 직후 270개의 뼈로 이루어지나 성장하면서 몇 개의 뼈가 융합되어 성인은 206개의 뼈와 연골, 힘줄(건) 및 인대가 서로 연결되어 이루어진다. 뼈는 몸의 지탱, 근육의 부착점을 제공하며, 근육의 수축으로 앉기, 서기, 걷기, 달리기 등의 동작이 가능하다. 뼈는 이외에도 내부 장기의 보호, 혈액생산, 무기질 저장 등 다양한 생체기능을 지니고 있다.

- 지지(support) : 뼈대는 인체를 지지하며, 물렁조직(연부조직)이나 장기의 부착점을 제공한다.
- 움직임 보조(movement assist) : 대부분 뼈대근육(골격근)은 뼈에 부착되며, 뼈대근육(골격근육)이 수축할 때 지렛대 역할을 한다.
- 보호(protection) : 뼈는 인체의 중요한 조직 또는 장기들을 둘러싸고 있다.
- 혈액생산(blood production) : 일부 뼈의 적색뼈속질(적색골수)은 적혈구, 백혈구, 혈소판을 생산한다.
- 무기물 저장(storage of minerals) : 뼈대는 칼슘염, 인산염 등의 많은 무기질이 저장되어 있으며, 체액의 칼슘 및 이온 농도를 정상적으로 유지하는데 이용된다. 칼슘은 우리 몸에서 가장 풍부한 무기물이며, 이 칼슘의 98% 이상은 뼈에 저장되어 있다. 또한 인산칼슘과 같은 알칼리염을 흡수하거나 분비하여 혈액의 과도한 pH변화에 완충작용을 한다.

학습목표

1. 뼈조직(골조직)의 구조와 분류를 이해할 수 있다.
2. 뼈의 성장과 뼈되기(골화)를 이해할 수 있다.
3. 머리뼈(두개골)의 종류와 구조적 특징을 이해할 수 있다.
4. 몸통(체간)을 구성하는 뼈대의 종류와 구조적 특징을 이해할 수 있다.
5. 팔뼈(상지골)의 구성과 구조적 특징을 이해할 수 있다.
6. 다리뼈(하지골)의 구성과 구조적 특징을 이해할 수 있다.

1. 뼈조직의 구조와 분류

뼈조직의 구성성분

- **뼈조직** : 결합조직의 일종으로 세포성분과 뼈바탕질골기질로 구분
  - **세포성분** : 뼈형성세포골원세포(osteogenic cell), 뼈모세포골모세포(osteoblast), 뼈파괴세포파골세포(osteoclast), 뼈세포골세포(osteocyte)
  - **뼈바탕질** : 석회화된 세포사이질
- **뼈형성세포** : 배아중간엽에서 발달, 뼈모세포로 분화
- **뼈모세포** : 뼈 형성에 관여하는 세포
- **뼈파괴세포** : 뼈 조직을 파괴하여 뼈속질공간골수공간 및 혈관과 신경의 통로를 만드는 세포
- **뼈세포** : 뼈모세포가 자신이 생산한 기질 내에 매몰된 것으로, 뼈세관골소관을 통하여 인접한 뼈세포와 연결한다.
- **뼈바탕질** : 아교섬유교원섬유가 중심인 유기성분과 칼슘, 인 등의 무기성분으로 구성된다.

0. 세포성분과 뼈바탕질을 구분하여 색칠하시오.

Main Point. 뼈의 구성성분에 대하여 학습한다.

괄호에 알맞은 용어를 쓰고 도색하시오.

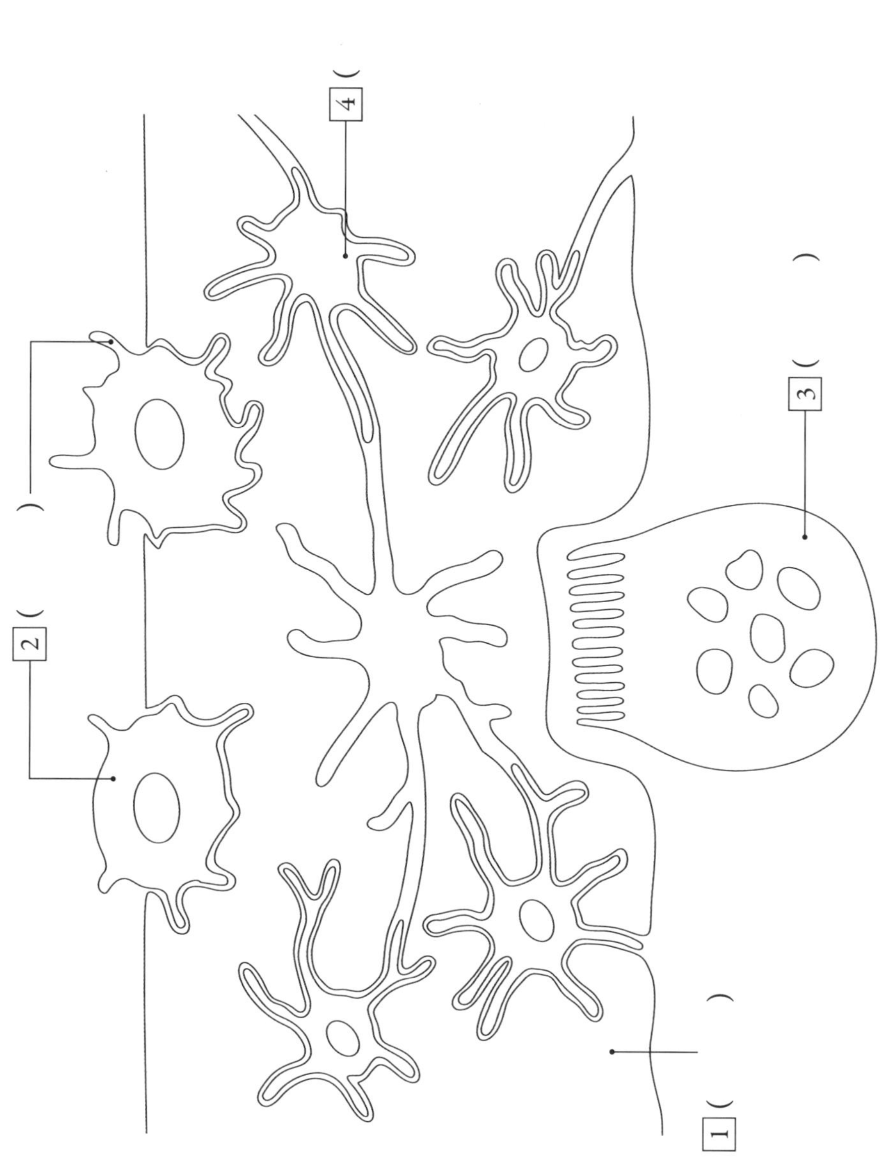

1 뼈바탕질(골기질; bone matrix) 2 뼈모세포(골모세포; osteoblast) 3 뼈파괴세포(파골세포; osteoclast)
4 뼈세포(골세포; osteocyte)

뼈의 구조

뼈는 치밀뼈치밀골(compact bone)와 해면뼈해면골(spongy bone)로 덮여 있으며, 전형적인 뼈는 부위에 따라 뼈몸통(diaphysis), 뼈끝(epiphysis), 뼈몸통끝(metaphysis)으로 구분되며, 뼈 속의 위치에 따라 뼈막(periosteum), 골수공간(marrow cavity), 뼈속막(endosteum)으로 구분된다.

- **치밀뼈** :
  - **뼈단위(골원; osteon, Haversian system)** : 치밀뼈의 기능적 단위로, 신경과 혈관이 통과하는 하버스관(중심관, haversian canal)과 폴크만관(관통관, volkman's canal)이 배열된다.
- **해면뼈** : 해면뼈의 뼈조직은 잔기둥소주(trabecula)의 형태로 배열되며, 잔기둥 사이에는 혈액을 생산하는 뼈속질공간골수공간이 있다.
- **뼈몸통(골간)** : 뼈의 몸통부분
- **뼈끝(골단)** : 뼈의 인접 및 말단 끝 부분
- **뼈몸통끝(골간단)** : 뼈몸통과 뼈끝 사이의 부분
- **뼈막(골외막)** : 뼈의 보호, 성장 및 재생에 관여하는 막으로 혈관과 신경 분포
- **골수공간** : 골수(bone marrow)로 채워진 일종의 결합조직(성인 : 황색뼈속질황색골수, 성장기 : 적색뼈속질적색골수)
- **뼈속막(골내막)** : 뼈속골내의 공간을 지지하는 얇은 층

Q. 뼈의 구성요소를 구분하여 색칠하시오.

Main Point. 뼈의 구조에 대하여 학습한다.

괄호에 알맞은 용어를 쓰고 도색하시오.

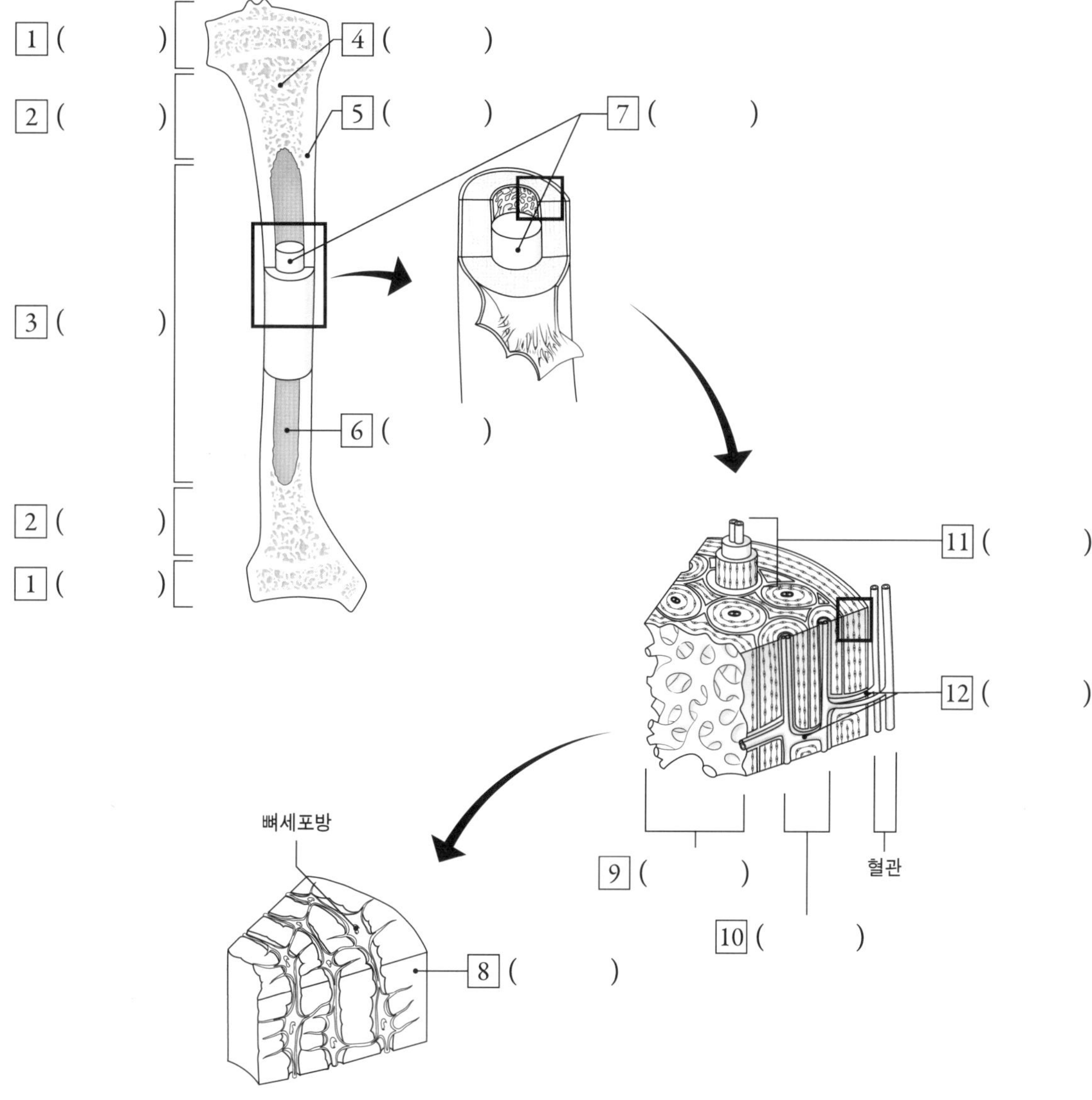

1 뼈끝(골단; epiphysis) 2 뼈몸통끝(골간단; metaphysis) 3 뼈몸통(골간; diaphysis) 4 해면뼈(해면골; spongy bone) 5 치밀뼈(치밀골; compact bone) 6 뼈속질공간(골수공간; medullary cavity) 7 황색뼈속질(황색골수; yellow marrow) 8 뼈세관(골소관; bone canaliculus) 9 잔기둥(골소주; trabeculae) 10 하버스관(중심관; haversian canal) 11 뼈단위(골원; osteon) 12 폴크만관(관통관; volkman's canal)

뼈의 분류

사람의 뼈대는 모양과 특성에 따라 긴뼈(long bone), 짧은뼈(short bone), 납작뼈(flat bone), 불규칙뼈(irregular bone), 공기뼈(pneumatic bone), 종자뼈(sesamoid bone)로 구분된다.

- **긴뼈(장골)** : 길고 가늘한 뼈

  예 위팔뼈 상완골, 노뼈 요골, 자뼈 척골, 손허리뼈 중수골, 손가락뼈 지골, 넙다리뼈 대퇴골, 정강뼈 경골, 종아리뼈 비골, 발가락뼈 지골 등

- **짧은뼈(단골)** : 상자모양의 외형을 지닌 뼈

  예 수근골, 족근골 등

- **납작뼈(편평골)** : 납작한 모양의 뼈

  예 머리뼈 전두골, 갈비뼈 늑골, 복장뼈 흉골, 어깨뼈 견갑골 등

- **불규칙뼈(불규칙골)** : 크기가 작고, 편평, 돌출 또는 패인 형태로 매우 복잡한 외형을 지닌 뼈

  예 척추뼈 척추골, 볼기뼈 관골, 광대뼈 관골 등

- **종자뼈(종자골)** : 작고 둥굴며 납작한 뼈

  예 무릎뼈 슬개골

0. 뼈의 모양에 따라 구분하여 색칠하시오.

Main Point. 뼈의 종류를 학습한다.

괄호에 알맞은 용어를 쓰고 도색하시오.

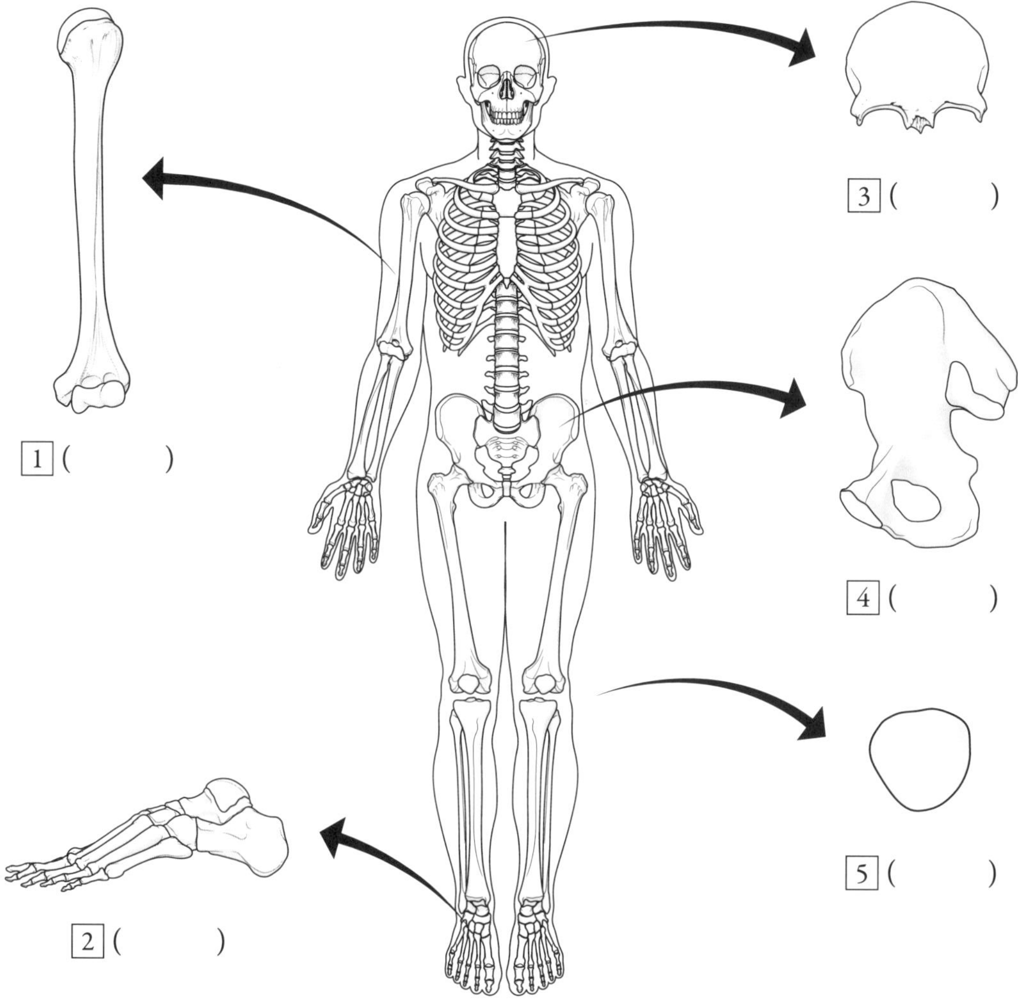

1 긴뼈(장골; long bone) 2 짧은뼈(단골; short bone) 3 납작뼈(편평골; flat bone) 4 불규칙뼈(불규칙골; irregular bone) 5 종자뼈(종자골; sesamoid bone)

뼈의 외형

뼈 표면 구조와 관련된 용어		
상태	용어	설명
• 일반적인 융기 또는 돌출된 부위	• 돌기(process)	표면에서 융기 또는 돌출
	• 가지(지; ramus)	몸통에서 각을 이루면서 연장된 돌출
• 힘줄 또는 인대의 부착으로 돌출된 부위	• 돌기(전자; trochanter)	크고 거칠게 돌출
	• 거친면(조면; tuberosity)	표면이 꺼끌꺼끌한 부위
	• 결절(tubercle)	작고 둥글게 돌출
	• 능선(능; crest)	선상으로 융기된 부위
	• 선(line)	선상으로 가느다란 흔적만이 있는 부위
	• 가시(극; spine)	가늘고 날카롭게 돌출
• 관절을 형성하기 위해 돌출된 부위	• 머리(두; head)	뼈끝에서 둥글게 비후된 부위
	• 목(경; neck)	몸통과 머리 사이의 잘록한 부위
	• 관절융기(과; condyle)	돌출되어 관절을 이루는 부위
	• 도르래(활차; trochlea)	도르래와 같은 형태로 관절을 이루는 부위
	• 면(surface, facet)	밋밋하고 편평한 면
• 눌린 부위	• 오목(와; fossa)	표면에서 오목하게 들어간 부위
	• 고랑(구; groove, sulcus)	길게 이루어진 고랑
• 통로가 되는 부위	• 구멍(공; foramen)	신경, 혈관 등의 구조가 통과되는 둥근 구멍
	• 틈새(열; fissure)	길이가 있는 찢어진 틈새
	• 길(도; meatus), 관(canal)	뼈에 의해서 형성된 관상의 통로
	• 동굴(동; sinus)	뼈 속에 있는 공기가 찬 공간

0. 뼈의 외형을 구분하여 색칠하시오.

Main Point. 뼈의 외형을 학습한다.

괄호에 알맞은 용어를 쓰고 도색하시오.

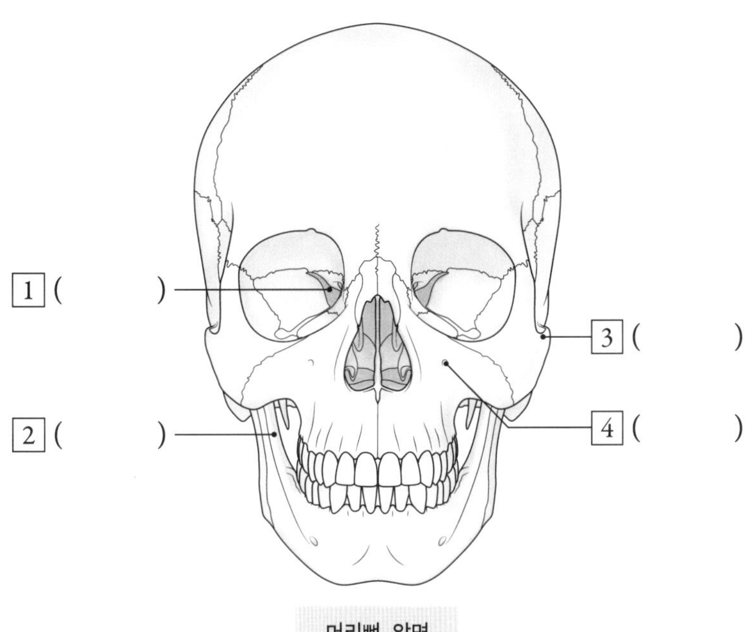

머리뼈, 앞면

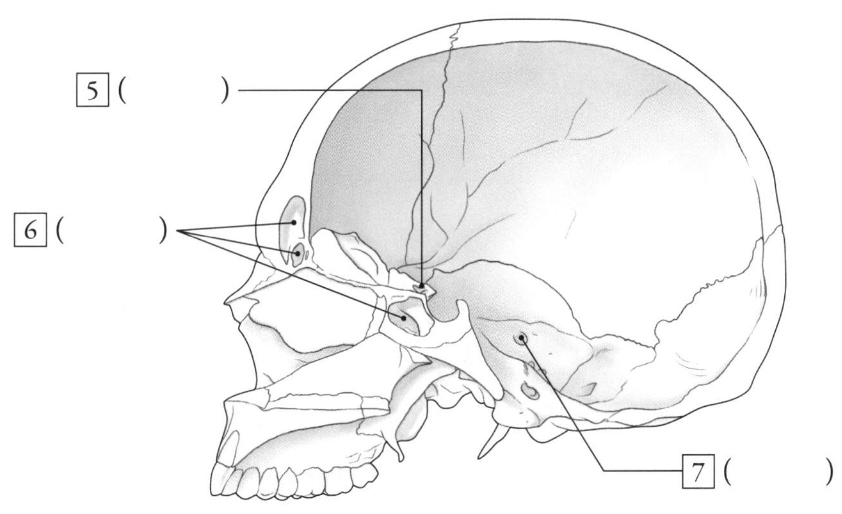

머리뼈, 시상절단면

1 큰돌기(대전자; greater trochanter) 2 결절(tubercle) 3 머리(두; head) 4 목(경; neck) 5 오목(와; fossa) 6 관절융기(과; condyle) 7 결절(tubercle) 8 고랑(구; groove) 9 거친면(조면; tuberosity) 10 도르래(활차; trochlea) 11 가시(극; spine) 12 선(line) 13 구멍(공; foramen) 14 능선(능; crest) 15 오목(와; fossa) 16 가지(지; ramus)

괄호에 알맞은 용어를 쓰고 도색하시오.

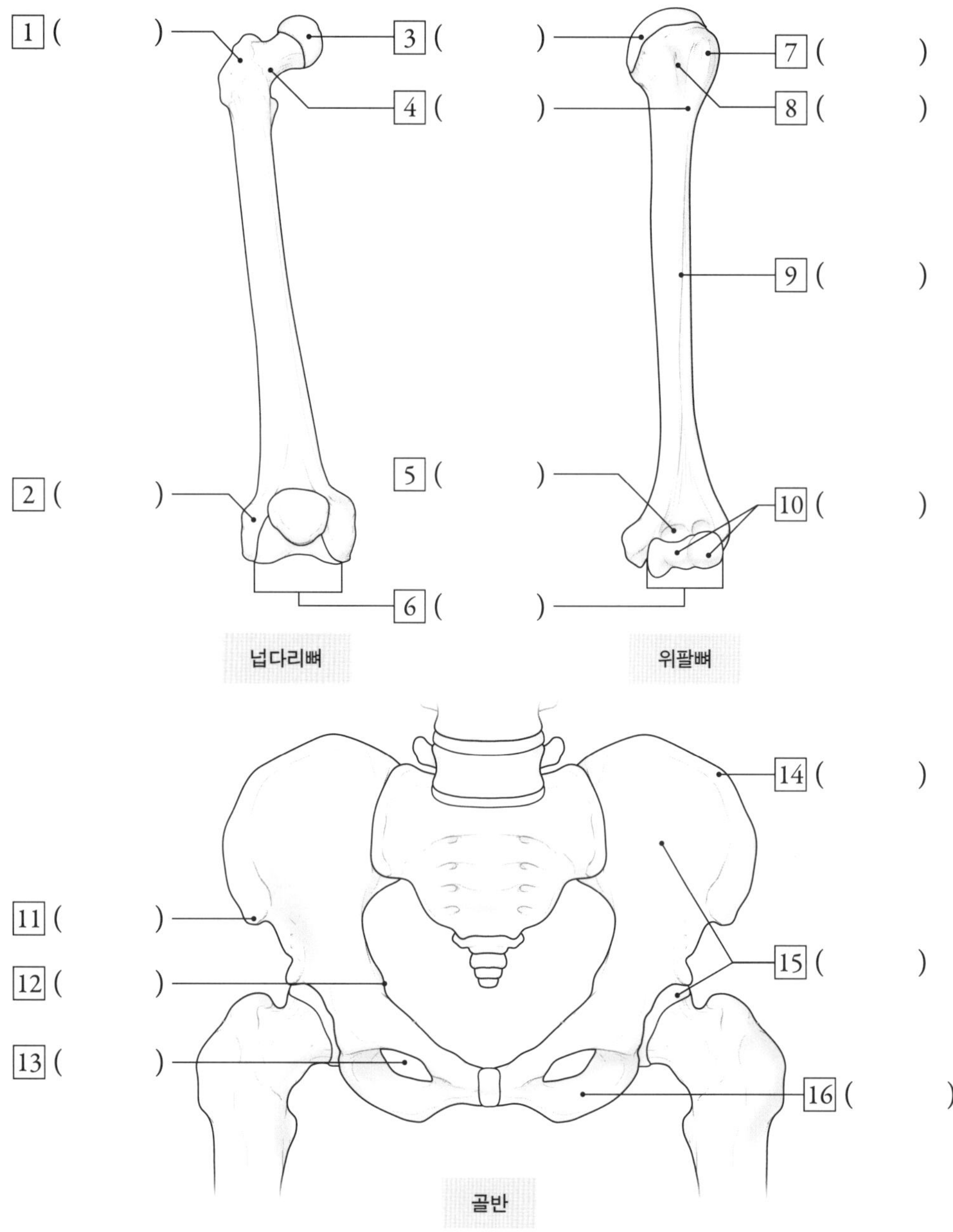

1 큰돌기(대전자; greater trochanter) 2 결절(tubercle) 3 머리(두; head) 4 목(경; neck) 5 오목(와; fossa) 6 관절융기(과; condyle) 7 결절(tubercle) 8 고랑(구; groove) 9 거친면(조면; tuberosity) 10 도르래(활차; trochlea) 11 가시(극; spine) 12 선(line) 13 구멍(공; foramen) 14 능선(능; crest) 15 오목(와; fossa) 16 가지(지; ramus)

2. 뼈의 성장과 뼈되기

뼈의 성장

뼈의 성장 : 기존 뼈에 뼈조직이 추가로 첨가되어 성장되는 방식

연골속뼈되기(연골내골화; Endochondral Ossification)

생후 6개월쯤 시작되어 20세까지 지속

- **단계 1** : 중간엽은 유리연골의 몸통이 되며, 연골막은 연골세포를 만들며, 연골모형은 부피가 커진다.
- **단계 2** : 연골막은 뼈모세포 생성을 시작하며, 뼈모세포는 뼈고리를 형성한다. 연골세포는 확대되고 연골세포 확대의 영역을 일차뼈되기중심일차골화중심이라고 한다.
- **단계 3** : 일차뼈되기중심은 혈관과 줄기세포가 공간을 채우며, 일차뼈속질공간일차골수강이 된다. 일차뼈속질공간의 양쪽 끝은 뼈몸통끝이 되며, 연골세포의 확대와 파괴가 이차뼈되기중심이차골화중심을 만드는 모형의 뼈끝에서 발생한다.
- **단계 4** : 이차뼈되기중심은 뼈 끝에 있는 이차뼈속질공간이차골수강을 생성하는 뼈몸통과 동일한 과정에 의해 바깥쪽으로 속이 비게 된다(출생 시의 뼈).
- **단계 5** : 연골은 각 관절면을 덮고 있는 관절연골 및 일차뼈속질공간과 이차뼈속질공간을 분리하는 관절의 뼈끝판골단판으로만 제한된다. 뼈끝판은 소아기를 지나 청소년기까지 지속되며, 뼈 길이증가를 위한 성장층을 제공한다.
- **단계 6** : 성인이 되면 모든 연골은 없어지고 뼈끝과 뼈몸통 사이의 틈은 닫히게 된다. 일차뼈속질공간과 이차뼈속질공간은 하나의 뼈속질공간으로 합쳐지며, 뼈는 더 이상 길이성장을 하지 않는나.

Q. 연골속뼈되기를 단계별로 구분하여 색칠하시오.

Main Point. 연골속뼈되기 과정에 대하여 학습한다.

괄호에 알맞은 용어를 쓰고 도색하시오.

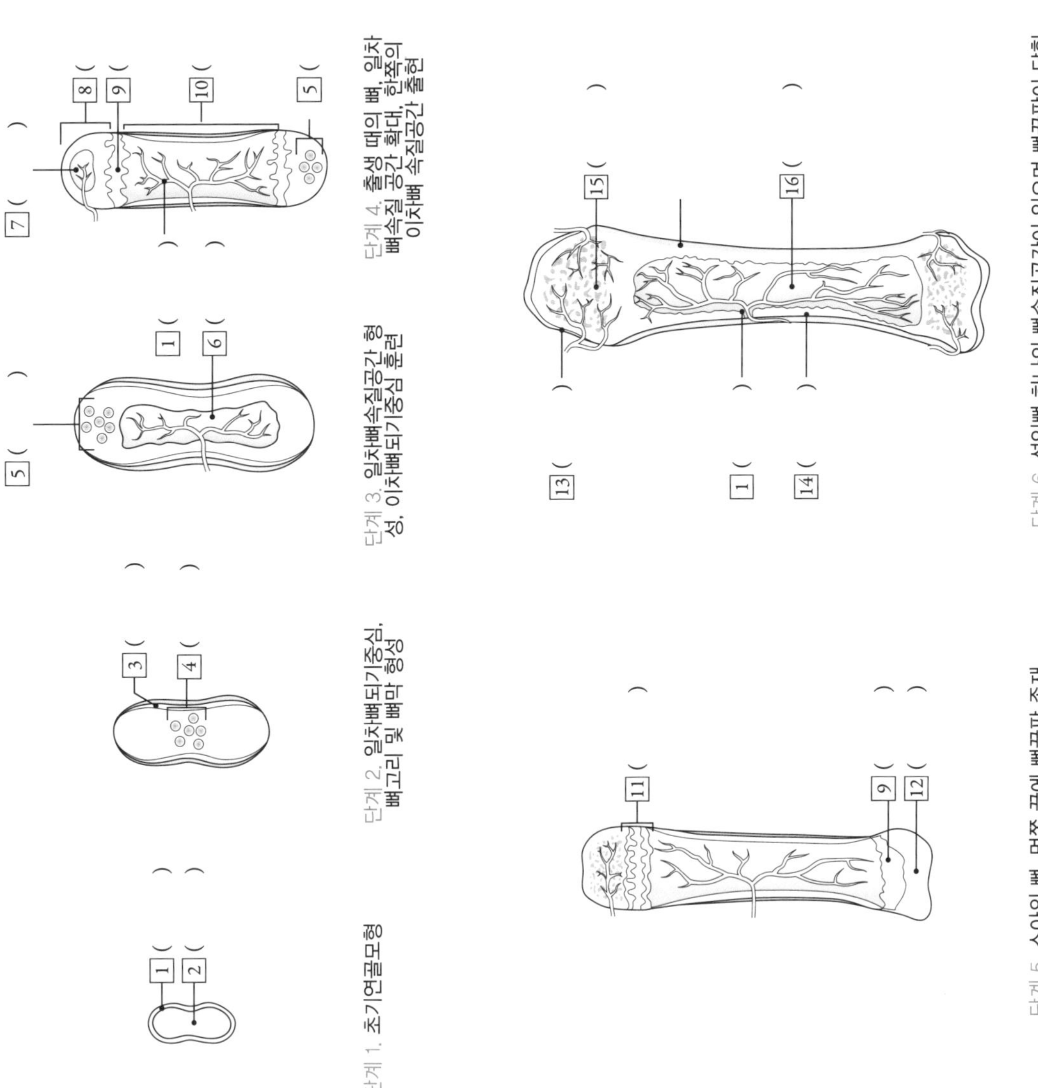

1 연골막(perichondrium) 2 유리연골(초자연골; hyaline cartilage) 3 뼈고리(bony collar) 4 일차뼈되기중심(일차골화중심; primary ossification center) 5 이차뼈되기중심(이차골화중심; secondary ossification center) 6 일차뼈속질공간(일차골수강; primary marrow cavity) 7 이차뼈속질공간(이차골수강; secondary marrow cavity) 8 뼈끝(골단판; epiphysis) 9 뼈몸통끝(골간단; metaphysis) 10 뼈몸통(골간단; diaphysis) 11 뼈끝판(골단판; epiphyseal plate) 12 연골(cartilage) 13 관절연골(articular cartilage) 14 치밀뼈(치밀골; compact bone) 15 뼈끝선(골단선; epiphyseal line) 16 뼈속질공간(골수강; marrow cavity)

막속뼈되기(막내골화. Intramembranous Ossification)

막속뼈되기는 배아결합조직의 중간엽세포(mesenchymal cell)가 뼈모세포로 분화되면서 시작된다. 머리뼈의 납작뼈와 빗장뼈가 막속뼈되기를 통해 형성된다.

- **단계 1** : 배아결합조직이 물렁조직의 층으로 응축되고 모세혈관이 침투된다. 중간엽세포는 뼈형성세포로 확대 및 분화된다.
- **단계 2** : 뼈형성세포는 잔기둥에 모이고 뼈모세포로 분화한다. 뼈모세포에 의해 풋뼈조직유골조직(osteoid tissue)이 침착되며, 뼈세포로 분화된다. 잔기둥 표면은 비석회화인 상태로 남지만 더 치밀해지고 섬유화되어 뼈막을 형성한다.
- **단계 3** : 뼈모세포는 계속되는 무기질 침착에 의해 잔기둥의 벌집모양을 형성하며, 뼈파괴세포에 의해 재흡수 되고, 재형성 되어 뼈의 중간에 뼈속질공간을 형성하는 동안 일부 잔기둥은 해면뼈가 된다.
- **단계 4** : 잔기둥 사이의 공간이 가득 찰 때까지 석회화가 계속되며, 해면뼈가 치밀뼈로 전환된다.

Q. 막속뼈되기를 단계별로 구분하여 색칠하시오.

Main Point. 막속뼈되기 과정에 대하여 학습한다.

괄호에 알맞은 용어를 쓰고 도색하시오.

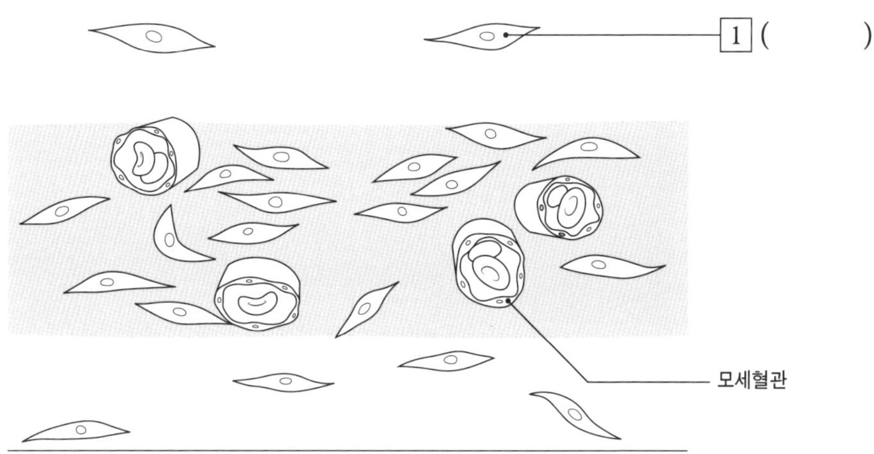

단계 1. 물렁천 안으로 중간엽이 응축되고 모세혈관이 침투

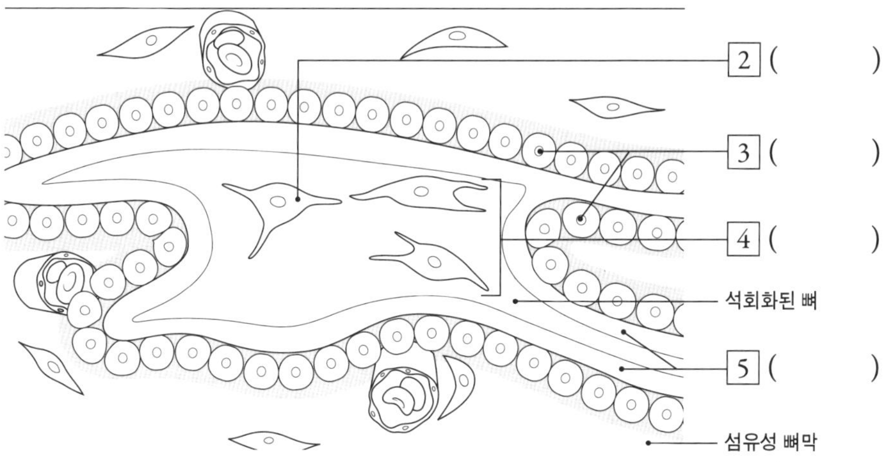

단계 2. 중간엽세포 표면의 뼈모세포에 의해 풋뼈조직의 침착, 첫번째 뼈세포의 포착, 뼈막형성

1 중간엽세포(간엽세포; mesenchymal cell) 2 뼈세포(골세포; osteocyte) 3 뼈모세포(골모세포; osteoblast) 4 뼈잔기둥(소주; trabeculae) 5 풋뼈조직(유골조직; osteoid tissue)

괄호에 알맞은 용어를 쓰고 도색하시오.

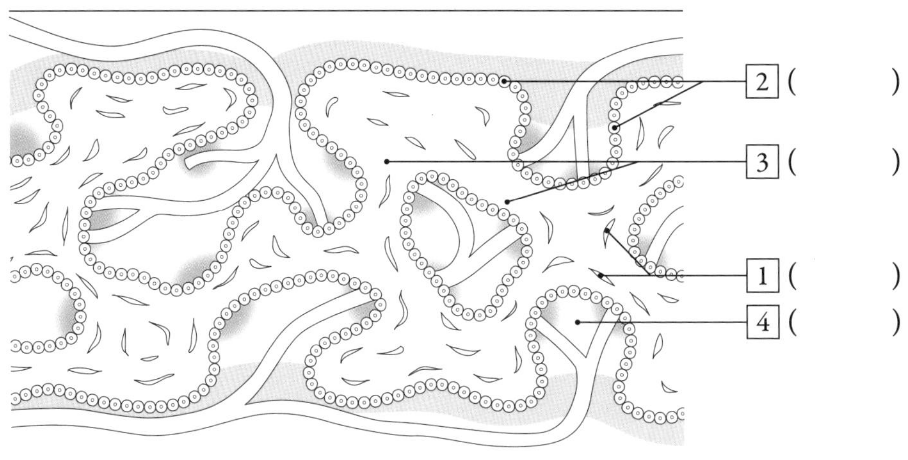

단계 3. 계속되는 무기질 침착에 의한 뼈잔기둥의 벌집모양 형성, 해면뼈형성

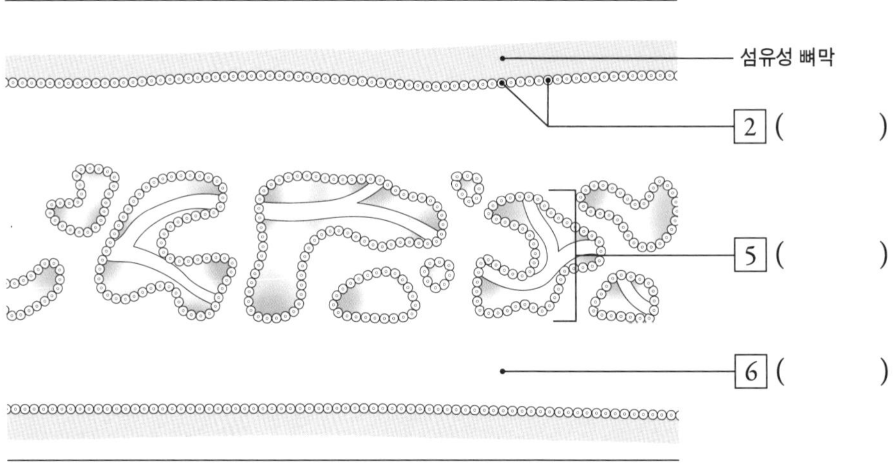

단계 4. 뼈의 침착에 의해 표면에 뼈가 가득 채워짐, 해면뼈가 치밀뼈로 전환, 중간층에 있는 해면뼈는 영구적임

1 뼈세포(골세포; osteocyte) 2 뼈모세포(골모세포; osteoblast) 3 뼈잔기둥(소주; trabeculae) 4 뼈속질공간(골수강; marrow cavity) 5 해면뼈(해면골; spongy bone) 6 치밀뼈(치밀골; compact bone)

note

3. 머리뼈의 종류와 구조적 특징

머리뼈는 14종류, 22개의 뼈로 구성되며, 뇌머리뼈(cranial bones)와 얼굴뼈(facial bones)로 구성된다.

뇌머리뼈(뇌두개골)

머리덮개뼈는 머리뼈 속의 공간을 형성하고, 뇌를 보호하며, 이마뼈(1개), 마루뼈(2개), 관자뼈(2개), 뒤통수뼈(1개), 나비뼈(1개) 및 벌집뼈(1개)로 구성된다.

- **이마뼈(전두골)** : 이마와 눈확안와(orbit)의 천장 및 코안의 윗부분을 형성
- **마루뼈(두정골)** : 머리뼈 윗면과 가쪽면을 형성
- **관자뼈(측두골)** : 머리뼈의 옆면 아랫부분과 바닥을 형성
- **뒤통수뼈(후두골)** : 머리뼈의 뒷부분과 아래부분의 대부분을 형성하며, 아랫부분의 큰구멍대공으로 척수가 통과한다.
- **나비뼈(접형골)** : 머리뼈바닥의 일부를 형성
- **벌집뼈(사골)** : 양쪽 눈확 사이의 중간에 위치하며, 코안의 윗부분, 가쪽벽 및 코중격비중격의 일부를 형성

얼굴뼈(안면골)

얼굴뼈는 얼굴의 틀을 형성하는 뼈로, 위턱뼈(2), 입천장뼈(2), 코뼈(2), 코선반뼈(2), 광대뼈(2), 눈물뼈(2), 보습뼈(1), 아래턱뼈(1)로 구성된다.

- **위턱뼈(상악골)** : 얼굴의 정중앙에 위치하며, 위턱상악을 형성
- **입천장뼈(구개골)** : 위턱뼈와 나비뼈 사이에 있으며, 단단입천장경구개와 코안의 바닥을 형성
- **코뼈(비골)** : 코 위쪽에 있는 직사각형 모양의 뼈로 콧대를 형성
- **코선반뼈(하비갑개)** : 얇고 두루마리 모양의 뼈로 코의 내강을 형성
- **광대뼈(관골)** : 눈확의 가쪽과 아래쪽 벽을 형성
- **눈물뼈(누골)** : 눈확의 안쪽 벽을 형성
- **보습뼈(서골)** : 얇은 판 모양으로 코중격의 바닥을 형성
- **아래턱뼈(하악골)** : 아래턱하악을 이루며, 관자뼈와 만나 관절한다.

0。 머리뼈를 구분하여 색칠하시오.

Main Point. 머리뼈에 대하여 학습한다.

괄호에 알맞은 용어를 쓰고 도색하시오.

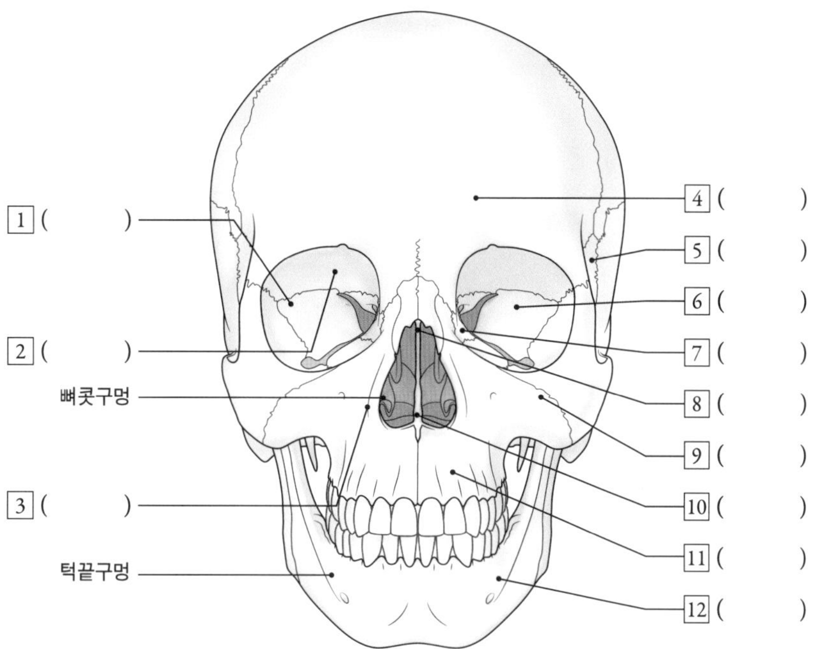

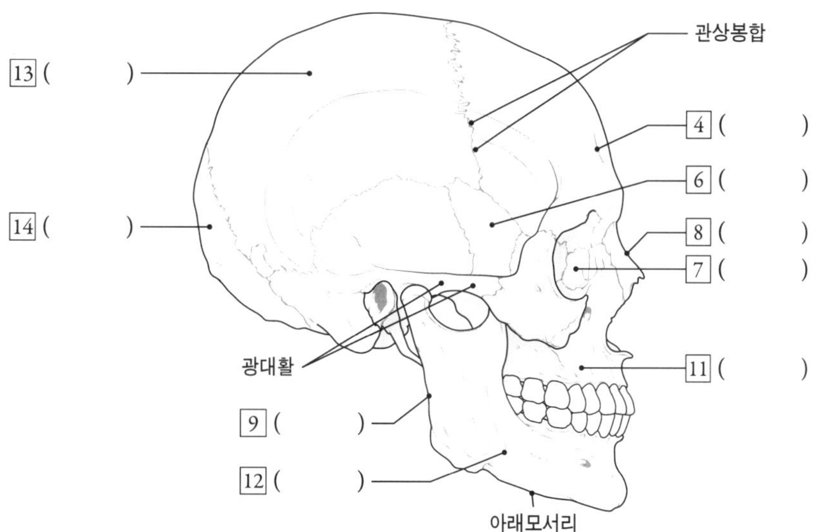

1 눈확(안와; orbit) 2 벌집뼈(사골; ethmoid bone) 3 코선반뼈(하비갑개; inferior nasal conchae) 4 이마뼈(전두골; frontal bone) 5 관자뼈(측두골; temporal bone) 6 나비뼈(접형골; sphenoid bone) 7 눈물뼈(누골; lacrimal bone) 8 코뼈(비골; nasal bone) 9 광대뼈(관골; zygomatic bone) 10 보습뼈(서골; vomer) 11 위턱뼈(상악골; maxilla) 12 아래턱뼈(하악골; mandible) 13 마루뼈(두정골; parietal bone) 14 뒤통수뼈(후두골; occipital bone)

머리뼈의 독특한 구조물

- **눈확** : 사각뿔 모양의 공간으로 윗면(이마뼈와 나비뼈 작은날개소익), 가쪽면(광대뼈와 나비뼈 큰날개대익), 안쪽면(눈물뼈, 위턱뼈, 벌집뼈), 아래면(위턱뼈와 입천장뼈)으로 구성된다.
- **코안** : 코중격(벌집뼈 수직판과 보습뼈), 가쪽벽(벌집뼈 위 · 중간코선반상 · 중비갑개와 코선반뼈), 아래벽(위턱뼈 입천장돌기구개돌기와 입천장뼈 수평판)으로 구성된다.
- **코곁굴(부비동)** : 코안 근처 머리뼈에 공기가 차 있는 굴로 이마굴전두동, 벌집굴사골동, 나비굴접형골동, 위턱굴상악동이 있다.
- **광대활(관골궁)** : 광대뼈 관자돌기측두돌기와 관자뼈 광대돌기관골돌기로 구성
- **봉합** : 머리뼈가 결합된 것으로 시상봉합, 관상봉합, 비늘봉합인상봉합, 시옷봉합람다상봉합 등이 대표적인 봉합이다.
- **구멍과 관** : 구멍은 큰구멍대후두공(척수 통과), 타원구멍난원공(아래턱신경하악신경 통과), 원형구멍(위턱신경 통과), 시각신경구멍시신경공(시각신경시신경 통과), 가시구멍(중간뇌막동맥중경막동맥 통과), 목정맥구멍경정맥공(속목정맥내경정맥), 이 있으며, 관은 관절융기관과관(이끌정맥도출정맥 통과), 혀밑신경관설하신경관(혀밑신경설하신경 통과), 목동맥관경동맥관(속목동맥내경동맥 통과), 등이 있다.
- **숫구멍(천문)** : 앞숫구멍대천문, 앞가쪽숫구멍전측두천문, 뒤숫구멍소천문, 뒤가쪽숫구멍후측두천문이 있다.
- **머리뼈우묵(두개와)** : 앞머리뼈우묵전두개와, 중간머리뼈우묵중두개와, 뒷머리뼈우묵후두개와으로 구분된다.

0。 머리뼈의 구조물을 구분하여 색칠하시오.

Main Point. 머리뼈의 구조물에 대하여 학습한다.

괄호에 알맞은 용어를 쓰고 도색하시오.

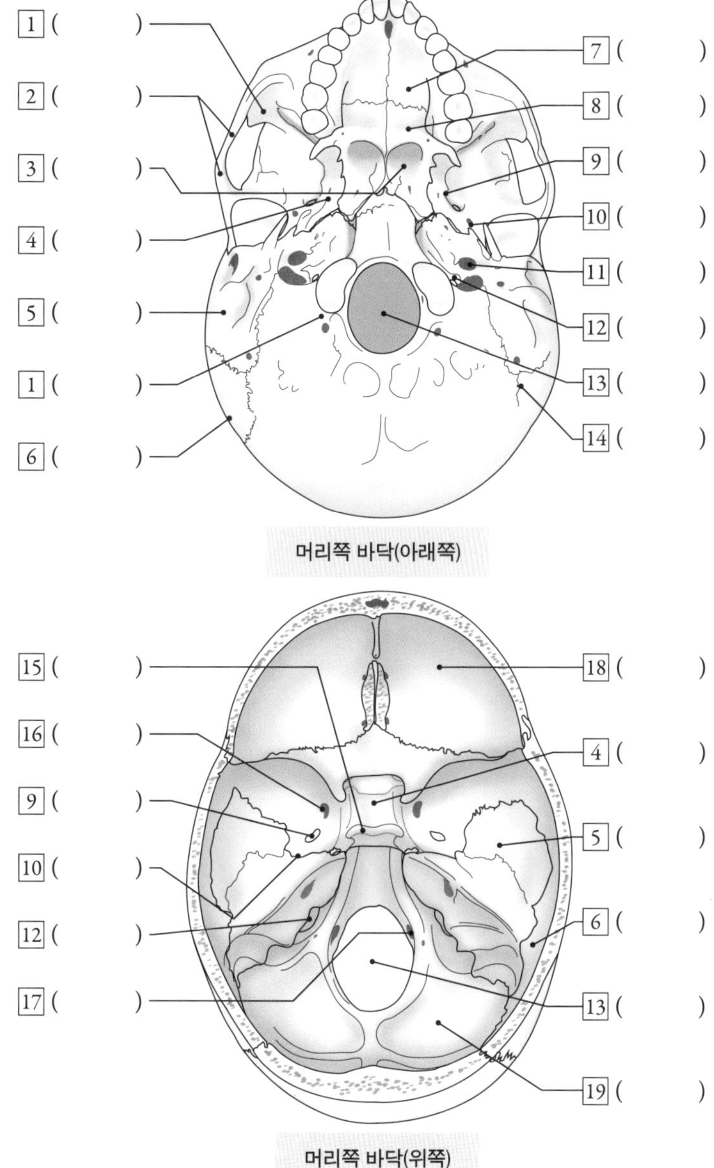

머리쪽 바닥(아래쪽)

머리쪽 바닥(위쪽)

1 광대뼈(관골; zygomatic bone) 2 광대활(관골궁; zygomatic arch) 3 보습뼈(서골; vomer) 4 나비뼈(접형골; sphenoid bone) 5 관자뼈(측두골; temporal bone) 6 마루뼈(두정골; parietal bone) 7 입천장돌기(구개돌기; palatine process) 8 입천장뼈(구개골; palatine bone) 9 타원구멍(난원공; foramen ovale) 10 가시구멍 11 목동맥관(경동맥관; carotid canal) 12 목정맥구멍(경정맥공; jugular foramen) 13 큰구멍(대공; foramen magnum) 14 시옷봉합(삼각봉합; lambdoid suture) 15 시각신경구멍(시신경공; porus opticus) 16 원형구멍(정원공; foramen rotundum) 17 혀밑신경관(설하신경관; hypoglossal canal) 18 이마뼈(전두골; frontal bone) 19 뒤통수뼈(후두골; occipital bone)

괄호에 알맞은 용어를 쓰고 도색하시오.

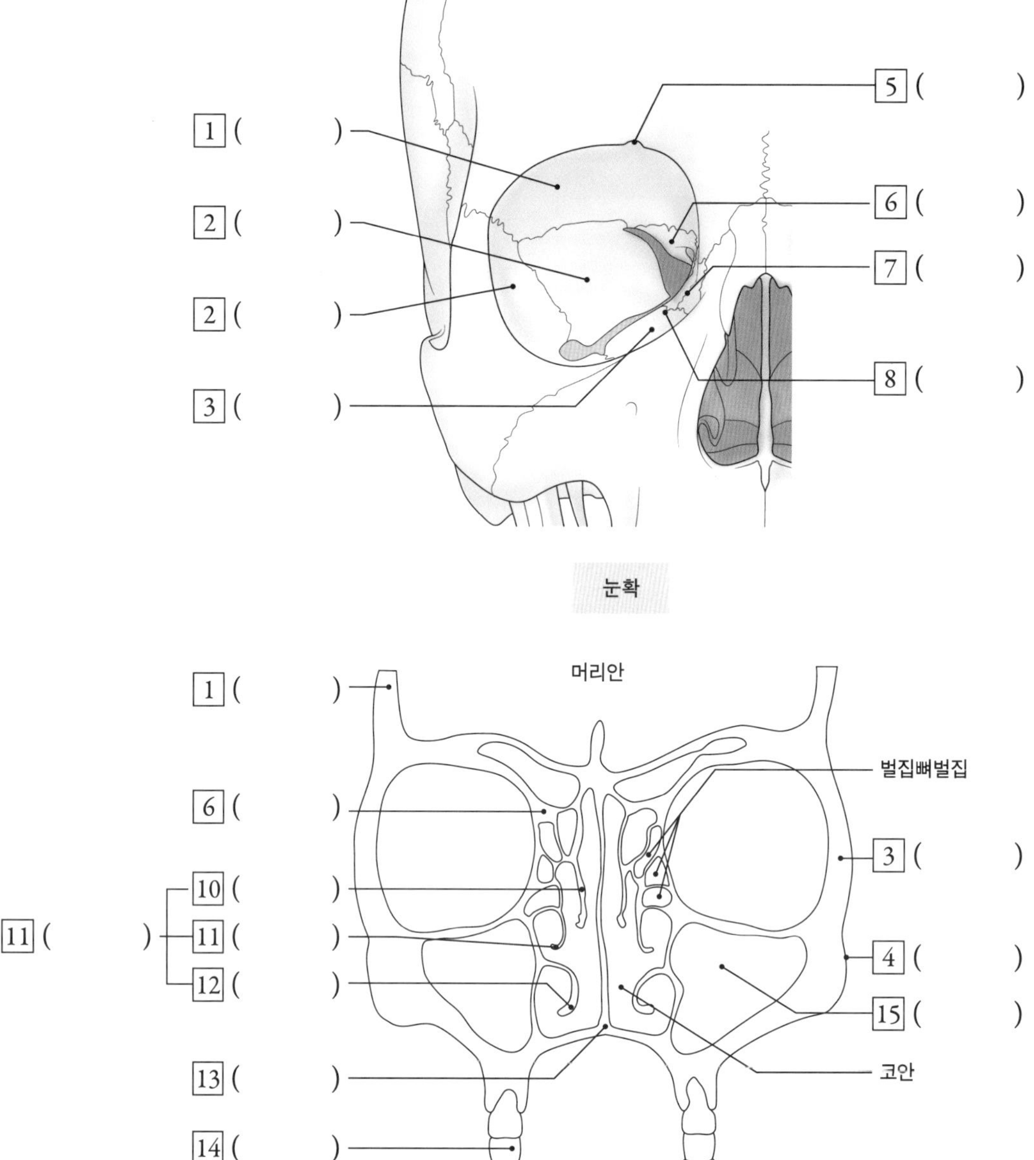

1 이마뼈(전두골; frontal bone) 2 나비뼈큰날개(대익; great wing) 3 광대뼈(관골; zygomatic bone) 4 위턱뼈(상악골; maxilla) 5 나비뼈작은날개(소익; lesser wing) 6 벌집뼈(사골; ethmoid bone) 7 눈물뼈(누골; lacrimal bone) 8 입천장뼈(구개골; palatine bone) 9 코선반(비갑개; nasal concha) 10 위(상; superior) 11 중간(중; middle) 12 아래(하; inferior) 13 보습뼈(서골; vomer) 14 아래턱뼈(하악골; mandible) 15 위턱굴(상악동; maxillary antrum)

괄호에 알맞은 용어를 쓰고 도색하시오.

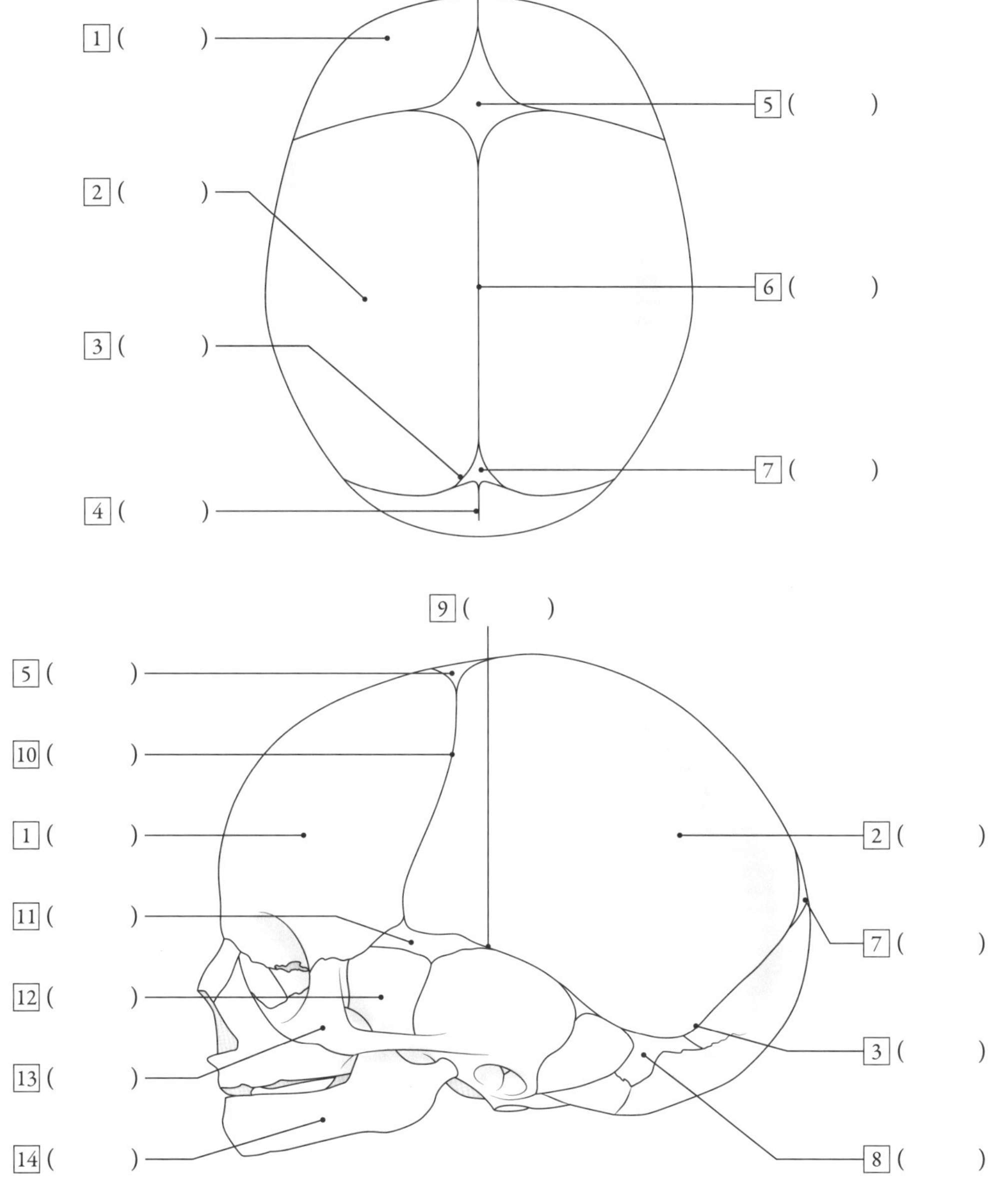

1 이마뼈(전두골; frontal bone) 2 마루뼈(두정골; parietal bone) 3 시옷봉합(삼각봉합; lambdoid suture) 4 뒤통수뼈(후두골; occipital bone) 5 앞숫구멍(대천문; anterior fontanelle) 6 시상봉합(sagittal suture) 7 뒤숫구멍(소천문; posterior fontanelle) 8 뒤가쪽숫구멍(후측두천문; mastoid fontanelle) 9 비늘봉합(인상봉합; squamous suture) 10 관상봉합(coronal suture) 11 앞가쪽숫구멍(전측두천문; sphenoidal fontanelle) 12 나비뼈(접형골; sphenoid bone) 13 광대뼈(관골; zygomatic bone) 14 아래턱뼈(하악골; mandible)

괄호에 알맞은 용어를 쓰고 도색하시오.

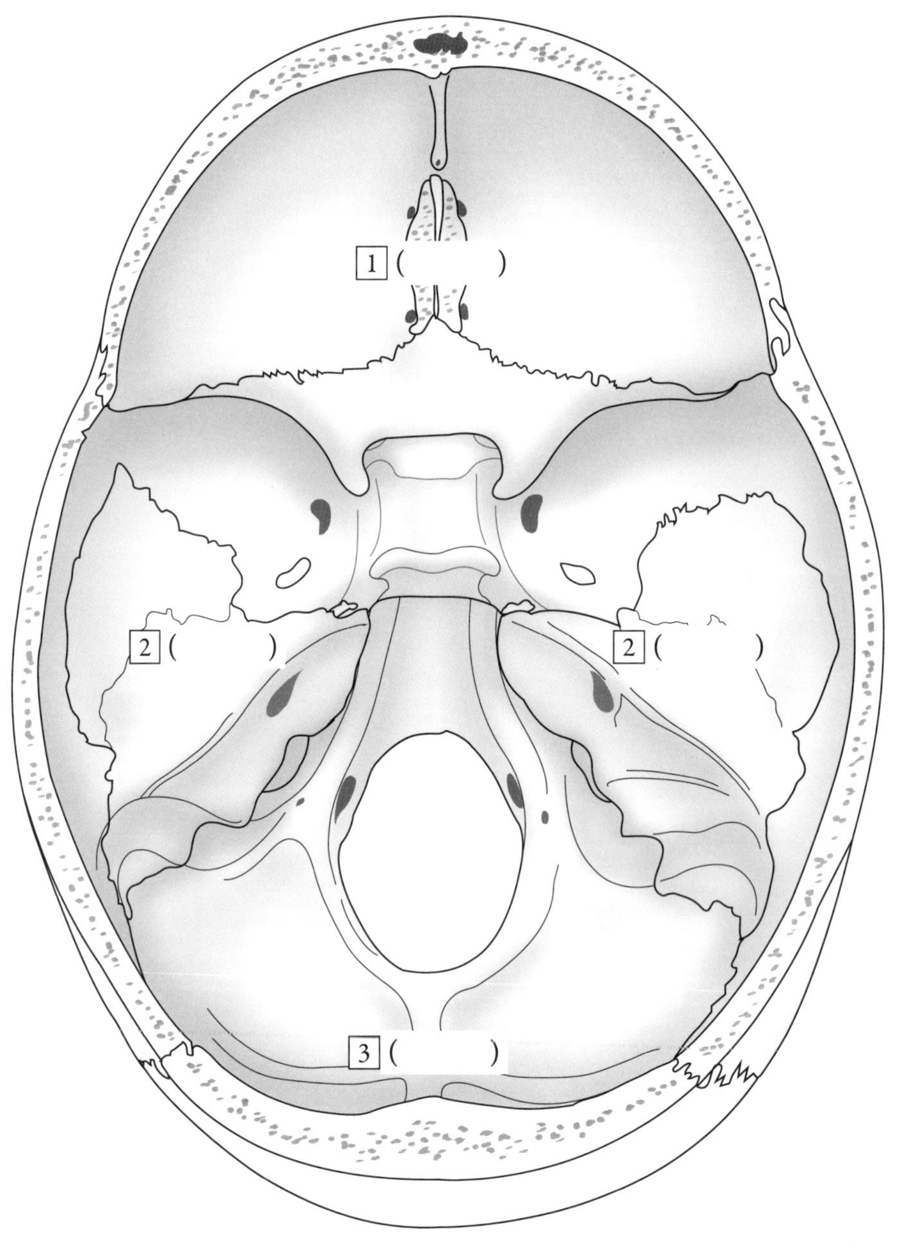

1 앞머리뼈우묵(전두개와; anterior cranial fossa) 2 중간머리뼈우묵(중두개와; middle cranial fossa) 3 뒤머리뼈우묵(후두개와; posterior cranial fossa)

4. 몸통을 구성하는 뼈대의 종류와 구조적 특징

몸통을 구성하는 척주는 척수를 감싸서 보호하고, 머리뼈를 지지하며, 갈비뼈늑골와 연결되어 가슴우리흉강를 이루며, 다리이음뼈하지대와 연결되고, 몸통근육의 부착점을 제공한다. 척주는 발생 초기에는 33개의 척추뼈척추골로 이루어져 있지만 이후 엉치뼈천골와 꼬리뼈미골가 융합되어 어른에서는 26개 정도의 척추뼈를 가진다.

척추뼈의 일반적인 특징

- 몸통
- 척추뼈구멍(추공)
- 척추뼈고리(추궁)
- 돌기
- 척추사이구멍(추간공)

목뼈(경추)

목뼈는 7개로 이루어져 있으며 아래로 내려갈수록 점점 커진다.

- **가로돌기구멍(횡돌기공)** : 가로돌기횡돌기에 척추동 · 정맥이 통과하는 구멍
- **고리뼈(환추, 첫째목뼈; atlas)**
- **중쇠뼈(축추, 둘째목뼈; axis)**
- **솟을뼈(융추골, 일곱째목뼈; vertebra prominens)**

Q. 목뼈를 구분하여 색칠하시오.

Main Point. 목뼈에 대하여 학습한다.

괄호에 알맞은 용어를 쓰고 도색하시오.

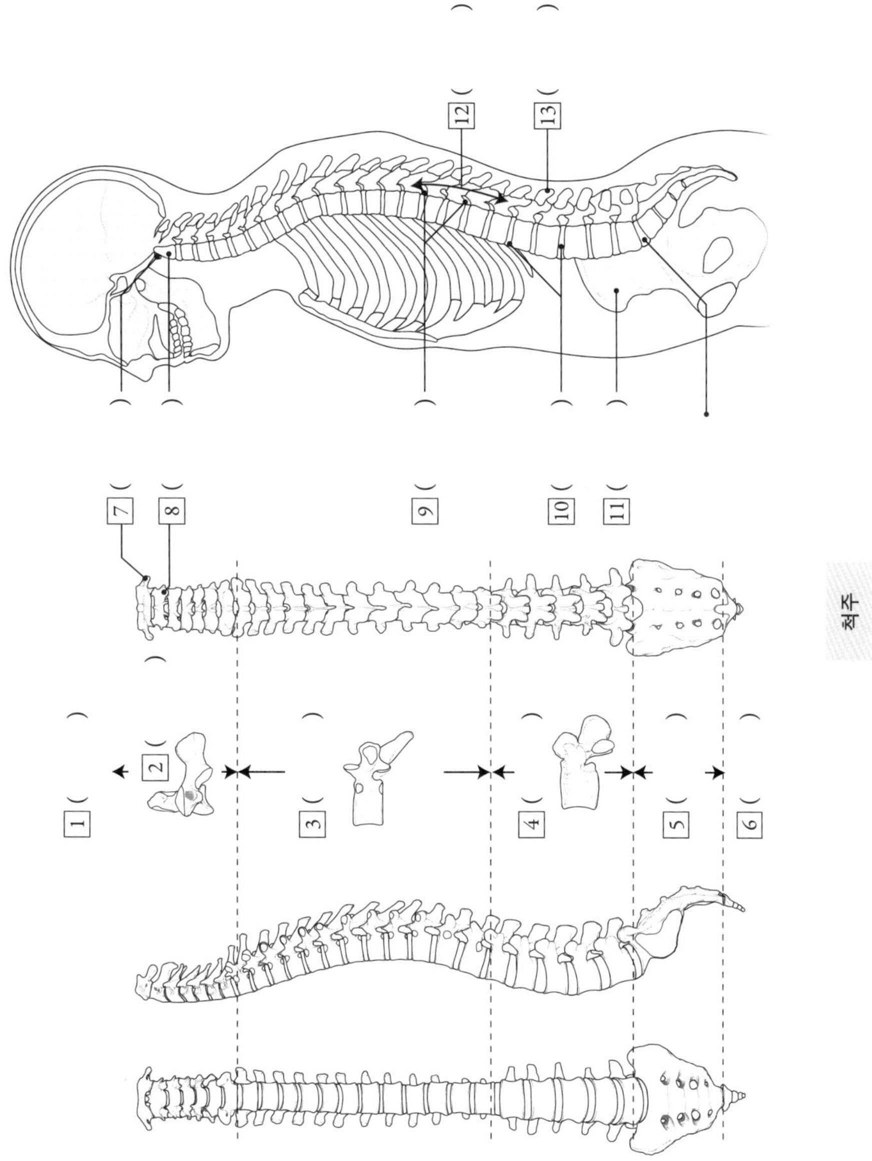

1 척추뼈(척추골; vertebral bone) 2 목뼈(경추; cervical vertebra) 3 등뼈(흉추; thoracic vertebra) 4 허리뼈(요추; lumbar vertebra) 5 엉치뼈(천골; sacrum) 6 꼬리뼈(미골; coccyx) 7 고리뼈(환추; atlas) 8 중쇠뼈(축추; axis) 9 척추사이구멍(추간공; intervertebral foramen) 10 척추사이원반(추간원판; intervertebral disc) 11 볼기뼈(관골; hip bone) 12 척추관(spinal canal) 13 가시돌기(극돌기; spinous process)

괄호에 알맞은 용어를 쓰고 도색하시오.

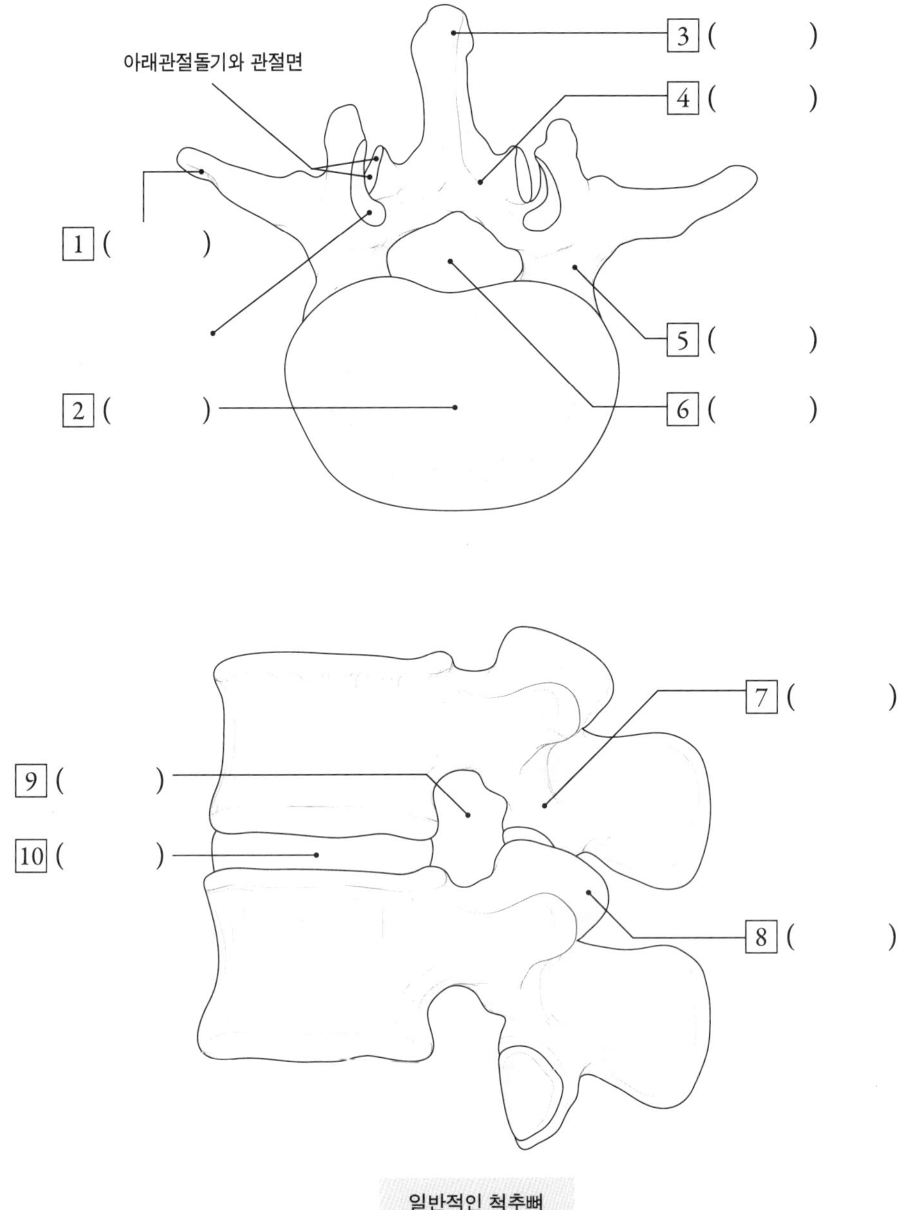

일반적인 척추뼈

1 가로돌기(횡돌기; transverse process) 2 척추뼈몸통(척추체; vertebral body) 3 가시돌기(극돌기; spinous process) 4 고리판(추궁판; Lamina of vetebral arch) 5 고리뿌리(추궁근; pedicle of vertebral arch) 6 척추뼈구멍(추공; vertebral foramen) 7 아래관절돌기(하관절돌기; inferior articular process) 8 위관절돌기(상관절돌기; superior articular process) 9 척추사이구멍(추간공; intervertebral foramen) 10 척추사이원반(추간원판; intervertebral disc)

괄호에 알맞은 용어를 쓰고 도색하시오.

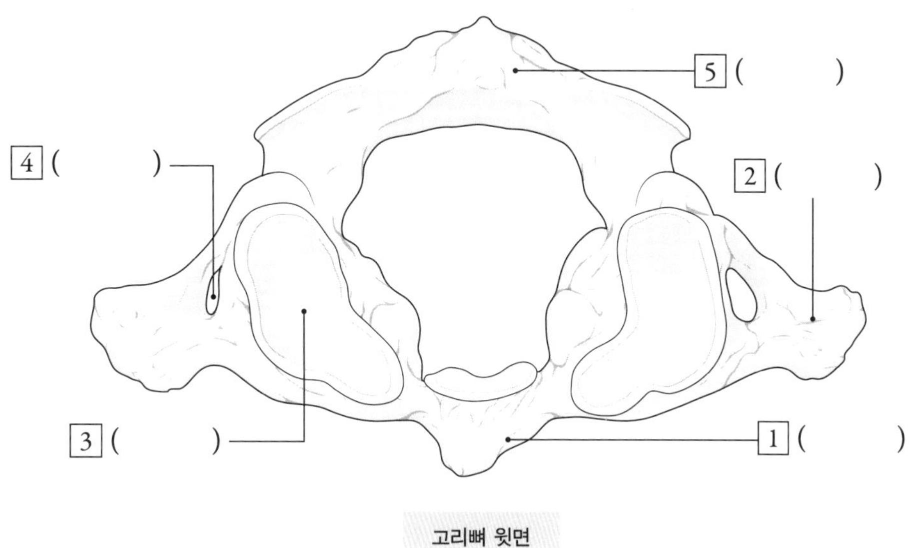

고리뼈 윗면

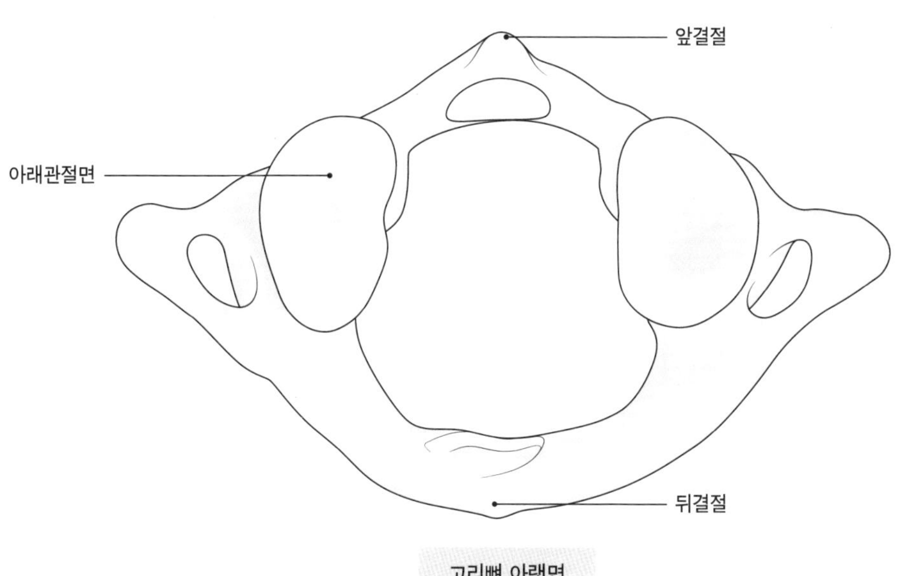

고리뼈 아랫면

1 앞고리(전궁; anterior arch) 2 가로돌기(횡돌기; transverse process) 3 위관절면(상관절면; superior articular surface) 4 가로돌기구멍(횡돌기공; transverse foramen) 5 뒤고리(후궁; posterior arch)

괄호에 알맞은 용어를 쓰고 도색하시오.

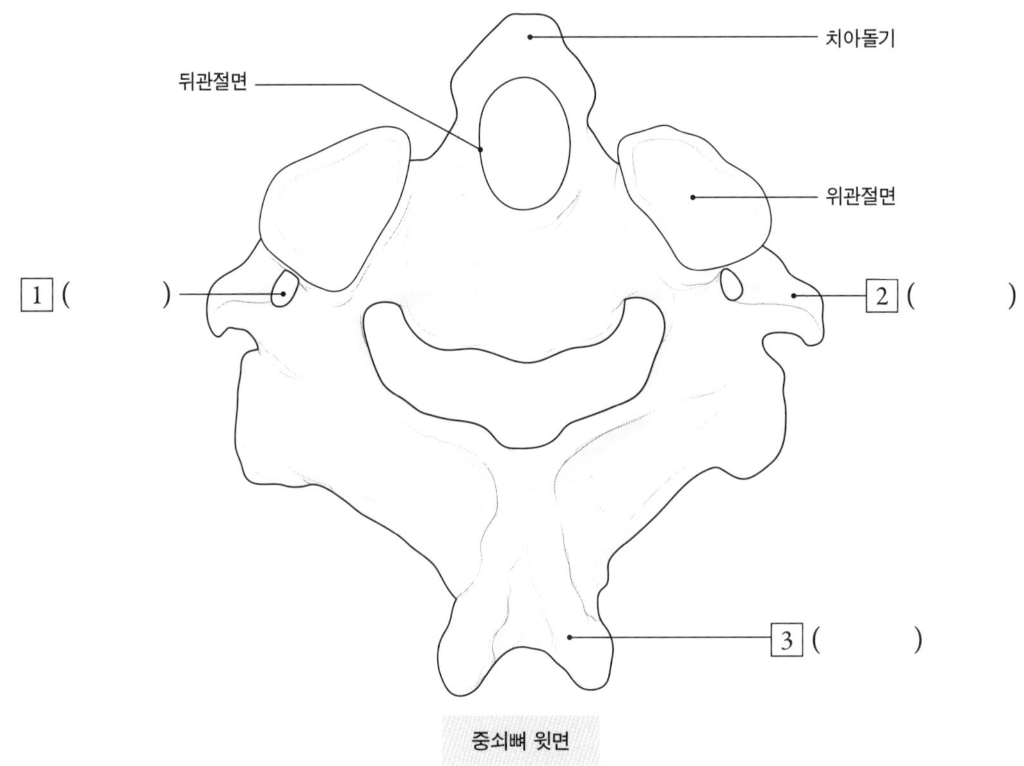

중쇠뼈 윗면

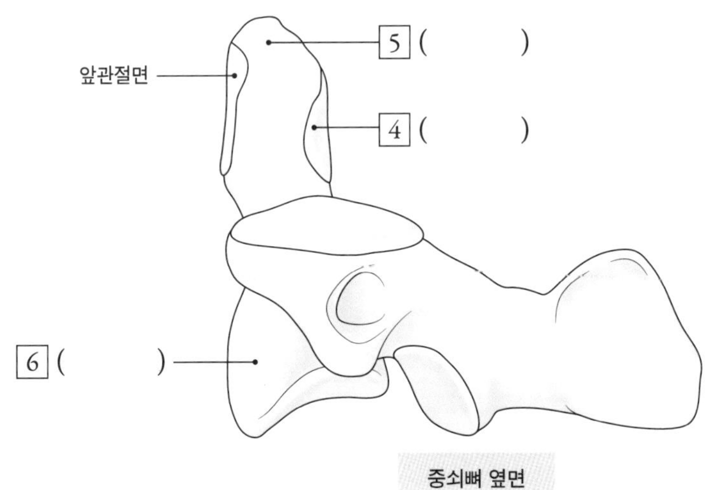

중쇠뼈 옆면

1 가로구멍(횡돌기공; transverse foramen) 2 가로돌기(횡돌기; transverse process) 3 가시돌기(극돌기; spinous process) 4 뒤관절면(후관절면; posterior articular surface) 5 치아돌기(치돌기; dens) 6 아래관절돌기(하관절돌기; inferior articular process)

괄호에 알맞은 용어를 쓰고 도색하시오.

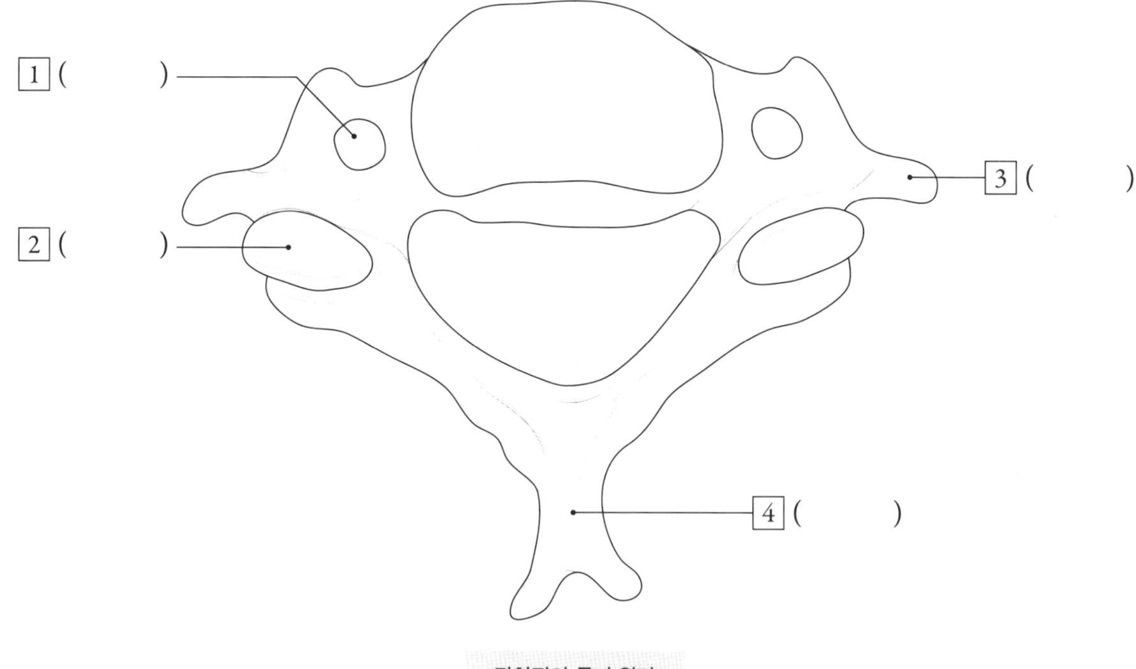

전형적인 목뼈 윗면

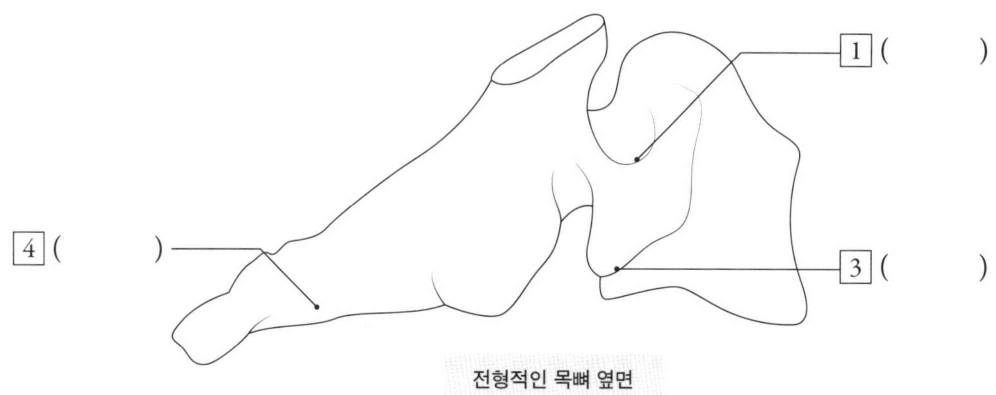

전형적인 목뼈 옆면

1 가로구멍(횡돌기공; transverse foramen) 2 위관절면(상관절면; superior articular surface) 3 가로돌기(횡돌기; transverse process) 4 가시돌기(극돌기; spinous process)

등뼈

등뼈흉추는 12개로 이루어져 있으며, 가장 큰 특징은 가로돌기에 갈비뼈와 관절하는 면이 있다.

- **갈비오목(늑골와)**
- **가로돌기(횡돌기)**

허리뼈

허리뼈요추는 5개로 이루어져 있으며, 척추뼈 중 가장 크고 가로구멍횡돌기공, 갈비오목이 없다.

- **꼭지돌기(유양돌기, 유돌기)와 덧돌기(부돌기)** : 근육의 부착부위

엉치뼈

천골은 척추뼈 5개가 융합되어 형성된다.

- 엉치뼈곶(천골갑각)
- 가로선(횡선)
- 앞엉치뼈구멍(전천골공)
- 뒤엉치뼈구멍(후천골공)
- 귓바퀴면(이상면)
- 엉치뼈능선(천골능선)
- 엉치뼈관(천골관)

꼬리뼈

꼬리뼈미골는 3~5개의 꼬리척추뼈가 융합되어 형성된 뼈

가슴우리

가슴우리흉곽우리는 등뼈 12개, 갈비뼈 12쌍, 1개의 복장뼈로 구성

1. 등뼈와 허리뼈를 구분하여 색칠하시오.
2. 엉치뼈와 꼬리뼈를 구분하여 색칠하시오.
3. 가슴우리를 구분하여 색칠하시오.

Main Point. 목뼈에 대하여 학습한다.

괄호에 알맞은 용어를 쓰고 도색하시오.

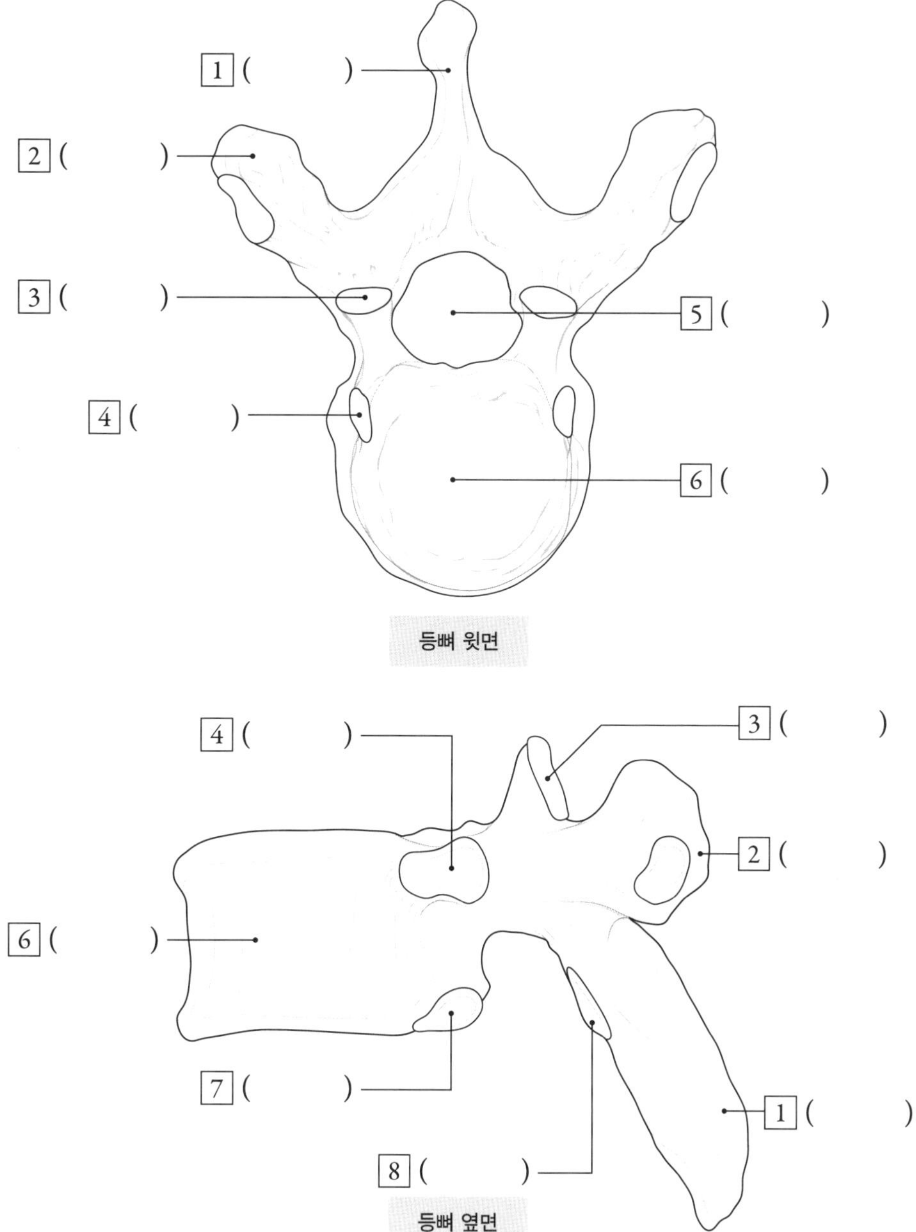

등뼈 윗면

등뼈 옆면

1 가시돌기(극돌기; spinous process) 2 가로돌기(횡돌기; transverse process) 3 위관절면(상관절면; superior articular surface) 4 위갈비오목(상늑골와; superior costal facet) 5 척추뼈구멍(추공; vertebral foramen) 6 척추뼈몸통(척추체; vertebral body) 7 아래갈비오목(하늑골와; inferior costal facet) 8 아래관절면(하관절면; inferior articular surface)

괄호에 알맞은 용어를 쓰고 도색하시오.

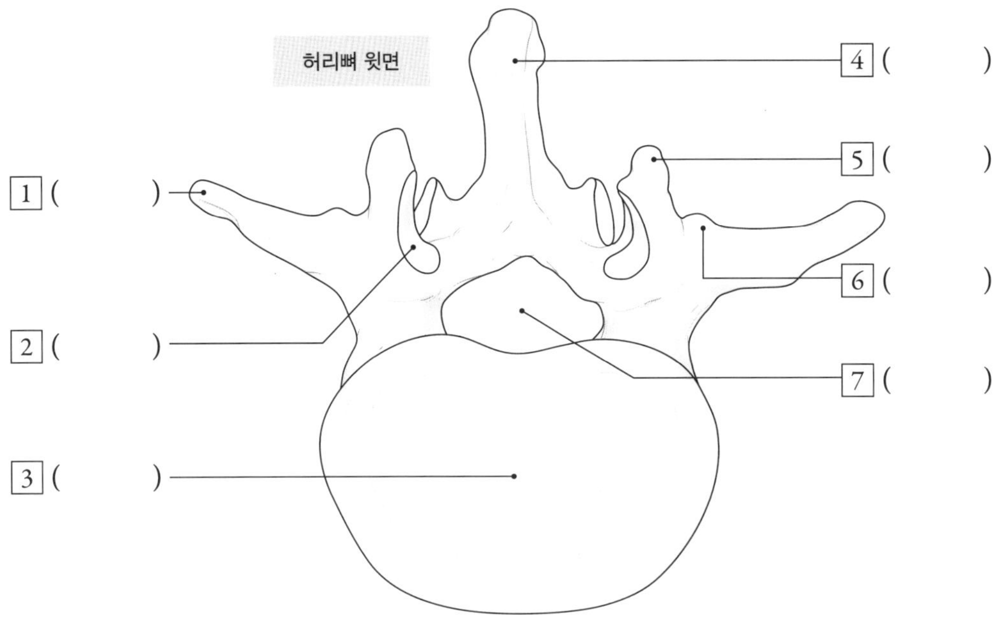

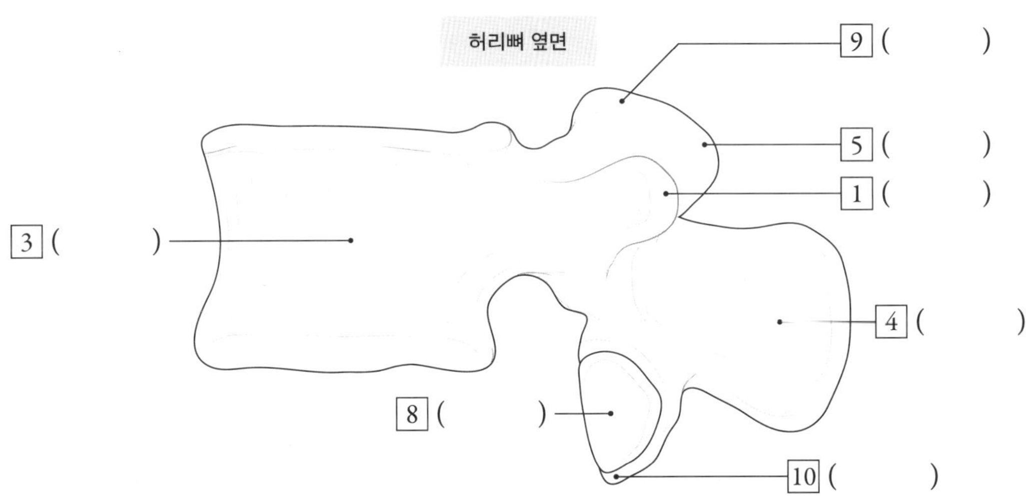

1 가로돌기(횡돌기; transverse process) 2 위관절면(상관절면; superior articular surface) 3 척추뼈몸통(척추체; vertebral body) 4 가시돌기(극돌기; spinous process) 5 꼭지돌기(유양돌기; mamillary process) 6 덧돌기(부돌기; accessory process) 7 척추뼈구멍(추공; vertebral foramen) 8 아래관절면(하관절면; inferior articular surface) 9 위관절돌기(상관절돌기; superior articular process) 10 아래관절돌기(하관절돌기; inferior articular process)

괄호에 알맞은 용어를 쓰고 도색하시오.

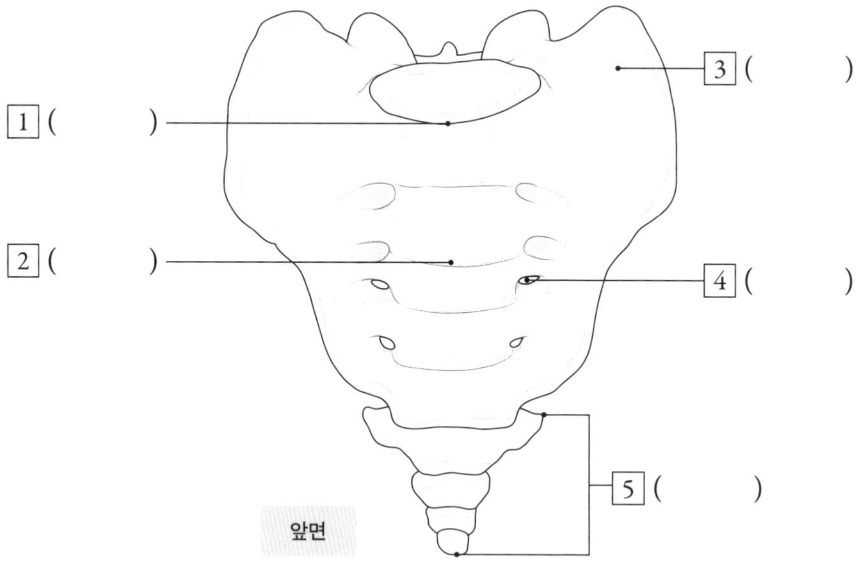

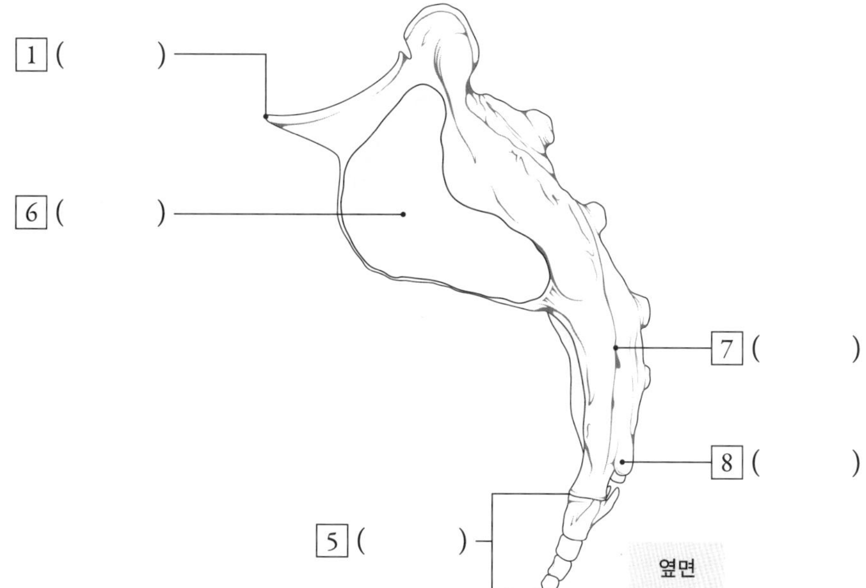

1 엉치뼈곶(천골갑각; promontory) 2 가로선(횡선; transverse line) 3 엉치뼈날개(천골익; ala of sacrum) 4 앞엉치뼈구멍(전천골공; pelvic sacral foramen) 5 꼬리뼈(미골; coccyx) 6 귓바퀴면(이상면; auricular surface) 7 뒤엉치뼈구멍(후천골공; dorsal sacral foramina) 8 엉치뼈뿔(천골각; sacral cornu)

괄호에 알맞은 용어를 쓰고 도색하시오.

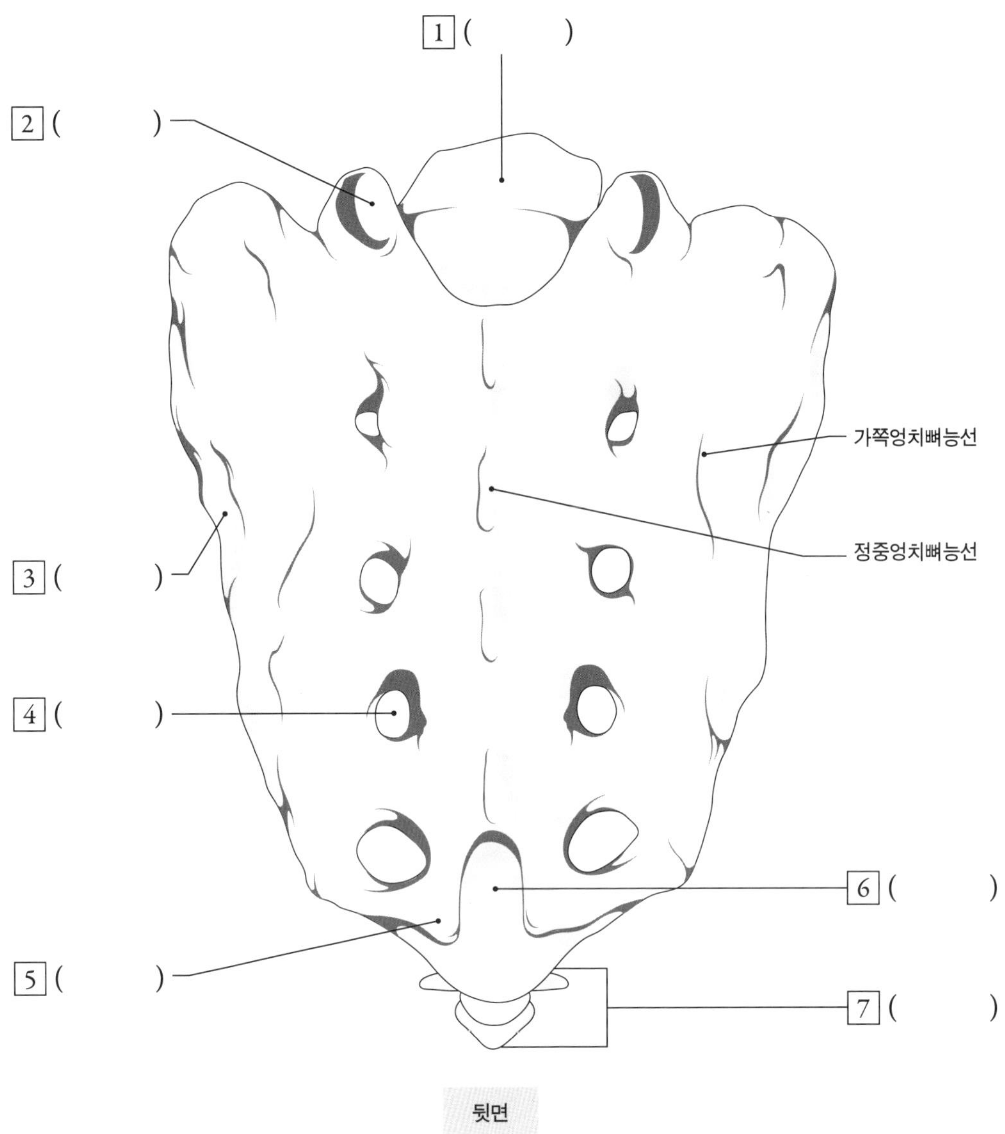

1 엉치뼈관(천골관; sacral canal) 2 위관절돌기(상관절돌기; superior articular process) 3 귓바퀴면(이상면; auricular surface) 4 뒤엉치뼈구멍(후천골공; dorsal sacral foramina) 5 엉치뼈뿔(천골각; sacral cornu) 6 엉치뼈틈새(천골열공; sacral hiatus) 7 꼬리뼈(미골; coccyx)

괄호에 알맞은 용어를 쓰고 도색하시오.

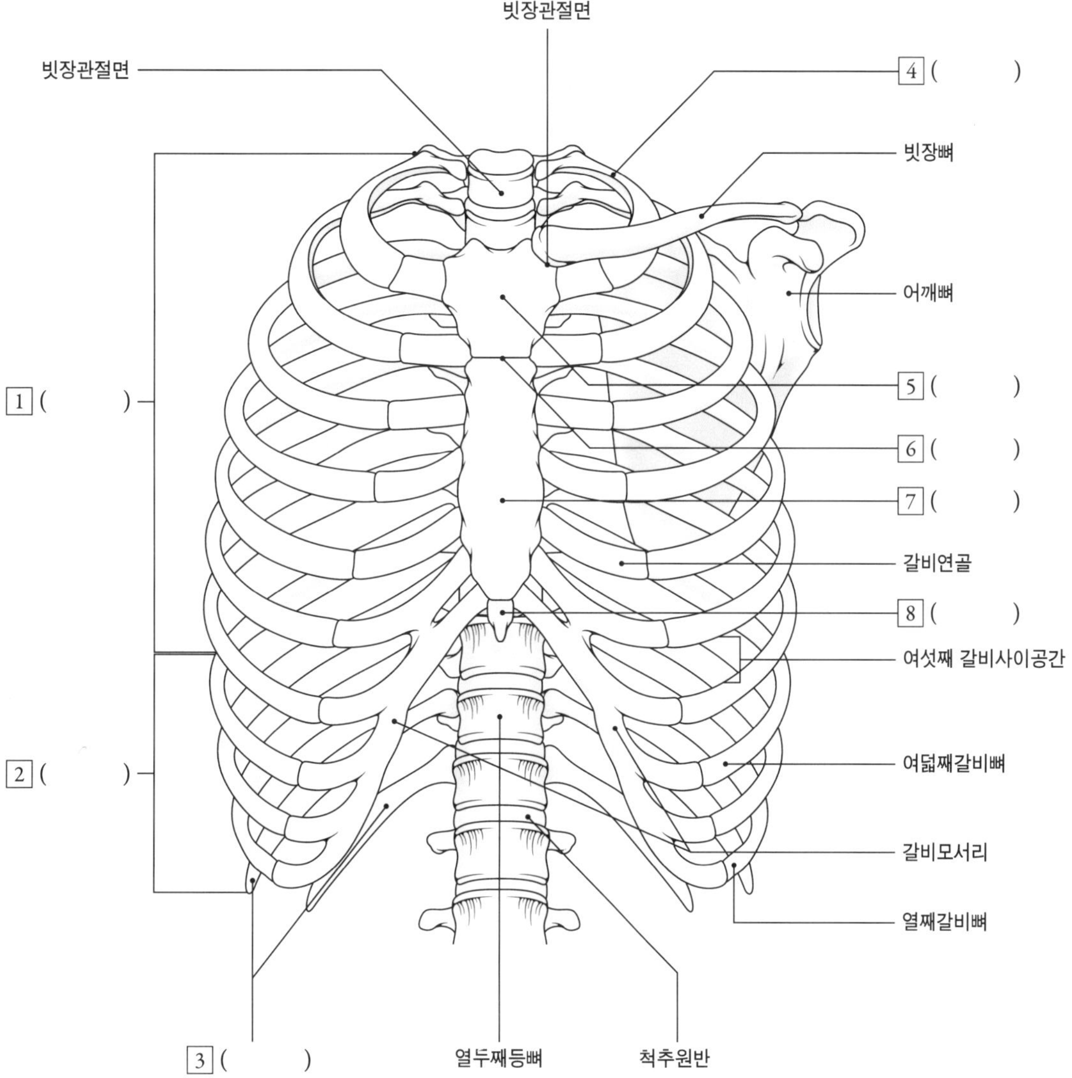

1 참갈비뼈(진륵; true rib) 2 거짓갈비뼈(가륵; false rib) 3 뜬갈비뼈(부유늑골; floating rib) 4 첫째갈비뼈(제1늑골; first rib) 5 복장뼈자루(흉골병; manubrium sterni) 6 복장뼈각(흉골각; sternal angle) 7 복장뼈몸통(흉골체; body of sternum) 8 칼돌기(검상돌기; xiphoid process)

5. 팔뼈의 구성과 구조적 특징

팔뼈상지골는 팔이음뼈상지대와 자유팔뼈로 구성되며, 한쪽에 32개씩 64개로 구성된다. 팔이음뼈는 한쪽에 2개의 뼈, 자유팔뼈는 한쪽에 30개의 뼈로 구성되며, 4개의 분절로 나뉜다.

팔이름뼈

- **어깨뼈(견갑골)** : 어깨뼈는 2~7번 갈비뼈 위에 있는 삼각형 모양의 납작한 형태로 2면(앞면, 뒷면), 3모서리(위, 안쪽, 가쪽모서리), 3각(위, 아래, 가쪽), 2돌기(부리돌기, 봉우리)로 구성된다.
- **빗장뼈** : 빗장뼈는 약간 S자 모양으로 첫째 갈비뼈 위쪽에 수평으로 놓여 있다.

자유팔뼈(4 분절)

- **위팔** : 위팔은 어깨에서 팔꿈치 사이를 말하며, 위팔뼈상완골로만 구성된다.
- **아래팔** : 아래팔은 팔꿈치에서 손목까지를 말하며, 노뼈요골와 자뼈척골로 이루어져 있다.
- **손목** : 손목은 두 열로 배열되며, 몸쪽손목뼈는 손배뼈주상골, 반달뼈월상골, 세모뼈삼각골, 콩알뼈두상골로 구성되며, 먼쪽손목뼈는 큰마름뼈대능형골, 작은마름뼈소능형골, 알머리뼈유두골, 갈고리뼈유구골로 구성된다.
- **손** : 손은 손바닥을 형성하는 5개의 손허리뼈중수골, 손가락을 형성하는 14개의 손가락뼈지골(첫마디뼈기절골, 중간마디뼈중절골, 끝마디뼈말절골)로 구성된다.

1. 팔이음뼈를 구분하여 색칠하시오.
2. 팔을 구분하여 색칠하시오.

Main Point. 목뼈에 대하여 학습한다.

괄호에 알맞은 용어를 쓰고 도색하시오.

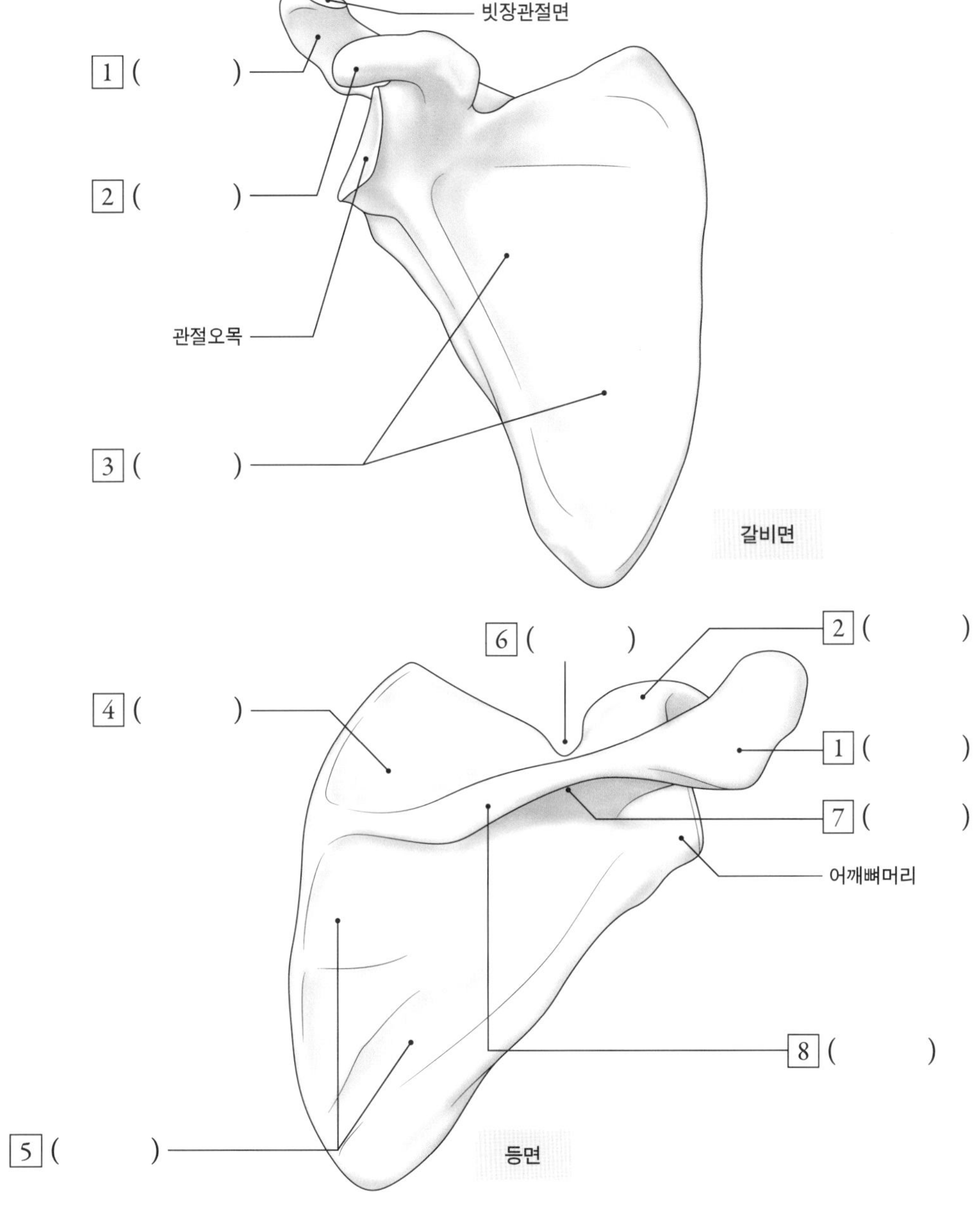

1 봉우리(견봉; acromion) 2 부리돌기(오훼돌기; coracoid process) 3 어깨뼈밑오목(견갑하와; subscapular fossa) 4 가시위오목(극상와; supraspinatus fossa) 5 가시아래오목(극하와; infraspinatus fossa) 6 어깨뼈패임 7 어깨뼈가시능선 8 어깨뼈가시(견갑극; spine of scapula)

괄호에 알맞은 용어를 쓰고 도색하시오.

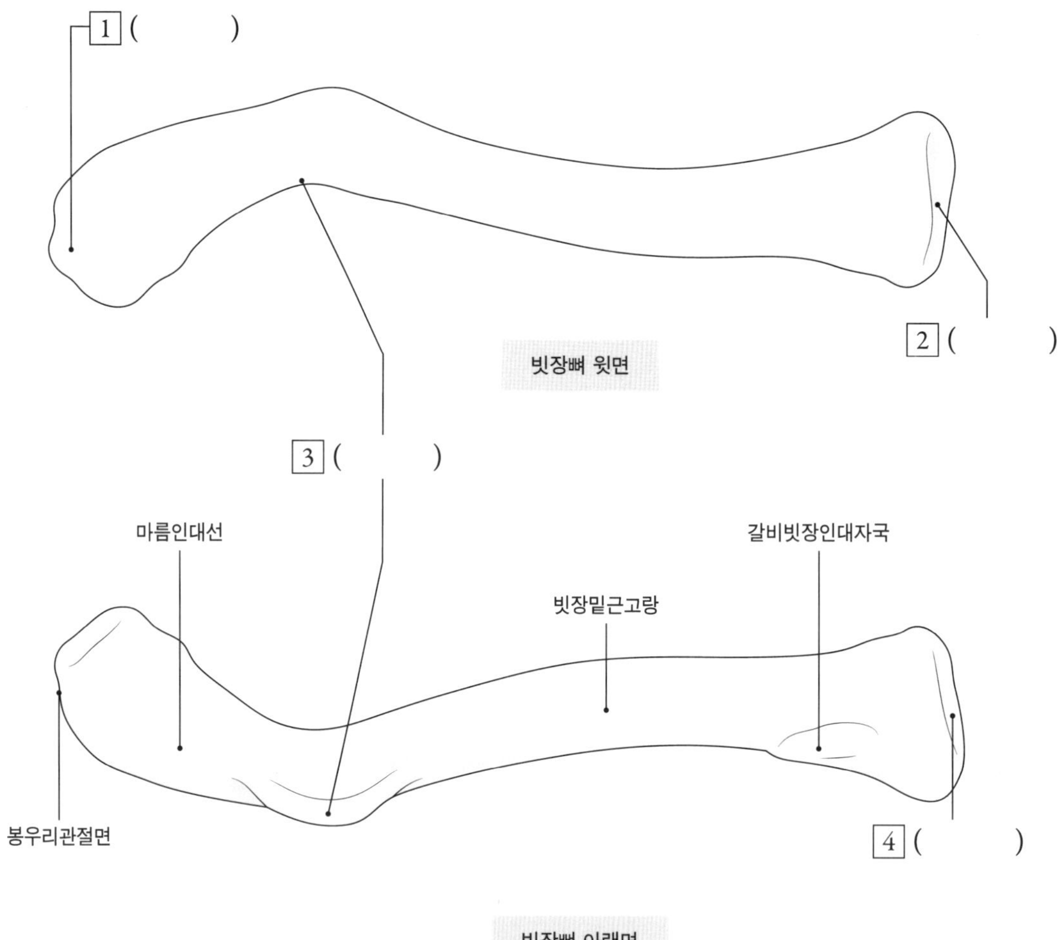

빗장뼈 아랫면

1 봉우리끝(견봉단; acromial end) 2 복장끝(흉골단; sternal end) 3 원뿔인대결절 4 복장관절면(흉골관절면; sternal articular facet)

괄호에 알맞은 용어를 쓰고 도색하시오.

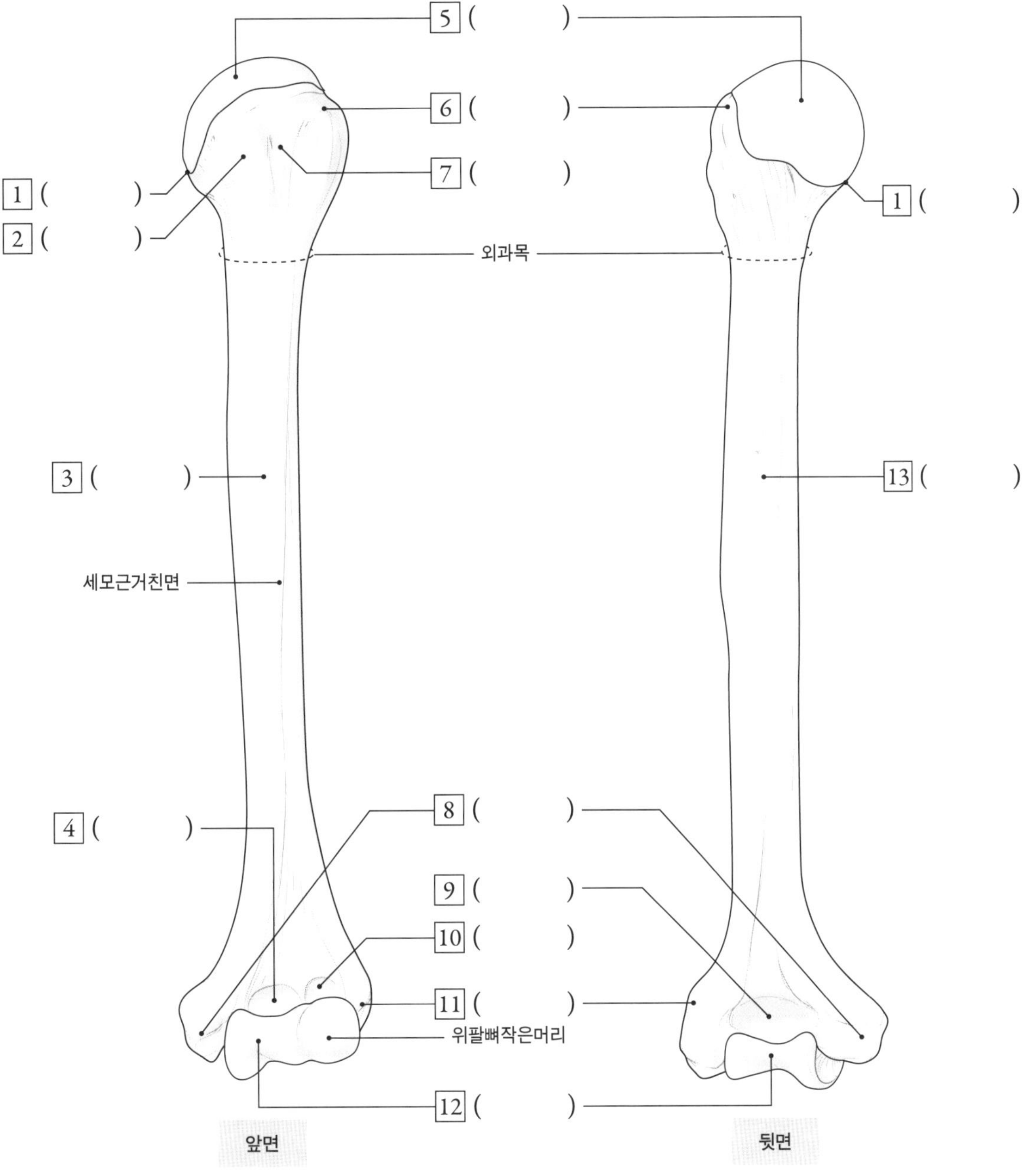

1 해부목(해부경; anatomical neck) 2 작은결절(소결절; lesser tubercle) 3 위팔뼈몸통(상완골체; body of humerus) 4 갈고리오목(구돌와; coronoid fossa) 5 위팔뼈머리(상완골두; humeral head) 6 큰결절(대결절; greater tubercle) 7 결절사이고랑(결절간구; intertubercular groove) 8 안쪽위관절융기(내측상과; medial epicondyle) 9 팔꿈치오목(주두와; olecranon fossa) 10 노오목(요골와; radial fossa) 11 가쪽위관절융기 12 도르래(활차; trochlea) 13 노신경고랑(요골신경구; groove for radial nerve)

괄호에 알맞은 용어를 쓰고 도색하시오.

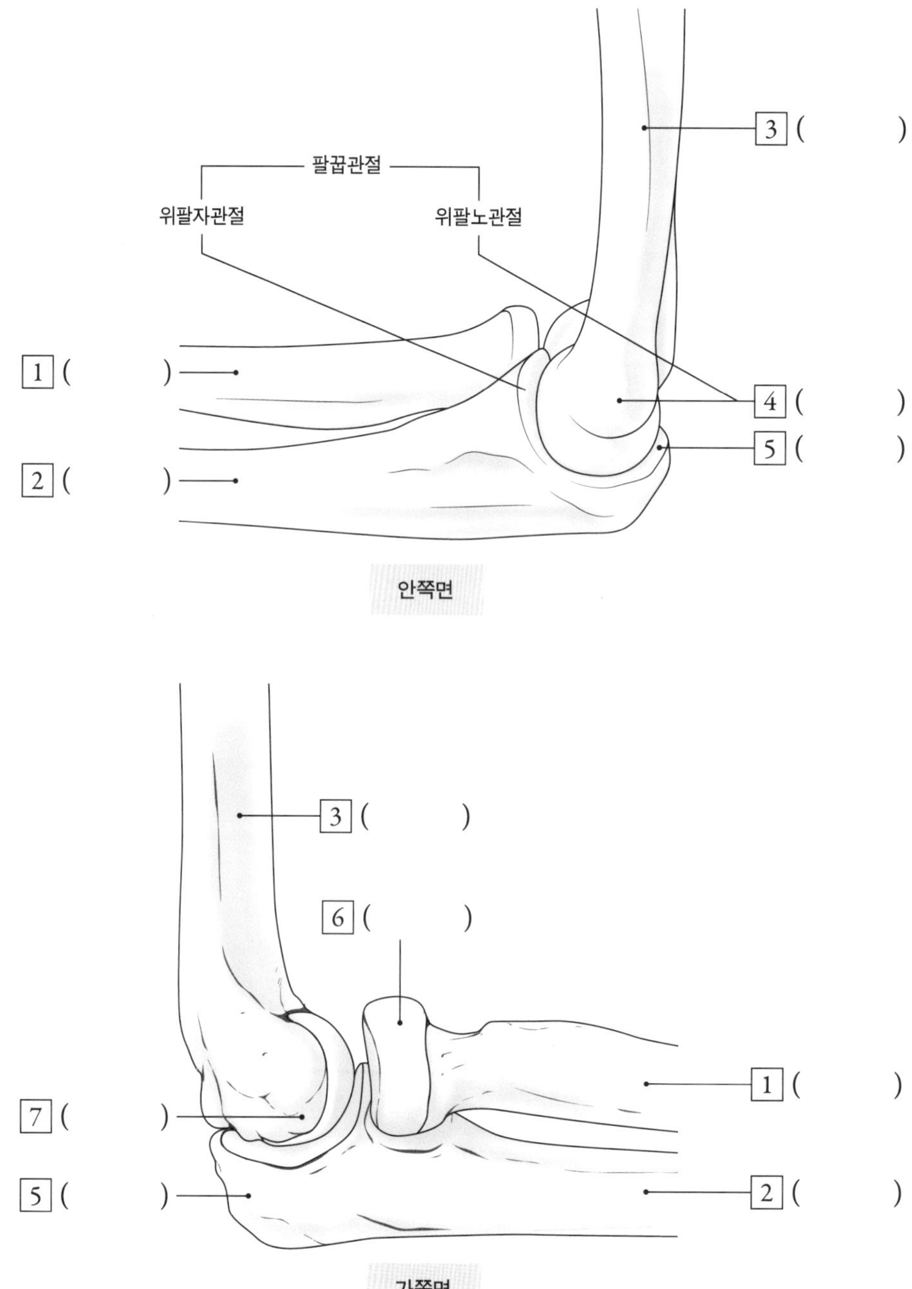

1 노뼈(요골; radius) 2 자뼈(척골; ulna) 3 위팔뼈(상완골; humerus) 4 안쪽위관절융기(내측상과; medial epicondyle) 5 팔꿈치머리(주두; olecranon) 6 노뼈머리(요골두; head of radius) 7 가쪽위관절융기(외측상과; lateral epicondyle)

괄호에 알맞은 용어를 쓰고 도색하시오.

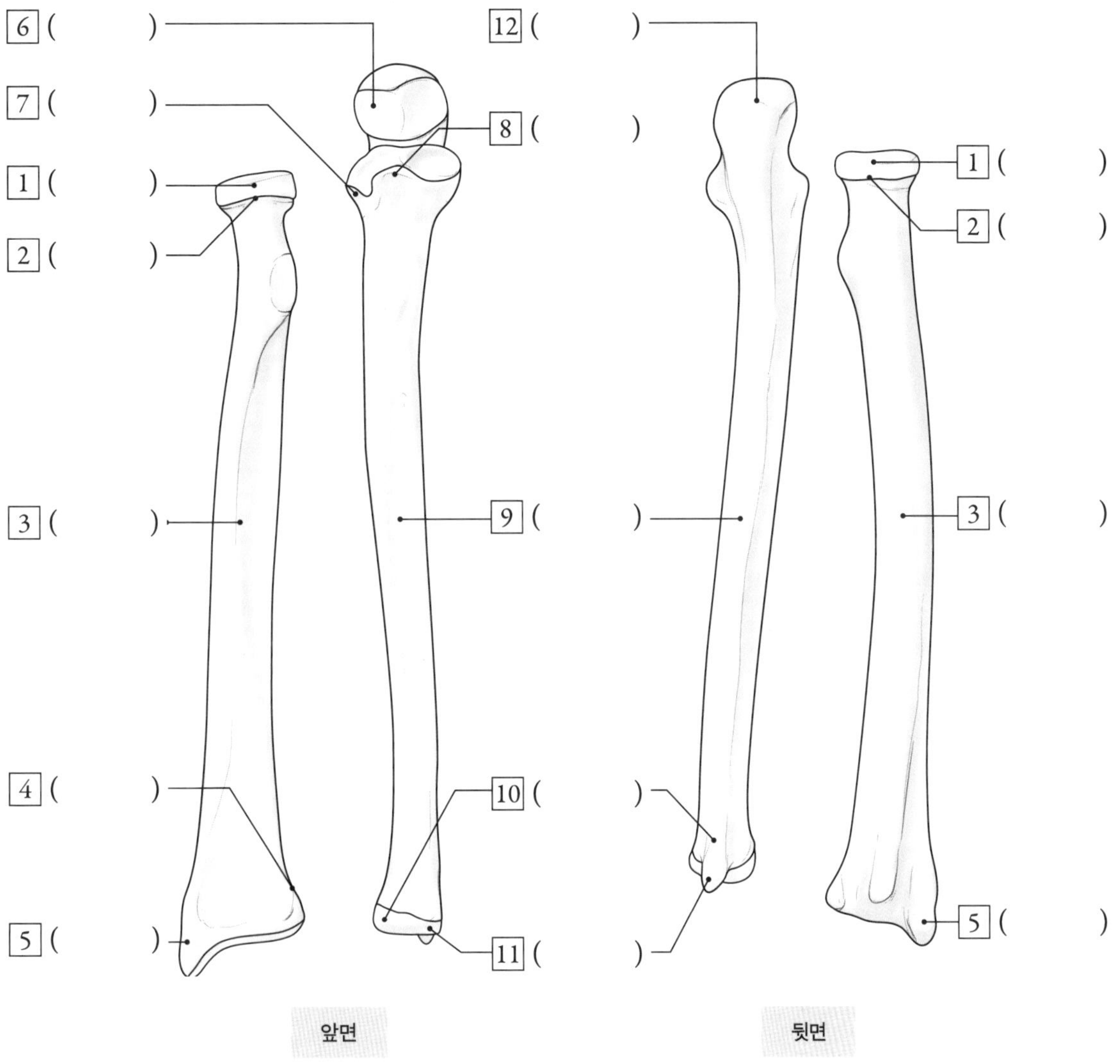

1 노뼈머리(요골두; head of radius) 2 노뼈목(요골경; neck of radius) 3 노뼈(요골; radius) 4 자패임(척골절흔; ulnar notch) 5 노뼈붓돌기(요골경상돌기; radial styloid process) 6 도르래패임(활차절흔; trochlear notch) 7 노패임(요골절흔; radial notch) 8 갈고리돌기(구상돌기; coronoid process) 9 자뼈(척골; ulna) 10 자뼈머리(척골두; head of ulna) 11 자뼈붓돌기(척골경상돌기; ulnar styloid process) 12 팔꿈치머리(주두; olecranon)

괄호에 알맞은 용어를 쓰고 도색하시오.

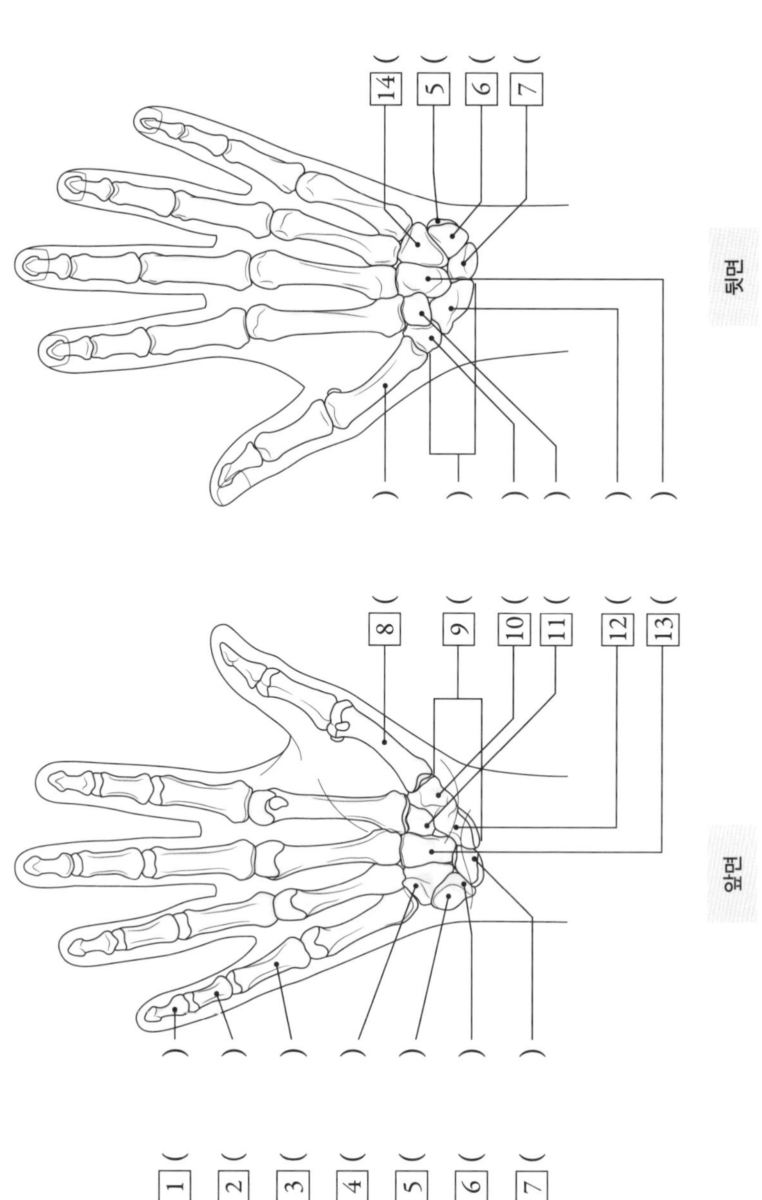

1 끝마디뼈(말절골; distal phalanx) 2 중간마디뼈(중절골; middle phalanx) 3 첫마디뼈(기절골; proximal phalanx) 4 갈고리뼈갈고리(유구골구; hamulus of hamate bone) 5 콩알뼈(두상골; pisiform bone) 6 세모뼈(삼각골; triquetrum) 7 반달뼈(월상골; lunate) 8 손허리뼈(중수골; metacarpal bone) 9 손목뼈(수근골; carpal bone) 10 큰마름뼈(대능형골; trapezium) 11 작은마름뼈(소능형골; trapezoid) 12 손배뼈(주상골; scaphoid) 13 알머리뼈(유두골; capitatum) 14 갈고리뼈(유구골; hamate)

괄호에 알맞은 용어를 쓰고 도색하시오.

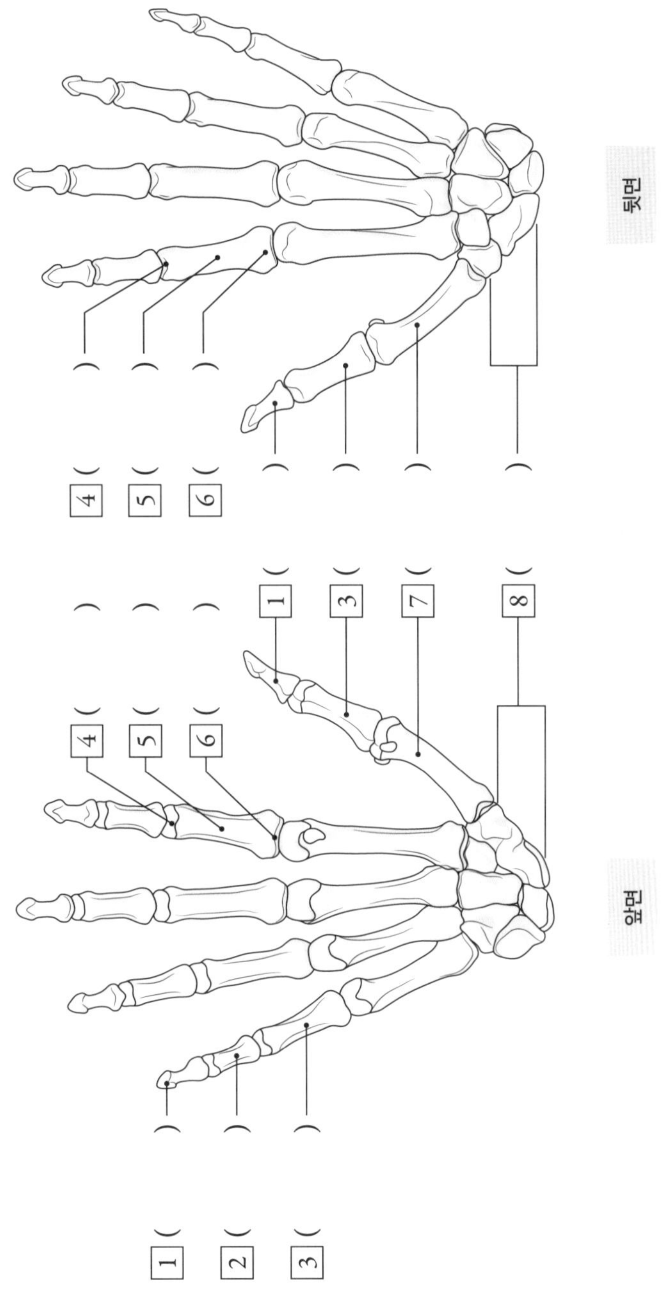

1 끝마디뼈(말절골; distal phalanx) 2 중간마디뼈(중절골; middle phalanx) 3 첫마디뼈(기절골; proximal phalanx) 4 머리(두; head) 5 몸통(체; body) 6 바닥(저; base) 7 손허리뼈(중수골; metacarpal bone) 8 손목뼈(수근골; carpal bone)

6. 다리뼈의 구성과 구조적 특징

다리뼈하지골는 다리이음뼈와 자유다리뼈로 구성되며, 한쪽에 31개씩 62개로 구성된다. 다리이음뼈는 볼기뼈, 자유다리뼈는 한쪽에 30개의 뼈로 구성되며, 4개의 분절로 나뉜다.

볼기뼈

볼기뼈관골는 엉덩뼈장골, 궁둥뼈좌골, 두덩뼈치골로 구성되어 있다.

자유다리뼈(4 분절)

- **넙다리부위** : 넙다리부위는 엉덩이에서 무릎까지를 말하며, 넙다리뼈대퇴골로만 구성된다.
- **종아리부위** : 종아리부위는 무릎에서 발목까지 말하며, 안쪽은 체중을 지탱하는 정강뼈경골, 가쪽은 체중을 지탱하지 않고 넙다리뼈와 관절을 이루지 않는 종아리뼈비골로 이루어져 있다.
- **발목** : 발목은 종아리부위와 발을 연결하며, 목막뼈거골, 발꿈치뼈종골, 입방뼈입방골, 발배뼈주상골, 안쪽쐐기뼈내측설상골, 중간쐐기뼈중간설상골, 가쪽쐐기뼈외측설상골 등 7개의 뼈로 구성된다.
- **발부위** : 발부위는 발바닥을 형성하는 5개의 발허리뼈중족골, 발가락을 형성하는 14개의 발가락뼈지골(첫마디뼈기절골, 중간마디뼈중절골, 끝마디뼈말절골)로 구성된다.

0. 볼기뼈와 다리분절을 구분하여 색칠하시오.

Main Point. 볼기뼈와 다리분절에 대하여 학습한다.

괄호에 알맞은 용어를 쓰고 도색하시오.

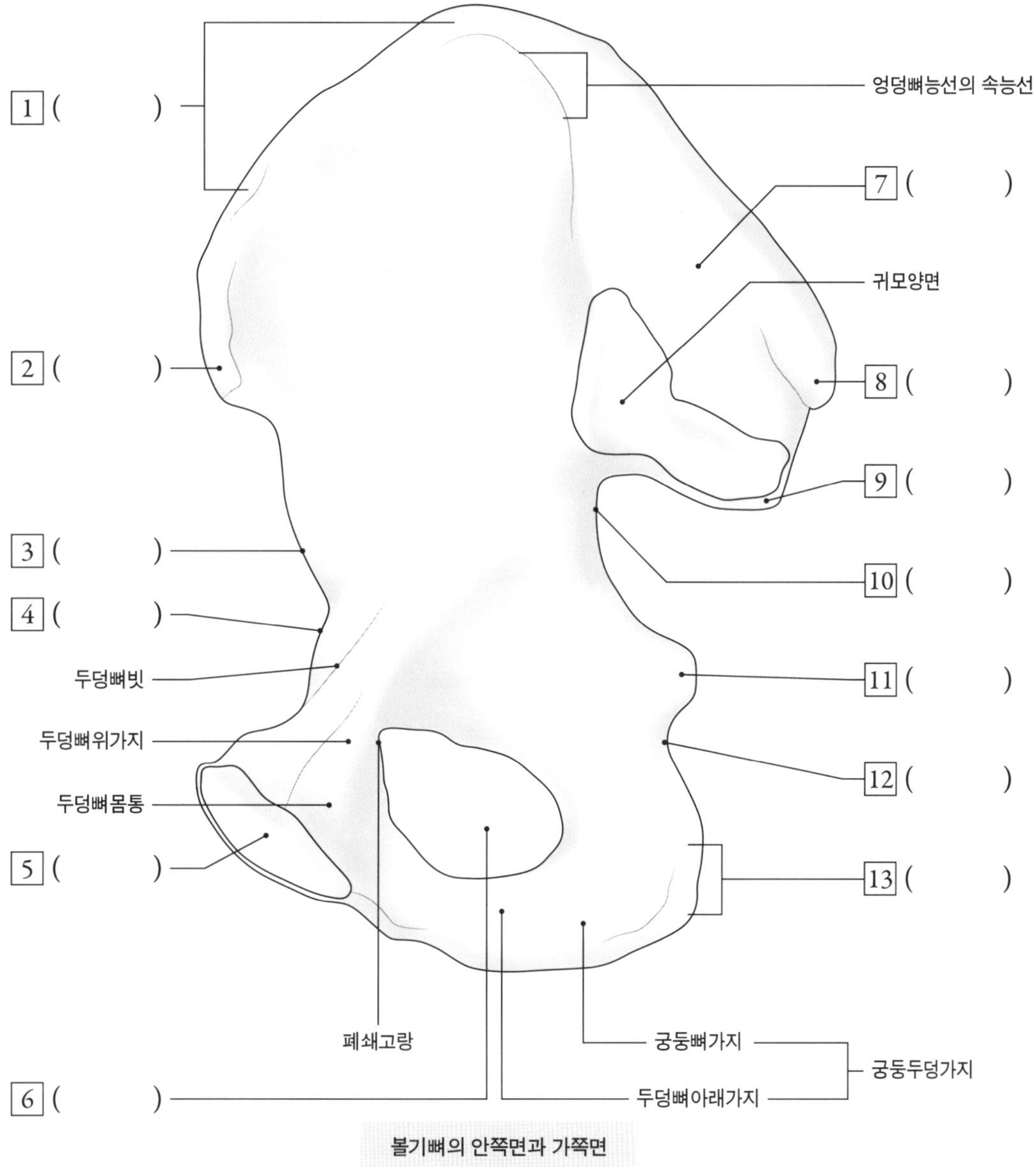

볼기뼈의 안쪽면과 가쪽면

1 엉덩뼈능선(장골능선; iliac crest) 2 위앞엉덩뼈가시(상전장골극; anterior superior iliac spine) 3 아래앞엉덩뼈가시(하전장골극; anterior inferior iliac spine) 4 엉덩두덩융기(장치융기; iliopubic eminence) 5 두덩결합면(치골결합면; symphyseal surface) 6 폐쇄구멍(폐쇄공; obturator foramen) 7 엉덩뼈거친면(장골조면; iliac tuberosity) 8 위뒤엉덩뼈가시(상후장골극; posterior superior iliac spine) 9 아래뒤엉덩뼈가시(하후장골극; posterior inferior iliac spine) 10 큰궁둥패임(대좌골절흔; greater sciatic notch) 11 궁둥뼈가시(좌골극; ischial spine) 12 작은궁둥패임(소좌골절흔; lesser sciatic notch) 13 궁둥뼈결절(좌골결절; ischial tuberosity)

괄호에 알맞은 용어를 쓰고 도색하시오.

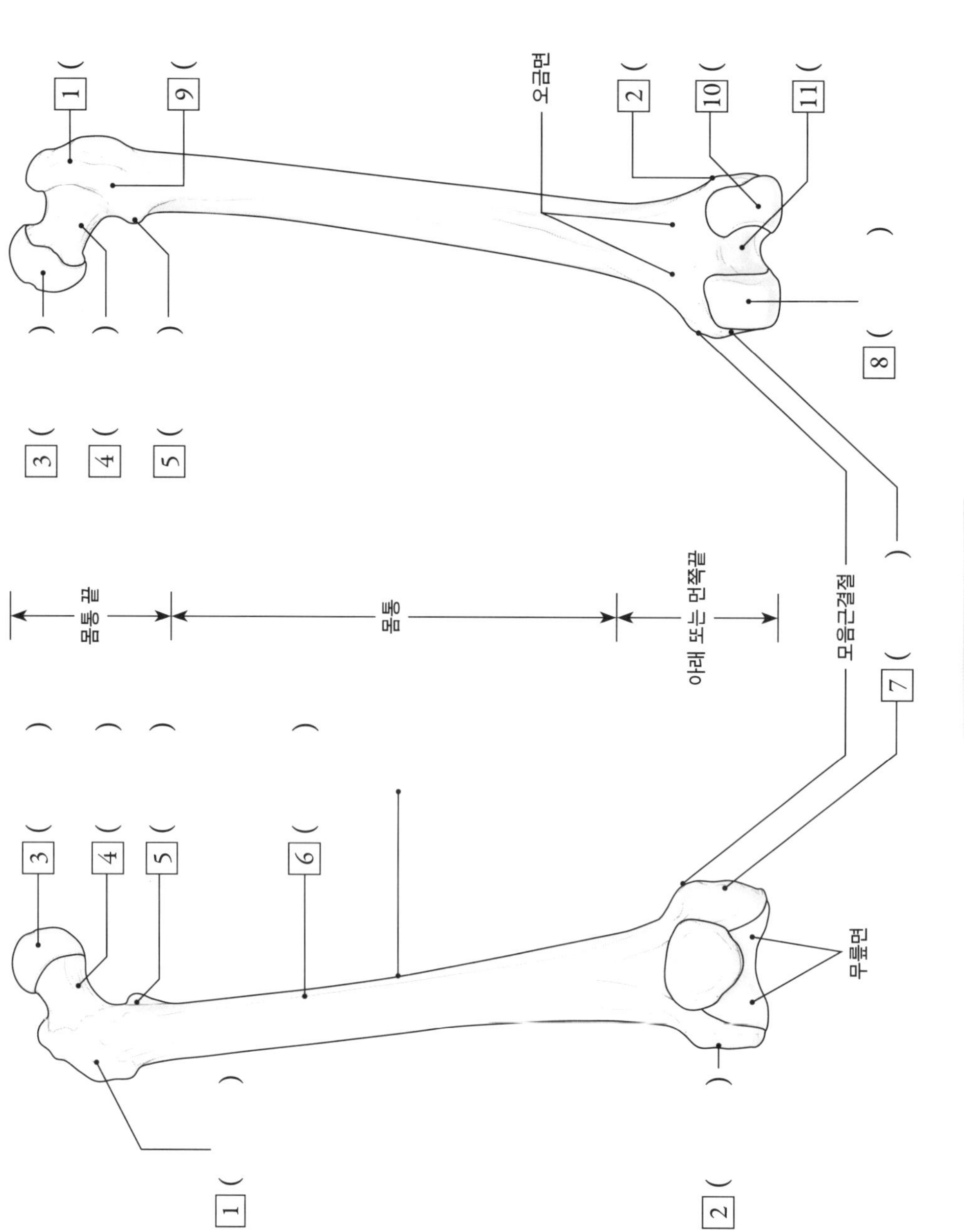

1 큰돌기(대전자; greater trochanter) 2 가쪽위관절융기(외측상과; lateral epicondyle) 3 넙다리뼈머리(대퇴골두; head of femur) 4 넙다리뼈목(대퇴골경; neck of femur) 5 작은돌기(소전자; lesser trochanter) 6 넙다리뼈몸통(대퇴골체; body of femur) 7 안쪽위관절융기(내측상과; medial epicondyle) 8 안쪽관절융기(내측과; medial condyle) 9 돌기사이능선(전자간릉; intertrochanteric crest) 10 가쪽관절융기(외측과; lateral condyle) 11 융기사이오목(과간와; intercondylar fossa)

괄호에 알맞은 용어를 쓰고 도색하시오.

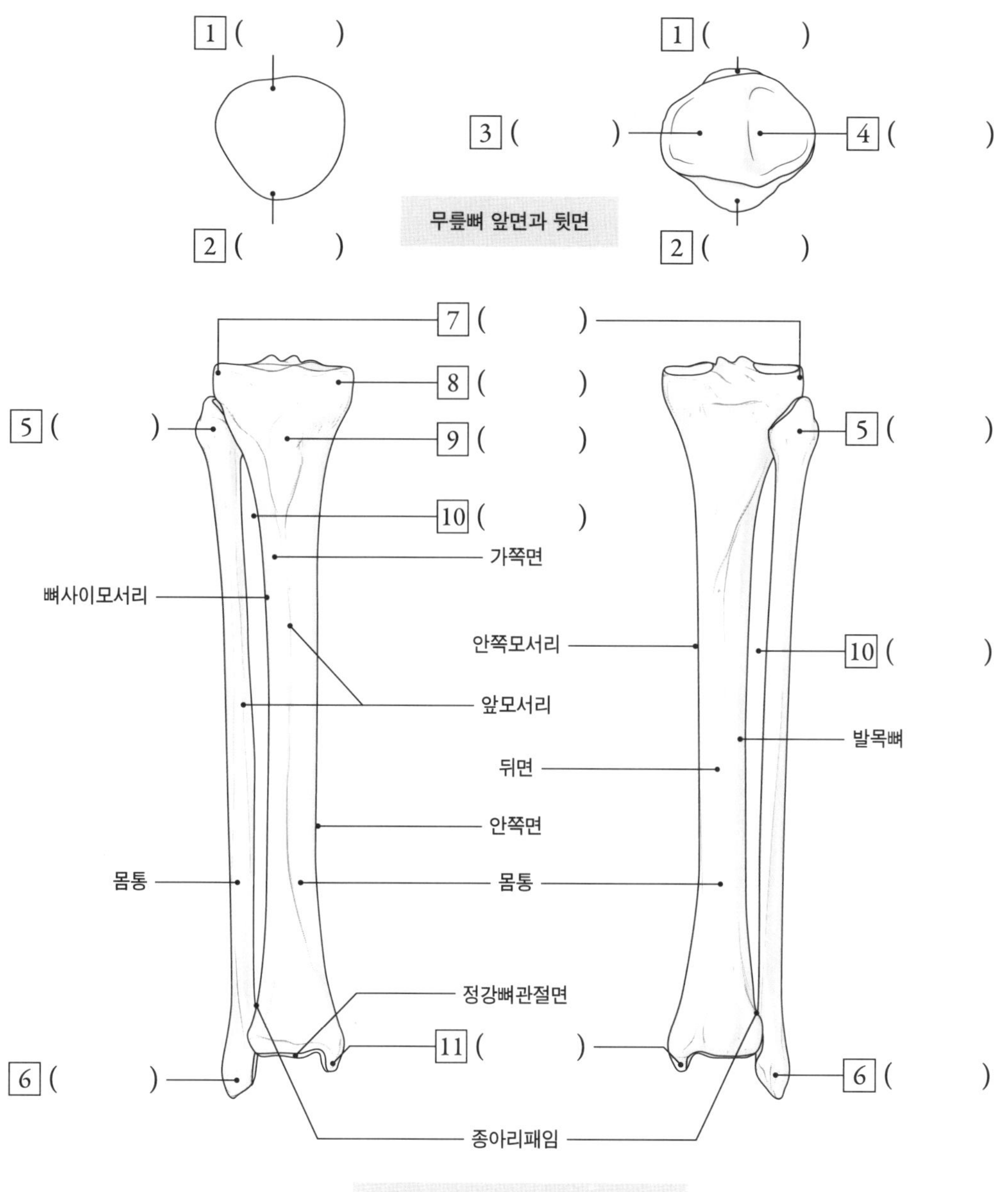

무릎뼈 앞면과 뒷면

정강뼈와 종아리뼈의 앞면과 뒷면

1 무릎뼈바닥(슬개골저; base of patella) 2 무릎뼈끝(슬개골첨; apex of patella) 3 안쪽관절면 4 가쪽관절면 5 종아리뼈머리(비골두; head of fibula) 6 가쪽복사(외과; lateral malleolus) 7 가쪽관절융기(외측과; lateral condyle) 8 안쪽관절융기(내측과; medial condyle) 9 정강뼈거친면(경골조면; tial tuberosity) 10 뼈사이막(골간막; crural interosseous membrane) 11 안쪽복사(내과; medial malleolus)

괄호에 알맞은 용어를 쓰고 도색하시오.

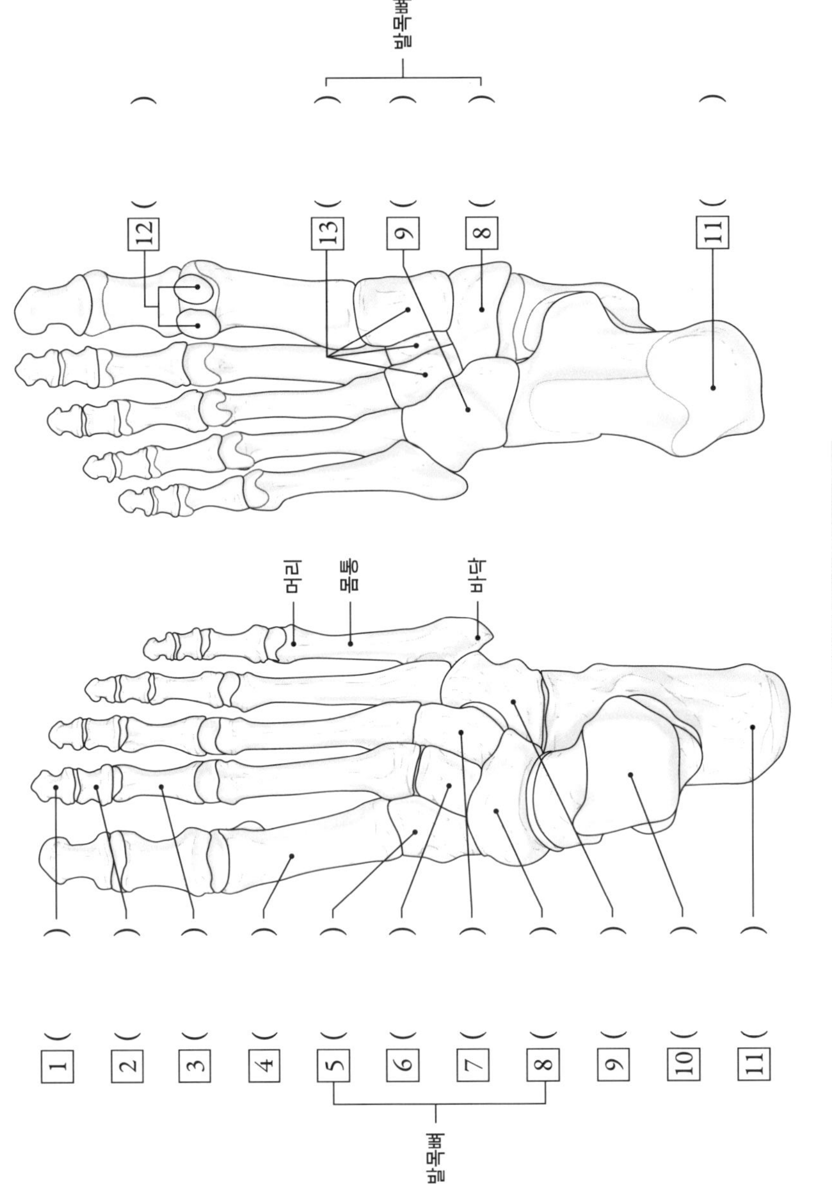

1 끝마디뼈(말절골; distal phalanx) 2 중간마디뼈(중절골; middle phalanx) 3 첫마디뼈(기절골; proximal phalanx) 4 발허리뼈(중족골; metatarsal) 5 안쪽쐐기뼈(내측설상골; medial cuneiform bone) 6 중간쐐기뼈(중간설상골; intermediate cuneiform bone) 7 가쪽쐐기뼈(외측설상골; lateral cuneiform bone) 8 발배뼈(주상골; navicula) 9 입방뼈(입방골; cuboid) 10 목말뼈(거골; talus) 11 발꿈치뼈(종골; calcaneus) 12 종자뼈(종자골; sesamoid) 13 쐐기뼈(설상골; cuneiform)

괄호에 알맞은 용어를 쓰고 도색하시오.

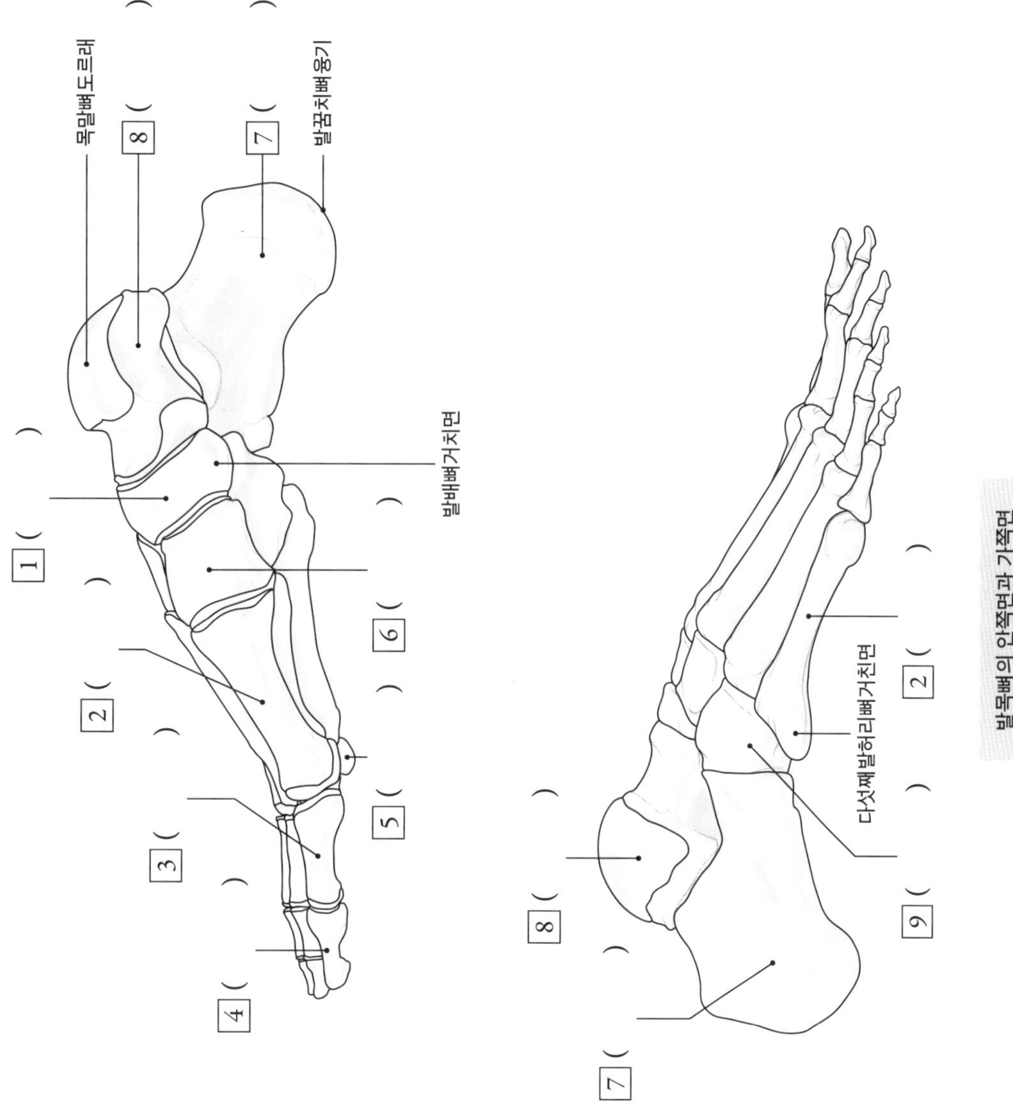

1 발배뼈(주상골; navicula) 2 발허리뼈(중족골; metatarsal) 3 첫마디뼈(기절골; proximal phalanx) 4 끝마디뼈(말절골; distal phalanx) 5 종자뼈(종자골; sesamoid) 6 쐐기뼈(설상골; cuneiform) 7 발꿈치뼈(종골; calcaneus) 8 목말뼈(거골; talus) 9 입방뼈(입방골; cuboid)

CHAPTER 3 관절계통

Joint System

관절은 신체를 지지하며, 효과적인 움직임을 허용하고, 내부기관을 보호하는 등 신체에 기능적인 부분을 지원하는 뼈대계통(골격계)과 연결되어 있다. 뼈 사이의 조직에 따라 **섬유관절, 연골관절, 윤활관절**로 분류한다. 이들은 자유롭게 움직이는 경우도 있지만 움직임이 전혀 없는 경우도 있다.

어깨, 팔꿈치, 그리고 무릎과 같은 관절은 부드럽고 정확한 움직임을 실행하는 동안 거의 마찰이 없으며, 무거운 하중에 대한 압력을 견뎌낼 수 있는 생물학적 디자인의 일반적인 표본이다. 그러나 적게 움직이거나 움직이지 않는 다른 관절들도 중요하다. 이러한 관절들은 보다 더 신체를 지지하고 민감한 기관을 보호할 수 있다.

- **섬유관절(fibrous joint)**은 이웃하고 있는 뼈가 치밀결합조직에 의해 단단히 섬유결합조직으로 연결되어 있어서 두 뼈 사이에 운동이 거의 일어나지 않으며, 섬유관절은 **봉합, 인대결합, 못박이관절(정식관절)**이 있다.

- **연골관절(cartilaginous joint)**은 두 뼈 사이에 연골이 있는 관절로서 약간은 움직일 수 있으며, 조직에 따라 **유리연골관절**과 **섬유연골관절**로 나뉜다.

- **윤활관절(synovial joint)**은 두 개의 뼈를 관절주머니(관절낭)가 둘러싸고 있으며 그 안에는 윤활액이 차 있어 자유롭게 운동을 할 수 있는 관절을 말한다.

학습목표

1. 관절의 구조적 특징에 따른 분류를 이해하도록 한다.
   - 섬유관절(fibrous joint)
   - 연골관절(cartilaginous joint)
   - 윤활관절(synovial joint)
2. 턱관절의 구조를 이해하도록 한다.
3. 팔을 구성하는 관절의 종류와 구조를 이해하도록 한다.
4. 다리를 구성하는 관절의 종류와 구조를 이해하도록 한다.

1. 관절의 구조적 특징에 따른 분류

섬유관절(fibrous joint)의 종류와 구조

섬유관절은 대부분 못움직관절부동관절로, 근접한 뼈들이 단단한 섬유성결합조직으로 연결된다. 섬유관절에는 봉합, 인대결합, 못박이관절의 3가지 유형이 있다.

- **봉합(suture)**: 얇은 층의 불규칙한 치밀결합조직으로 단단히 연결된 관절로 머리뼈두개골에서만 관찰되며 움직임이 거의 없다. 두 뼈가 맞닿는 형태에 따라서 톱니봉합거상봉합(serrate suture), 겹칩봉합(lap suture), 평면봉합(plane suture)이 있다.
- **인대결합(syndesmosis)**: 두 뼈 사이를 상대적으로 긴 교원섬유에 의해 결합되어 있으며 노뼈요골와 자뼈척골, 정강뼈경골와 종아리뼈비골의 사이에서 뼈사이막골간막(interossesous membrane)을 볼 수 있다.
- **못박이관절(gomphoses)**: 위턱뼈상악골와 아래턱뼈하악골에 있는 이틀치조과 치아뿌리치근 사이에서만 볼 수 있다. 비록 치아는 뼈가 아니라도 구멍에 치아가 부착된 것을 못박이관절이라 분류한다.

1. 봉합을 구분하여 색칠하시오.
2. 인대결합을 구분하여 색칠하시오.
3. 못박이관절을 구분하여 색칠하시오.

Main Point. 섬유관절의 종류와 해부학적 구조를 이해한다.

괄호에 알맞은 용어를 쓰고 도색하시오.

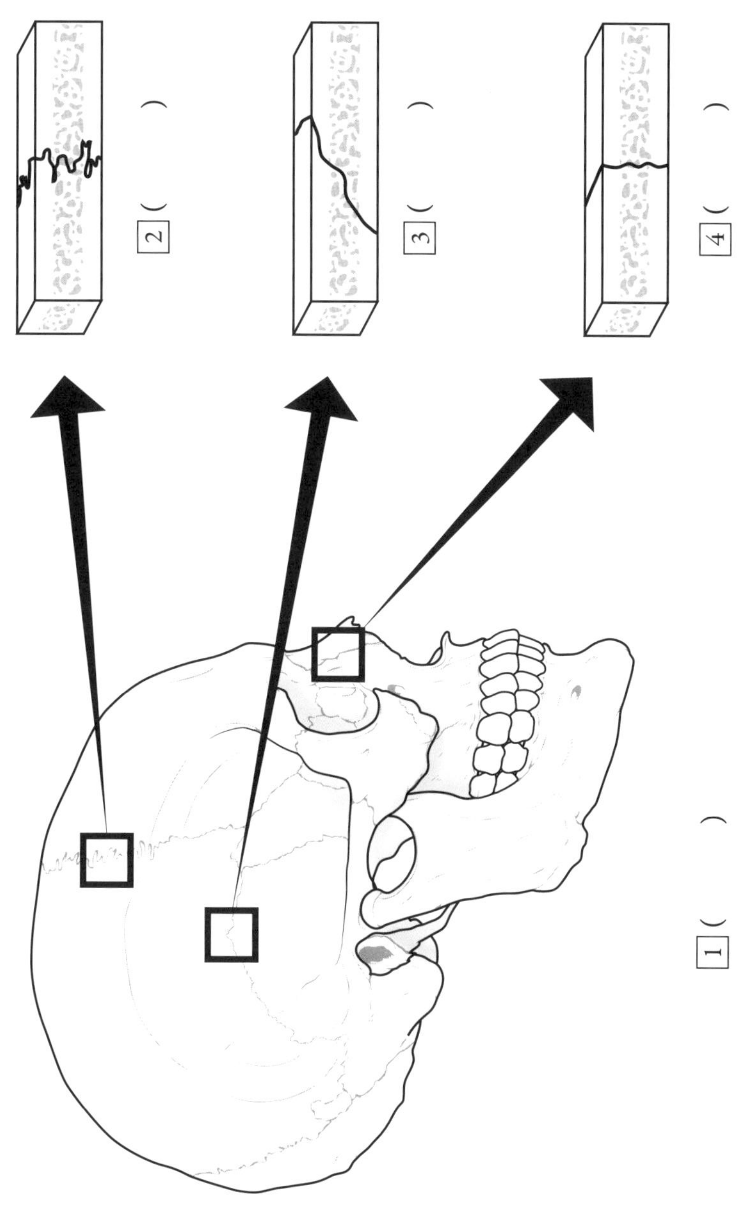

1 봉합(suture) 2 톱니봉합(거상봉합; serrate suture) 3 비늘봉합(인상봉합; squamous suture) 4 평면봉합 (plane suture)

괄호에 알맞은 용어를 쓰고 도색하시오.

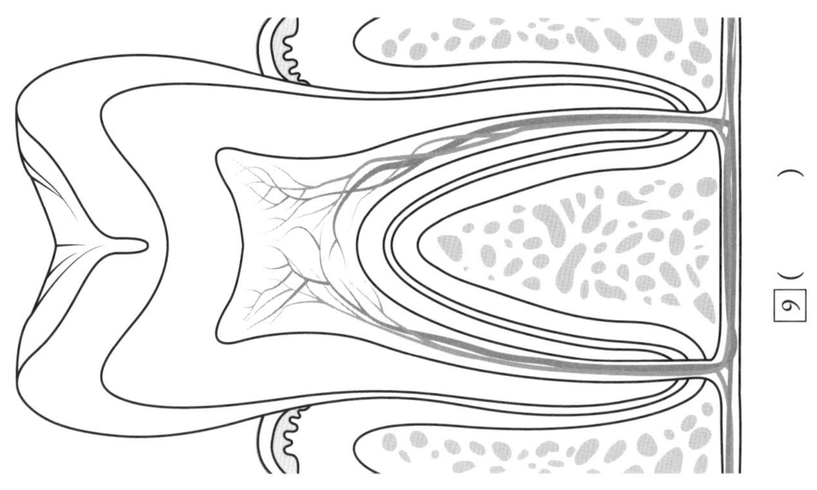

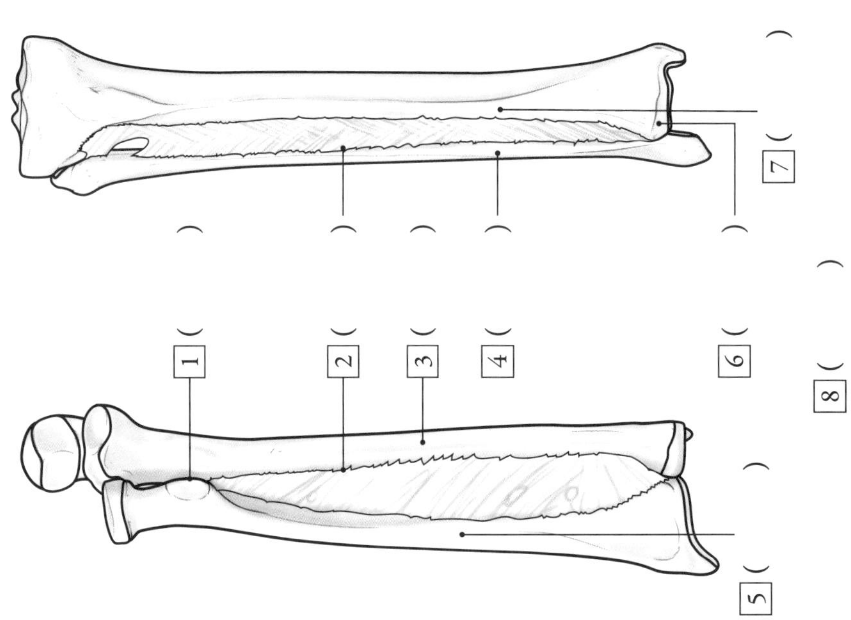

1 빗끈 2 뼈사이막(골간막; interosseous membrane) 3 자뼈(척골; ulnar) 4 종아리뼈(비골; fibula) 5 노뼈(요골; radius) 6 앞정강종아리인대(전경비인대; anterior talofibular ligament) 7 정강뼈(경골; tibia) 8 인대결합(syndesmosis) 9 못박이관절(정식관절; gomphosis)

note

연골관절(cartilaginous joint)의 종류와 구조

연골관절은 마주하는 뼈 사이에 연골조직이 있어 서로 연결되며 약간의 운동만이 가능하다.

- **유리연골결합(synchondroses)**: 뼈가 완전히 붙기 전인 성장 중인 어린아이의 뼈끝판골단판에서 일시적으로 관찰되며, 첫 번째 갈비뼈흉골에서 복장뼈(sternum)에 부착되어 유리갈비연골늑연골이다.
- **섬유연골결합(symphyses)**: 척추뼈몸통 사이에 척추사이원반(intervertebral disc)이라고 하는 섬유연골이 있어 이웃한 두 척추뼈몸통을 연결하고 있다. 척추사이원반은 탄력에 의해 구부리거나 펴는 운동, 비트는 운동을 할 수 있다. 두덩뼈치골는 섬유연골에 의한 연결인 두덩결합치골결합(pubic symphysis)을 이루는데, 이 관절은 출산시에 산도를 넓혀준다.

1. 유리연골관절을 구분하여 색칠하시오.
2. 섬유연골결합을 구분하여 색칠하시오.

Main Point. 연골관절의 종류와 해부학적 구조를 이해한다.

괄호에 알맞은 용어를 쓰고 도색하시오.

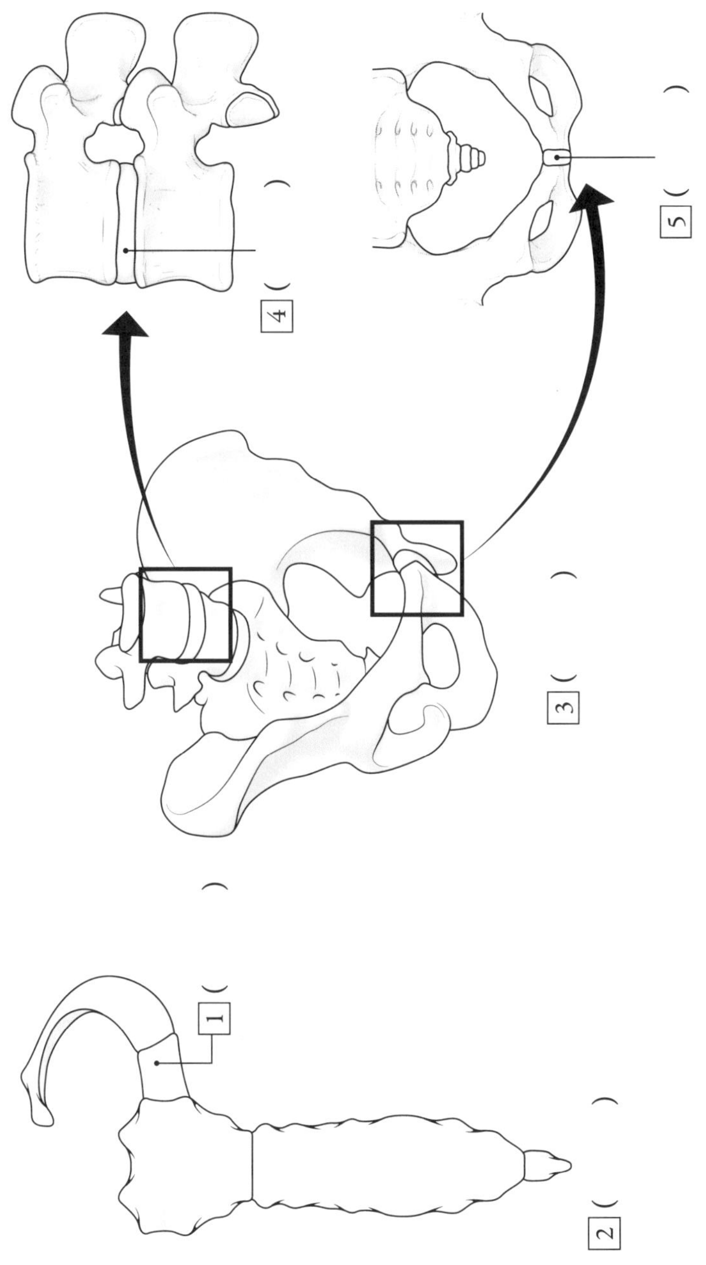

1 뼈끝판(골단판; epiphyseal lpate) 2 유리연골결합(synchondrosis) 3 섬유연골결합(symphysis) 4 척추사이결합(추간결합; intervertebral symphysis) 5 두덩결합(치골결합; pubic symphysis)

윤활관절(synovial joint)의 구조

윤활관절은 다른 관절에 비해 복잡한 구조를 가지고 있으며, 자유로운 운동이 가능한 움직관절가동관절로 좁은 의미의 관절을 의미한다.

- **관절연골(articular cartilage)**: 관절공간의 관절면은 관절연골이라는 유리연골로 덮여 있어 뼈들이 움직이는 동안 마찰을 줄이고 충격 흡수.
- **관절주머니(articular capsule)**: 관절공간을 둘러싸는 두겹의 막(섬유막, 윤활막).
- **윤활액(synovial fluid)**: 윤활막에서 분비되며 관절연골과 윤활막 표면을 매끄럽게 하여 관절의 마찰을 줄이고, 충격을 흡수하고, 산소와 영양을 공급.
- **덧인대(부인대; accessory ligament)**: 관절주머니 주위에는 비탄력적인 강한 아교섬유다발의 인대가 있어 운동 시 관절의 안정성을 강화.
- **관절원반(articular disc)**: 윤활관절 중 일부(예 복장빗장관절흉쇄관절, 턱관절)에는 관절 사이에 관절원반이 섬유막에 의해 부착.
- **관절반달(articular meniscus)**: 불완전한 원반 형태(예 무릎관절).
- **관절테두리(articular labrum)**: 관절오목관절와을 둘러싸고 뻗어 있는 섬유연골로 관절오목이 더 깊어지도록 하여 관절하는 뼈의 접촉면을 넓혀줌(예 어깨관절견관절, 엉덩관절고관절).
- **윤활주머니(bursa)**: 움직임에 의해 생기는 관절 부위의 마찰을 완화(피부와 뼈, 힘줄과 뼈, 근육과 뼈, 인대와 뼈 사이)
- **힘줄집(건초; tendon sheath)**: 힘줄을 관 모양으로 감싸고 있는 변형된 윤활주머니(손목과 발목 힘줄 주위에서 관찰)

0. 윤활관절의 해부학적 구조를 구분하여 색칠하시오.

Main Point. 윤활관절의 해부학적 구조를 이해한다.

괄호에 알맞은 용어를 쓰고 도색하시오.

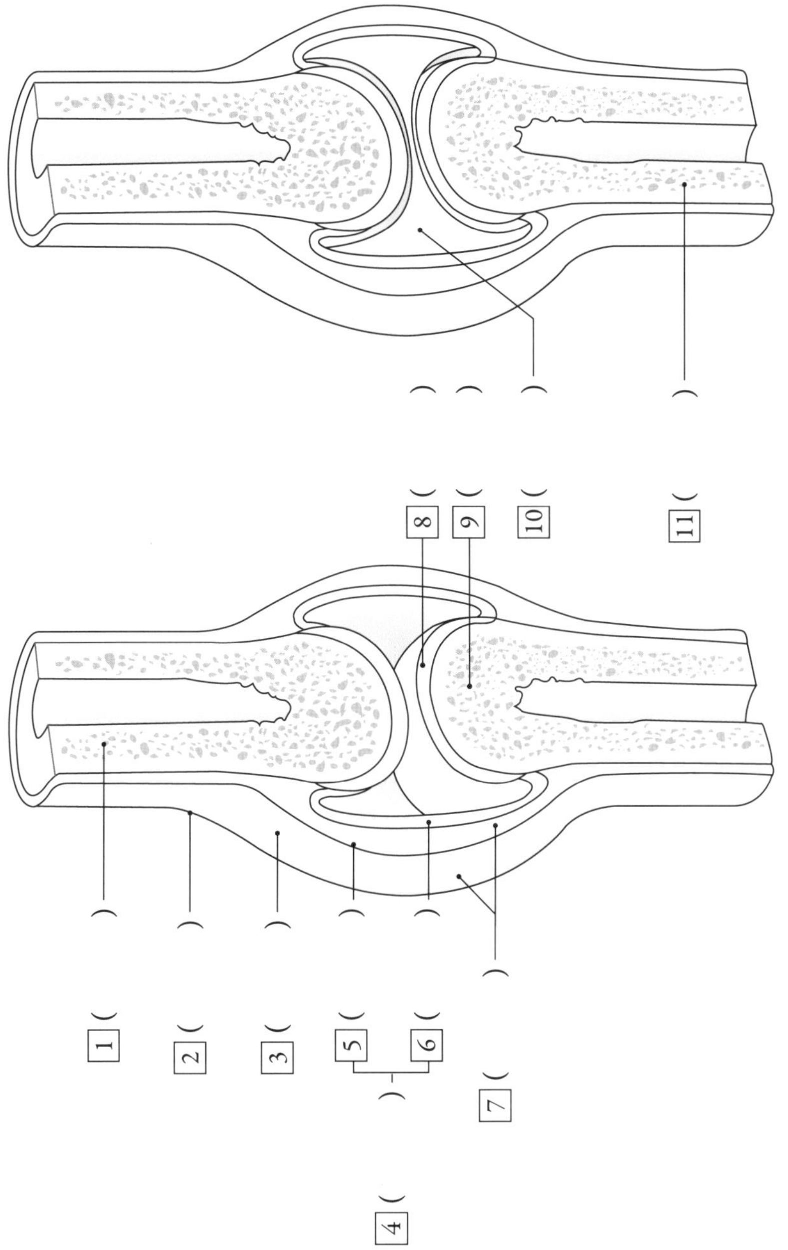

1 뼈(bone) 2 뼈막(골간막; interosseous membrane) 3 인대(ligament) 4 관절주머니(관절낭; articular capsule) 5 섬유막(fibrous membrane) 6 윤활막(synovial membrane) 7 섬유주머니(섬유낭; firous capsule) 8 관절안(관절강; joint cabity) 9 관절연골(articular cartilage) 10 관절원반(디스크; disc) 11 치밀뼈(치밀골; compact bone)

윤활관절의 종류 1

윤활관절은 관절면의 형태와 운동이 일어나는 정도에 따라 타원관절과상관절, 평면관절, 경첩관절, 안장관절, 절구관절구상관절, 중쇠관절차축관절로 분류되며, 팔과 다리의 대부분 관절에서 관찰할 수 있다.

- **타원관절(condylar joint)**: 계란모양의 돌출부가 타원형의 함몰부분에 들어가서 모음내전(adduction), 벌림외전(abduction)운동뿐만 아니라 굽힘굴곡(flexion), 폄신전(extension)운동을 하는 손목의 손목관절요측수근관절(radiocalpal joint)이다. 이러한 운동은 돌림운동이지만 관절면의 모양이 타원형이기 때문에 돌림운동은 거의 일어나지 않는다.

  예 손목관절, 고리뒤통수관절환추후두관절, 손허리손가락관절중수지절관절

- **평면관절(plane joint)**: 한 개의 뼈가 다른 뼈 위로 약간 미끄러지는 형태의 미끄럼운동을 하는 관절, 또는 마주보는 관절면이 평면을 이루는 관절로서 운동이 매우 제한되어 있다.

  예 손목뼈사이관절수근골간관절, 복장빗장관절, 봉우리빗장관절견쇄관절, 복장갈비관절흉늑관절, 척추갈비관절추늑관절 등

- **경첩관절(hinge joint)**: 끝이 둥글거나 도르래모양의 관절머리(articular head)가 이에 맞는 관절오목(articular facet)을 만나 이루어진 관절이다. 팔을 굽혔다 폈다하는 것처럼 하나의 축을 중심으로 문의 경첩과 같이 굽힘과 폄 운동을 할 수 있다.

  예 무릎관절슬관절, 팔꿉관절주관절, 발목관절, 발가락뼈사이관절족지절관절 등

1. 유형별 윤활관절과 도식화된 모형을 색칠하시오.
2. 관절면을 다른색으로 덧칠하시오.

Main Point. 윤활관절의 종류와 해부학적 구조를 이해한다.

괄호에 알맞은 용어를 쓰고 도색하시오.

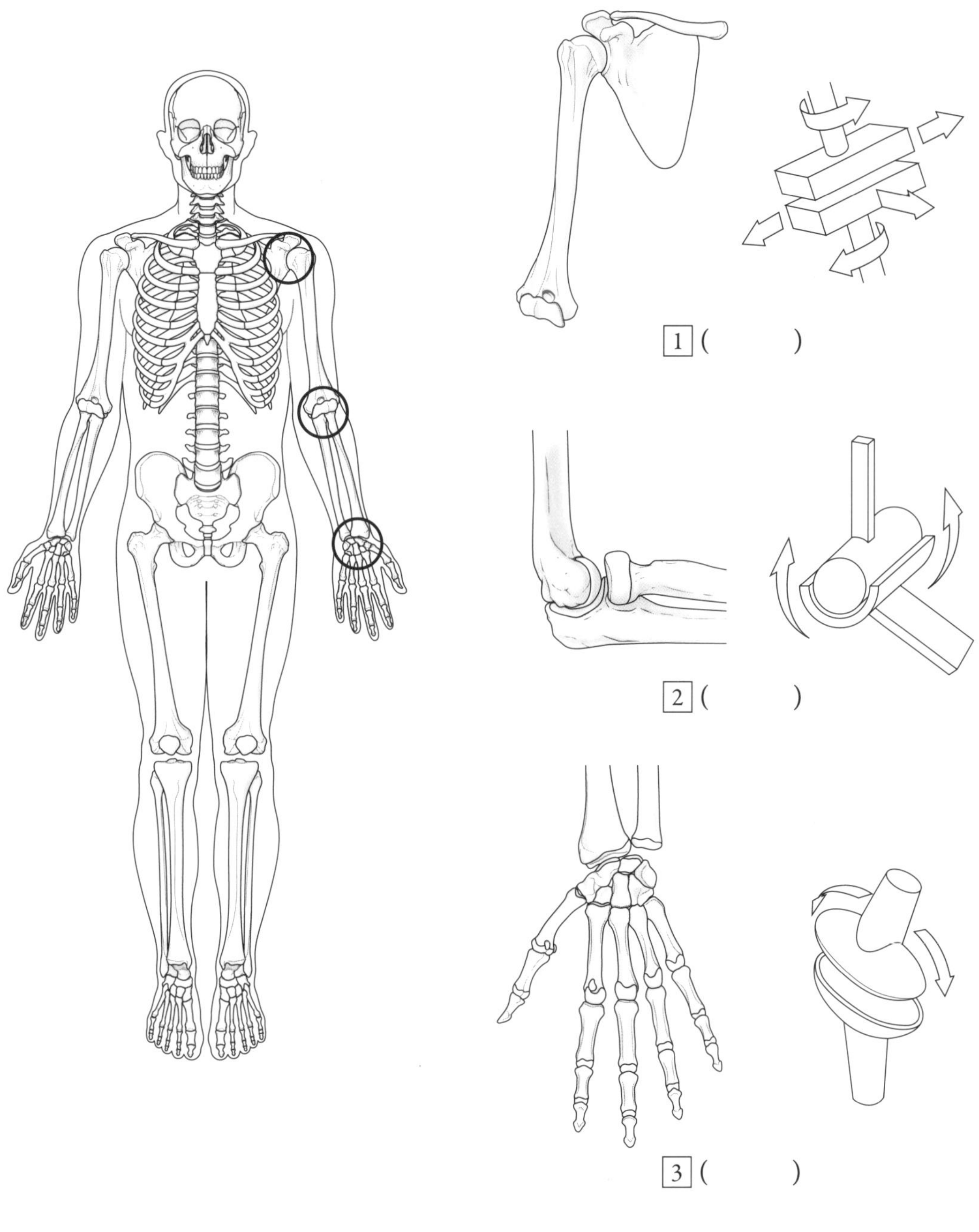

1 평면관절(plane joint) 2 경첩관절(hinge joint) 3 타원관절(과상관절; condyloid joint)

윤활관절의 종류 2

- **안장관절(saddle joint)**: 말안장에 또 하나의 말안장을 엎어 맞추어 놓은 것과 같은 관절로, 수평축에 있는 것은 오목하게 되어있고 수직축에 있는 것은 융기되어 있는 관절이다. 굽힘, 폄, 모음, 벌림 이외의 약간의 돌림회전(rotation)운동이 가능하다.

  예 엄지손가락의 손목손허리관절수근중수관절

- **절구관절(구상관절; ball and socket joint)**: 공모양의 관절머리가 소켓처럼 생긴 오목안으로 들어가서 마치 절구안에서 공이 움직이는 것처럼 운동하는 관절로서 모든 종류의 운동이 가능하다.

  예 어깨관절, 엉덩관절

- **중쇠관절(차축관절; pivot joint)**: 손가락에 반지를 낀 뒤에 반지를 좌우로 돌리는 것과 같은 운동을 할 수 있는 관절이다.

  예 정중고리중쇠관절정중환축관절, 몸쪽 · 먼쪽노자관절근위 · 원위 요척관절

1. 유형별 윤활관절과 도식화된 모형을 색칠하시오.
2. 관절면을 다른색으로 덧칠하시오.

Main Point. 윤활관절의 종류와 해부학적 구조를 이해한다.

괄호에 알맞은 용어를 쓰고 도색하시오.

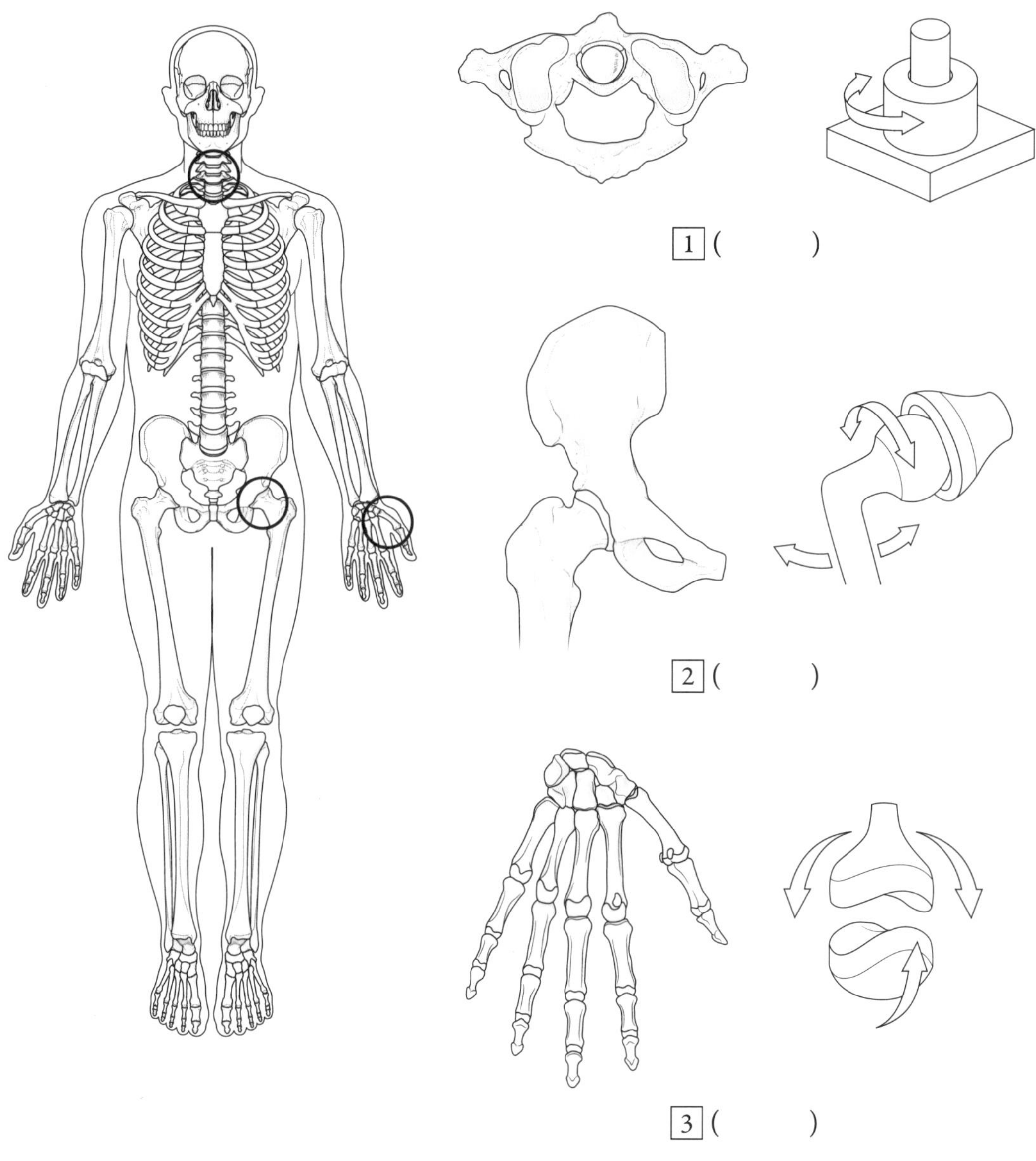

1 중쇠관절(차축관절; pivot joint) 2 절구관절(구상관절; ball-and-socket joint) 3 안장관절(saddle joint)

관절의 유형과 운동에 따른 분류

일반감각의 수용기

• 섬유관절 : 윤활공간 없음, 치밀결합조직

유형	운동	예
봉합		관상봉합
인대결합		먼쪽정강종아리관절(원위경비관절)
못박이관절		치아와 이틀뼈

• 연골관절 : 윤활공간 없음, 유리연골이나 섬유연골로 연결된 관절

유형	운동	예
유리연골결합		긴뼈(장골)의 뼈몸통(골체)과 뼈끝 사이에 있는 뼈몸통
섬유연골결합		두덩뼈섬유연골결합(치골섬유연골결합), 척추사이관절

• 윤활관절 : 관절공간, 관절연골, 관절주머니, 덧인대, 관절원반 등의 복잡한 구성

유형	운동	예
타원관절	한 뼈의 달걀 모양의 볼록한 면은 다른 뼈의 타원형 패임과 관절. 이축성관절	노손목관절, 손허리손가락관절
평면관절	약간 오목하거나 볼록한 뼈의 표면은 다른 뼈에 교차되어 미끄러지는 관절. 이축성관절	손목뼈사이관절(수근간관절), 발목뼈사이관절(족근간관절), 복장갈비관절(흉늑관절 : 갈비뼈(늑골)의 2-7번 뼈와 복장뼈 사이), 척추의 관절돌기 사이의 관절
경첩관절	오직 한 면에서만 굽히거나 펼 수 있는 관절. 일축성관절	무릎관절, 팔꿈치관절, 발목관절, 발가락뼈사이관절
안장관절	각각의 뼈 표면관절은 안장 모양(한 축의 오목과 세로 축의 볼록). 이축성관절	큰마름손허리관절(대능형수근간관절), 복장빗장관절
절구관절	한 뼈의 부드러운 반구형 머리는 다른 뼈의 컵 모양 패임과 접촉하여 있는 관절. 다축성관절	어깨관절, 엉덩관절
중쇠관절	세로축에서 돌림하는 것을 허용하는 또 다른 반지모양의 인대로 둘러싸인 관절. 일축성관절	고리중쇠관절(정중환축관절), 노자관절(요척관절)

Main Point. 관절의 유형과 운동을 이해한다.

괄호에 알맞은 용어를 쓰고 도색하시오.

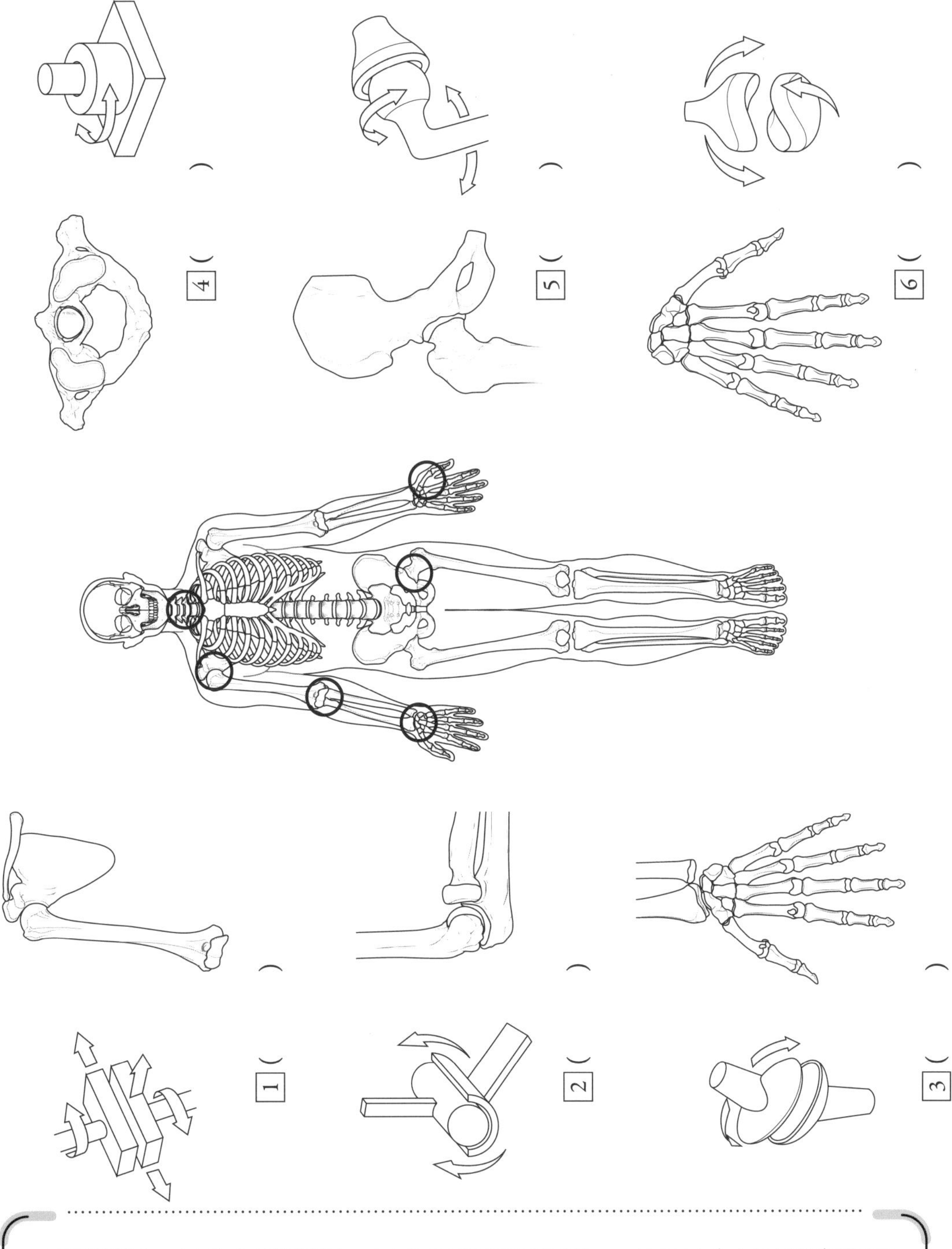

1 평면관절(plane joint) 2 경첩관절(hinge joint) 3 타원관절(과상관절; condyloid joint) 4 중쇠관절(차축관절; pivot joint) 5 절구관절(구상관절; ball–and–socket joint) 6 안장관절(saddle joint)

2. 턱관절의 구조

턱관절의 구조

- **관자아래턱관절(측두하악관절; temporomandibular joint)**: 관자뼈측두골(temporal bone)의 턱관절 오목과 아래턱뼈(mandible)의 관절융기 관절이다. 이 관절은 타원, 경첩, 평면관절의 요소로 구성되어 있다. 아래턱뼈는 턱을 올리거나 내릴 때는 경첩관절의기능을 하며, 평면관절로서 음식을 씹기 위해 턱을 내밀 때는 미끄러지는 운동을 하고 어금니 사이의 음식을 갈 때는 옆으로 미끄러지는 운동은 관절원반 때문에 가능하다.

또한 턱관절을 지지해주는 세 개의 부속인대가 있고, 관절주머니를 지지해주는 관절주머니와 인대가 있어서 턱관절의 움직임을 보호한다.

0. 움직임에 따른 턱관절의 구조를 구분하여 색칠하시오.

Main Point. 턱관절의 해부학적 구조를 이해한다.

괄호에 알맞은 용어를 쓰고 도색하시오.

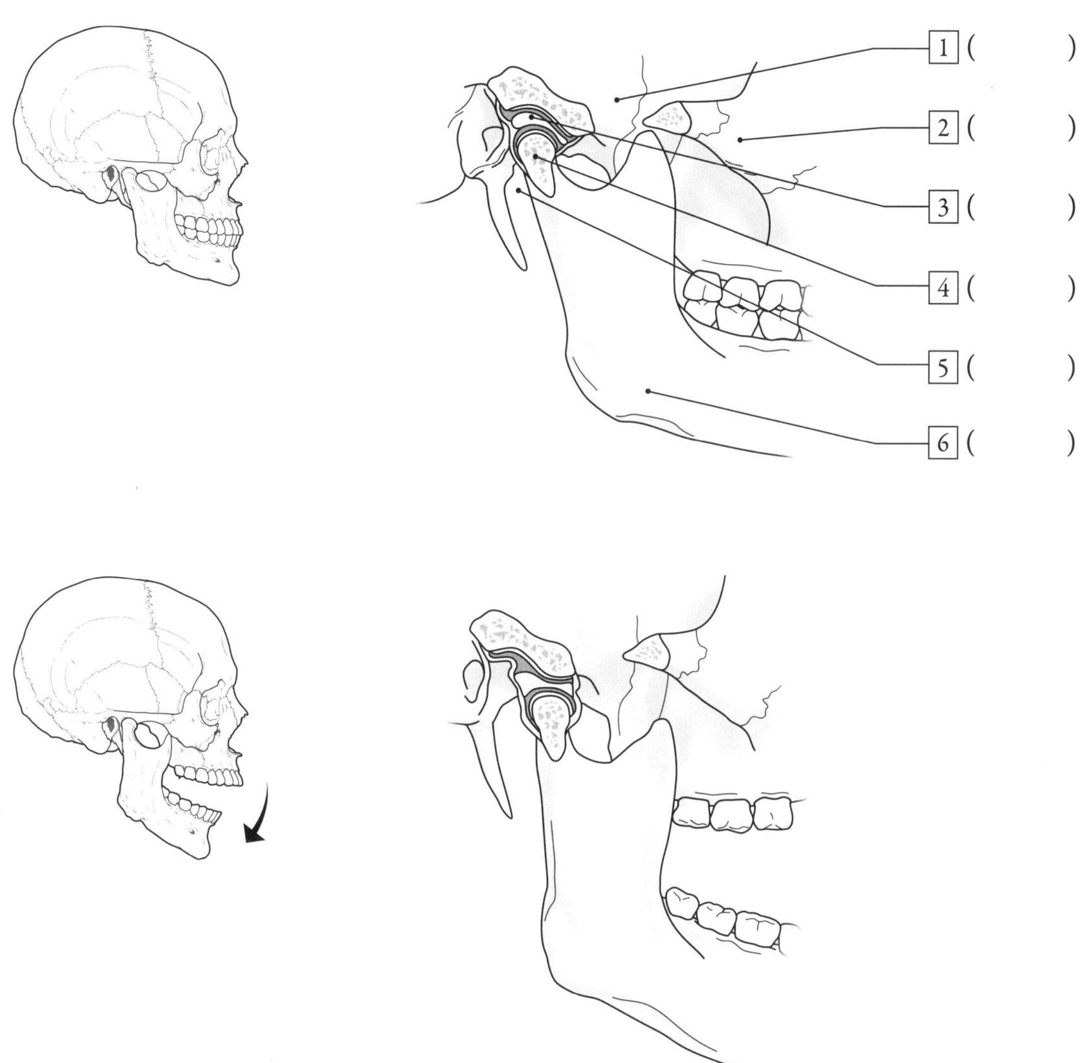

1 관자뼈(측두골; temporal bone) 2 광대뼈(관골; zygomatic bone) 3 관절원반(디스크; disc) 4 턱뼈머리(하악두; head of mandible) 5 관절주머니인대(관절낭 인대; capsular ligament) 6 아래턱뼈(하악골; mandibula)

3. 팔을 구성하는 관절의 종류와 구조

어깨관절의 종류와 구조 1

어깨 복합체의 관절들

- 복장빗장관절(sternoclavicular joint)
- 어깨등관절견흉관절(scapulothoracic joint)
- 봉우리빗장관절견쇄관절(acromiclavicular joint)
- 어깨관절관절와상완관절(glenohumeral joint)

위팔관절관절와상완관절(glenohumeral joint) 또는 어깨관절은 어깨뼈견갑골(scapular)의 관절오목과 위팔뼈상완골의 반구상머리에 위치해 있다. 비교적 느슨한 어깨관절주머니견관절낭와 얕은 관절오목은 자유로운 움직임을 위해 관절의 안정성을 희생한다. 관절오목은 오목테두리관절순(glenoid labrum) 주위 가장자리라고 불리는 섬유관절의 링을 가지고 있다.

다섯 개의 주요한 인대는 이 관절을 지지한다.

1. 부리위팔인대오훼상완인대(coracohumeral ligament)
2. 가로위팔인대횡상완인대(transverse humeral ligament)
3. 오목위팔인대관절와상완인대(glenohumeral ligament)
4. 부리빗장인대오훼쇄골인대(coracoclavicular ligament)
5. 부리봉우리인대오훼견봉인대(coracoacromial ligament)

0. 어깨관절을 이루는 뼈와 연골, 인대를 구분하여 각기 다른 색으로 색칠하시오.

Main Point. 어깨관절의 종류와 해부학적 구조를 이해한다.

괄호에 알맞은 용어를 쓰고 도색하시오.

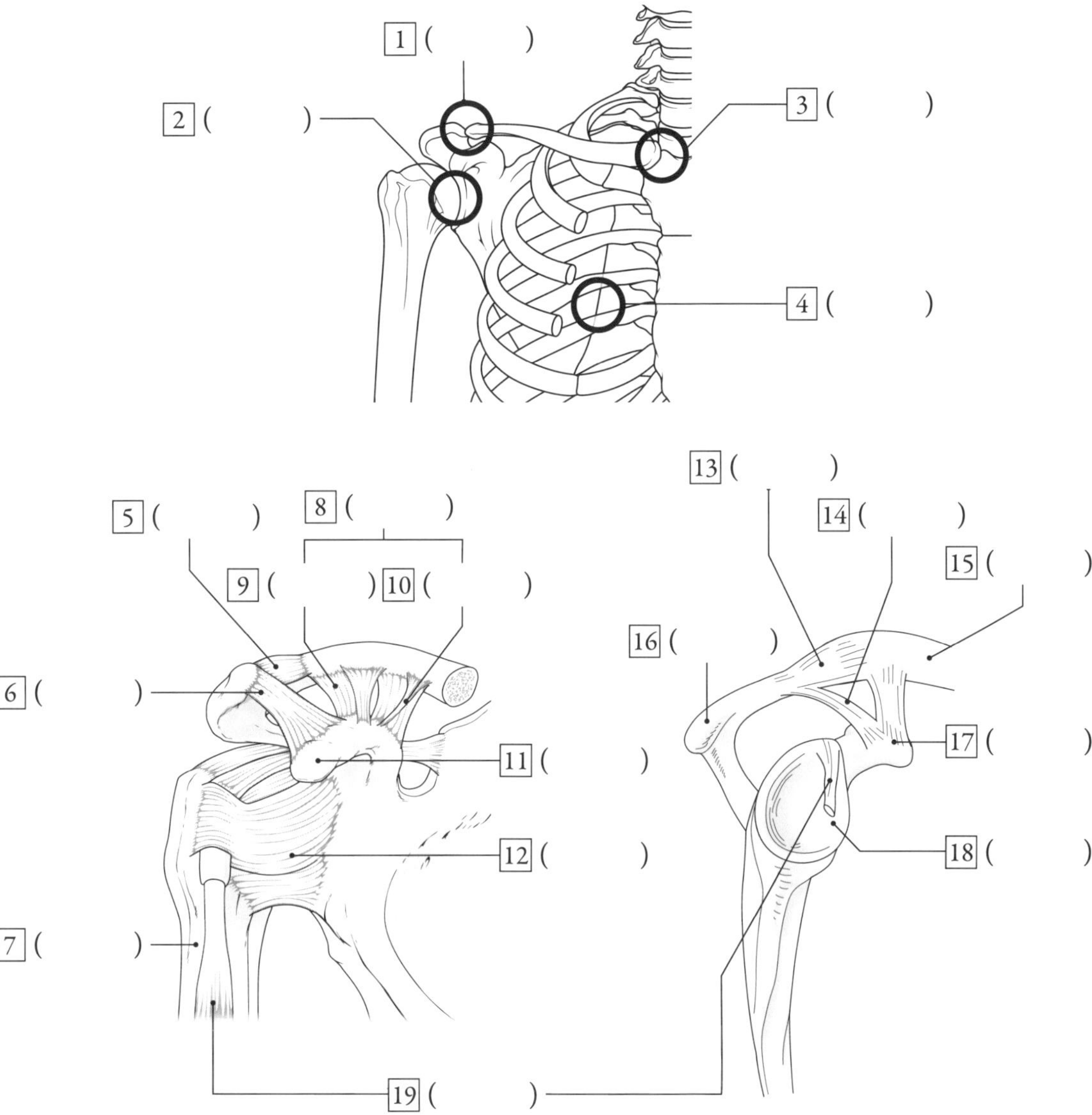

1 봉우리빗장관절(견쇄관절; acromio–clavicular joint) 2 어깨관절(견관절; glenohumeral joint) 3 복장빗장관절(흉쇄관절; sterno–clavicular joint) 4 어깨등관절(견흉관절; scapulothoracic joint) 5 봉우리빗장인대(견쇄인대; acromioclavical ligament) 6 부리봉우리인대(오훼견봉인대; coracoacromial ligament) 7 위팔뼈(상완골; humerus) 8 부리빗장인대(오훼쇄골인대; coracoclavicular ligament) 9 마름인대(능형인대; trapezoid ligament) 10 원뿔인대(원추인대; conoid ligament) 11 부리돌기(오훼돌기; coracoid process) 12 오목위팔인대(관절와상완인대; glenohumeral ligament) 13 봉우리빗장인대(견쇄인대; acromioclavical ligament) 14 부리봉우리인대(오훼견봉인대; coracoacromial ligament) 15 빗장뼈(쇄골; clavicle) 16 봉우리(견봉; acromion) 17 부리돌기(오훼돌기; coracoid process) 18 접시오목 19 위팔두갈래근긴갈래(상완이두근 장두; biceps long head)

어깨관절의 종류와 구조 2

위팔두갈래근상완이두근에 더하여 오목위팔관절관절와상완인대을 안정시키는 4가지 중요한 근육

1. 어깨밑근견갑하근(subscapularis)
2. 가시위근극상근(supraspinatus)
3. 가시아래근극하근(infraspinatus)
4. 작은원근소원근(teres minor)

이 네 가지 근육의 힘줄들은 돌림근띠회선근개(rotator cuff)를 형성하여 관절주머니 아래가쪽면을 제외한 모든 면에 융합되어 있다.

4개의 점액주머니(bursa)는 어깨뼈와 관련되어 있다.

1. 어깨서모근밑주머니삼각근하점액낭(subdeltoid bursa)
2. 봉우리밑주머니견봉하점액낭(subacromial bursa)
3. 부리밑주머니오훼돌기하점액낭(subcoracoid bursa)
4. 어깨밑주머니견갑하점액낭(subscapular bursa)

1. 어깨관절에 작용하는 근육들을 다른 색으로 색칠하시오.
2. 점액주머니를 구분하여 색칠하시오.

Main Point. 어깨관절의 종류와 해부학적 구조를 이해한다.

괄호에 알맞은 용어를 쓰고 도색하시오.

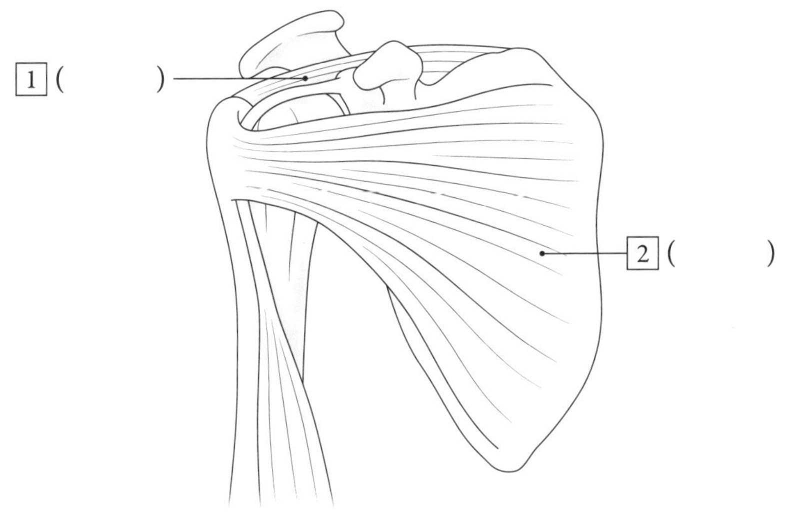

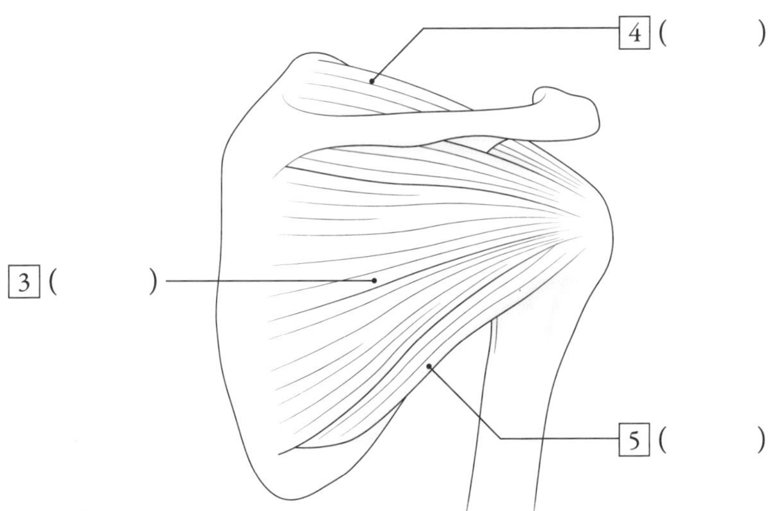

1 기시위근(극상근; supraspinatus) 2 어깨밑근(견갑하근; subcapularis) 3 기시아래근(극하근; infraspinatus) 4 기시위근(극상근; supraspinatus) 5 작은원근(소원근; teres minor)

괄호에 알맞은 용어를 쓰고 도색하시오.

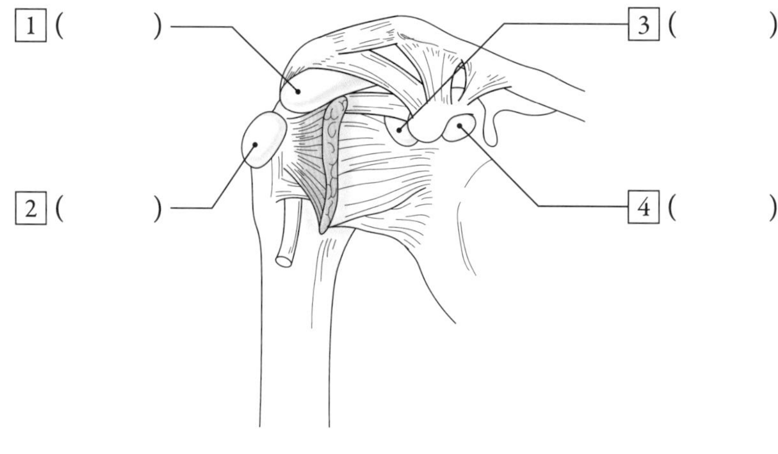

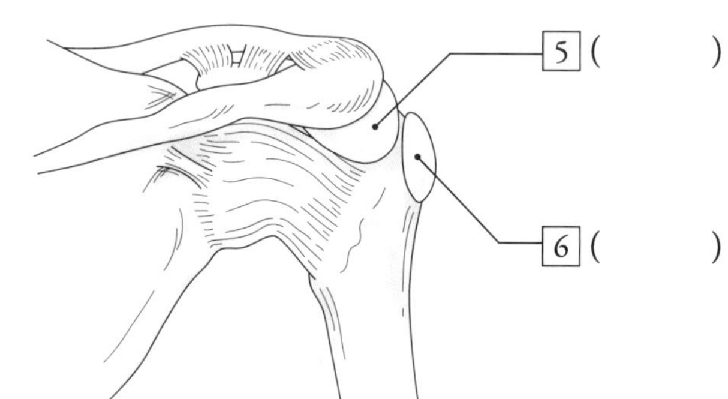

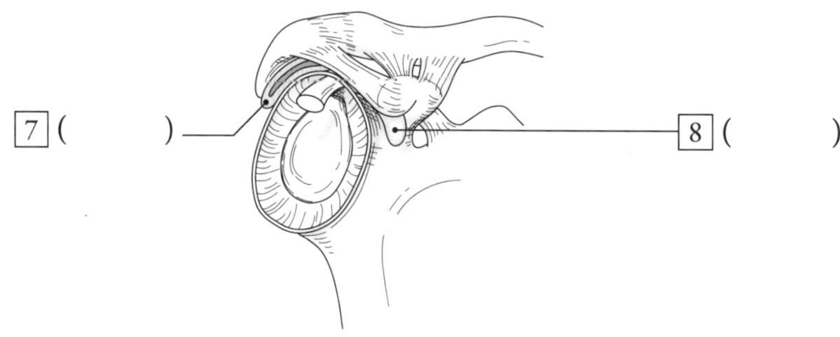

1 봉우리밑주머니(견봉하점액낭; subazromial bursa) 2 어깨서모근밑주머니(삼각근하점액낭; subdeltoid bursa) 3 부리밑주머니(오훼돌기하점액낭; subcoracoid bursa) 4 어깨밑주머니(견갑하점액낭; subscapular bursa) 5 봉우리밑주머니(견봉하점액낭; subazromial bursa) 6 어깨서모근밑주머니(삼각근하점액낭; subdeltoid bursa) 7 봉우리밑주머니(견봉하점액낭; subazromial bursa) 8 부리밑주머니(오훼돌기하점액낭; subcoracoid bursa)

note

팔꿉관절의 종류와 구조

팔꿉과 아래팔 복합체의 관절들

- 위팔자관절상완요골관절(humeroulna joint)
- 위팔노관절상완척골관절(humeroradial joint)
- 몸쪽노자관절근위요척관절(proximal radioulnar joint)
- 먼쪽노자관절원위요척관절(distal radioulnar joint)

팔꿈치는 두 개의 관절인 위팔자관절과 위팔노관절로 구성된 경첩관절이다. 위팔자관절은 일차적인 팔꿉의 구조적 안정성의 대부분을 제공한다. 이러한 안정성은 주로 아래턱 모양으로 생긴 자뼈의 도르래패임활차절흔(trochlear notch)과 실패 모양의 위팔뼈 도르래와 맞물림에 의해 제공된다. 위팔노관절은 위팔뼈상완골의 작은머리소두와 노뼈머리요골두(radial head)가 만나는 곳으로 팔꿉에 이차적인 안정성만을 제공한다.

몸쪽노자관절은 경첩관절에 포함되지 않는다. 이 관절은 자뼈(ulna)의 노뼈패임요골절흔(radial notch) 속에 노뼈(radius)의 원반 모양의 머리가 맞춰져 있으며 머리띠인대윤상인대(anular ligament)에 의해 고정되어 있고 머리띠인대는 노뼈머리를 동그랗게 에워싸고 있으며 그 끝은 자뼈에 붙어 있기 때문이다.

주요한 지지 구조물

- 관절주머니(aticular capsule)
- 안쪽곁인대내측측부인대(medial collateral ligament)
- 가쪽곁인대외측측부인대(lateral collateral ligament)

0. 팔꿉관절을 이루는 뼈와 인대를 구분하여 각기 다른 색으로 색칠하시오.

Main Point. 팔꿉관절의 종류와 해부학적 구조를 이해한다.

괄호에 알맞은 용어를 쓰고 도색하시오.

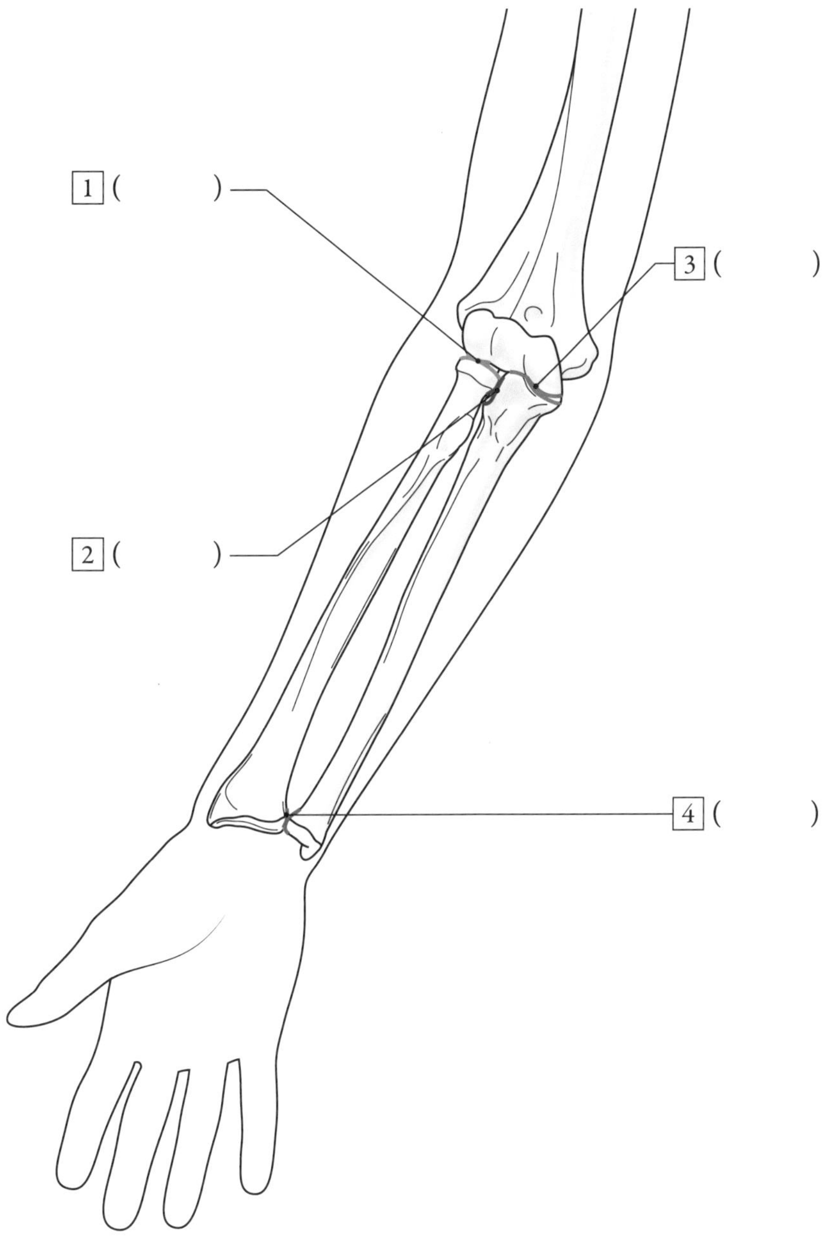

1 위팔노관절(상완요골관절; humeroradial joint) 2 몸쪽노자관절(근위요척관절; proximal radioulnar joint)
3 위팔자관절(상완척골관절; humeroulnar joint) 4 먼쪽노자관절(원위요척관절; distal radioulnar joint)

괄호에 알맞은 용어를 쓰고 도색하시오.

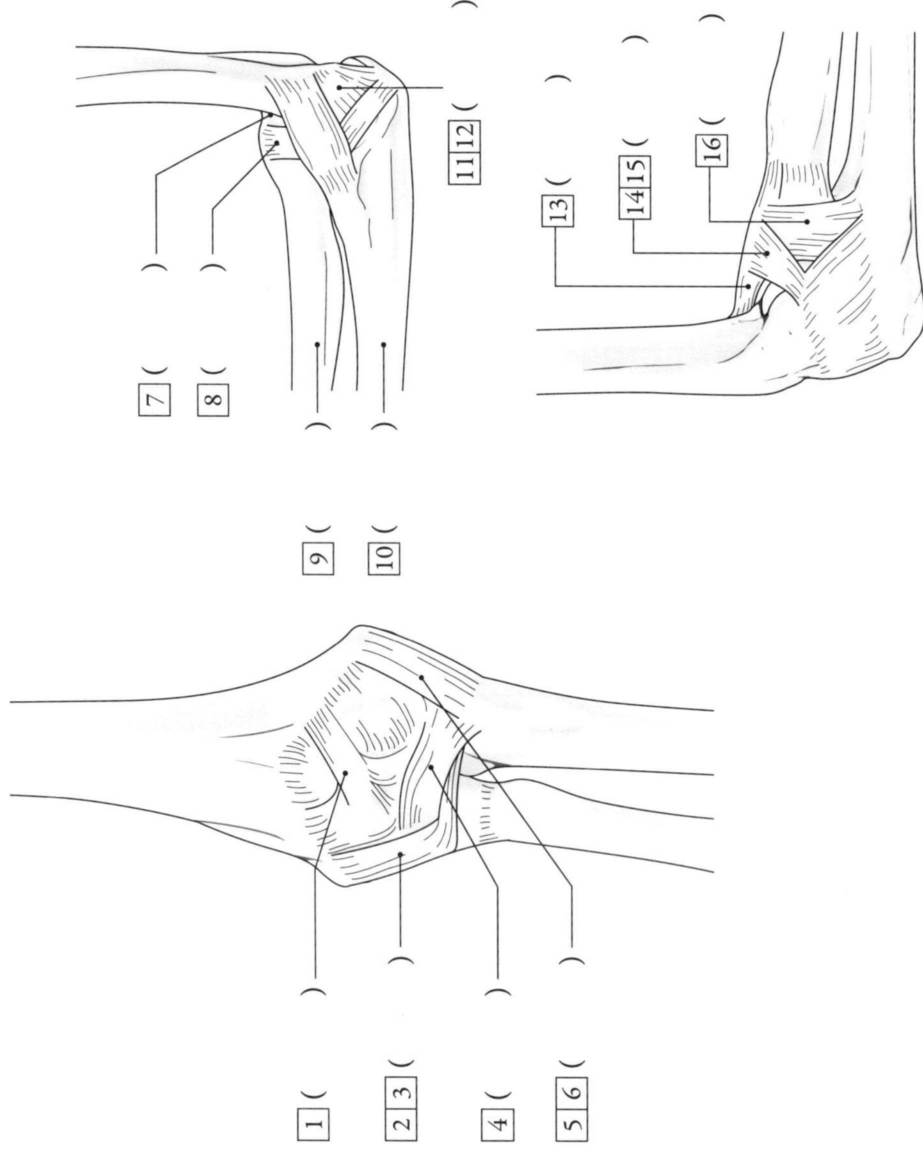

1 관절주머니(관절낭; aticular capsule) 2 가쪽곁인대(외측측부인대; lateral collateral ligament) 3 노쪽곁인대(요측측부인대; radial collateral ligament) 4 노뼈머리띠인대(윤골윤상인대; annular ligament of radius) 5 안쪽곁인대(내측측부인대; medial collateral ligament) 6 자쪽곁인대(척측측부인대; ulnar collateral ligament) 7 관절주머니(관절낭; aticular capsule) 8 노뼈머리띠인대(윤골윤상인대; annular ligament of radius) 9 노뼈(요골; radius) 10 자뼈(척골; ulnar) 11 안쪽곁인대(내측측부인대; medial collateral ligament) 12 자쪽곁인대(척측측부인대; ulnar collateral ligament) 13 관절주머니(관절낭; aticular capsule) 14 가쪽곁인대(외측측부인대; lateral collateral ligament) 15 노쪽곁인대(요측측부인대; radial collateral ligament) 16 노뼈머리띠인대(윤골윤상인대; annular ligament of radius)

note

손목 관절과 손 관절의 종류와 구조

손목의 중요 관절들

- 노손목관절요수근관절(radiocarpal joint)
- 손목뼈중간관절정중수근간관절(midcarpal joint)

손목은 노손목관절과 손목뼈중간관절로 구성된 이중관절시스템이다.

노손목관절의 몸쪽부위는 노뼈와 인접 관절원반에 의해 형성된 오목면으로 구성된다. 관절의 먼쪽부위는 주로 손배뼈주상골와 반달뼈월상골의 볼록한 관절면으로 구성되어 있다. 손목을 가로지르는 힘의 약 80%는 손배뼈(scaphoid)와 반달뼈(lunate)를 지나 노뼈쪽으로 지나간다.

손목뼈중간관절은 손목뼈수근골들의 몸쪽줄과 먼쪽줄을 나누는 관절이다.

손 관절의 종류와 구조

손의 중요 관절들

- 손목손허리관절수근중수관절(carpometacarpal joint)
  - 엄지의 손목손허리관절(carpometacarpal joint of the thumb)
- 손허리손가락관절중수지질관절(metacarphalangeal joint)
- 손가락뼈사이관절들지절간관절(interphalangeal joint)

엄지의 손목손허리관절은 첫째 손가락열의 바닥인 손허리뼈중수골와 큰마름뼈대능형골(triquetrum) 사이에 위치한다. 이 관절은 독특한 안장 형태로 엄지가 완전히 맞섬할 수 있게 해주어 다른 손가락의 끝과 쉽게 접촉한다. 이 관절은 이축성 운동을 허용한다. 손허리손가락관절은 타원관절이며 손가락뼈사이관절은 경첩관절이다.

1. 손목 관절을 이루는 뼈와 인대를 구분하여 각기 다른 색으로 색칠하시오.
2. 손 관절을 이루는 구조물들을 구분하여 각기 다른 색으로 색칠하시오.

Main Point. 손목 관절과 손 관절의 종류와 해부학적 구조를 이해한다.

괄호에 알맞은 용어를 쓰고 도색하시오.

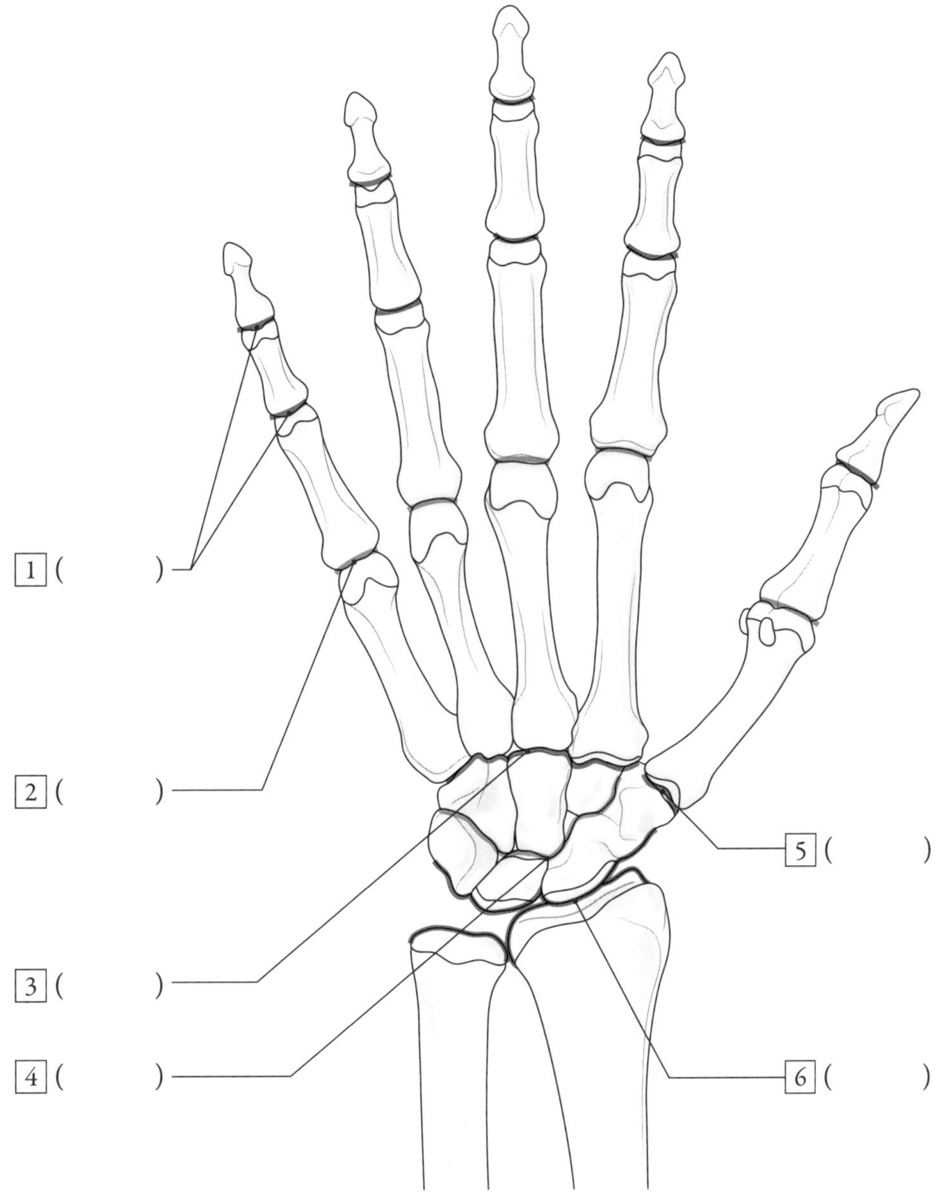

1 손가락뼈사이관절(지절간관절; interphalangeal joint) 2 손허리손가락관절(중수지절관절; metacarphalangeal joint) 3 손목손허리관절(수근중수관절; carpometacarpal joint) 4 손목뼈중간관절(수근중앙관절; midcarpal joint) 5 손목손허리관절(수근중수관절; carpometacarpal joint) 6 노손목관절(요측수근관절; radiocarpal joint)

4. 다리를 구성하는 관절의 종류와 구조

엉덩관절의 종류와 구조

엉덩관절(hip joint)은 볼기뼈무명골(innominate)의 절구관절구(acetabulum)와 넙다리뼈머리대퇴골두에 의해 형성된 절구관절구상관절이다. 이 관절은 몸의 무게를 지탱해야하기 때문에 깊이 파여 있고 어깨관절에 비해 훨씬 안정적이며, 강한 섬유관절주머니, 여러 인대들 그리고 강력한 근육들에 의해 보호된다. 다리의 부착점인 엉덩관절은 모든 3가지 운동면에서의 넓은 움직임 범위를 제공한다.

Q. 엉덩관절을 이루는 뼈와 인대를 구분하여 각기 다른 색으로 색칠하시오.

Main Point. 엉덩관절의 종류와 해부학적 구조를 이해한다.

괄호에 알맞은 용어를 쓰고 도색하시오.

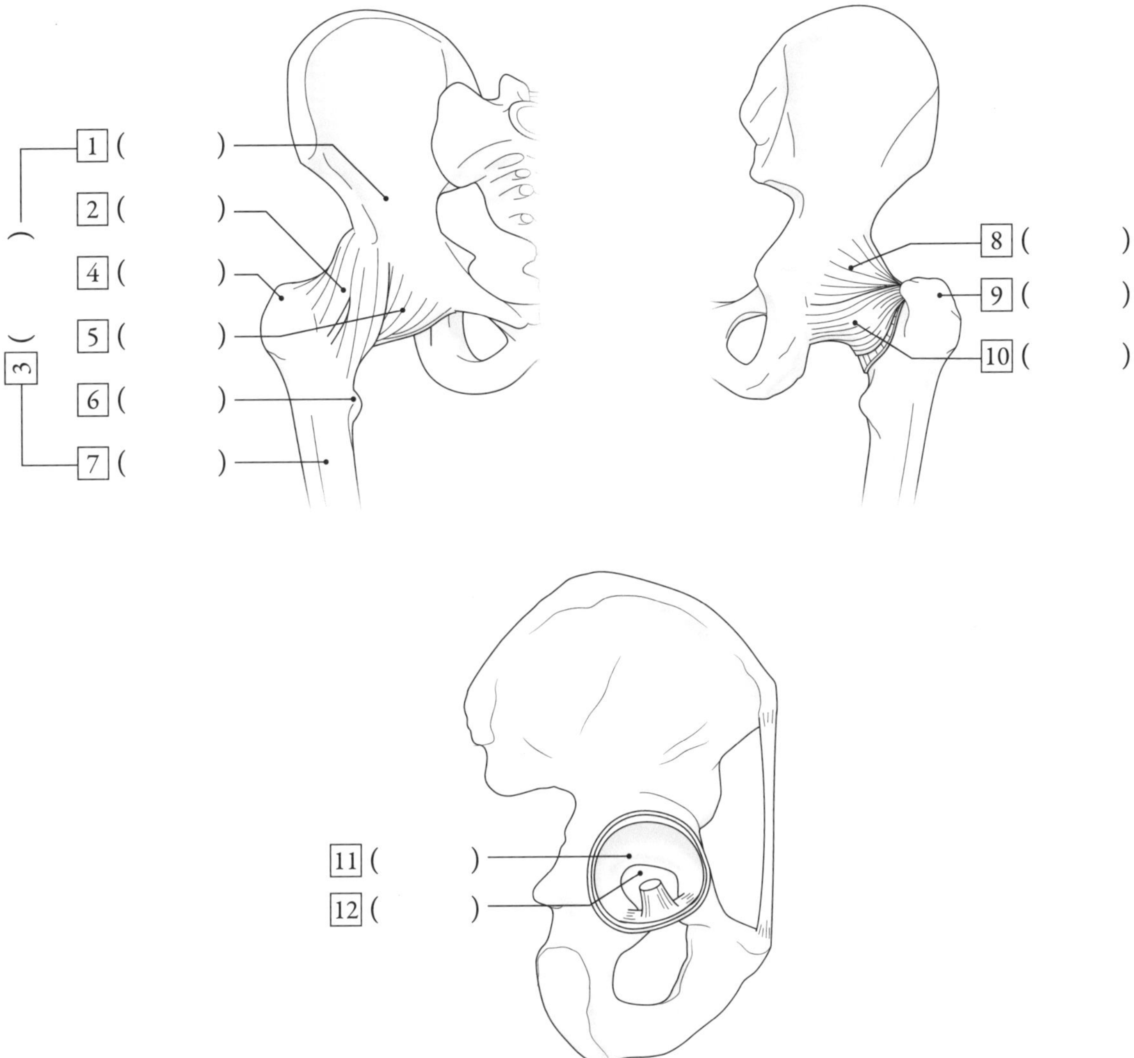

1 볼기뼈(무명골; innominate bone) 2 엉덩넙다리인대(장골대퇴인대; iliofemoral ligament) 3 엉덩관절(고관절; hip joint) 4 큰돌기(대전자; greater trochanter) 5 두덩넙다리인대(치골대퇴인대; pubofemoral ligament) 6 작은돌기(소전자; lesser trochanter) 7 넙다리뼈(대퇴골; femur) 8 엉덩넙다리인대(장골대퇴인대; iliofemoral ligament) 9 큰돌기(대전자; greater trochanter) 10 궁둥넙다리인대(좌돌대퇴인대; ischiofemoral ligament) 11 반달면(월상면; lunate surface) 12 절구패임(관절구절흔; acetebular notch)

무릎관절의 종류와 구조

넙다리뼈대퇴골(femur)와 정강뼈경골(tibia) 사이에 위치한 무릎관절슬관절(knee joint)은 인체에서 가장 크고, 가장 복잡하며, 가장 손상받기 쉬운 관절이다. 이 관절은 경첩관절의 구조로 굽힘과 폄운동이 일어나며 제한된 돌림과 미끄러짐 운동이 일어난다.

무릎의 중요 관절들

- 정강넙다리관절경골대퇴관절(tibiofemoral joint)
- 몸쪽정강종아리관절근위경비관절(proximal tibiofibular joint)
- 무릎넙다리관절슬개대퇴관절(patellofemoral joint)

정강넙다리관절과 **무릎넙다리관절**은 무릎의 전반적인 운동학에서 각각 독특한 기여를 한다. 예를 들어, 걷는 동작에서 정강넙다리관절은 자연스런 다리의 앞쪽 전진에 필수적이다. 정강넙다리관절을 에워싸고 있는 결합조직은 이러한 움직임을 안내할 뿐만 아니라 힘의 흡수와 전달은 물론 관절을 안정화시키는 데도 기여한다.

무릎넙다리관절은 무릎 내의 예민한 구조들을 보호하고 넙다리네갈래근대퇴사두근(quadriceps femoris)을 위한 모멘트팔을 증진시켜 네갈래근의 폄근신근 토크의 발생 능력을 증진시킨다.

주요한 지지 구조물

- 앞십자인대전십자인대와 뒤십자인대후십자인대(anterior and posterior cruciate ligaments)
- 안쪽곁인대와 가쪽곁인대내측 · 외측 측부인대(medial and lateral collateral ligaments)
- 안쪽반달내측반월판과 가쪽반달외측반월판(medial and lateral meniscus)

0. 무릎관절을 이루는 뼈와 연골, 인대를 각기 다른 색으로 색칠하시오.

Main Point. 무릎관절의 종류와 해부학적 구조를 이해한다.

괄호에 알맞은 용어를 쓰고 도색하시오.

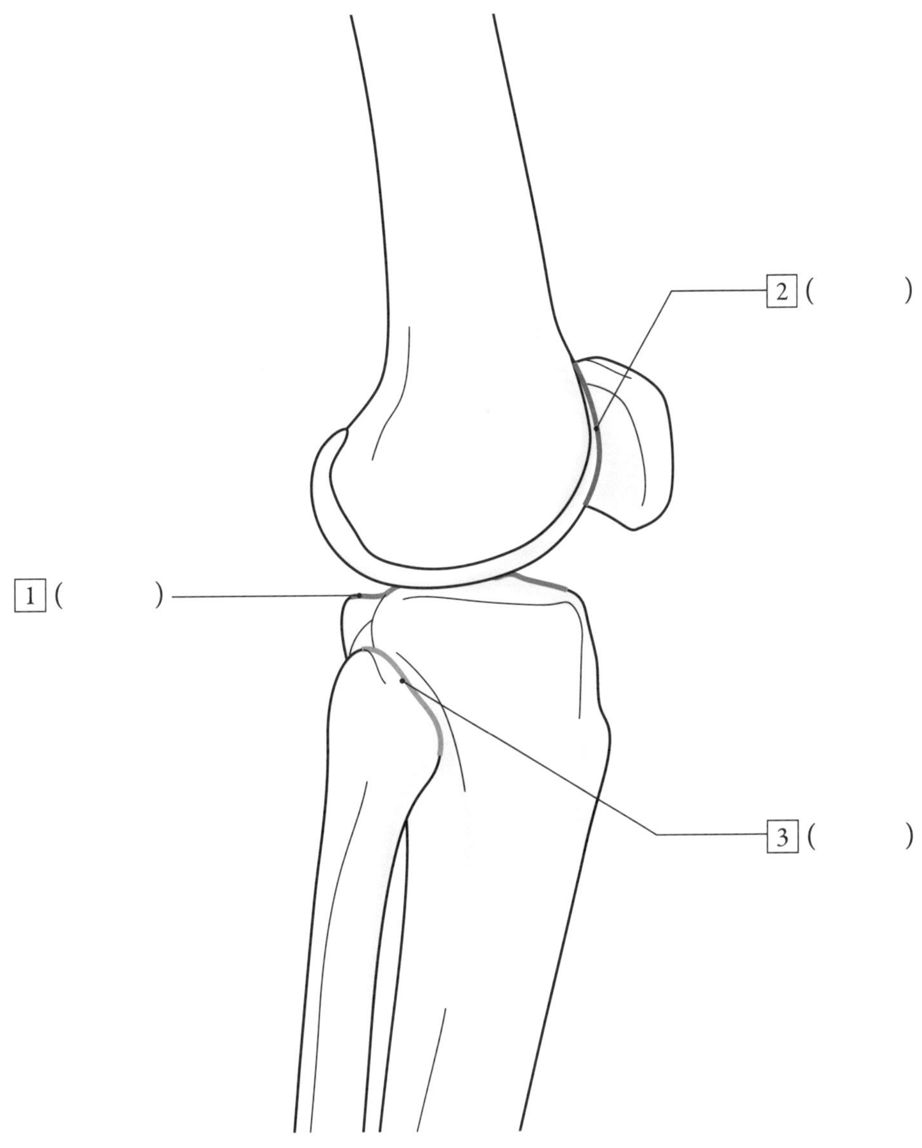

1 정강넙다리관절(경골대퇴관절; tibiofemoral joint) 2 무릎넙다리관절(슬개대퇴관절; patellofemoral joint) 3 몸쪽정강종아리관절(근위 경비관절; proximal tibiofibular joint)

괄호에 알맞은 용어를 쓰고 도색하시오.

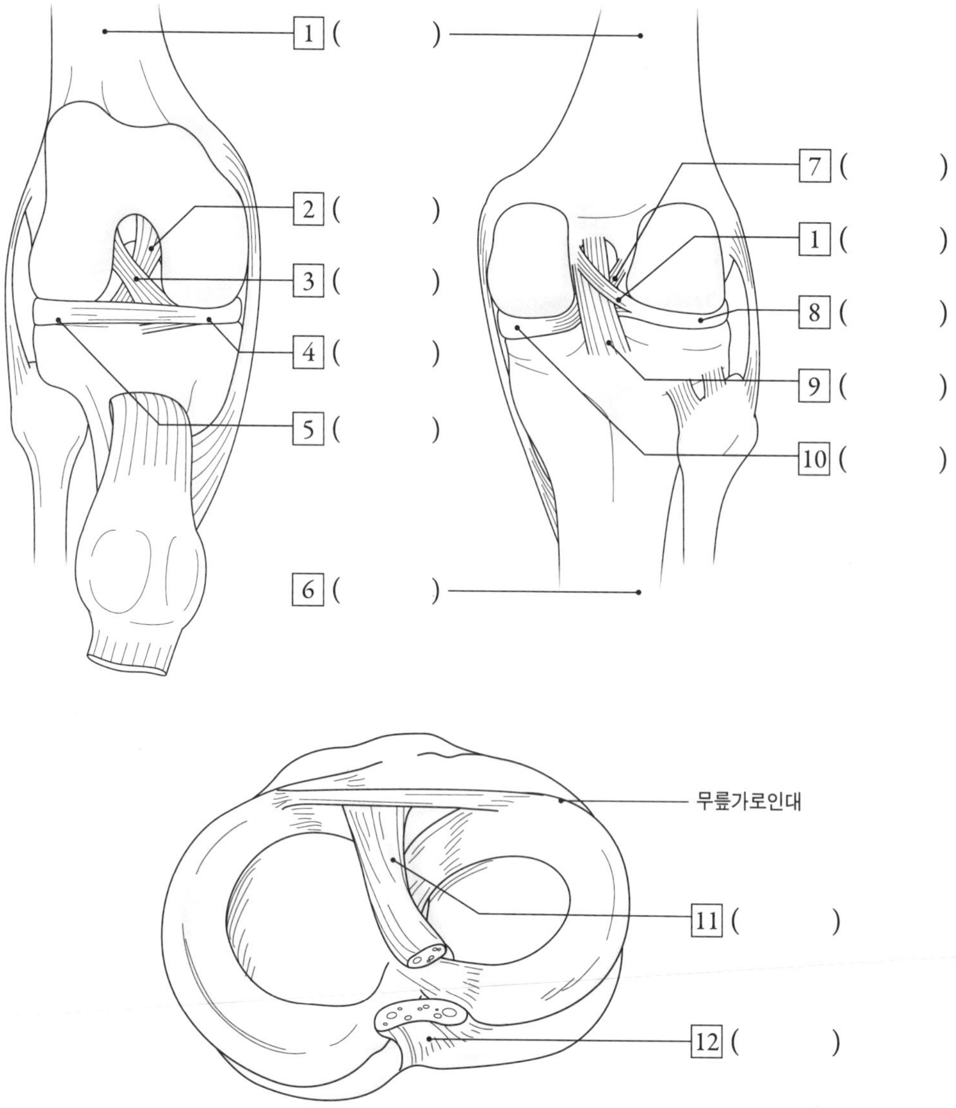

1 넓다리뼈(대퇴골; femur) 2 뒤십자인대(후십자인대; posterior cruciate ligament) 3 앞십자인대(전십자인대; anterior cruciate ligament) 4 안쪽반달(내측 반월판; medial meniscus) 5 가쪽반달(외측 반월판; lateral meniscus) 6 정강이뼈(경골; tibia) 7 앞십자인대(전십자인대; anterior cruciate ligament) 8 가쪽반달(외측 반월판; lateral meniscus) 9 뒤십자인대(후십자인대; posterior cruciate ligament) 10 안쪽반달(내측 반월판; medial meniscus) 11 앞십자인대(전십자인대; anterior cruciate ligament) 12 뒤십자인대(후십자인대; posterior cruciate ligament)

note

발목(ankle)과 발(foot) 관절의 종류와 구조

발목과 발은 다양한 관절들로 구정되어 있다. 구성의 목적을 위해 관절들은 몸쪽근위과 먼쪽원위 관절들로 나눠진다. 종아리패임비골절흔은 종아리뼈와 관절하는 먼쪽 정강뼈의 오목한 부분이며, **먼쪽정강종아리관절**원위경비관절을 형성한다. 견고한 이 관절은 정강뼈와 종아리뼈 사이의 아주 적은 양의 미끄러짐 운동을 허용한다. 이 관절의 일차적 기능은 목발뼈거골를 받아들일 수 있는 안정된 사각형 형태의 오목을 형성하는데 도움을 제공하여 발목관절을 형성하는데 일조한다.

몸쪽관절들

- 발목관절(거퇴관절; talocrural joint)
- 목말밑관절(거골하관절; subtalar joint)
- 가로발목뼈관절(횡족근관절; transverse tarsal joint)

먼쪽관절들

- 발목발허리관절(족근중족관절; tarsometatarsal joint)
- 발허리발가락관절(중족지관절; metatarsophalangeal joint)
- 발가락뼈사이관절(족지절간관절; interphalangeal joints)

1. 발목 관절을 이루는 뼈와 인대를 각기 다른 색으로 색칠하시오.
2. 발 관절을 이루는 뼈와 인대를 각기 다른 색으로 색칠하시오.

Main Point. 발목과 발 관절의 종류와 해부학적 구조를 이해한다.

괄호에 알맞은 용어를 쓰고 도색하시오.

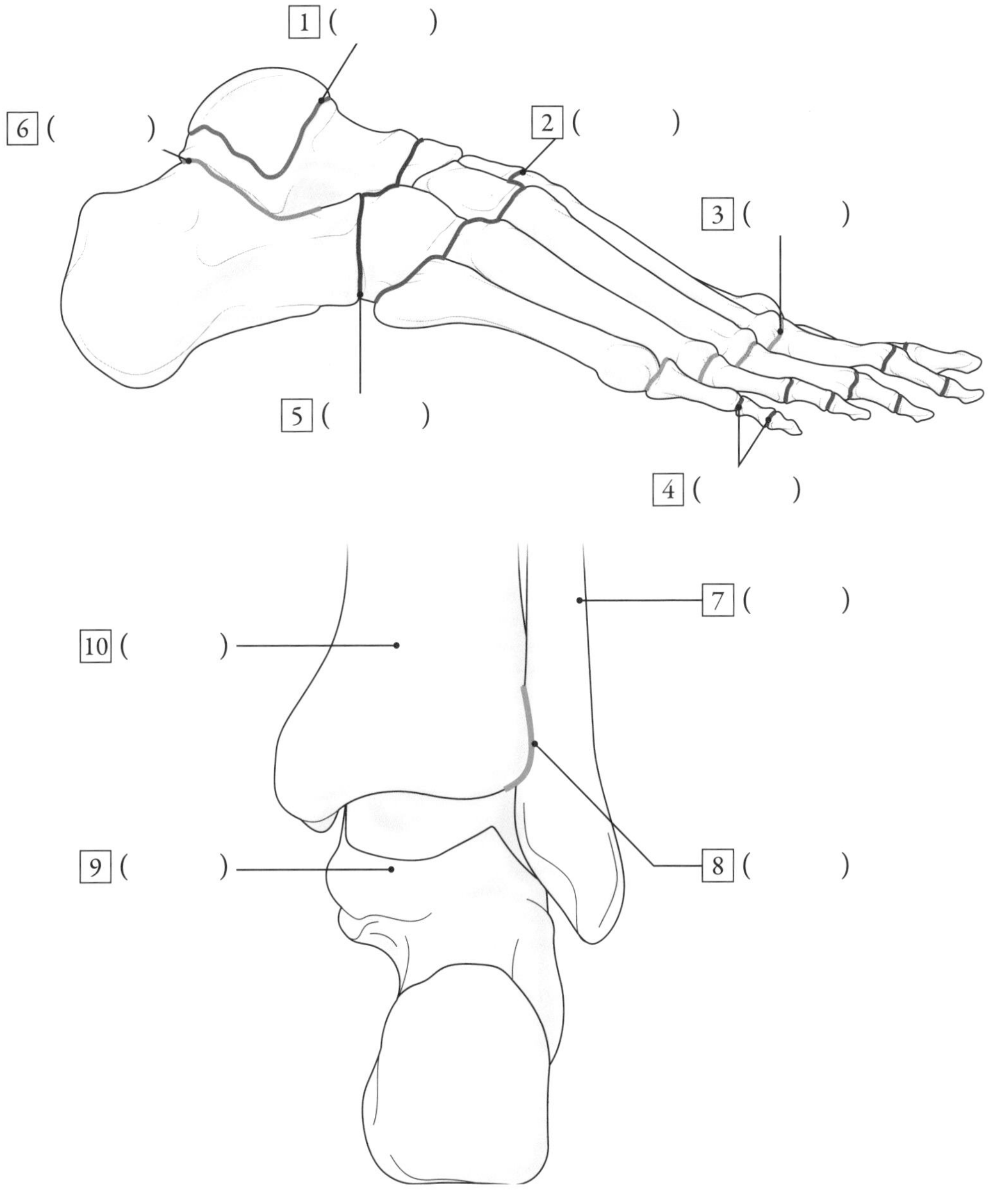

1 발목관절(거퇴관절; talocrural joint) 2 발목발허리관절(족근중족관절; tarsometatarsal joint) 3 발허리발가락관절(중족지관절; metatarsophalangeal joint) 4 발가락뼈사이관절(족지절간관절; interphalangeal joints) 5 가로발목뼈관절(횡족근관절; transverse tarsal joint) 6 목말밑관절(거골하관절; subtalar joint) 7 종아리뼈(비골; fibula) 8 종아리패임(비골절흔; fibular notch) 9 목발뼈(talus) 10 정강이뼈(경골; shinbone)

CHAPTER 4

근육계통 해부

Muscular System

뼈대근육(골격근; skeletal muscle)은 수의적인 가로무늬 근육으로 정의 되며 보통 하나 이상의 뼈에 부착 된다.

근육의 기능(functions of muscle)

- 운동성(movement) : 근육은 우리를 여기저기로 이동하게 하고, 각각의 몸 부분을 움직이는데 관여 한다.
- 안정성(stability) : 불필요한 운동을 방지하기 위해 자세를 유지하며 뼈와 힘줄에서 긴장을 유지하여 관절을 안정화시킨다.
- 열 생성(heat production) : 뼈대근육은 모든 물질대사와 효소의 작용에 의한 생명활동이 되는 우리 몸 열의 85% 정도를 생성한다.
- 당 조절(glycemic control) : 뼈대근육은 흡수, 저장 그리고 자신의 포도당을 이용 하여 혈액 농도를 안정화하는 중요한 역할을 한다.

근육의 일반적 특성(universal properties of muscle)

- 흥분성(excitability) : 화학적 신호, 신장 그리고 기타 자극원에 의해 자극되며 근육세포는 전기적, 역학적 반응을 보인다.
- 전도성(conductivity) : 국소적 전기 흥분성은 근육의 자극 지점에서 생성된 근육세포의 모든 영역을 자극하고, 수축 기전을 개시하는 전체 원형질막을 통하여 전도된다.
- 수축성(contractility) : 자극이 전달되면 근육섬유는 짧아지는 특성이 있어 뼈를 잡아당기며 기타 기관에 운동을 생성하게 된다.
- 신장성(extensibility) : 손상 없이 수축 길이의 세 배 이상 신장 할 수 있다.
- 탄력성(elasticity) : 근육세포는 긴장하고 난 후 긴장이 없어지면 본래의 길이보다 더 짧게 되돌아 간다. 이러한 탄력적 반발이 없으면 안정된 상태의 근육은 축 늘어진 상태가 될 것이다.

학습목표

1. 뼈조직의 구조와 분류를 이해할 수 있다.
2. 뼈의 성장과 뼈 되기를 이해할 수 있다.
3. 머리뼈의 종류와 구조적 특징을 이해할 수 있다.
4. 몸통을 구성하는 뼈대의 종류와 구조적 특징을 이해할 수 있다.
5. 팔뼈의 구성과 구조적 특징을 이해할 수 있다.
6. 다리뼈의 구성과 구조적 특징을 이해할 수 있다.

괄호에 알맞은 용어를 쓰고 도색하시오.

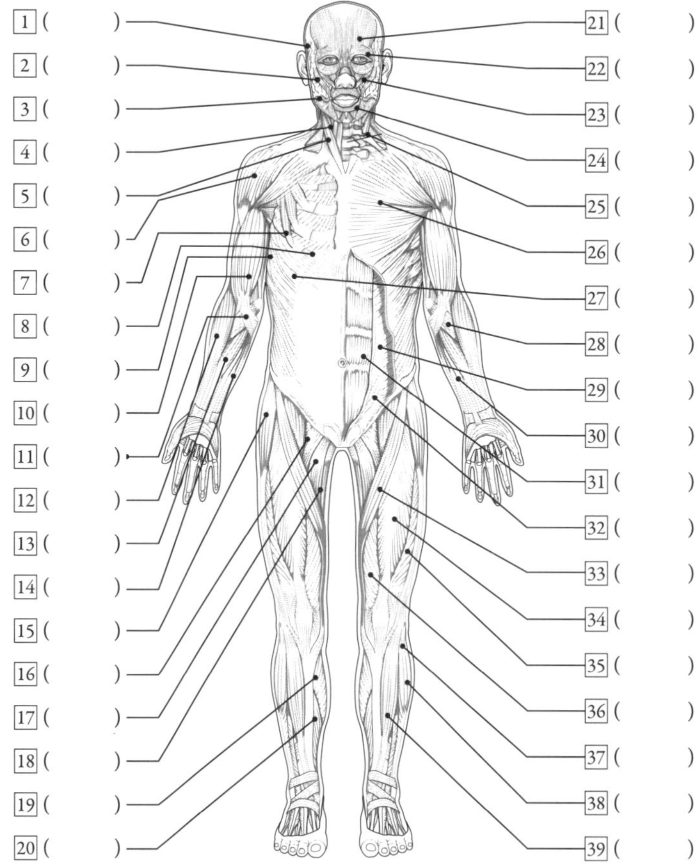

1 관자근(측두근; temporalis m.) 2 큰광대근(대관골근; zygomaticus major m.) 3 깨물근(교근; masseter m.) 4 앞목갈비근(전사가근; scalenus anterior m.) 5 목빗근(흉쇄유돌근; sternocledomastoid m.) 6 어깨세모근(삼각근; deltoid m.) 7 작은가슴근(소흉근; pectoralis minor m.) 8 갈비사이근(늑간근; intercostalis m.) 9 앞톱니근(전거근; serratus anterior m.) 10 위팔두갈래근(상완이두근; biceps brachii m.) 11 위팔근(상완근; brachialis m.) 12 위팔노근(완요골근; brachioradialis m.) 13 노쪽손목굽힘근(요측수근굴근; flexor carpi radialis m.) 14 자쪽손목굽힘근(척측수근굴근; flexor carpi ulnaris m.) 15 넙다리근막긴장근(대퇴근막장근; tensor fascia latae m.) 16 두덩근(치골근; pectineus m.) 17 긴모음근(장내전근; adductor longus m.) 18 두덩정강근(박근; gracilis m.) 19 장딴지근(비복근; gastrocnemius m.) 20 가자미근(넙치근; soleus m.) 21 이마근(전두근; frontalis m.) 22 눈둘레근(안륜근; orbicularis oculi m.) 23 작은광대근(소관골근; zygomaticus minor m.) 24 입둘레근(구륜근; orbicularis oris m.) 25 넓은목근(광견근; platysma m.) 26 큰가슴근(대흉근; pectoralis major m.) 27 배바깥빗근(외복사근; external abdominal oblique m.) 28 원엎침근(원회내근; pronator teres m.) 29 배속빗근(내복사근; internal abdominal oblique m.) 30 긴손바닥근(장장근; palmaris longus m.) 31 배곧은근(복직근; rectus abdominis m.) 32 배가로근(복횡근; transversus abdominis m.) 33 넙다리빗근(봉공근; sartorius m.) 34 넙다리곧은근(대퇴직근; rectus femoris m.) 35 가쪽넓은근(외측광근; vastus lateralis m.) 36 안쪽넓은근(내측광근; vastus medialis m.) 37 긴발가락폄근(장지신근; extersor digitorum longus m.) 38 긴종아리근(장비골근; peroneus longus m.) 39 앞정강근(전경골근; tibialis anterior m.)

괄호에 알맞은 용어를 쓰고 도색하시오.

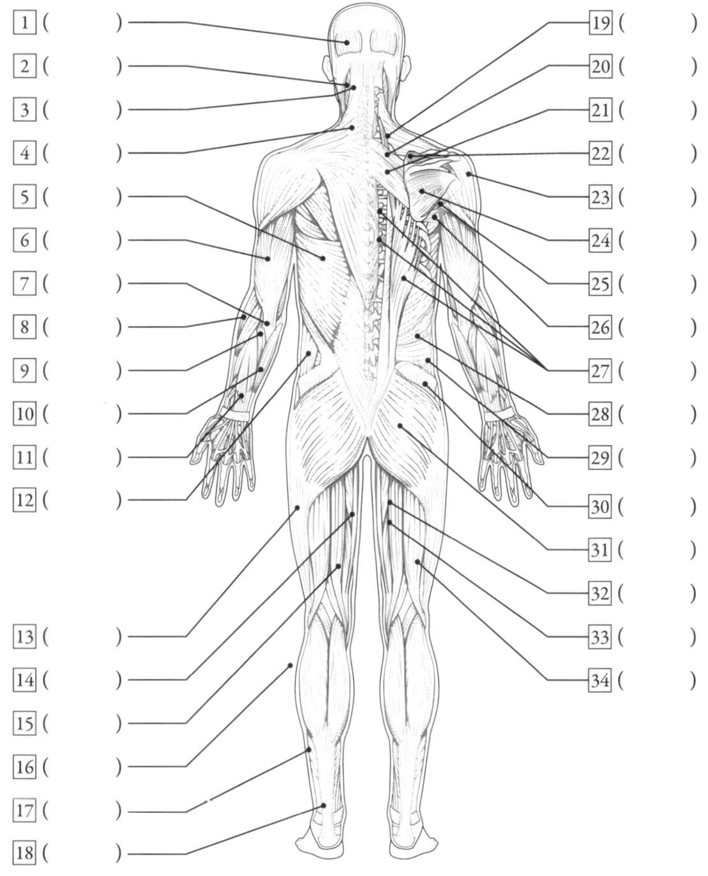

1 뒤통수근(후두근; occipitalis m.) 2 목빗근(흉쇄유돌근; sternocledomastoid m.) 3 머리널판근(두판상근; splenius capitis m.) 4 등세모근(승모근; trapezius m.) 5 넓은등근(광배근; latissimus dorsi m.) 6 위팔세갈래근(상완삼두근; triceps brachii m.) 7 팔꿈치근(주근; anconeus m.) 8 긴노쪽손목폄근(장요측수근신근; extensor carpi radialis longus m.) 9 자쪽손목폄근(척측수근신근; extensor carpi radialis brevis m.) 10 손가락폄근(지신근; extensor digitorum m.) 11 자쪽손목굽힘근(척측수근굴근; flexor carpi ulnaris m.) 12 배바깥빗근(외복사근; external abdominal oblique m.) 13 엉덩정강근막띠(장경인대; iliotibial tract) 14 반막모양근(반막양근; semimembranosus m.) 15 반힘줄모양근(반건양근; semitendinosus m.) 16 장딴지근(비복근; gastrocnemius m.) 17 가자미근(넙치근; soleus m.) 18 발꿈치힘줄(아킬레스건; achilles tendon) 19 어깨올림근(견갑거근; levator scapulae m.) 20 작은마름근(소능형근; rhomboid minor m.) 21 큰마름근(대능형근; rhomboid major m.) 22 가시위근(극상근; supraspinatus m.) 23 어깨세모근(삼각근; deltoid m.) 24 가시아래근(극하근; infra-spinatus m.) 25 작은원근(소원근; teres minor m.) 26 큰원근(대원근; teres major m.) 27 척주세움근(척추기립근; erector spinae m.) 28 바깥갈비사이근(외늑간근; external intercostalis m.) 29 배속빗근(내복사근; internal abdominal oblique m.) 30 중간볼기근(중둔근; gluteus medius m.) 31 큰볼기근(대둔근; gluteus maximus m.) 32 큰모음근(대내전근; adductor magnus m.) 33 두덩정강근(박근; gracilis m.) 34 넙다리두갈래근(대퇴이두근; biceps femoris m.)

1. 근육조직

뼈대근육(골격근; skeletal muscle), 심장근육(심근; cardiac muscle), 민무늬근육(평활근; smooth muscle)의 비교

특징	뼈대근육	심장근육	민무늬근육
위치	뼈대 계통	심장	내장, 혈관벽, 눈의 홍채, 털 세움근
세포 모양	긴 원통형 섬유	짧은 분지세포	방추형 세포
줄무늬	존재	존재	없음
핵	다핵, 근육속막에 인접	일반적으로 단핵, 세포중앙에 가까이	단핵, 세포 중앙에 가까이
결합조직	근육속막, 근육다발막, 근육바깥막	근육속막	근육속막
근육세포질그물	많음	존재	적음
T세관	존재, 좁음	존재, 넓음	없음
칼슘공급	근육세포질그물	근육세포질그물과 세포외액	주로 세포외액
신경분포와 조절	몸운동섬유 (수의적)	자율섬유(불수의적)	자율섬유(불수의적)
신경자극필요성	필요	불필요	불필요

0。각 근육조직의 특징을 살펴본 후 색칠한다.

Main Point. 근육조직의 특징에 대하여 학습한다.

괄호에 알맞은 용어를 쓰고 도색하시오.

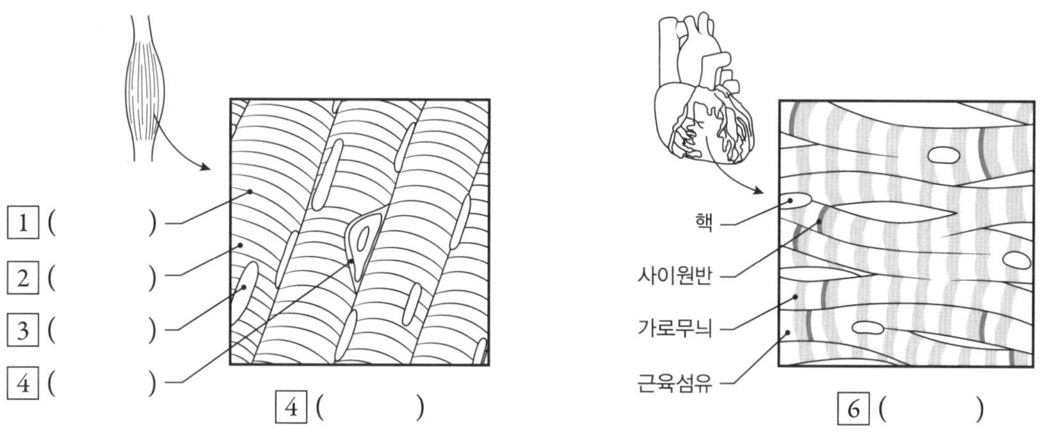

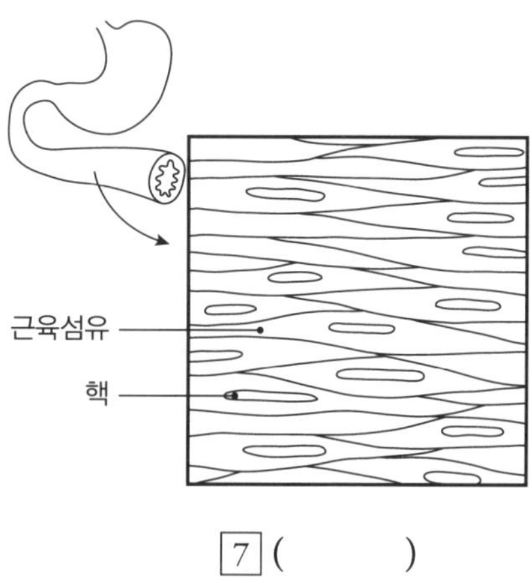

7 (　　　)

1 가로무늬(횡문근; striated muscle) 2 근육섬유(근섬유; muscle fiber) 3 핵(nucleus) 4 위성세포(satellite cell) 5 뼈대근육(골격근; skeletal muscle) 6 심장근육(심근; cardiac muscle) 7 민무늬근육(평활근; smooth muscle)

2. 근육의 구조

결합조직과 다발

뼈대근육은 근육조직으로 구성되며, 신경과 혈관을 포함한다. 결합조직은 다음과 같이 크기 및 깊이에 따라 분류된다.

- **근육속막(근내막; endomysium)** : 각각의 근육섬유 주변에서 느슨한 결합조직으로 된 얇은막이며 근육섬유의 신경종말과 관련된 세포 밖의 화학적 환경을 제공한다.
- **근육다발막(근주막; perimysium)** : 근육다발과 함께 근육섬유를 감싸는 두꺼운 결합조직 집(sheath)을 형성한다. 근육다발막은 근육방추라고 하는 신장 수용기, 혈관 그리고 큰 신경등이 지나가는 곳이다.
- **근육바깥막(근외막; epimysium)** : 근육 전체를 둘러싸는 주변의 섬유성 집(sheath)을 말한다. 근육바깥막은 바깥면에서 점차 근막이 되며, 안쪽면에서는 근육다발막과 근육다발 사이를 통과하는 조직이 된다.
- **근막(fascia)** : 주변 근육이나 각각의 근육 그룹 및 기타 피부밑조직을 분리하는 얇은 결합조직이다. 근육들은 각각의 근막에 의해 분리되어 구획으로 묶인다.

0。 뼈대근육을 구성하는 다발과 막을 각기 다른 색으로 칠한다.

Main Point. 결합조직의 특징에 대하여 학습한다.

괄호에 알맞은 용어를 쓰고 도색하시오.

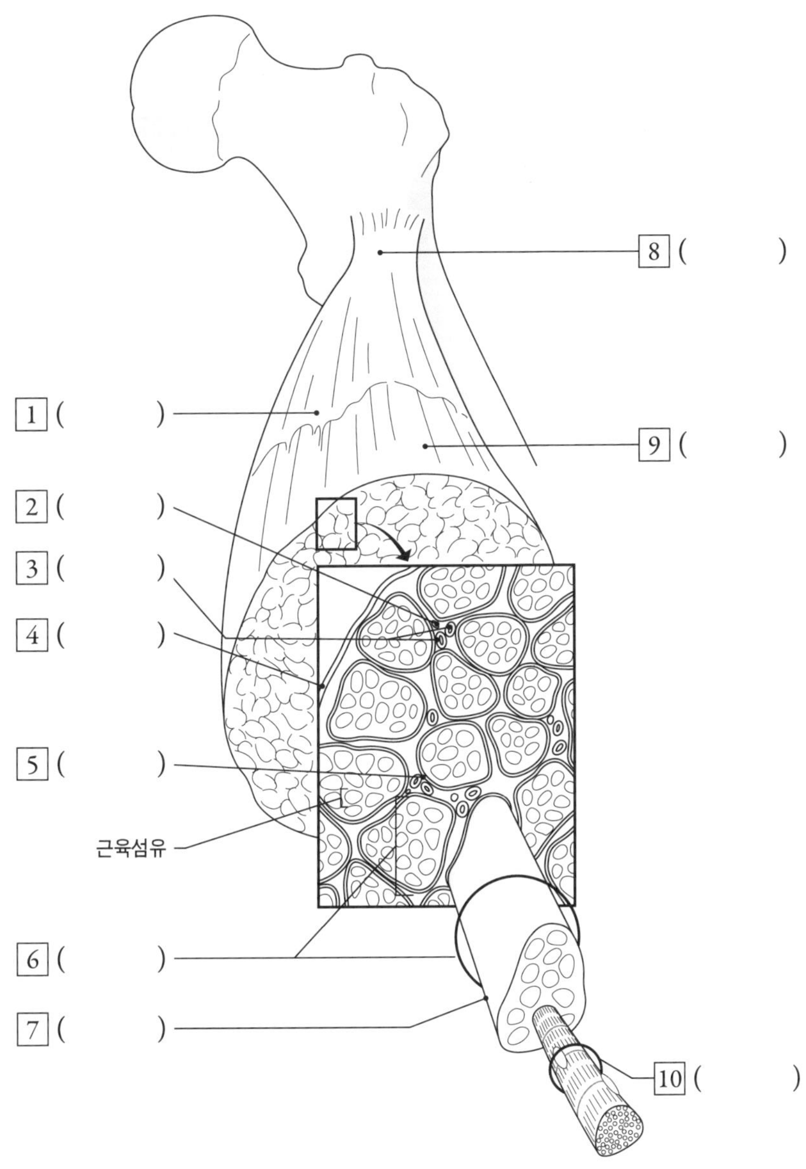

1 근막(fasica) 2 신경(nerve) 3 혈관(blood vessel) 4 근육바깥막(근외막; epimysium) 5 근육속막(근내막; endomysium) 6 근육다발(근속; fasciculus) 7 근육다발막(근주막; perimysium) 8 힘줄(건; tendon) 9 뼈대근육(골격근; skeletal muscle) 10 근육섬유(근섬유; muscle fiber)

3. 근육섬유의 모양에 따른 분류

근육다발(근속)과 근육형태

근육의 힘과 수축 방향은 근육다발의 방향에 의해 결정된다. 근육은 다음과 같이 근육다발의 방향에 따라 분류된다.

- **방추근육(방추상근; fusiform muscle)** : 중간부위는 두껍고 각 끝은 가는 형태로 되어 있다. 예로는 위팔두갈래근상완이두근(biceps brachii)과 장딴지근비복근(gastrocnemius)에서 볼 수 있다.
- **평행근육(parallel muscle)** : 균등한 너비와 평행한 근육다발을 형성한다. 예로는 배곧은근복직근(rectus abdominis), 넙다리빗근봉공근(sartorius), 큰광대근대관골근(zygomaticus major), 깨물근근교(masseter)에서 볼 수 있다.
- **수렴근육(모임근육; convergent)**: 한쪽 끝은 넓고 다른쪽은 좁은 팬모양으로 되어 있다. 예로는 큰가슴근대흉근(pectoralis major), 관자근측두근(temporalis)에서 볼 수 있다.
- **깃근육(우상근; pennate muscle)** : 근육다발이 마치 깃털 줄기처럼 근육의 길이를 따라 주행하는 힘줄에 사선으로 닿는다. 깃근육에는 세 가지 유형의 근육이 있다.
- **반깃근육(반우상근; unipennate)** : 모든 근육다발이 한쪽 방향으로만 힘줄건에 부착되고 예로는 손바닥쪽뼈사이근(plamar interosseous), 반막모양근반막상근(semimembranosus).
- **쌍깃근육(쌍익근; bipennate)** : 근육다발이 양쪽으로 힘줄에 부착되며 예로는 넙다리곧은근대퇴직근(rectus femoris).
- **뭇깃근육(다우상근; multipennate)** : 한 지점에서 깃털이 모이면서 여러 개의 깃털로 된 모양이고 예로는 어깨 세모근삼각근(deltoid).
- **고리근육(안륜근; circular muscle)** : 몸 안으로 출입하는데 관여하는 근육이며, 고리형태로 되어 있다. 예로는 눈둘레근안륜근(orbicularis), 바깥요도근(external urethral sphincter), 항문조임근항문괄약근(anak sphicter).

0。 뼈대근육의 형태를 근육섬유의 방향대로 색칠한다.

Main Point. 뼈대근육의 형태와 분류에 대하여 학습한다.

괄호에 알맞은 용어를 쓰고 도색하시오.

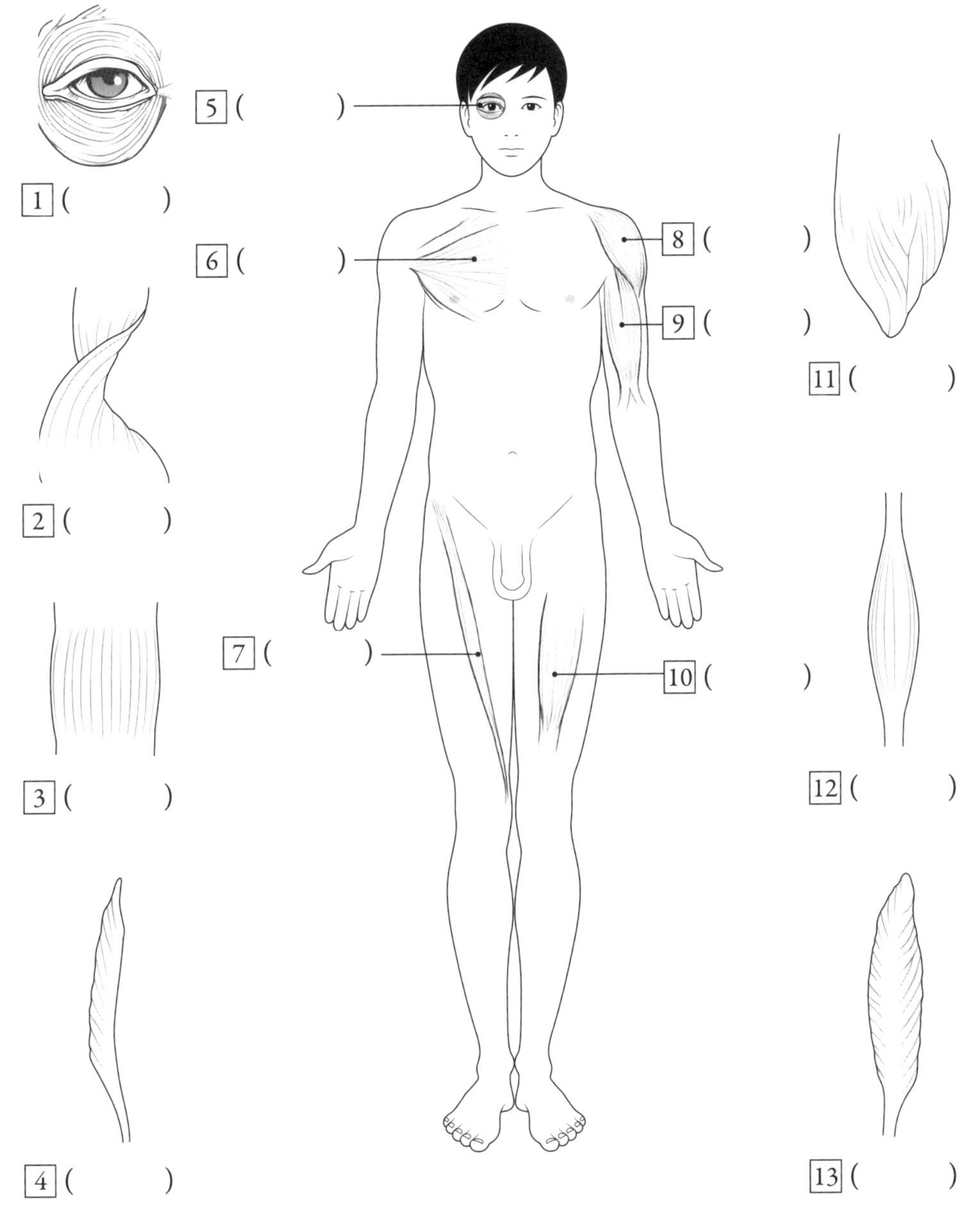

1 고리근육(돌림근; circular muscle) 2 수렴근육(모임근육; convergent) 3 평행근육(parallel muscle) 4 반깃근육(반우상근; unipennate) 5 눈둘레근(안륜근; orbicularis) 6 큰가슴근(대흉근; pectoralis major) 7 넙다리빗근(봉공근; sartorius) 8 어깨세모근(삼각근; deltoid) 9 위팔두갈래근(상완이두근; boceps brachii) 10 넙다리곧은근(대퇴직근; rectus femoris) 11 뭇깃근육(다우상근; multipennate) 12 방추근육(방추상근; fusiform muscle) 13 쌍깃근육(익상근; bipennate)

4. 머리와 목 근육의 종류

얼굴표정근육

얼굴근육안면근은 관절의 운동보다 얼굴의 표정에 작용하며 7번 뇌신경인 얼굴신경안면신경의 지배를 받는다.

근육	이는곳	닿는곳	주요작용
이마근 (전두근; fromtalis m.)	모상건막	눈썹의 피부 밑조직	눈썹과 이마를 올림, 이마주름을 형성
눈둘레근 (안륜근; orbiculari oculi m.)	안쪽 눈꺼플인대	눈확의 가장자리 피부	눈을 깜박거리고, 눈을 감는다
눈썹주름근 (추미근; corrugator supercilii m.)	위쪽눈확 가장자리의 가운데	눈썹의 피부	눈썹을 내리거나 미간에 주름
코근 (비근; nasalis m.)	코 가쪽의 위턱뼈	코의 날개연골과 다리	콧망울을 코사이막 쪽으로 끌어당겨 콧구멍을 누름
입둘레근 (구륜근; orbiculari oris m.)	입의 굴대	입술의 점막	입술을 닫음, 내밈, 휘파람 (입을다무는 주동근)
위입술올림근 (상순거근; levator labii superioris m.)	관골과 눈확의 아래 가장자리	비익의 근육	입술을 올림, 콧구멍확장, 입꼬리를 올림(부정적표정)
큰광대근 (대관골근; zygomaticus major m.)	광대뼈	구각의 위가쪽	입꼬리를 끌어당겨서 웃는표정 (웃음의 주동근)
작은광대근 (소관골근; zygomaticus minor m.)	광대뼈	위입술의 근육	위입술을 올리고 웃거나 놀릴 때 위이빨을 보이게 한다
입꼬리당김근 (소근; risorius m.)	관골궁	입의 굴대	입꼬리를 가쪽으로 당긴다 (보조개근)
입꼬리내림근 (구각하제근; depressor anguli oris m.)	아래턱뼈 몸통의 아래 가장자리	입의 굴대	입꼬리를 내린다(슬픈표정)
아랫입술내림근 (하순하제근; depressor labii inferioris m.)	이융기 근처	아래입술의 피부와점막	아래입술을 삐쭉 내민다
볼근 (협근; buccinator m.)	하악골과 상악골 가쪽면의 치조돌기	입둘레근	입안의 압력형성근, 트럼펫근, 음식물 유지
넓은목근 (광견근; platysma m.)	큰가슴근과 어깨세모근의 근막	아래턱뼈, 뺨의 피부, 입꼬리, 입둘레근	아래턱뼈를 내림, 입을 크게 벌릴때 도움을 준다(슬픈표정)

0. 얼굴의 표정근을 이는곳에서 닿는곳으로 근섬유의 방향대로 색칠한다.

Main Point. 얼굴표정을 만드는 근육의 이름과 위치를 학습한다.

괄호에 알맞은 용어를 쓰고 도색하시오.

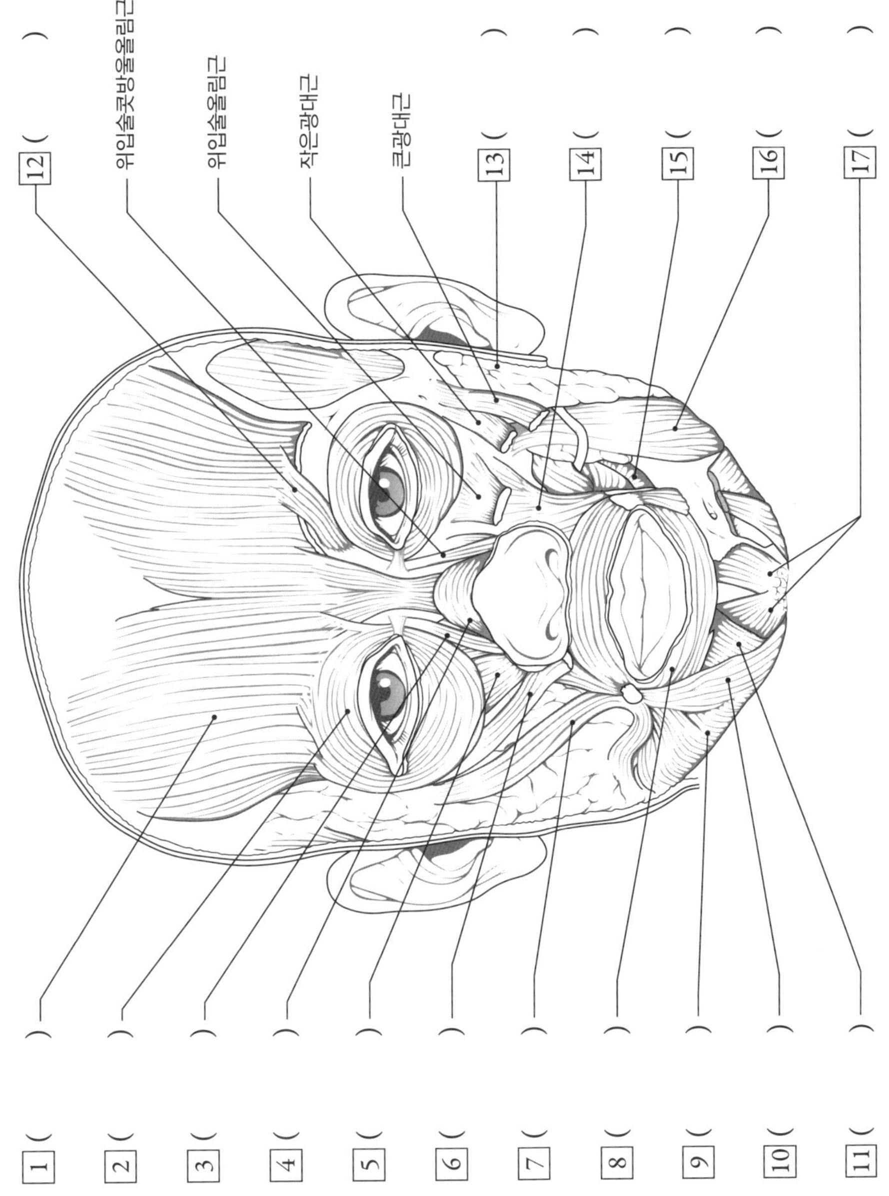

1 이마힘살(전두근; frontalis) 2 눈둘레근(안륜근; orbiculari oculi m.) 3 위입술콧방울올림근(상순비익거근; levator labii superioris alaeque nasi m.) 4 코근(비근; nasalis m.) 5 위입술올림근(상순거근; levator labii superioris m.) 6 작은광대근(소관골근; zygomaticus minor m.) 7 큰광대근(대관골근; zygomaticus major m.) 8 입둘레근(구륜근; orbiculari oris m.) 9 넓은목근(광견근; platysma m.) 10 입꼬리내림근(구각하제근; depressor anguli oris m.) 11 아래입술내림근(하순하체근; depressor labii inferioris m.) 12 눈썹주름근(추미근; corrugator supercilii m.) 13 귀밑샘(이하선; parotid gland) 14 입꼬리올림근(구각거근; levator anguli oris) 15 볼근(협근; buccinator) 16 깨물근(교근; masseter) 17 턱끝근(이근; mentalis)

씹기근육(저작근)

오른쪽과 왼쪽에 각각 4쌍의 근육이 있으며, 이 근육들은 아래턱뼈에 붙어 있고, 삼차신경의 아래턱분지에 의해 지배되고, 음식물을 씹거나 물 때 중요한 작용을 한다.

근육	이는곳	닿는곳	주요작용
관자근 (측두근; temporalis m.)	아래관자선	아래턱뼈 근육돌기	위로 올리고 뒤로 끈다
깨물근 (교근; masseter m.)	광대활(관골궁) 아래 서리, 안쪽	턱뼈가지 가쪽	턱을 위로 올린다
가쪽날개근 (외측익돌근; lateral pterygoid m.)	나비뼈 큰날개, 날개돌기(익상돌기) 바깥면	턱뼈목 앞, 턱관절 관절주머니	앞으로 끌고 좌우로 움직인다
안쪽날개근 (내측익돌근; medial pterygoid m.)	나비뼈(접형골) 날개돌기 내면	턱뼈각(하악각) 내면	위로 올리고 앞으로 끈다

1. 씹기근육을 서로 다른 색으로 색칠한다.
2. 안쪽날개근의 닿는 곳은 투영시켜서 연하게 색칠한다.

Main Point. 턱관절의 아래턱 올림, 내림, 내밈, 당김과 같은 움직임이 있는 씹는 근육의 이름과 위치를 학습한다.

괄호에 알맞은 용어를 쓰고 도색하시오.

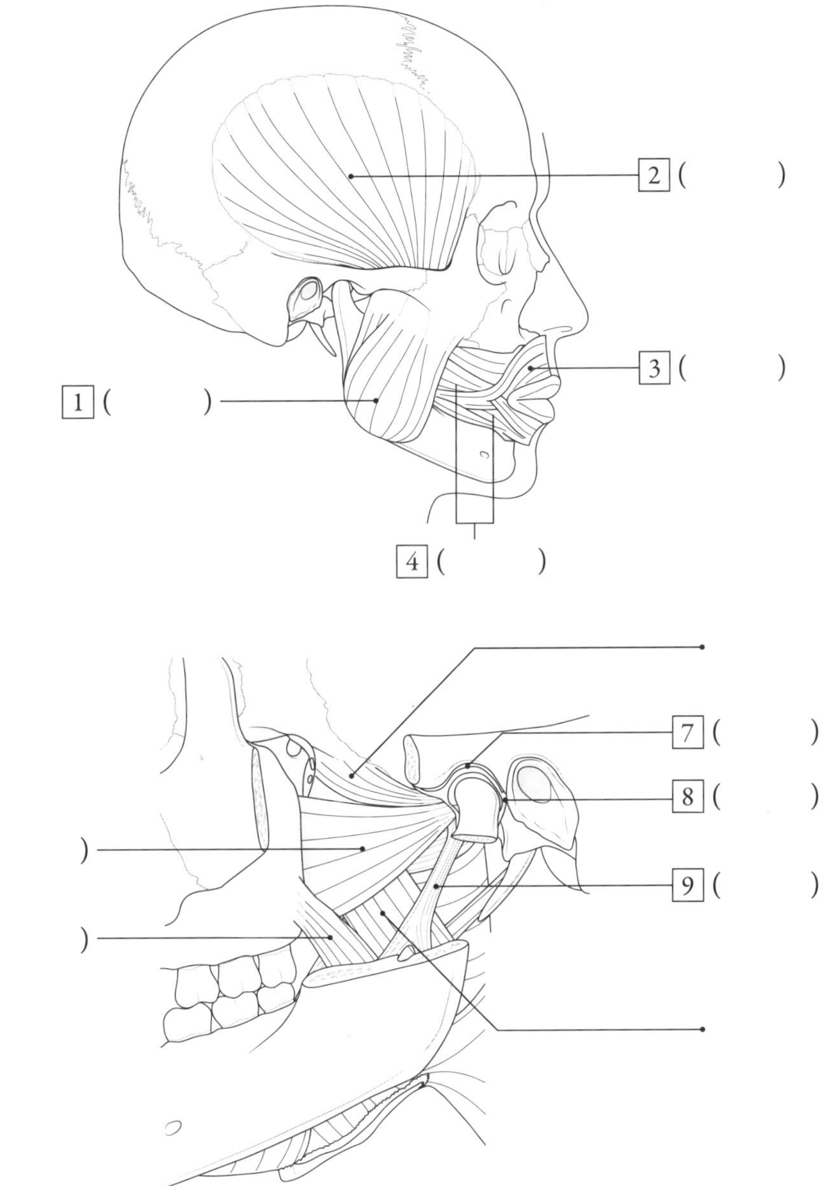

1 깨물근(교근; masseter) 2 관자근(측두근; temporalis) 3 입둘레근(구륜근; orbicularis oris) 4 볼근(협근; buccinator) 5 가쪽날개근(외측익돌근; lateral pterygoid) 6 안쪽날개근(내측익돌근; medial pterygoid) 7 관절원반(관절원판; articular disc) 8 관절주머니(관절낭; articular capsule) 9 나비아래턱인대(접형하악인대; sphenom andibular lig.)

목 근육

목의 근육은 피부밑 목근육, 옆 목근육, 앞 목근육 및 뒤 목근육 등 4개의 근육군으로 구성되어 있으며, 일반적으로 목 근육들은 음식을 삼키는 동안 후두에 위치하며, 목뿔뼈설골를 고정시키고, 머리와 팔을 움직이거나, 머리 또는 척추에 부착하여 자세를 잡아준다.

근육	이는곳	닿는곳	주요작용
목빗근 (흉쇄유돌근; sternocleidomastoid m.)	복장뼈(흉골)의 복장뼈자루(흉골병), 빗장뼈(쇄골)의 복장끝	관자뼈(측두골) 꼭지돌기(유양돌기)	한쪽: 가쪽 굽힘, 돌림 양쪽: 굽힘, 폄
목갈비근 (사각근; scalenes m.)	모든목뼈의 가로돌기(횡돌기)	1, 2번째 갈비뼈	목을 가쪽으로 굽힘, 1, 2번째 갈비뼈를 들어올림
두힘살근 (악이복근; digastric m.)	관자뼈 꼭지패임 아래턱뼈 두힘살근오목	목뿔뼈	입을 열 때 턱을 뒤아래쪽으로 잡아 당긴다
턱끝목뿔근 (이설골근; geniohyoid m.)	아래턱뼈 턱끝가시	목뿔뼈	목뿔뼈를 앞으로 내밈
턱목뿔근 (악설골근; mylohyoid m.)	아래턱뼈 턱목뿔근선	솔기, 목뿔뼈	입안바닥, 혀를 올림
붓목뿔근 (경돌설골근; stylohyoid m.)	관자뼈 붓돌기(경상돌기)	목뿔뼈	목뿔뼈를 위, 뒤당김
어깨목뿔근 (견갑설골근; omohyoid m.)	어깨뼈 위모서리	목뿔뼈	목뿔뼈를 내림, 뒤당김, 고정
복장방패근 (흉골갑상근; sternohyoid m.)	복장뼈자루의 뒷면	방패연골(갑상연골)의 빗선	삼킨 후 후두를 내림
방패목뿔근 (갑상설골근; thyrohyoid m.)	방패연골	목뿔뼈	목뿔뼈를 내림, 목뿔뼈가 고정되어 있을 때는 후두를 올림
복장목뿔근 (흉골설골근; sternothyoid m.)	복장뼈자루 뒷면	목뿔뼈	삼킨 후 목뿔뼈를 내림

1. 가슴의 피부밑조직과 목의 얕은근막에서 일어나는 넓은 목근을 색칠한다.
2. 목빗근과 승모근을 칠하고 나머지 목의 근육들도 다른 색으로 색칠한다.
3. 목뿔위근육과 목뿔아래근육을 찾아 서로 다른 색으로 색칠한다.

Main Point. 목 근육의 형태와 분류에 대하여 학습한다.

괄호에 알맞은 용어를 쓰고 도색하시오.

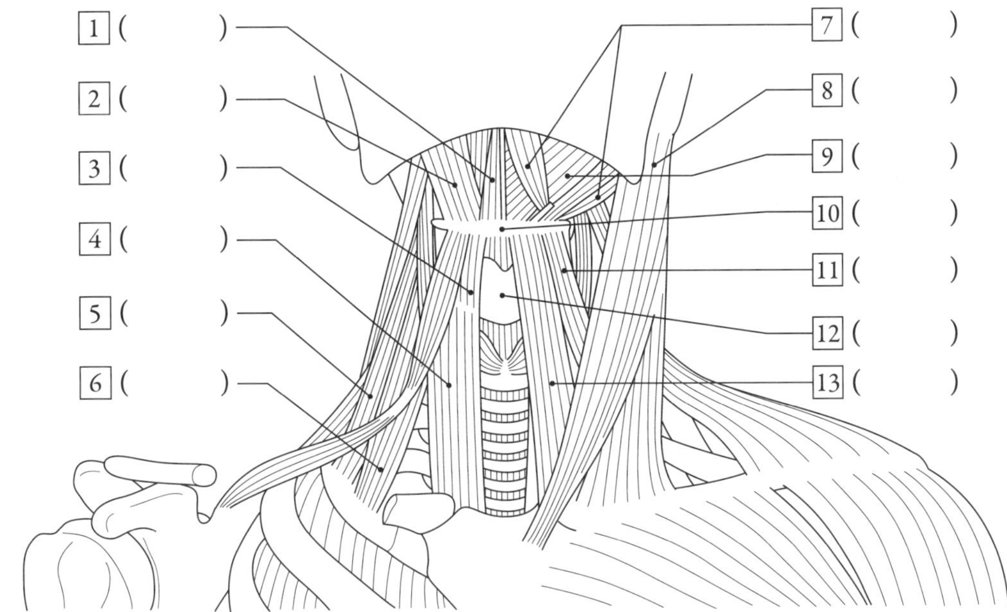

1 턱끝목뿔근(이설골근; geniohyoid m.) 2 목뿔혀근(설골설근; hyoglossus m.) 3 방패목뿔근(갑상설골근; thyrohyoid m.) 4 복장방패근(흉골갑상근; sternohyoid) 5 중간목갈비근(중사각근; scalenus medius m.) 6 앞목갈비근(전사각근; scalenus anterior m.) 7 두힘살근(악이복근; digastric m.) 8 목빗근(흉쇄유돌근; sternocleidomastoid m.) 9 턱목뿔근(악설골근; mylohyoid m.) 10 목뿔뼈(설골; hyoid bone) 11 어깨목뿔근(견갑설골근; omohyoid m.) 12 방패연골(갑상연골; thyroid cartilage) 13 복장목뿔근(흉골설골근; sternothyroid m.)

5. 몸통을 구성하는 근육의 종류

등근육 얕은층

등의 근육은 위치에 따라 팔의 운동에 관여하는 얕은층 근육, 호흡에 관여하는 중간층 근육, 척주에 관여하는 깊은층 근육으로 나뉜다. 얕은층 근육에는 등세모근, 넓은등근, 어깨 올림근, 마름근이 있고 표면에 위치하고, 팔의 운동을 조절하며, 어깨뼈에 주된 작용을 한다.

근육	이는곳	닿는곳	주요작용
등세모근 (승모근; trapezius m.)	• 위쪽: 바깥뒤통수융기(외후두융기) • 중간: C7, T1~T3 가시돌기(극돌기) • 아래: T4~T12 가시돌기	• 위쪽: 빗장뼈(쇄골) 가쪽 1/3 • 중간: 어깨뼈가시(견갑극), 봉우리(견봉)	• 위쪽: 어깨뼈(견갑골)의 올림, 위쪽돌림 • 중간: 모음(내전), 올림(거상), 위쪽돌림
넓은등근 (광배근; latissimus dorsi m.)	T7~T12 가시돌기, 등허리근막(흉요근막), 엉덩뼈(장골) 능선 아래 3~4개 갈비뼈	아래: 어깨뼈가시의 뿌리 위팔뼈(상완골) 결절사이고랑(결절간구)	아래: 어깨뼈의 내림, 아래돌림, 모음 위팔뼈를 폄(신전), 모음, 안쪽으로 돌림
큰마름근 (대능형근; rhomboid major m.)	T2~T5 가시돌기	가시뿌리 아래 어깨뼈의 척추쪽 모서리	모음(뒤당김), 모음을 동반한 올림, 어깨뼈의 아래돌림
작은마름근 (소능형근; rhomboid minor m.)	C7, T1 가시돌기	어깨뼈의 가시뿌리	모음(뒤당김), 모음을 동반한 올림, 어깨뼈의 아래돌림
어깨올림근 (견갑거근; levator scapulae m.)	C1~C4 가로돌기(횡돌기)	어깨뼈 안쪽모서리	어깨뼈를 올림, 관절오목을 아래쪽으로 기울임

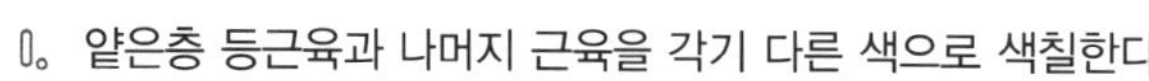

얕은층 등근육과 나머지 근육을 각기 다른 색으로 색칠한다.

Main Point. 주로 팔다리 운동에 관여하는 얕은층 등근육의 이름과 위치를 학습한다.

괄호에 알맞은 용어를 쓰고 도색하시오.

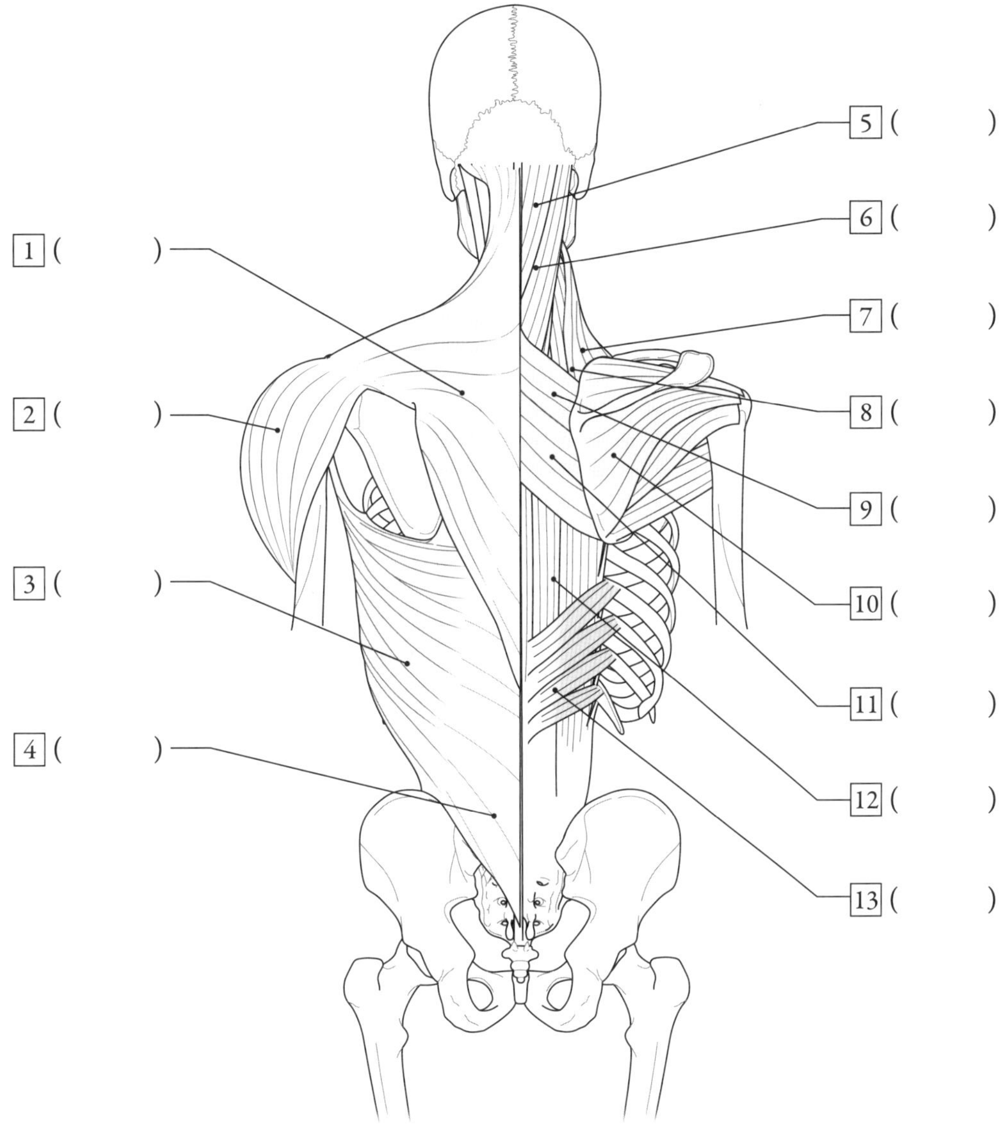

1 등세모근(승모근; trapezius m.) 2 어깨세모근(삼각근; deltoid m.) 3 넓은등근(광배근; latissimus dorsi m.) 4 등허리근막(요배근막; lumbodorsal fascia) 5 머리반가시근(두반극근; semisplinalis capitis m.) 6 머리널판근(두판상근; splenius capitis m.) 7 어깨올림근(견갑거근; levator scapulae m.) 8 위뒤톱니근(상후거근; serratus posterior superior m.) 9 작은마름근(소능형근; rhomboid minor m.) 10 가시아래근(극하근; infraspinatus m.) 11 큰마름근(대능형근; rhomboid major m.) 12 척추세움근(척추기립근; erector spinae m.) 13 아래뒤톱니근(하후거근; serratus posterior inferior m.)

등근육 중간층

중간층 근육은 얕은층 보다 깊이 위치하며, 보조 호흡근육이고 갈비뼈에 부착한다. 위뒤톱니근과 아래뒤톱니근이 있다.

근육	이는곳	닿는곳	주요작용
아래뒤톱니근 (하후거근; serratus posterior inferior m.)	T12~L2 가시돌기	9~12번 갈비뼈 아래면	갈비뼈를 내림
위뒤톱니근 (상후거근; serratus posterior superior m.)	목덜미 인대(항인대), C7~T3 가시돌기	2~4번 갈비뼈 위면	갈비뼈를 올림

0. 중간층등근육인 위뒤톱니근과 아래뒤톱니근을 각기 다른 색으로 색칠한다.

Main Point. 주로 호흡운동에 관여하는 중간층 등근육의 이름과 위치를 학습한다.

괄호에 알맞은 용어를 쓰고 도색하시오.

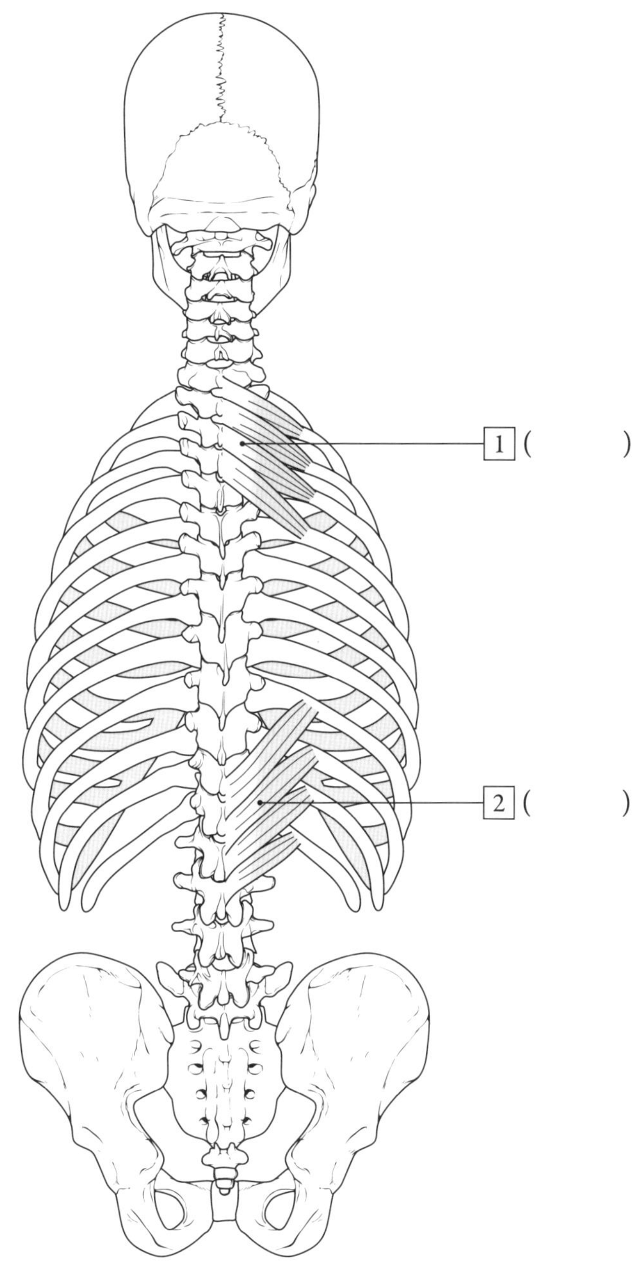

1 위뒤톱니근(상후거근; serratus posterior superior m.) 2 아래뒤톱니근(하후거근; serratus posterior inferior m.)

등근육 깊은층

등의 깊은근육은 머리와 목의 운동과 척주의 자세유지를 도와준다. 이 근육들은 얕은층에는 널판근, 중간층에는 척주세움근, 깊은층에는 가로돌기사이근으로 다시 구분된다. 척추를 지탱하며, 척추의 운동을 가능하게 하고, 척수신경 뒤가지에 의해 지배된다.

근육	이는곳	닿는곳	주요작용
머리널판근 (두판상근; splenius capitis m.)	목덜미인대(항인대), C7~T3 가시돌기(극돌기)	관자뼈(측두골) 꼭지돌기(유양돌기), 위목덜미선 가쪽 1/3	• 양쪽: 머리를 폄 • 한쪽: 가쪽굽힘, 같은쪽으로 얼굴을 돌림
목널판근 (경판상근; splenius cervicis m.)	T3~T6 가시돌기	C1~C3 횡돌기(가로돌기)	• 양쪽: 머리를 폄 • 한쪽: 가쪽굽힘, 같은쪽으로 목을 돌림
척주세움근 (척추기립근; erector spinae m.)	엉치뼈(천골) 뒷면, 엉덩뼈능선(장골능), 엉치가시인대, 가시위인대, 아래쪽 허리뼈와 엉치뼈 가시돌기	• 엉덩갈비근(장늑근; iliocosta- lis muscle): 아래쪽 갈 비뼈각, 목뼈 가로돌기 • 가장긴근(최장근; longissimus muscle): 갈비뼈 결절 과 각 사이, 목뼈와 등 뼈 가로돌기, 꼭지돌기 • 가시근(극근; spinalis muscle): 위쪽 등뼈와 중간 목뼈 가시돌기	척주와 머리를 폄, 가쪽돌림
뭇갈래근 (다열근; multi di m.)	엉치뼈, 엉덩뼈, T1~T12 가로돌기, C4~C7관절돌기	바로 위 척추뼈 가시돌기, 2~4 분절에 걸침	척추를 안정화시킴

1. 깊은층 등근육들을 각기 다른 색으로 색칠한다.
2. 깊은층 등근육들을 이는곳에서 시작하여 닿는곳으로 색칠한다.

Main Point. 주로 자세유지와 척주운동에 관여하는 깊은층 등근육의 이름과 위치를 학습한다.

괄호에 알맞은 용어를 쓰고 도색하시오.

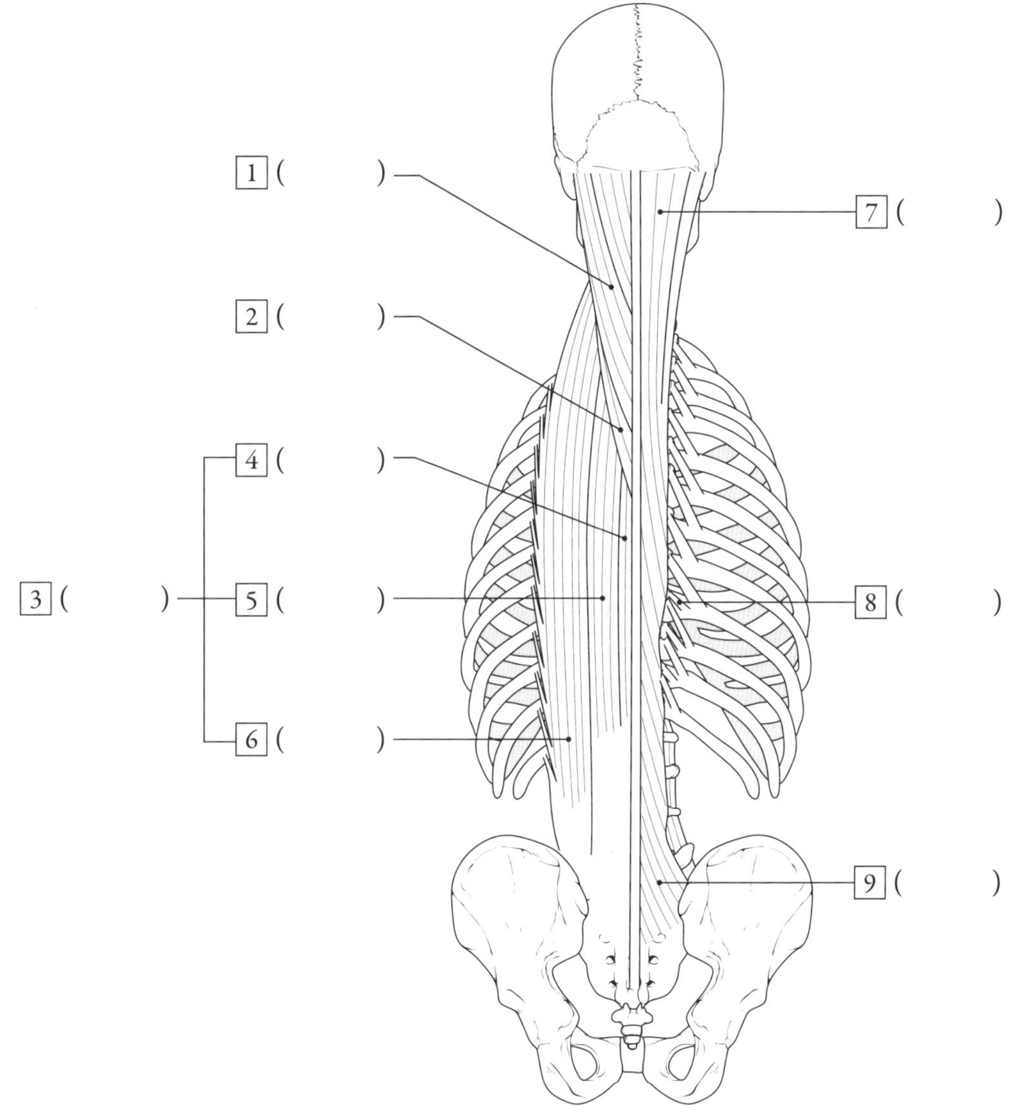

1 머리널판근(두판상근; splenius capitis m.) 2 목널판근(경판상근; splenius dervicis m.) 3 척추세움근(척추기립근; levator scapulae m.) 4 가시근(극근; spinalis m.) 5 가장긴근(최장근; iongissimus m.) 6 엉덩갈비근(장늑근; iliocostalis m.) 7 머리반가시근(두반극근; semisplinalis capitis m.) 8 갈비올림근(늑골거근; levarores costarum m.) 9 뭇갈래근(다열근; multifidus m.)

6. 가슴벽 근육

가슴우리근육

인접한 갈비뼈사이의 공간을 채우고 복장뼈흉골, 척추뼈추골, 갈비뼈늑골 또는 갈비연골에 부착한다. 기능적으로, 가슴벽근육들은 날숨을 쉴 때 갈비사이공간이 팽창되거나, 들숨을 쉴 때 함몰되는 것을 방지하기 위하여 갈비사이공간을 견고하게 유지한다.

근육	이는곳	닿는곳	주요작용
바깥갈비사이근 (외늑간근; external intercostal m.)	갈비뼈 아래모서리	바로아래 갈비뼈 위모서리	갈비뼈를 올림
속갈비사이근 (내늑간근; internal intercostal m.)	갈비뼈 아래모서리	바로아래 갈비뼈 위모서리	갈비뼈를 올림(위쪽 4~5개), 나머지는 갈비뼈를 내림
가슴가로근 (흉횡근; transversus thoracis m.)	2~6번 갈비연골 속면	복장뼈(흉골) 아래쪽 뒷면	갈비뼈와 갈비연골을 내림

1. 가슴우리근육을 이는곳에서 시작하여 닿는곳으로 색칠한다.
2. 가슴우리근육을 각기 다른 색으로 색칠한다.

Main Point. 가슴우리근육에 해당하는 근육의 이름과 위치를 학습한다.

괄호에 알맞은 용어를 쓰고 도색하시오.

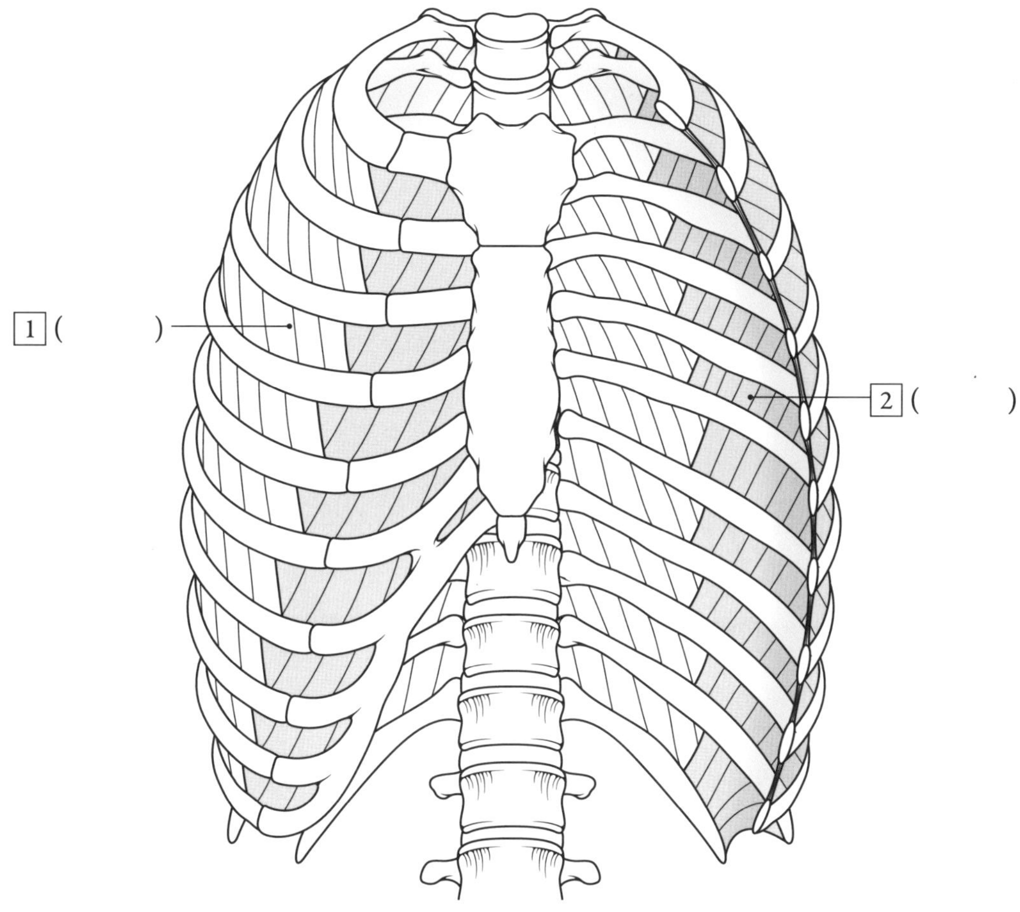

1 바깥갈비사이근(외늑간근; external intercostal m.) 2 속갈비사이근(내늑간근; internal intercostal m.)

괄호에 알맞은 용어를 쓰고 도색하시오.

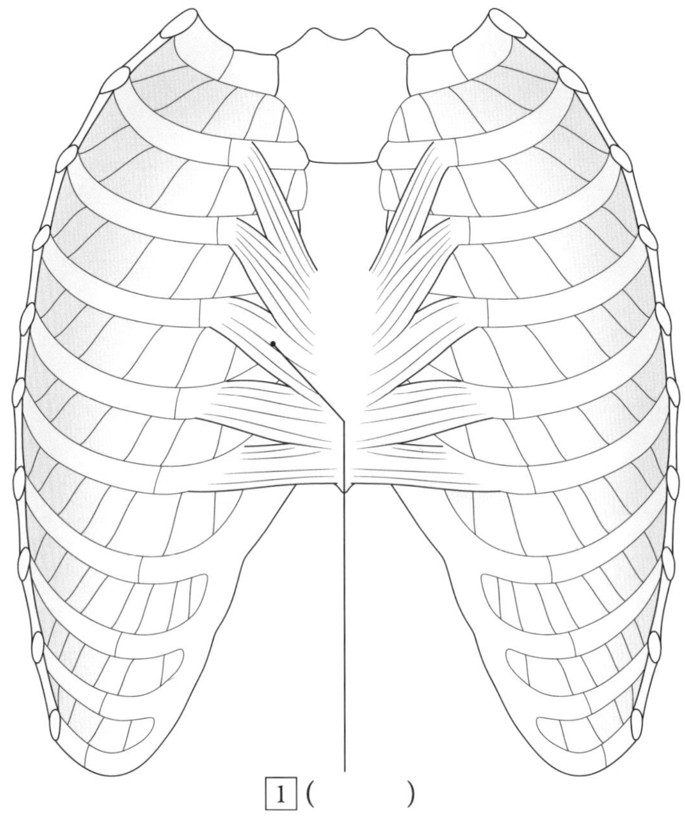

1 가슴가로근(흉횡근; transversus thoracis m.)

note

7. 배의 근육

배근육

배곧은근은 백색선백선 양쪽에 세로로 배열되어 있으며 대부분은 배곧은근집복직근초에 싸여 있고 가로방향으로 나눔 힘줄건이 있다. 배바깥빗근의 힘살근복 방향은 주머니에 손을 넣었을 때의 방향과 나란하고 배속빗근은 앞안쪽을 향해 부채살처럼 퍼져 있으며, 가로근은 대체로 가로로 달린다.

근육	이는곳	닿는곳	주요작용
배바깥빗근 (외복사근; external oblique m.)	5~7번 갈비뼈	백색선, 두덩뼈(치골)결합, 엉덩뼈능선(장골능) 앞쪽 1/2	배를 누름, 배속내장을 지탱, 몸통을 굽힘, 돌림
배속빗근 (내복사근; internal oblique m.)	가슴허리근막(흉요근막), 엉덩뼈능선, 샅고랑인대(서혜인대)	10~12번 갈비뼈, 7~10번 갈비연골 두덩뼈	배를 누름, 배속내장을 지탱, 몸통을 굽힘, 돌림
배가로근 (복횡근; transversus abdominis m.)	7~12번 갈비연골, 가슴허리근막, 엉덩뼈능선, 샅고랑인대	배속빗근의 널힘줄과 백색선, 두덩뼈	배를 누름, 배속내장을 지탱
배곧은근 (복직근; rectus abdominis m.)	두덩뼈 위모서리, 두덩결합	5~7번 갈비연골, 칼돌기	몸통을 굽힘, 배속내장을 누름

1. 배벽의 근육들을 이는곳에서 닿는곳으로 근섬유 방향대로 색칠한다.
2. 근육으로부터 확장된 널힘줄은 연하게 색칠한다.

Main Point. 배근육에 해당하는 근육의 이름과 위치를 학습한다.

괄호에 알맞은 용어를 쓰고 도색하시오.

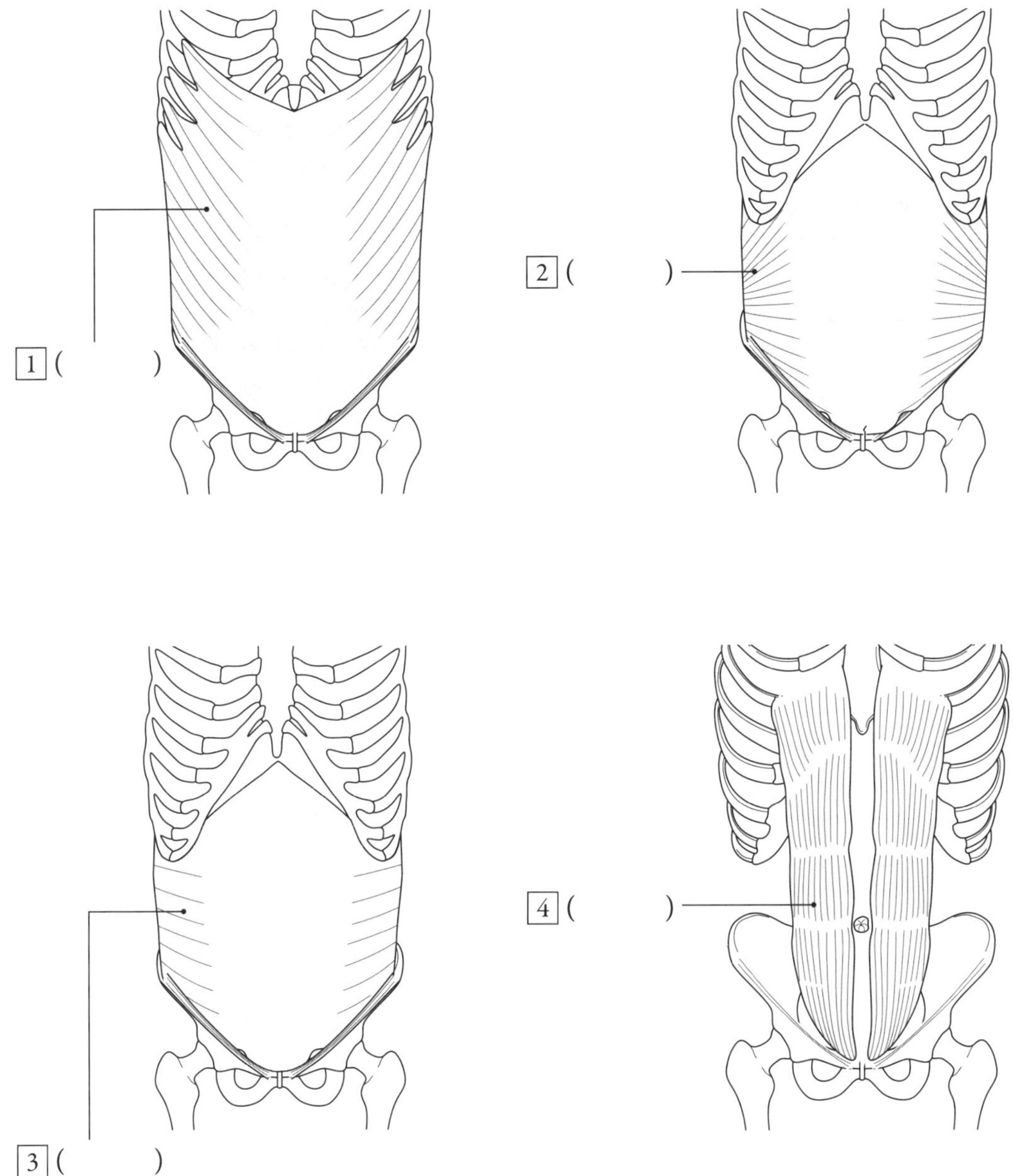

1 배바깥빗근(외복사근; external abdominal oblique m.) 2 배속빗근(내복사근; internal abdominal oblique m.) 3 배가로근(복횡근; tranversus abdominis m.) 4 배곧은근(복직근; rectus abdominis m.)

8. 팔근육의 종류와 위치

어깨뼈에서 기원하여 위팔을 움직이는 근육

이 근육들은 주로 어깨뼈를 올리며, 어깨 돌림을 촉진하고, 원래의 자세로 되돌린다. 이 근육들 중에서 어깨의 얕은 절구관절구상관절을 안정화시키는 4개의 근육이 있는데 이들을 돌림근띠근육회선건판근(rotator cuff muscle)이라 부른다.

근육	이는곳	닿는곳	주요작용
어깨세모근 (삼각근; deltoid m.)	빗장뼈(쇄골) 가쪽(외측) 봉우리(견봉) 어깨뼈가시(견갑극)	위팔뼈(상완골) 세모근 거친면(조면)	• 앞부분: 위팔 굽힘(굴곡), 안쪽돌림(내회전) • 가쪽부분: 위팔 벌림(외전) • 뒷부분: 위팔 폄(신전), 가쪽돌림(외회전)
가시위근 (극상근; supraspinatus m.)	어깨뼈(견갑골) 가시위오목(극상와)	위팔뼈 큰결절(대결절)의 위면	어깨세모근의 벌림을 도와주고 돌림근띠근육과 함께 작용함
가시아래근 (극하근; infraspinatus m.)	어깨뼈 가시아래오목(극하와)	위팔뼈 큰결절의 중간면	팔을 가쪽돌림, 관절오목속의 위팔뼈머리의 유지를 도움
작은원근 (작은원근; teres minor m.)	어깨뼈 가쪽모서리(외측연)	위팔뼈 큰결절의 아래면	팔을 가쪽돌림, 관절오목속의 위팔뼈머리의 유지를 도움
큰원근 (큰원근; teres major m.)	어깨뼈 아래각	위팔뼈 결절사이고랑의 안쪽선	팔을 폄, 안쪽돌림 팔 흔들림에 관여
어깨밑근 (견갑하근; subscapularis m.)	어깨뼈 어깨뼈밑오목(견갑하와)	위팔뼈 작은결절(소결절)	팔을 안쪽돌림, 모음, 관절오목속의 위팔뼈머리의 유지를 도움

1. 어깨근육을 이는곳에서 닿는곳으로 색칠한다.
2. 근육둘레띠근육들을 각기 다른 색으로 색칠한다.

Main Point. 근육둘레띠근육 해당하는 근육의 이름과 위치를 학습한다.

괄호에 알맞은 용어를 쓰고 도색하시오.

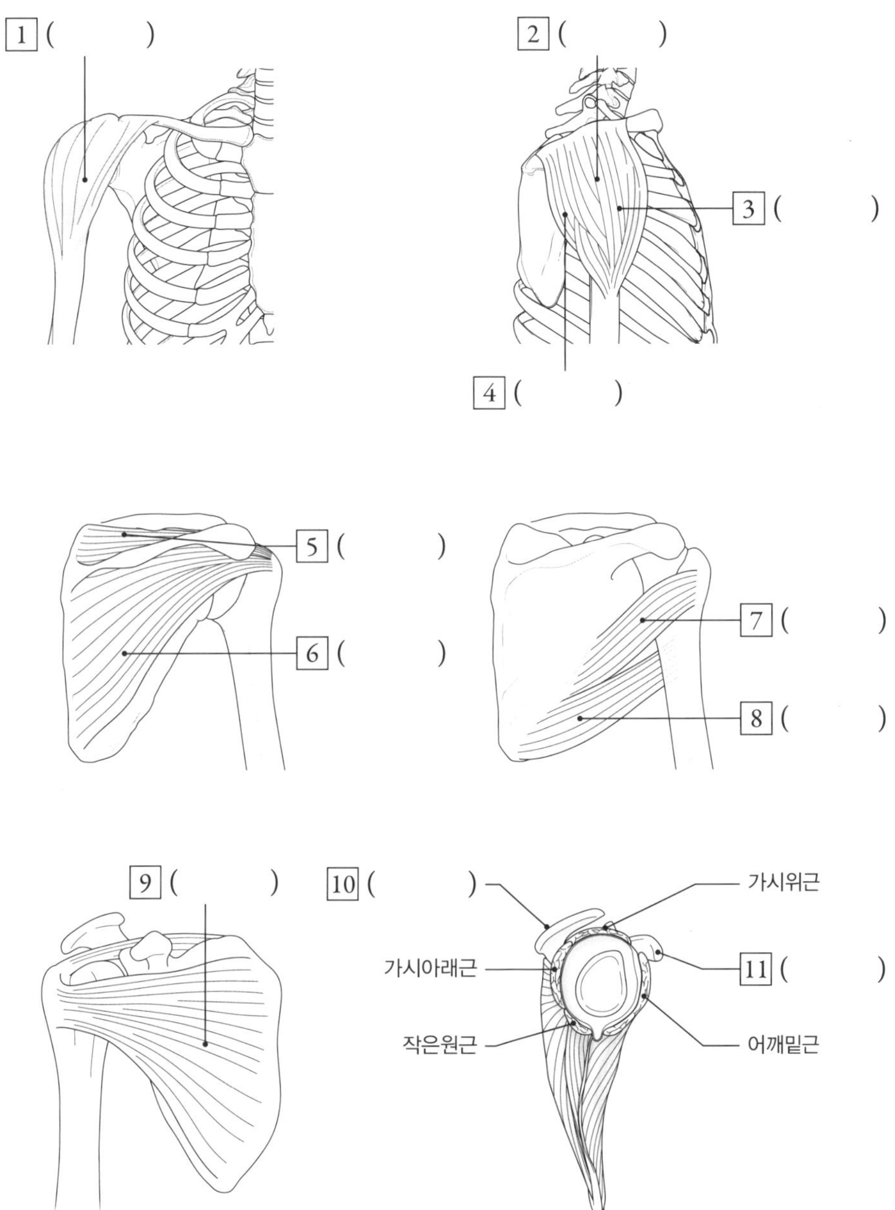

1 어깨세모근(삼각근; deltoid m.) 2 어깨세모근 가쪽부분(삼각근 중간면; deltoid m.(middle)) 3 어깨세모근 앞부분(삼각근 전면; deltoid m.(anterior)) 4 어깨세모근 뒤부분(삼각근 후면; deltoid m.(posterior)) 5 가시위근(극상근; supraspinatus m.) 6 가시아래근(극하근; infraspinatus m.) 7 작은원근(소원근; teres minor m.) 8 큰원근(대원근; teres major m.) 9 어깨밑근(견갑하근; subscapularis m.) 10 봉우리(견봉; acromion) 11 부리돌기(오훼돌기; coracoid process)

위팔(상완)의 앞쪽

위팔의 앞쪽에 위치하여 팔꿉관절주관절을 움직이는 근육

근육	이는곳	닿는곳	주요작용
위팔두갈래근 (상완이두근; biceps brachii m.)	• 짧은갈래(단두): 부리돌기(오훼돌기) • 긴갈래(장두): 어깨뼈의 관절위 결절	노뼈거친면(요골조면) 아래팔근막	아래팔(전완)의 강한 뒤침(회외), 팔꿉 굽힘(굴곡), 어깨관절(견관절) 굽힘
위팔근 (상완근; brachialis m.)	위팔뼈 앞쪽의 먼쪽 1/2	갈고리돌기(구상돌기)와 자뼈 거친면(척골조면)	팔꿉 굽힘
위팔노근 (완요골근; brachioradialis m.)	위팔뼈 가쪽관절융기(외측상)와 위능선	붓돌기(경상돌기) 노뼈(요골) 가쪽면	중립상태에서 팔꿉 굽힘

위팔의 뒤쪽

위팔의 뒤쪽에 위치하여 팔꿉관절을 움직이는 근육

근육	이는곳	닿는곳	주요작용
위팔세갈래근 (상완삼두근; triceps brachii m.)	• 긴갈래(장두): 어깨뼈 관절아래결절(관절하결절) • 가쪽갈래(외측두): 위팔뼈 몸통 끝 뒷면 • 안쪽갈래(내측두): 위팔뼈 몸통 전체 뒷면	팔꿈치머리(주두) 아래팔 근막	팔꿉의 주된 폄근 위팔뼈 폄과 모음(내전)(긴갈래)
팔꿈치근 (주근; anconeus m.)	위팔뼈 가쪽위관절융기(외측상과)	팔꿈치머리 자뼈(척골) 뒤면	팔꿉 폄(신전), 엎침(회내) 동안 자뼈를 벌림(외전)

1. 위팔근육을 이는곳에서 닿는곳으로 색칠한다.
2. 위팔근육들을 각기 다른 색으로 색칠한다.

Main Point. 위팔의 앞쪽과 뒤쪽에 해당하는 근육의 이름과 위치를 학습한다.

괄호에 알맞은 용어를 쓰고 도색하시오.

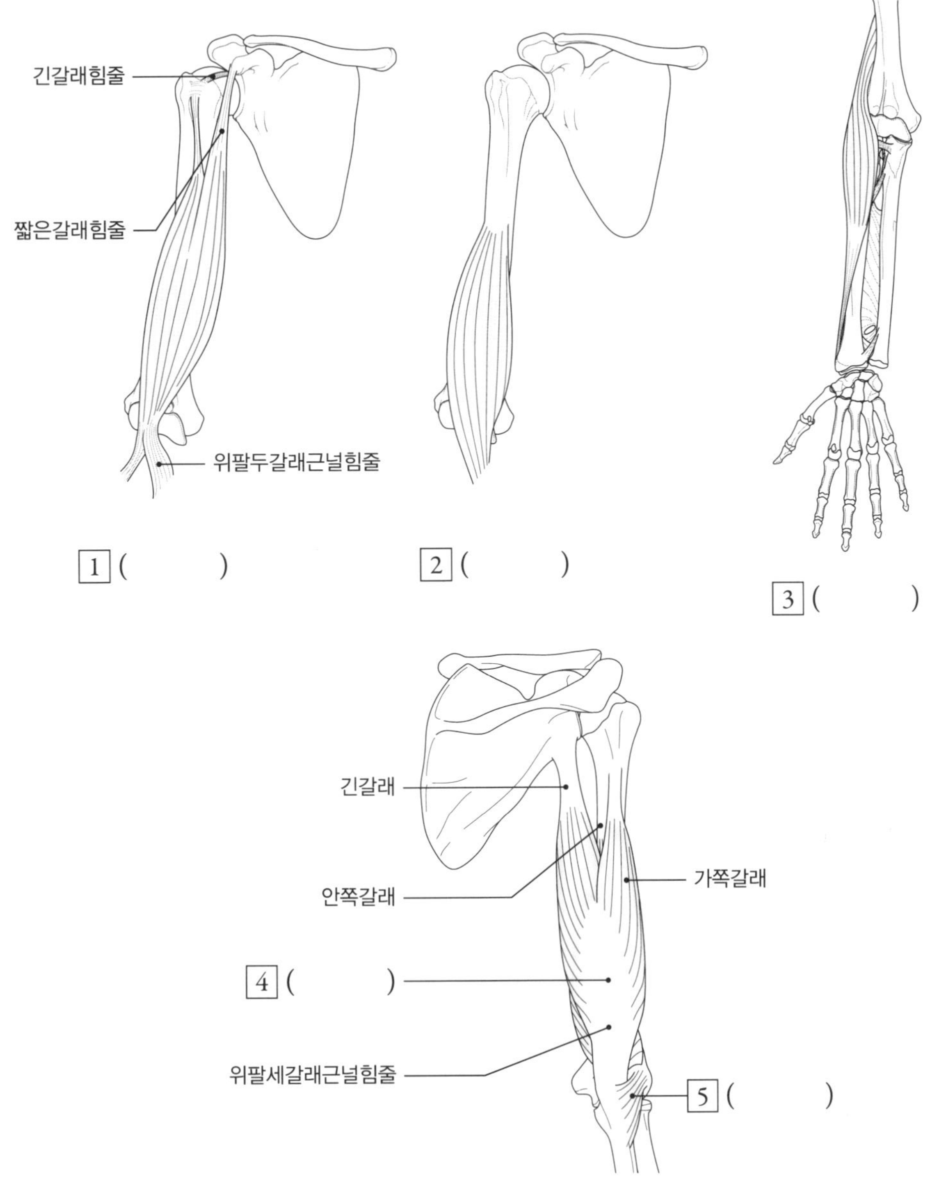

1 위팔두갈래근(상완이두근; biceps brachii m.) 2 위팔근(상완근; brachialis m.) 3 위팔노근(완요골근; brachioradialis m.) 4 위팔세갈래근(상완삼두근; triceps brachii m.) 5 팔꿈치근(주근; anconeus m.)

아래팔 앞칸의 근육

손목 및 손가락을 움직이는 아래팔 근육

근육	이는곳	닿는곳	주요작용
원엎침근 (원회내근; pronator teres m.)	위팔뼈(상완골) 안쪽위관절융기(내측상과), 자뼈(척골) 갈고리돌기(구상돌기)	노뼈 몸통(요골체) 가쪽면(외측면)	아래팔(전완)을 엎침(회내) 팔굽힘
노쪽손목굽힘근 (요측수근굴근; flexor carpi radialis m.)	위팔뼈(상완골) 안쪽위관절융기	2~3째 손허리뼈(중수골) 바닥	손목굽힘 손목 노쪽 굽힘 보조
긴손바닥근 (장장근; palmaris longus m.)	상완골 안쪽위관절융기	굽힘근지지띠(굴근지대) 손바닥널힘줄(수장근막)	손목굽힘 손바닥널힘줄을 팽팽하게 함
자쪽손목굽힘근 (척측수근굴근; flexor carpi ulnaris m.)	상완골 안쪽위관절융기 팔꿈치머리, 자뼈 뒤면	콩알뼈(두상골), 갈고리뼈(유구골), 5째 손허리뼈	손목굽힘 손목 자쪽 굽힘 보조
얕은손가락굽힘근 (천지굴근; flexor digitorum superficialis m.)	상완골 안쪽위관절융기 자뼈곁인대 갈고리돌기 노뼈앞면의 위 1/2	2~5째 중간마디뼈(중절골)	손목, 손허리손가락관절과 손가락뼈사이관저 굽힘
깊은손가락굽힘근 (심지굴근; flexor digitorum profundus m.)	자뼈 3/4 갈고리돌기 뼈사이막(골간막)	2~5째 끝마디뼈(말절골)	손목과 2~5째 손허리손가락관절과 2~5째 손가락뼈사이관절 굽힘
긴엄지굽힘근 (장무지굴근; flexor pollicis m.)	노뼈 앞면 뼈사이막	엄지손가락뼈의 끝마디뼈	엄지손가락(무지) 굽힘
네모엎침근 (방형회내근; pronator quadratus m.)	자뼈 앞면의 먼쪽 1/4	노뼈 앞면의 먼쪽 1/4	아래팔을 엎침

1. 아래팔앞칸의 근육을 층별로 구분하여 다르게 색칠한다.
2. 아래팔앞칸의 근육을 각기 다른 색으로 색칠한다.

Main Point. 아래팔 앞칸의 근육은 모두 굽힘근으로 작용하며 해당하는 근육의 이름과 위치를 학습한다.

괄호에 알맞은 용어를 쓰고 도색하시오.

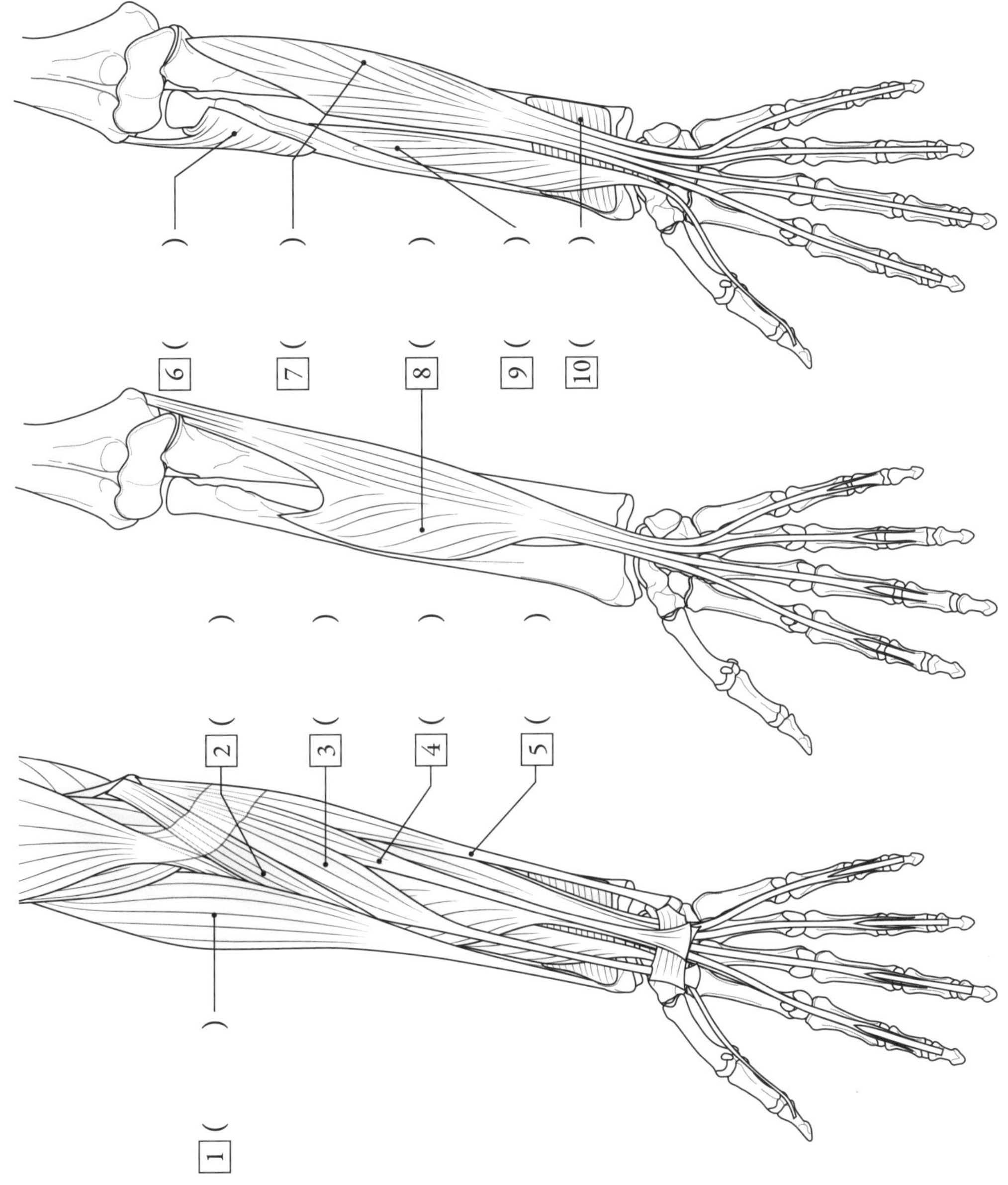

1 위팔노근(완요골근; brachialis m.) 2 원엎침근(원회내근; pronator teres m.) 3 노쪽손목굽힘근(요측수근신근; flexor carpi radialis m.) 4 긴손바닥근(장장근; palmaris longus m.) 5 자쪽손목굽힘근(척측수근신근; flexor carpi ulnaris m.) 6 손뒤침근(회외근; supinator m.) 7 깊은손가락굽힘근(심지굴근; flexor digitorum profundus m.) 8 얕은손가락굽힘근(천지굴근; flexor digitorum superficialis m.) 9 긴엄지굽힘근(장무지굴근; flexor pollicis m.) 10 네모엎침근(방형회내근; pronator quadratus m.)

아래팔 뒤칸의 근육

손목 및 손가락을 움직이는 아래팔 근육

근육	이는곳	닿는곳	주요작용
긴노쪽손목폄근 (장요측수근신근; extensor carpi radialis longus m.)	위팔뼈 가쪽관절융기(외측상과 위능선)	2째 손허리뼈 바닥(중수골 저부)	손목 폄 손목의 노쪽굽힘 보조
짧은노쪽손목폄근 (단요측수근신근; extensor carpi radialis brevis m.)	위팔뼈 가쪽위관절융기	2째 손허리뼈 바닥	손목 폄 손목의 노쪽굽힘 보조
손가락폄근 (지신근; extensor digitorum m.)	위팔뼈 가쪽위관절융기	2~5째 손가락뼈 등쪽면	손허리손가락관절에서 2~5째 손가락뼈 폄, 손목관절에서 손을 폄
새끼폄근 (소지신근; extensor digiti minimi m.)	위팔뼈 가쪽위관절융기	5째 손가락뼈 첫마디뼈	손목과 새끼손가락의 모든 관절 폄
자쪽손목폄근 (척측수근신근; extensor carpi ulnaris m.)	위팔뼈 가쪽위관절융기 자뼈 뒷모서리	5째 손허리뼈 바닥	손목에서 손을 폄, 모음
뒤침근 (회외근; supinator m.)	위팔뼈 가쪽위관절융기 노뼈곁인대, 머리띠인대	노뼈 몸쪽 1/3	아래팔 뒤침
긴엄지벌림근 (장무지외전근; abductor pollicis longus m.)	노뼈와 자뼈 뒷면 뼈사이막	1째 손허리뼈 바닥 큰마름뼈	손목손허리관절에서 엄지손가락을 벌림, 폄
짧은엄지폄근 (단무지신근; extensor pollicis brevis m.)	노뼈 몸통 뼈사이막	엄지손가락 첫마디뼈	엄지손가락의 첫마디뼈를 폄
긴엄지폄근 (장무지신근; extensor pollicis longus m.)	자뼈 뒷면 뼈사이막	엄지손가락 끝마디뼈	손허리손가락관절과 손가락사이관절에서 엄지 끝마디뼈 폄
집게폄근 (시지신근; extensor indicis m.)	자뼈 뒷면(척골 후면), 뼈사이막(골간막)	둘째손가락뼈의 폄확장띠	손목과 집게손가락 폄

1. 아래팔뒤칸의 근육을 층별로 구분하여 다르게 색칠한다.
2. 아래팔뒤칸의 근육을 각기 다른 색으로 색칠한다.

Main Point. 아래팔 뒤칸의 근육은 모두 폄근으로 작용하며 해당하는 근육의 이름과 위치를 학습한다.

괄호에 알맞은 용어를 쓰고 도색하시오.

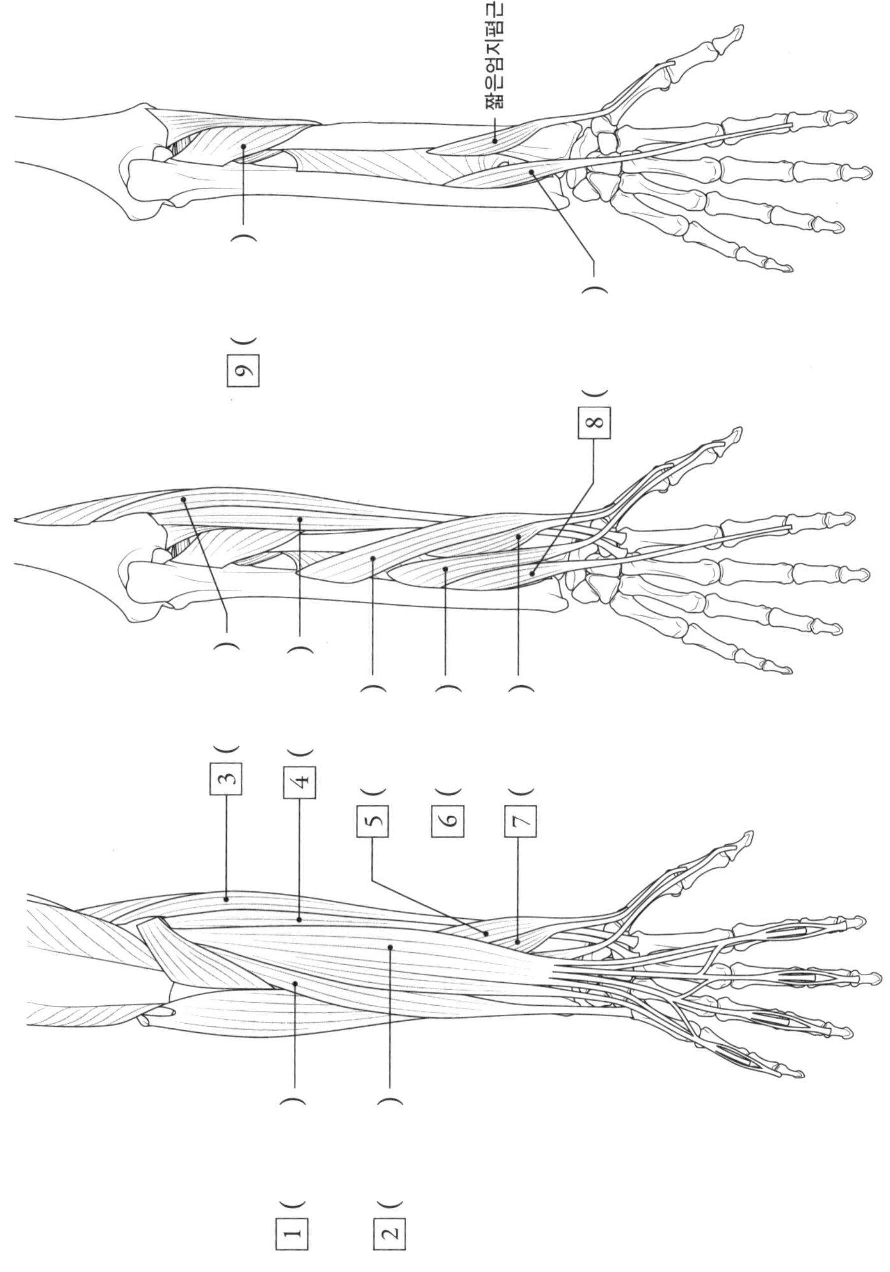

1 자쪽손목폄근(척측수근신근; extensor carpi ulnaris m.) 2 손가락폄근(지신근; extensor digitorum m.) 3 긴노쪽손목폄근(장요측수근신근; extensor carpi radialis longus m.) 4 짧은노쪽손목폄근(단요측수근신근; extensor carpi radialis brevis m.) 5 긴엄지벌림근(장무지외전근; abdutor pollicis longus m.) 6 긴엄지폄근(장무지신근; extensor pollicis longus m.) 7 짧은엄지폄근(단무지신근; extensor pollicis brevis m.) 8 집게폄근(시지신근; extensor indicis m.) 9 뒤침근(회외근; supinator m.)

손의 자체 기원 근육

손가락을 움직이는 손바닥 근육

근육	이는곳	닿는곳	주요작용
짧은엄지벌림근 (단무지외전근; abductor pollicic brevis m.)	굽힘근지지띠(굴근지대), 손배뼈(주상골)와 큰마름뼈(대능형골) 결절	엄지손가락 첫마디뼈(기절골) 바닥 가쪽면	손허리손가락관절에서 엄지 벌림
짧은엄지굽힘근 (단무지굴근; flexor pollicis brevis m.)	굽힘근지지띠, 큰마름뼈 결절	엄지손가락 첫마디뼈 바닥 가쪽면	엄지의 첫마디뼈를 굽힘
엄지맞섬근 (무지대립근; opponens pollicic m.)	굽힘근지지띠, 큰마름뼈 결절	첫째손허리뼈 바닥 안쪽면	첫째 손허리뼈를 굽혀서 엄지손가락 끝을 맞섬
엄지모음근 (무지내전근; abductor pollicis m.)	• 빗갈래: 알머리뼈, 2~3째 중수골 손허리뼈 바닥(저부) • 가로갈래: 3째 손허리뼈 몸통의 앞면	엄지손가락 첫마디뼈 바닥 안쪽면	엄지손가락을 중간손가락뼈 쪽으로 모음
새끼벌림근 (소지외전근; abductor digiti minimi m.)	콩알뼈(두상골), 자쪽손목굽힘근(척측수근굴근) 힘줄	5째손가락뼈 첫마디뼈 바닥 안쪽면	5째손가락을 벌림
짧은새끼굽힘근 (단소지굴근; flexor digiti minimi brevis m.)	갈고리뼈(유구골 갈고리), 굽힘근지지띠	5째 손가락뼈 첫마디뼈 바닥 안쪽면	5째손가락의 첫마디뼈를 굽힘
새끼맞섬근 (소지대립근; opponens digiti minimi m.)	유구골 갈고리, 굽힘근지지띠	다섯째손허리뼈의 손바닥면	5째 손허리뼈를 잡아당겨 앞쪽으로 돌림, 엄지와 맞섬
벌레근 (충양근; lumbrical m.)	깊은손가락굽힘근(심지굴근) 힘줄(건)	2~5째 첫마디뼈	손허리손가락관절에서 손가락 굽힘, 손가락사이관절을 폄
등쪽뼈사이근 (배측골간근; dorsal interosseous m.)	2개의 손허리뼈(중수골) 이웃하는 면	2~4째 손가락 첫마디뼈 바닥과 폄 확장띠	손가락 벌림 손허리손가락절에서 손가락 굽힘, 손가락사이관절을 폄
바닥쪽뼈사이근 (장측골간근; palmar interosseous m.)	2, 4, 5째 손허리뼈의 손바닥면	손가락 폄 확장띠 2, 4, 5째 손가락의 첫마디뼈	손가락 모음, 손허리손가락관절에서 손가락을 굽힘, 손가락사이관절을 폄

1. 손바닥 근육을 이는곳에서 닿는곳으로 색칠한다.
2. 손바닥 근육을 각기 다른 색으로 색칠한다.

Main Point. 손가락을 움직이는 손바닥근육의 이름과 위치를 학습한다.

괄호에 알맞은 용어를 쓰고 도색하시오.

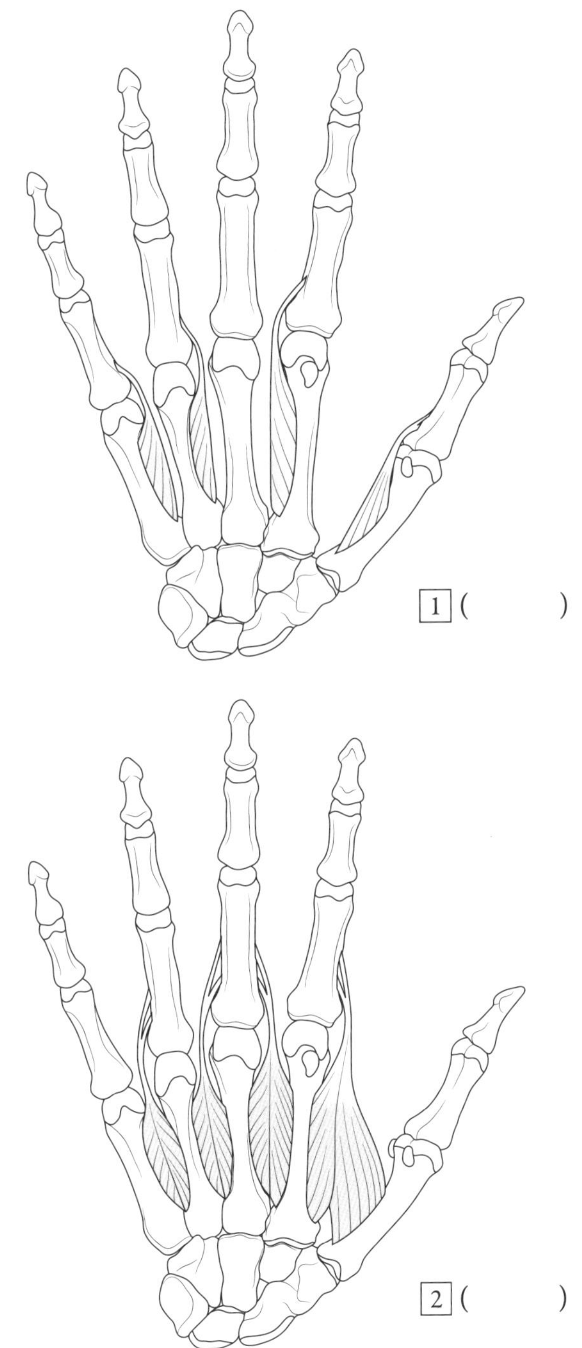

1 바닥쪽뼈사이근(장측골간근; palmar interosseous m.) 2 등쪽뼈사이근(배측골간근; dorsal interosseous m.)

괄호에 알맞은 용어를 쓰고 도색하시오.

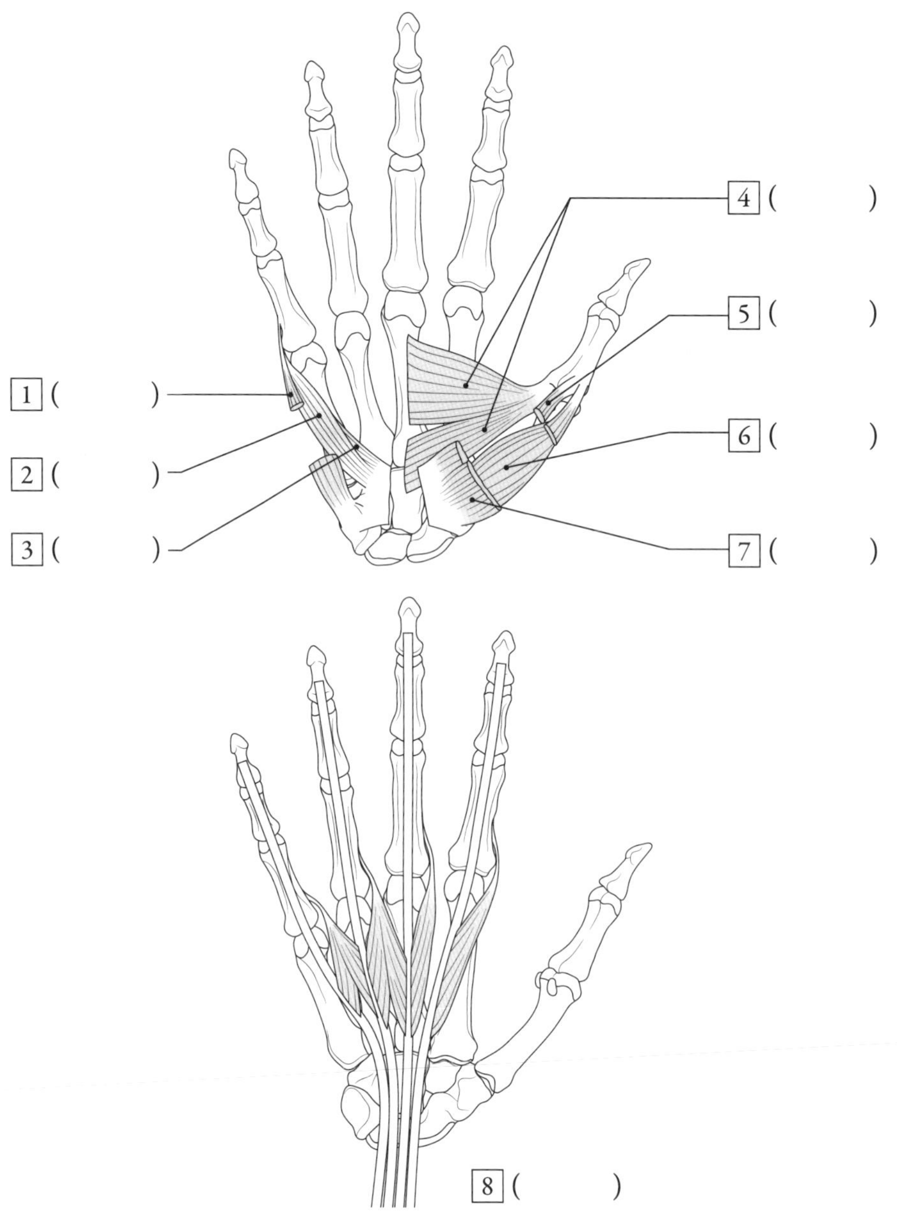

1 짧은새끼굽힘근(단소지굴근; flexor digiti minimi m.) 2 새끼맞섬근(소지대립근; opponens digiti minimi m.) 3 새끼벌림근(소지외전근; abductor digiti minimi m.) 4 엄지모음근(무지내전근; abductor pollicis m.) 5 짧은엄지굽힘근(단무지굴근; flexor pollicis brevis m.) 6 엄지맞섬근(무지대립근; opponens pollicic m.) 7 짧은엄지벌림근(단무지외전근; abductor pollicic brevis m.) 8 벌레근(충양근; lumbrical m.)

note

9. 다리근육의 종류와 위치

넙다리뼈(대퇴골) 앞칸

넙다리뼈를 움직이는 근육

근육	이는곳	닿는곳	주요작용
엉덩허리근 (장요근; iliopsoas m.)	엉덩뼈능선(장골능) 엉치뼈(천골) 위가쪽 T12~L5 척추몸통(추체) 척추사이원반 허리뼈(요추) 가로돌기(횡돌기)	넙다리뼈 작은돌기(소전자)와 바로 아래 줄기	몸통이 고정되어 있을 때 엉덩관절(고관절) 굽힘, 의자에서 몸을 구부리거나 침대에서 일어나 앉기 등과 같이 넓적다리가 고정되어 있을 때 몸통 굽힘, 앉아있는 동안 몸통 균형 유지
넙다리근막긴장근 (대퇴근막장근; tensor fasciae latae m.)	위앞엉덩뼈가시(상전장골극) 앞엉덩뼈능선(전장골능)	엉덩정강띠(장경인대)	엉덩이에서 넓적다리를 벌림, 안쪽으로 돌림, 굽힘, 무릎이 펴져있는 상태가 유지되도록 도움
넙다리빗근 (봉공근; sartorius m.)	위앞엉덩뼈가시 아래쪽 패임(절흔)의 윗부분	정강뼈(경골) 안쪽면의 윗부분	엉덩이에서 넓적다리를 굽힘, 벌림, 가쪽으로 돌림, 무릎관절을 굽힘
넙다리네갈래근(대퇴사두근; quadriceps femoris muscle)			
넙다리곧은근 (대퇴직근; rectus femoris m.)	하전장골극 엉덩뼈 위쪽에서 관골구	무릎뼈 바닥 무릎인대(슬개인대)에서 정강뼈 거친면(경골조면)	무릎관절(슬관절)에서 종아리를 폄, 넙다리곧은근은 엉덩관절(고관절)을 안정화시키고 엉덩이에서 엉덩허리근이 넓적다리를 굽히는 것을 도움
가쪽넓은근 (외측광근; vastus lateralis m.)	대전자 대퇴골 조선 가쪽선	무릎뼈 바닥 무릎인대에서 정강뼈 거친면	무릎관절에서 종아리를 폄
안쪽넓은근 (내측광근; vastus medialis m.)	돌기사이선 넙다리뼈 거친선 안쪽선	무릎뼈 바닥 무릎인대에서 정강뼈 거친면	무릎관절에서 종아리를 폄
중간넓은근 (중간광근; vastus intermedius m.)	넙다리뼈 몸통 앞쪽과 가쪽면	무릎뼈 바닥 무릎인대에서 정강뼈 거친면	무릎관절에서 종아리를 폄

1. 손바닥 근육을 이는곳에서 닿는곳으로 색칠한다.
2. 손바닥 근육을 각기 다른 색으로 색칠한다.

Main Point. 넙다리뼈 앞칸의 근육의 이는점과 닿는점, 주요작용에 대해 학습한다.

괄호에 알맞은 용어를 쓰고 도색하시오.

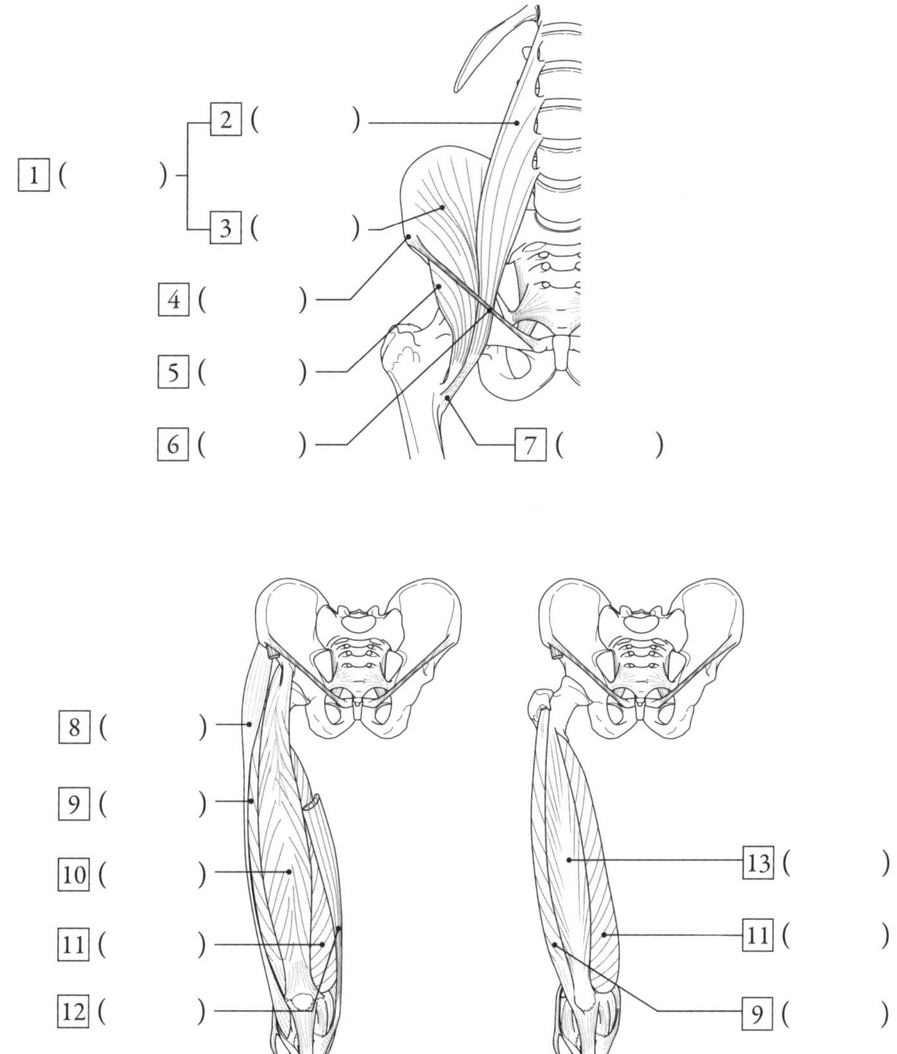

1 엉덩허리근(장요근; iliopsoas m.) 2 큰허리근(대요근; psoas major m.) 3 엉덩근(장골근; iliacus m.) 4 위앞엉덩뼈가시(상전장골극; anterior superior iliac spine) 5 아래앞엉덩뼈가시(하전장골극; inferior anterior posterior iliac spine) 6 샅고랑인대(서혜인대; inguinal ligament) 7 작은돌기(소전자; lesser trochanter) 8 넙다리근막긴장근(대퇴근막장근; tensor fascia latae m.) 9 가쪽넓은근(외측광근; vastus lateralis m.) 10 넙다리곧은근(대퇴직근; rectus femoris m.) 11 안쪽넓은근(내측광근; vastus medialis m.) 12 넙다리빗근(봉공근; sartorius m.) 13 중간넓은근(중간광근; vastus intermedius m.)

넙다리뼈 안쪽칸

넙다리뼈를 움직이는 근육

근육	이는곳	닿는곳	주요작용
두덩근 (치골근; pectineus m.)	두덩뼈(치골) 가지	넙다리뼈 두덩근선	넓적다리 굽힘과 모음
긴모음근 (장내전근; adductor longus m.)	두덩뼈 몸통 두덩뼈 아래가지	넙다리뼈 거친선	넓적다리를 모음, 안쪽돌림 엉덩관절에서 넓적다리 굽힘
짧은모음근 (단내전근; adductor brevis m.)	두덩뼈 몸통 두덩뼈 아래가지	넙다리뼈 거친선 두덩근선	넓적다리를 모음
큰모음근 (대내전근; adductor magnus m.)	두덩뼈 아래가지, 궁둥뼈 가지, 궁둥뼈(좌골) 결절	볼기근거친면, 거친선, 안쪽관절융기위선,	넓적다리를 모음, 안쪽돌림 엉덩관절에서 넓적다리 폄
두덩정강근 (박근; gracilis m.)	두덩뼈 몸통, 아래가지, 궁둥뼈가지	정강뼈 관절융기 밑 안쪽면	엉덩이에서 넓적다리 모음, 무릎에서 정강뼈 굽힘, 안쪽돌림

1. 넙다리뼈 안쪽칸의 근육을 이는곳에서 닿는곳으로 색칠한다.
2. 넙다리뼈 안쪽칸의 근육을 각기 다른 색으로 색칠한다.

Main Point. 넙다리뼈 안쪽칸의 근육의 이는점과 닿는점, 주요작용에 대해 학습한다.

괄호에 알맞은 용어를 쓰고 도색하시오.

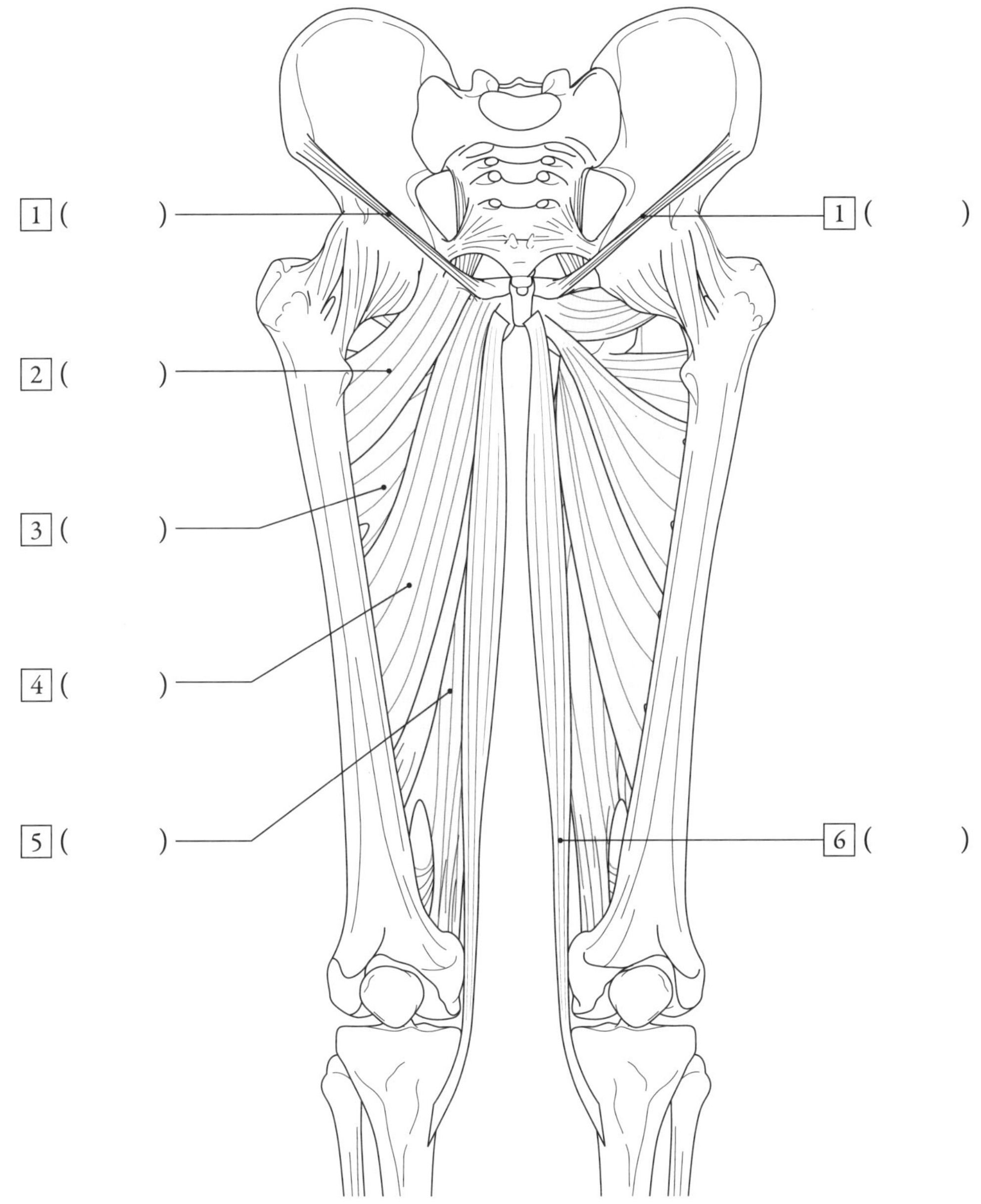

1 두덩근선(치골근선; pectineal line) 2 두덩근(치골근; pectineus m.) 3 짧은모음근(단내전근; adductor brevis m.) 4 긴모음근(장내전근; adductor longus m.) 5 큰모음근(대내전근; adductor magnus m.) 6 두덩정강근(박근; gracillis m.)

볼기(둔부)의 근육

볼기에 위치하며 움직이는 근육

근육	이는곳	닿는곳	주요작용
큰볼기근 (대둔근; gluteus maximus m.)	엉덩뼈능선(장골능)의 뒤쪽 1/4, 엉덩뼈 근처 엉치뼈(천골)의 뒷쪽면과 허리부위의 근막, 엉덩뼈(장골) 근처 꼬리뼈(미골)	볼기선과 엉덩정강근막띠(장경인대)	고관절의 강력한 신전, 엉덩관절의 외회전
중간볼기근 (중둔근; gluteus medius m.)	능선 바로 아래 엉덩뼈 바깥면	큰돌기(대전자) 뒤쪽과 중간면	엉덩이에서 넓적다리를 벌림, 안쪽 돌림; 반대쪽 다리를 올렸을 때 골반을 안정화시킴
작은볼기근 (소둔근; gluteus minimus m.)	중간볼기근 이는곳 아래 엉덩뼈 바깥면	큰돌기 앞쪽면	엉덩이에서 넓적다리를 벌림, 안쪽 돌림; 반대쪽 다리를 올렸을 때 골반을 안정화시킴
궁둥구멍근 (이상근; piriformis m.)	엉치뼈 앞쪽	큰돌기 위쪽면	엉덩이에서 편 넓적다리를 가쪽돌림, 굽힌 넓적다리를 벌림; 관골구속의 넙다리뼈머리를 안정화시킴
속폐쇄근 (내폐쇄근; obturator internus m.)	폐쇄구멍(폐쇄공)	큰돌기 뒷면	엉덩이에서 편 넓적다리를 가쪽돌림, 굽힌 넓적다리를 벌림; 절구속의 넙다리뼈머리를 안정화시킴
바깥폐쇄근 (외폐쇄근; obturator externus m.)	폐쇄구멍	큰돌기 뒷면	엉덩이에서 편 넓적다리를 가쪽돌림, 굽힌 넓적다리를 벌림; 절구속의 넙다리뼈머리를 안정화시킴
위쌍둥이근 (상쌍자근; superior gemellus)	궁둥뼈(좌골)의 뒤쪽 부분	큰돌기 뒷면	엉덩이에서 편 넓적다리를 가쪽돌림, 굽힌 넓적다리를 벌림; 절구속의 넙다리뼈머리를 안정화시킴
아래쌍둥이근 (하쌍자근; inferior gemellus)	궁둥뼈의 뒤쪽 부분	큰돌기 뒷면	엉덩이에서 편 넓적다리를 가쪽돌림, 굽힌 넓적다리를 벌림; 절구속의 넙다리뼈머리를 안정화시킴
넙다리네모근 (대퇴방형근; quadratus femoris)	궁둥뼈의 앞가쪽면	큰돌기 아랫면	엉덩이에서 넓적다리를 가쪽으로돌림, 절구속의 넙다리뼈머리를 안정화시킴

1. 볼기의 근육을 이는곳에서 닿는곳으로 색칠한다.
2. 볼기의 근육을 각기 다른 색으로 색칠한다.

Main Point. 볼기에 위치하며 움직이는 근육의 이는점과 닿는점, 주요작용에 대해 학습한다.

괄호에 알맞은 용어를 쓰고 도색하시오.

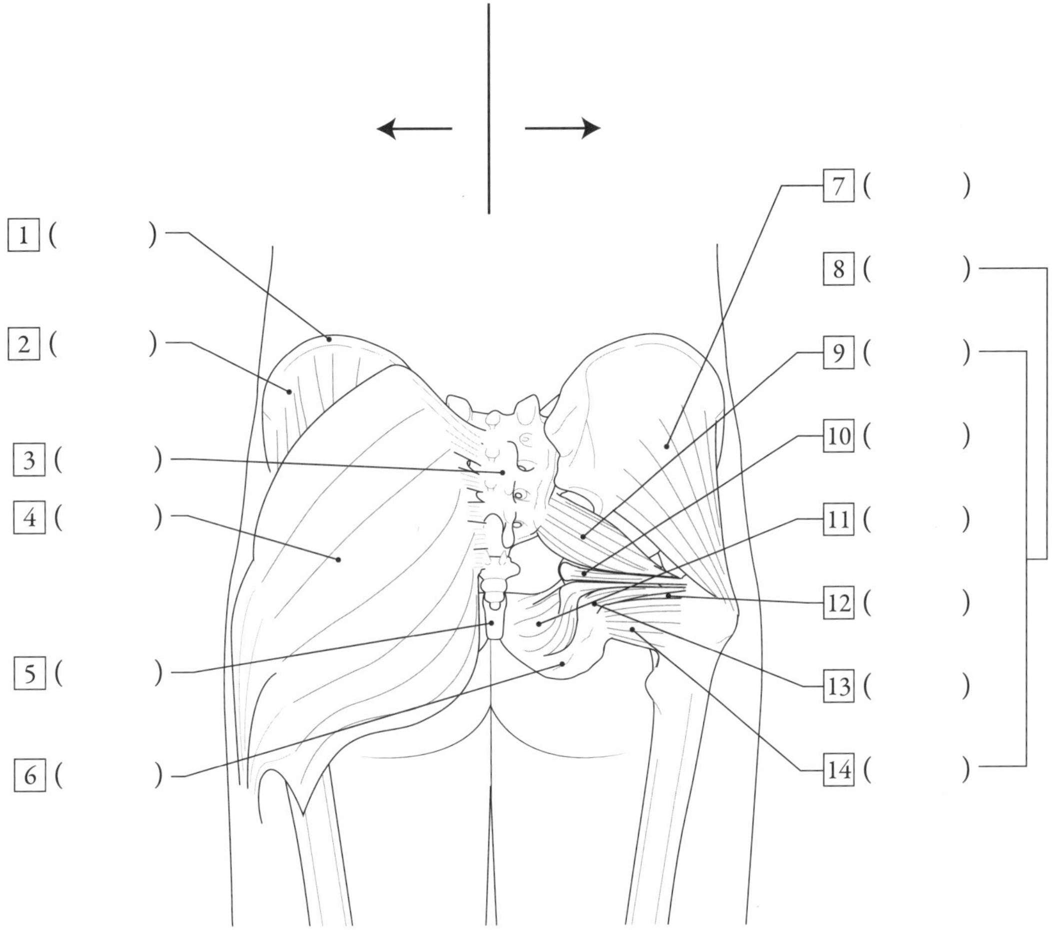

1 엉덩뼈능선(장골능선; iliac crest) 2 중간볼기근(중둔근; gluteus medius m.) 3 엉치뼈(천골; sacrum) 4 큰볼기근(대둔근; gluteus maximus m.) 5 꼬리뼈(미골; coccyx) 6 궁둥뼈결절(좌골결절; ischial tuberosity) 7 작은볼기근(소둔근; gluteus minimus m.) 8 가쪽돌림근(외회전근; external rotator muscles of hip) 9 궁둥구멍근(이상근; piriformis m.) 10 위쌍둥이근(상쌍자근; superior gemellus m.) 11 속폐쇄근(내폐쇄근; obturator internus m.) 12 바깥폐쇄근(외폐쇄근; obturator externus m.) 13 아래쌍둥이근(하쌍자근; inferior gemellus m.) 14 넙다리네모근(대퇴방형근; quadratus femoris m.)

넙다리뒤칸의 근육

넙다리 뒤에 위치하며 움직이는 근육

근육	이는곳	닿는곳	주요작용
넙다리 두갈래근 (대퇴이두근; biceps femoris m.)	• 긴갈래(장두): 궁둥뼈결절(좌골결절) • 짧은갈래(단두): 넙다리 거친선(조선)과 가쪽관절융기(외측과) 위선	정강뼈(경골)의 가쪽관절융기 비골뼈머리	무릎에서 종아리 굽힘, 엉덩이에서 넓적다리를 폄, 가쪽 돌림
반힘줄근 (반건양근; semitendinosus m.)	궁둥뼈결절	정강뼈 위쪽부분의 안쪽면	엉덩이에서 넓적다리 폄, 무릎에서 종아리 굽힘, 안쪽돌림, 엉덩이와 무릎을 굽혔을 때 몸통 폄
반막모양근 (반막양근; semimembranosus m.)	궁둥뼈결절	정강뼈 안쪽관절융기(내측과)의 뒤부분	엉덩이에서 넓적다리 폄, 무릎에서 종아리 굽힘, 안쪽돌림, 엉덩이와 무릎을 굽혔을 때 몸통 폄

1. 넙다리뒤칸의 근육을 이는곳에서 닿는곳으로 색칠한다.
2. 넙다리뒤칸의 근육을 각기 다른 색으로 색칠한다.

Main Point. 넙다리뒤칸근육의 이는점과 닿는점, 주요작용에 대해 학습한다.

괄호에 알맞은 용어를 쓰고 도색하시오.

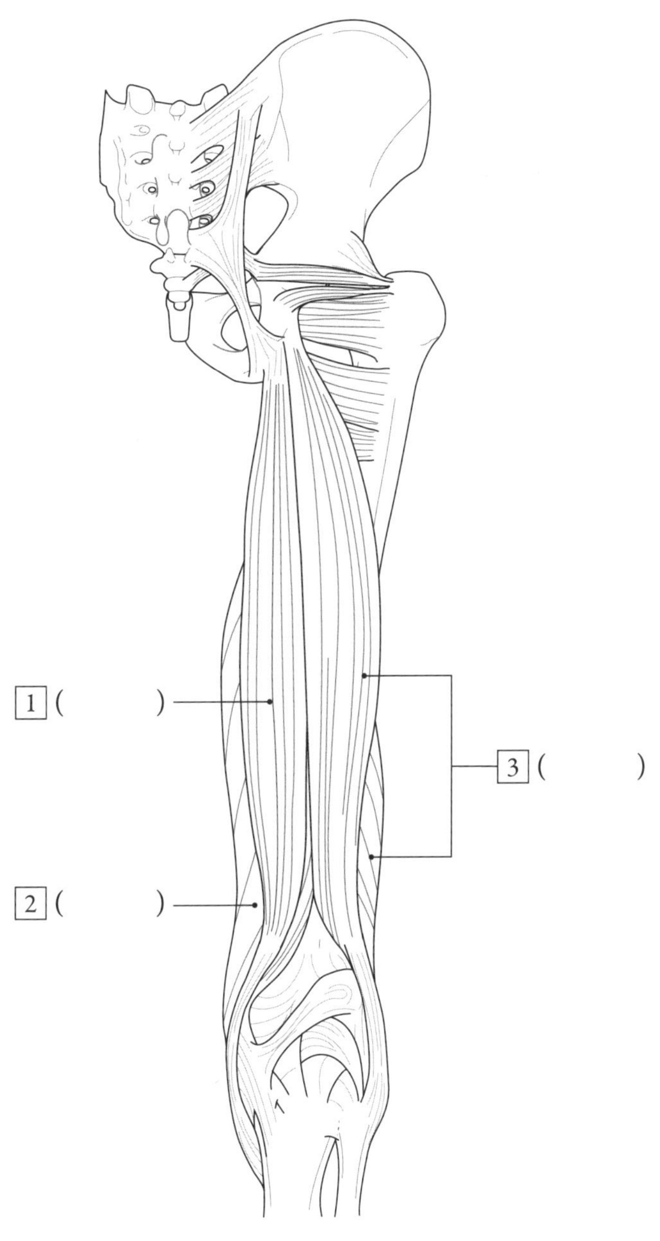

1 반힘줄모양근(반건양근; semitendinosus m.) 2 반막모양근(반막양근; semimembranosus m.) 3 넙다리두갈래근(대퇴이두근; biceps femoris m.)

종아리 앞칸에 위치하는 근육

발과 발가락을 움직이는 종아리 근육

근육	이는곳	닿는곳	주요작용
앞정강근 (전경골근; anterior tibialis m.)	가쪽관절융기(외측과), 정강뼈(경골) 가쪽면의 위 1/2	첫째 쐐기뼈(설상골), 첫째 발허리뼈(중족골)	발등굽힘(배굴), 안쪽번짐(내번)
긴엄지폄근 (장무지신근; extensor hallucis longus m.)	종아리뼈(비골) 중간 앞면, 뼈사이막(골간막)	엄지발가락(무지) 끝마디뼈(말절골)	엄지발가락을 폄(신전), 발등굽힘
긴발가락폄근 (장지신근; extensor digitorum longus m.)	정강뼈 가쪽관절융기, 종아리뼈 몸통(비골체), 뼈사이막	가쪽 4개의 발가락 중간(중절골)과 끝마디뼈(말절골)	가쪽 4개의 발가락을 폄, 발등굽힘
셋째종아리근 (제3비골근; fibularis tertius m.)	종아리뼈 앞면의 아래 1/3, 뼈사이막	다섯째 발허리뼈	발등굽힘, 가쪽번짐(외번)
긴종아리근 (장비골근; fibularis longus m.)	종아리뼈머리(비골두), 가쪽면의 위 2/3	첫째 발허리뼈, 안쪽쐐기뼈(내측설상골)	가쪽번짐, 발의 약한 발바닥굽힘
짧은종아리근 (단비골근; fibularis brevis m.)	종아리뼈 가쪽면의 아래 2/3	다섯째 발허리뼈	가쪽번짐, 발의 약한 발바닥굽힘

1. 종아리앞칸과 가쪽칸의 근육을 이는곳에서 닿는곳으로 색칠한다.
2. 종아리앞칸과 가쪽칸의 근육을 각기 다른 색으로 색칠한다.

Main Point. 종아리앞칸과 가쪽칸 근육의 이는점과 닿는점, 주요작용에 대해 학습한다.

괄호에 알맞은 용어를 쓰고 도색하시오.

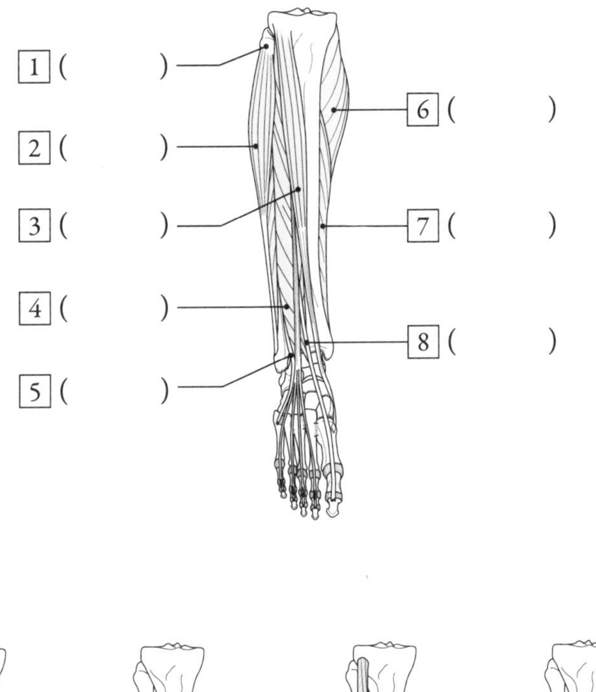

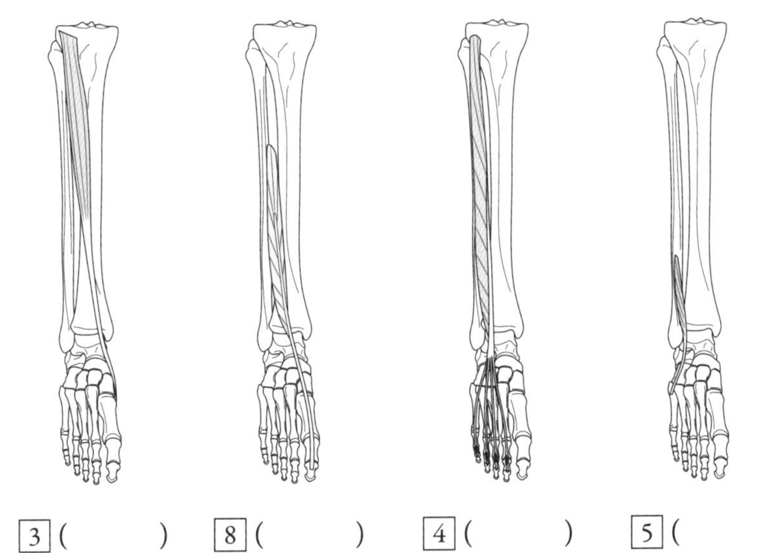

1 종아리뼈머리(비골두; head of fibula) 2 긴종아리근(장비골근; peroneus longus m.) 3 앞정강근(전경골근; tibialis anterior m.) 4 긴발가락폄근(장지신근; extensor digitorum longus m.) 5 셋째종아리근(제3비골근; peroneus tertius m.) 6 장딴지근 안쪽갈래(비복근 내측두; medial gastrocnemius m.) 7 가자미근(넙치근; soleus m.) 8 긴엄지폄근(장무지신근; extensor hallucis longus m.)

괄호에 알맞은 용어를 쓰고 도색하시오.

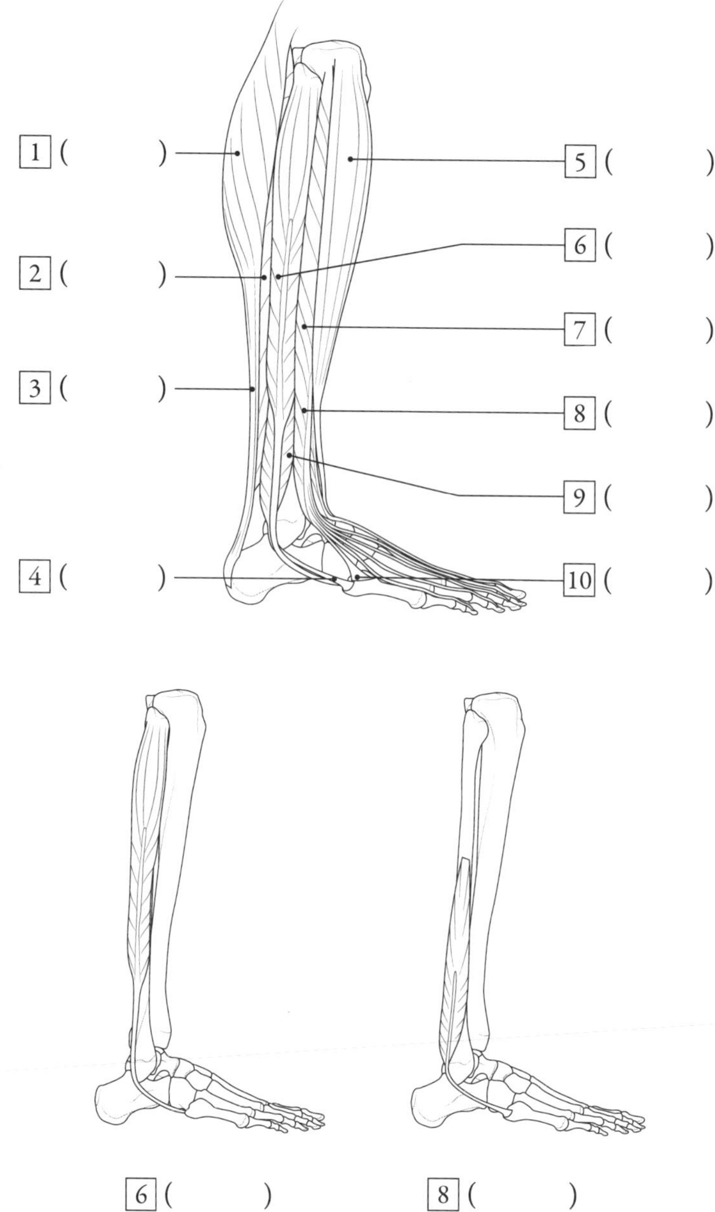

1 장딴지근(비복근; gastrocnemius m.) 2 가자미근(넙치근; soleus m) 3 발꿈치힘줄(종골건; achilles tendon, calcaneal tendon) 4 짧은종아리근힘줄(단비골근건; peroneus brevis muscle tendon) 5 앞정강근(전경골근; tibialis anterior m.) 6 긴종아리근(장비골근; peroneus longus m.) 7 긴발가락폄근(장지신근; extensor digitorum longus m.) 8 짧은종아리근(제3비골근; peroneus tertius m) 9 긴엄지폄근(장무지신근; extensor hallucis longus m.) 10 셋째종아리근힘줄(제3비골근건; peroneus tertius muscle tendon)

note

종아리 뒤칸에 위치하는 근육

근육	이는곳	닿는곳	주요작용
장딴지근 (비복근; gastorcnemius m.)	넙다리뼈(대퇴골) 외측상과, 내측상과	발꿈치뼈(종골)	발바닥굽힘(저측굴곡), 무릎굽힘, 걷기, 달리기, 점프할 때
가자미근 (넙치근; soleus m.)	종아리뼈머리(비골두), 정강뼈 가자미근선(넙치근선)	발꿈치뼈	발바닥굽힘, 발에서 종아리를 안정화 시킴
장딴지빗근 (족척근; plantaris m.)	넙다리뼈 가쪽위관절융기(외측상과)	발꿈치힘줄(아킬레스건)을 따라 발꿈치뼈 뒤면	발바닥굽힘과 무릎을 굽힐 때 장딴지근을 약하게 도움
오금근 (슬와근; popliteus m.)	넙다리뼈 가쪽위관절융기	정강뼈 뒷면, 가자미근선 위	무릎에서 약하게 종아리를 굽힘
긴엄지굽힘근 (장무지굴근; flexor hallucis longus m.)	종아리뼈(비골) 뒤면	엄지발가락(무지) 끝마디뼈의 바닥(말절골 저부)	엄지발가락 굽힘, 발바닥굽힘 발의 세로활을 지탱함
긴발가락굽힘근 (장지굴근; flexor digitorum longus m.)	정강뼈 뒤 안쪽부분면	가쪽 4개의 발가락 끝마디뼈의 바닥	가쪽 4개 발가락 굽힘, 발바닥 굽힘, 발의 세로활을 지탱함
뒤정강근 (후경골근; tibialis posterior m.)	정강뼈(경골)와 종아리뼈(비골)의 몸쪽 절반 뒷면과 뼈사이막	발배뼈(주상골), 안쪽쐐기뼈(설상골), 둘째, 넷째 발허리뼈	발바닥굽힘(저측굴곡), 안쪽번짐(내번)

1. 종아리뒤칸 근육을 이는곳에서 닿는곳으로 색칠한다.
2. 종아리뒤칸 근육을 각기 다른 색으로 색칠한다.

Main Point. 종아리뒤칸 근육의 이는점과 닿는점, 주요작용에 대해 학습한다.

괄호에 알맞은 용어를 쓰고 도색하시오.

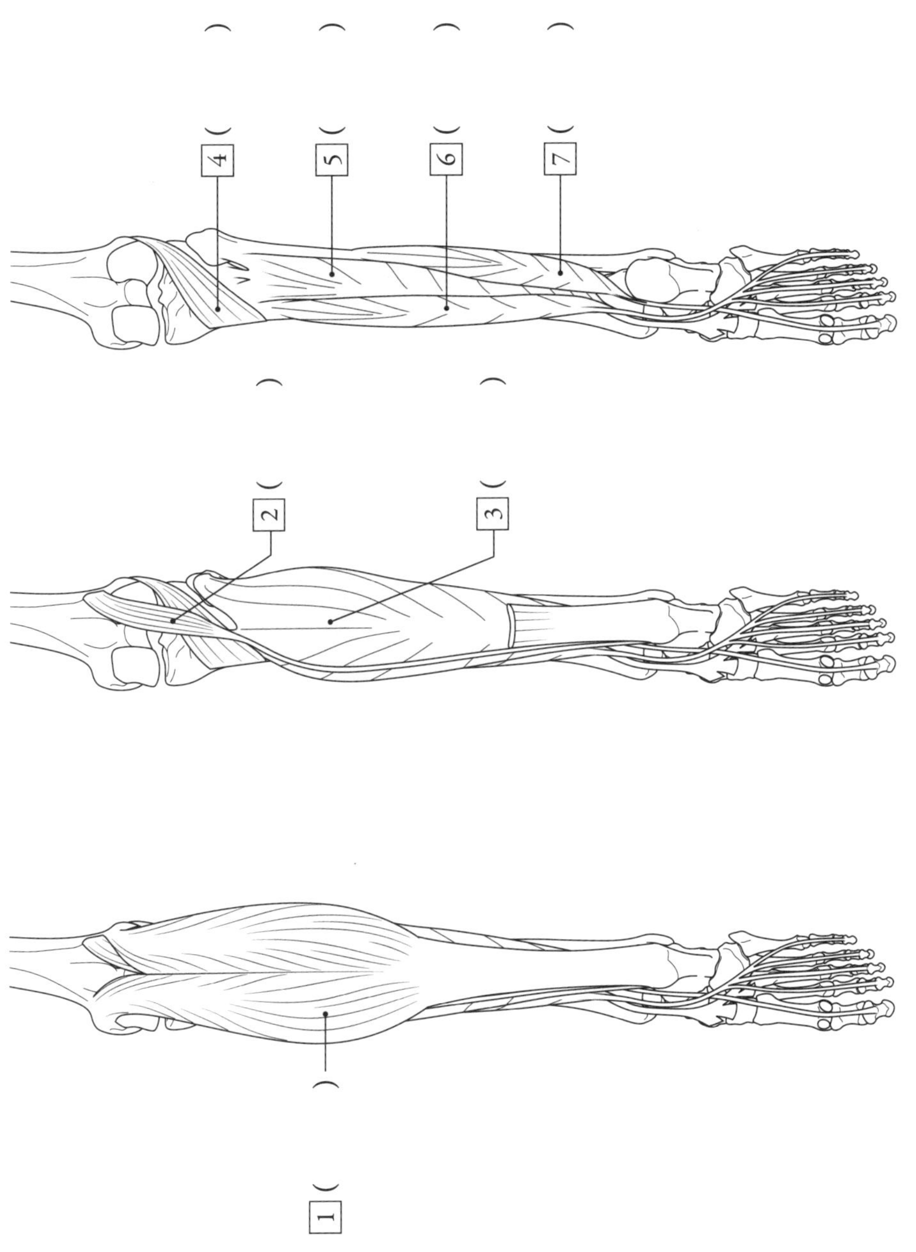

1 장딴지근(비복근; gastrocnemius m.) 2 장딴지빗근(족척근; plantaris m.) 3 가자미근(넙치근; soleus m.) 4 오금근(슬와근; popliteus m.) 5 뒤정강근(후경골근; tibialis posterior m.) 6 긴발가락굽힘근(장지굴근; flexor digitorum longus m.) 7 긴엄지굽힘근(장무지굴근; flexor hallucis m.)

발바닥의 근육

발을 움직이는 근육

근육	이는곳	닿는곳	주요작용
엄지벌림근 (무지외전근; abductor hallucis m.)	발꿈치뼈(종골), 굽힘근지지띠(굴근지대), 발바닥널힘줄(족척건막)	첫째발가락 첫마디뼈 바닥의 안쪽면	발허리발가락뼈관절에서 엄지발가락 벌림, 굽힘
짧은발가락굽힘근 (단지굴근; flexor digitorum brevis m.)	발꿈치뼈 융기(종골융기), 발바닥널힘줄	둘째~다섯째 중간마디뼈 안쪽, 가쪽면	발가락뼈사이관절에서 가쪽 4개의 발가락 굽힘
새끼발가락벌림근 (소지외전근; abductor digit minimi m.)	발꿈치뼈 융기, 발바닥널힘줄	다섯째발가락 첫마디뼈 바닥의 가쪽면	새끼발가락 벌림, 굽힘
발바닥네모근 (족척방형근; quadratus plantae m.)	발꿈치뼈 발바닥면의 가쪽 모서리와 안쪽면	긴발가락굽힘근 힘줄(장지굴근건)의 뒤가쪽 모서리	가쪽 4개의 발가락을 굽히는 긴발가락굽힘근을 도움
벌레근 (충양근; lumbrical m.)	긴발가락굽힘근힘줄	가쪽 4개의 발가락 안쪽면	가쪽 4개 발가락의 첫마디뼈는 굽힘, 중간과 끝마디뼈는 폄
짧은엄지발가락 굽힘근 (단무지굴근; flexor hallucis brevis m.)	입방뼈(입방골)와 가쪽쐐기뼈(외측설상골)의 발바닥면	첫째발가락 첫마디뼈 바닥의 안쪽, 가쪽면	엄지발가락의 첫마디뼈 굽힘
굽힘근 (무지내전근; adductor hallucis m.)	빗갈래: 둘째~넷째발(발허리뼈) 중족골 가로갈래: 발허리발가락뼈관절의 발바닥인대	첫째발가락의 첫마디뼈 바닥의 가쪽면	엄지발가락을 모음, 발의 가로활이 유지되도록 도움
짧은새끼굽힘근 (단소지굴근; flexor digiti minimi brevis m.)	다섯째발허리뼈 바닥	다섯째발가락 첫마디뼈(기절골)의 바닥	새끼발가락(소지) 첫마디뼈를 굽힘
발바닥쪽뼈사이근 (척측골간근(3개); plantar interosseous m.)	셋째~다섯째발허리뼈 바닥과 안쪽면	셋째~다섯째발가락 첫마디뼈 바닥의 안쪽면	둘째~넷째발가락을 모음, 발허리발가락뼈관절을 굽힘
발등쪽뼈사이근 (배측골간근(4개); dorsal interosseous m.)	첫째~다섯째발허리뼈의 이웃하는 면	첫째:둘째발가락 첫마디뼈의 안쪽면 둘째~넷째:둘째~넷째발가락 가쪽면	발가락을 벌림, 발허리발가락뼈관절을 굽힘

1. 발바닥근육을 이는곳에서 닿는곳으로 색칠한다.
2. 발바닥근육을 각기 다른 색으로 색칠한다.

Main Point. 종아리뒤칸 근육의 이는점과 닿는점, 주요작용에 대해 학습한다.

괄호에 알맞은 용어를 쓰고 도색하시오.

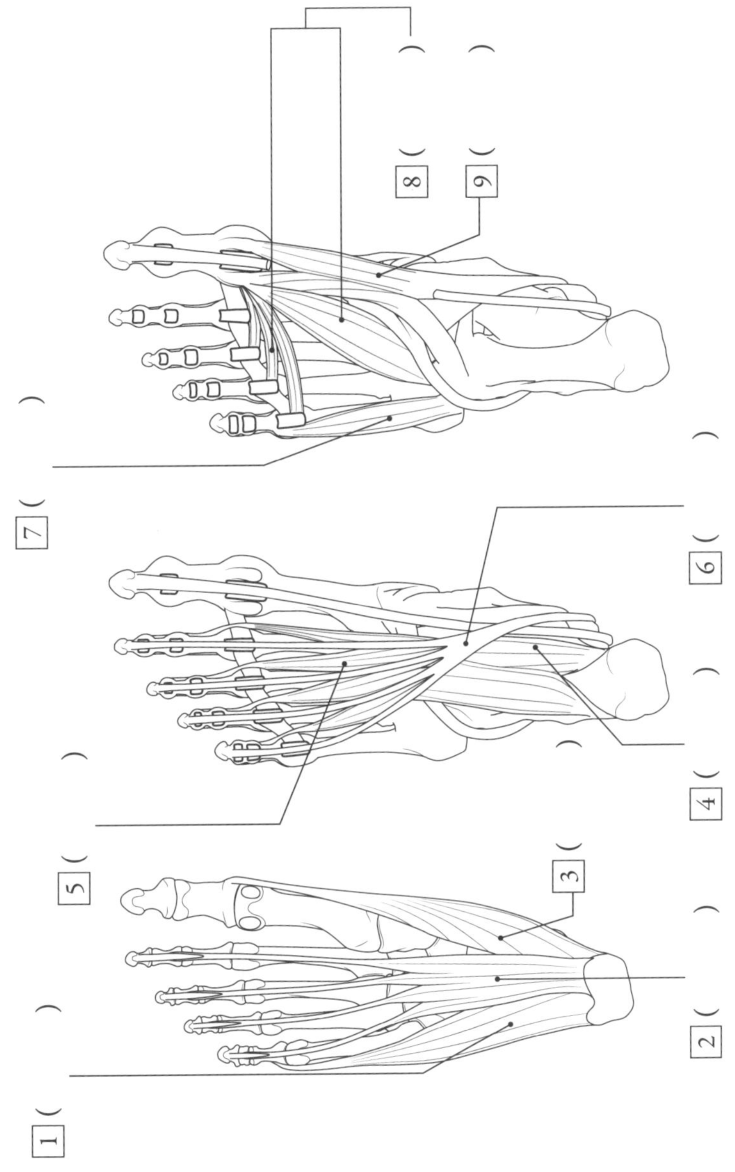

1 새끼벌림근(소지외전근; abductor digiti minimi m.) 2 짧은발가락굽힘근(단지굴근; flexor digitorum brevis muscle tendon) 3 엄지벌림근(무지외전근; abductor hallucis m.) 4 발바닥네모근(족척방형근; quadratus plantae m.) 5 벌레근(충양근; lumbricales m.) 6 긴발가락굽힘근힘줄(장지굴근건; flexor digitorum longus muscle tendon) 7 짧은새끼굽힘근(단소지굴근; flexor digiti minimi brevis m.) 8 엄지모음근(무지내전근; adductor hallucis m.) 9 짧은엄지굽힘근(단무지굴근; flxor hallucis brevis m.)

괄호에 알맞은 용어를 쓰고 도색하시오.

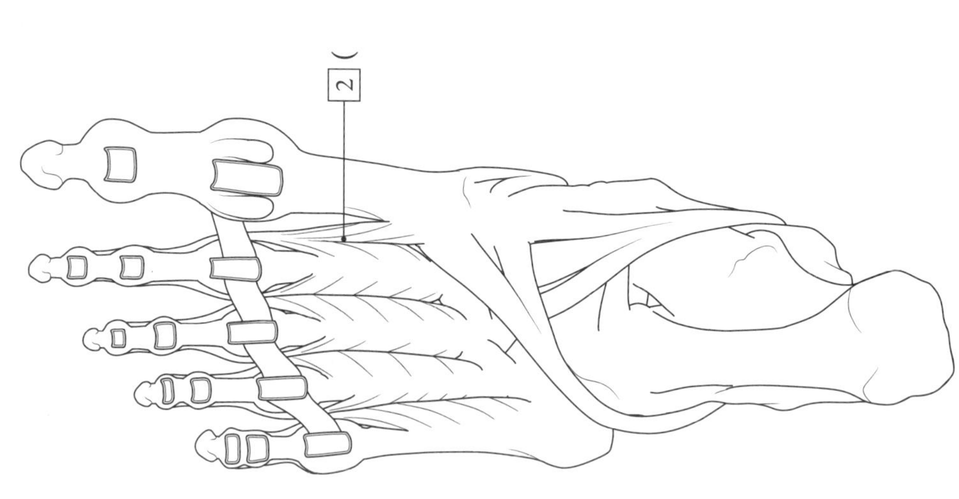

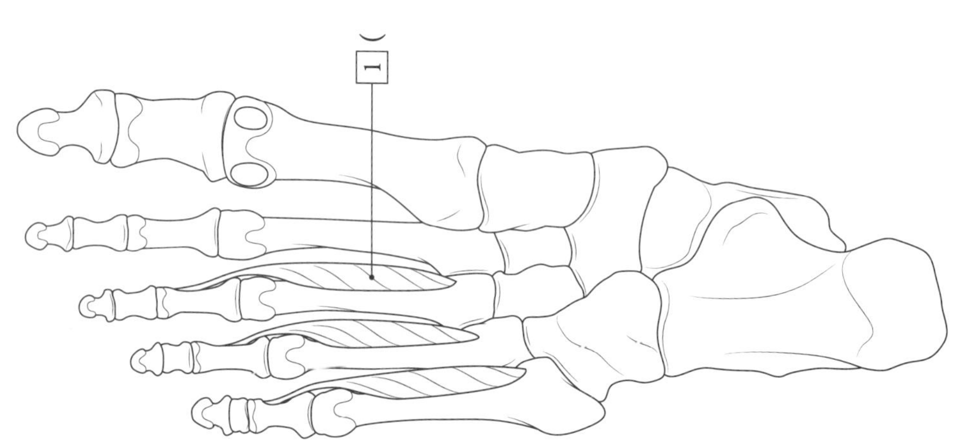

1 바닥쪽뼈사이근(척측골간근; plantar interosseus m.) 2 등쪽뼈사이근(배측골간근; dorsal interosseus m.)

CHAPTER 5 순환기 계통

Circulatory System

순환기 계통(circulatory system)은 혈액순환을 통해 세포까지 영양분과 산소를 제공하는 혈관(blood vessel)과 심장(heart)으로 구성되며 신체내의 세포들의 기능이 정상적으로 역할을 할 수 있도록 하는 구조와 기능을 한다.

- **혈관**은 크게 동맥(artery), 정맥(vein), 모세혈관(capillary)의 세 가지 형태로 구성되며 내막(속막; tunica intima), 중막(중간막; tunica media), 외막(바깥막; tunica externa)으로 구분된다.
- **심장(heart)**은 각각 오른쪽과 왼쪽에 심방(atrium)과 심실(ventricle)을 가지고 있으며 1개의 종격(사이막; septum), 4개의 판막(valve), 혈관들(vessels)로 구성된다. 심장벽(heart wall)은 심내막, 심장속막(endocardium), 내피(endothelium), 심근층, 심장근육층(myocardium), 심낭, 심장막(pericardium)으로 구성되며 심장막은 내장쪽층(visceral pericardium), (parietal pericardium)으로 구분된다.
- **심장 전도계(cardiac conduction system)**는 전기적 흐름을 통해 심장이 규칙적으로 박동할 수 있도록 하는 신경근구조로 굴심방결절(동방결절; sinoatrial node, SA node), 방실결절(atrioventricular node, AV node), 히스속(bundle of his), 방실다발(atrioventricular bundle), 푸르킨예섬유(purkinje fiber)로 구성된다.
- **혈액의 순환(circulation of blood)**은 혈액이 심장(heart)의 동맥을 경유하여 신체 각 조직과 장기에 혈액을 통해 산소와 양분을 공급한 후 대사산물과 이산화탄소를 정맥을 따라 심장으로 돌아오는 과정을 의미하며 허파순환(폐순환)과 온몸순환(체순환)으로 구성된다.
- **림프계(lymph system)**는 모세혈관에서 나오는 사이질액(간질액; interstrial fluid)을 다시 정맥으로 돌려보내는 배액계통(drainage system)기능과 창자에서 지방을 흡수하여 혈류로 보내는 기능, 인체를 보호하는 면역기능을 하며 림프액(lymph), 림프관(lymph vessel), 림프절(lymph node)로 구성된다.

학습목표

1. 혈관의 종류별 구조를 설명할 수 있다.
2. 심장의 구조를 설명할 수 있다.
3. 심장벽의 구조를 설명할 수 있다.
4. 심장흥분전도계의 구조를 설명할 수 있다.
5. 폐순환과 온몸순환(체순환)의 경로를 설명할 수 있다.
6. 림프계의 구조와 위치를 설명할 수 있다.

1. 혈관의 구조

혈관의 구조

- **동맥(artery)** : 심장에서 모세혈관을 통해 조직으로 산소와 영양분을 공급하는 혈관으로 굵기에 따라 대동맥(aorta), 동맥(artery), 세동맥(arteriole)으로 구분한다.

- **정맥(vein)** : 이산화 탄소와 노폐물과 같은 대사산물 함유량이 높은 혈액을 조직으로부터 심장으로 운반하는 혈관으로 굵기에 따라 대정맥(vena cava), 정맥(vein), 소정맥(venule)으로 구분한다. 또한 혈액역류를 방지하기 위해 위해 정맥에는 판막(valve)이 존재한다.

- **모세혈관(capillary)** : 혈관 중 가장 얇은 내피(endothelium)로 구성된 모세혈관은 영양분과 산소가 함유된 혈액을 세동맥을 통해 공급받아 세포에 전달하고 세포가 대사작용 후 이산화 탄소와 노폐물같은 대사산물을 세정맥을 통해 심장으로 되돌아오게 하는 기능을 한다.

- **혈관벽(vessel wall)** : 원칙적으로 동맥 및 정맥이 같아 안에서부터 속막내막(tunica intima), 중간막중막(tunica media), 바깥막외막(tunica externa)의 3층으로 되어 있다.

1. 괄호 안에 알맞은 해부학 용어를 넣으시오.
2. 동맥, 정맥, 모세혈관을 구분하여 색칠하시오.
3. 동맥, 정맥의 구조를 구분하여 색칠하시오.
4. 신체에 배열되어 있는 정맥과 동맥을 명칭에 맞게 구분지어 색칠 하시오.

Main Point. 혈관의 구조(동맥, 정맥, 모세혈관)에 관해 학습한다.

괄호에 알맞은 용어를 쓰고 도색하시오.

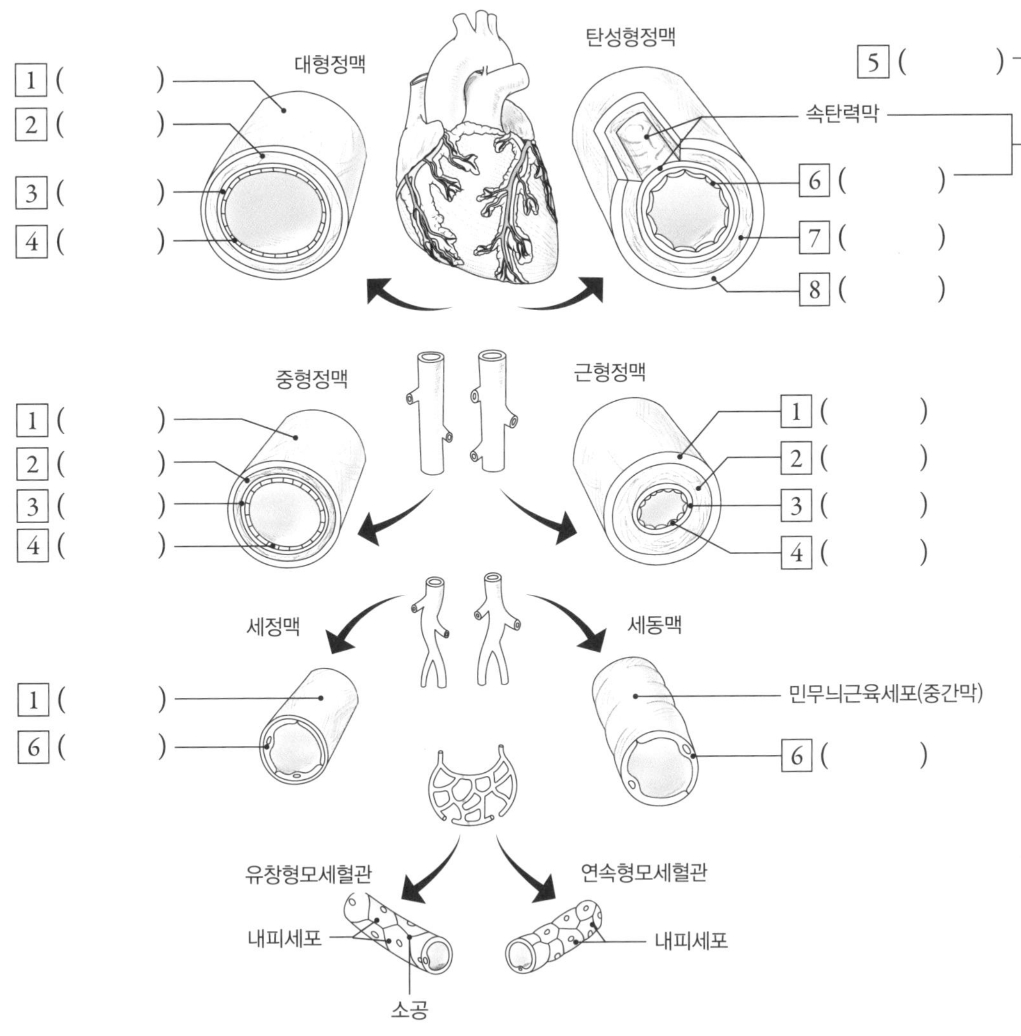

혈관의 구조

1 바깥막(외막; tunica externa) 2 중간막(중막; tunica media) 3 속막(내막; tunica intima) 4 상피막(피막; epithelial membrane) 5 속막(내막; tunica intima) 6 내피(내피; endothelium) 7 중피(중피; mesothelium) 8 외피(외피; integument)

괄호에 알맞은 용어를 쓰고 도색하시오.

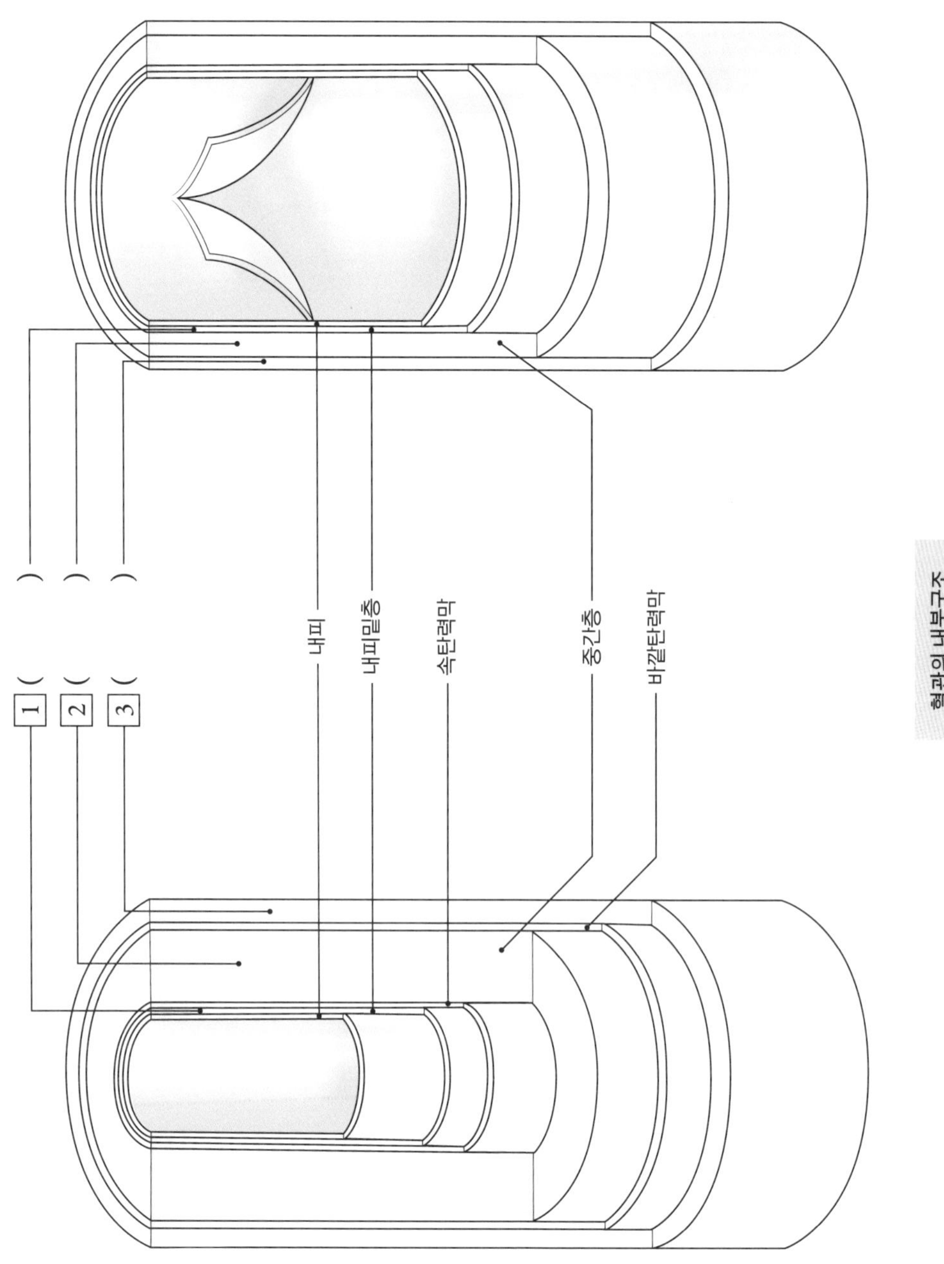

혈관의 내부구조

1 속막(내막; tunica intima) 2 중간막(중막; tunica media) 3 바깥막(외막; tunica externa)

괄호에 알맞은 용어를 쓰고 도색하시오.

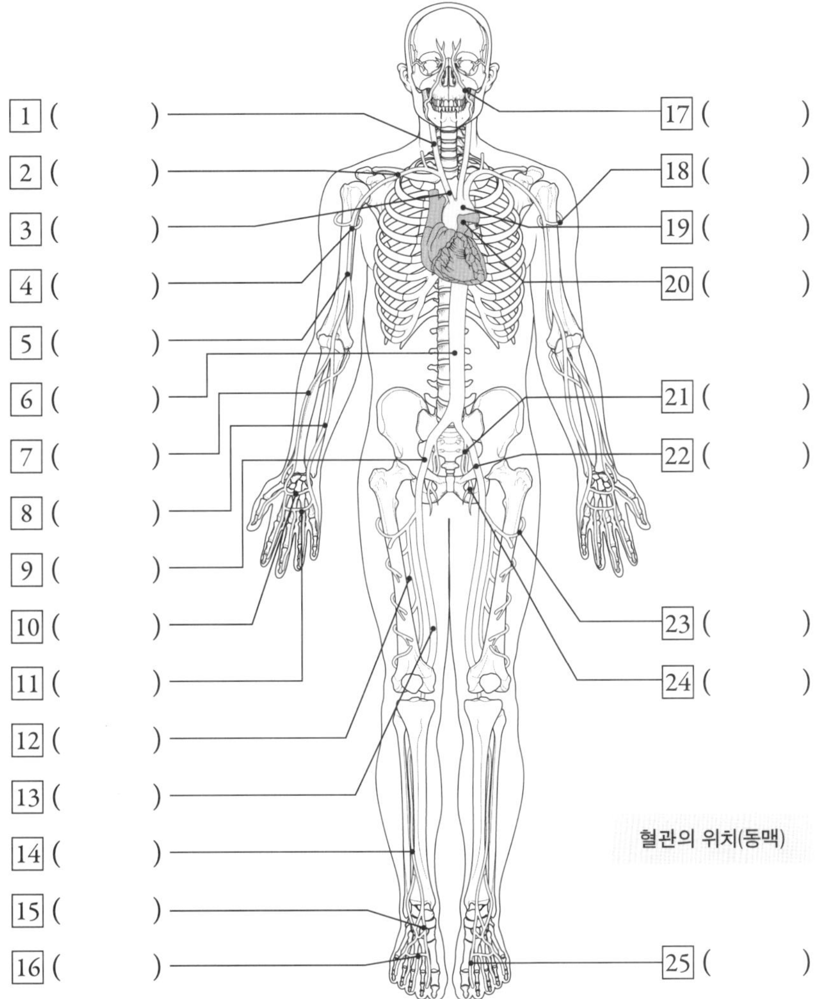

혈관의 위치(동맥)

1 온목동맥(총경동맥; common carotid artery) 2 빗장밑동맥(쇄골하동맥; subclavian artery) 3 팔머리동맥(완두동맥; brachiocephalic trunk) 4 겨드랑동맥(액와동맥; axillary artery) 5 위팔동맥(상완동맥; brachial artery) 6 대동맥(대동맥; aorta) 7 노동맥(요골동맥; radial artery) 8 자동맥(척골동맥; ulnar artery) 9 온엉덩동맥(총장골동맥; common iliac artery) 10 깊은손바닥동맥활(심장동맥궁; deep palmar arch) 11 얕은손바닥동맥활(천장동맥궁; superficial palmar arch) 12 깊은넙다리동맥(대퇴심동맥; deep femoral artery) 13 넙다리동맥(대퇴동맥; femoral artery) 14 앞정강동맥(전경골동맥; anterior tibial artery) 15 앞정강동맥(전경골동맥; anterior tibial artery) 16 활꼴동맥(궁상동맥; arcuate artery) 17 얼굴동맥(안면동맥; facial artery) 18 앞상완휘돌이동맥(전상완회선동맥; anterior circumflex humeral artery) 19 대동맥활(대동맥궁; aortic arch) 20 허파동맥(폐동맥; pulmonary artery) 21 속엉덩동맥(내장골동맥; Internal iliac artery) 22 바깥엉덩동맥(외장골동맥; external iliac artery) 23 가쪽넙다리휘돌이동맥(외측대퇴회선동맥; lateral circumflex femoral artery) 24 바깥음부동맥(천외음부동맥; pudendal artery) 25 등쪽발허리동맥(배측중족동맥; dorsal metatarsal arteries)

괄호에 알맞은 용어를 쓰고 도색하시오.

혈관의 위치(정맥)

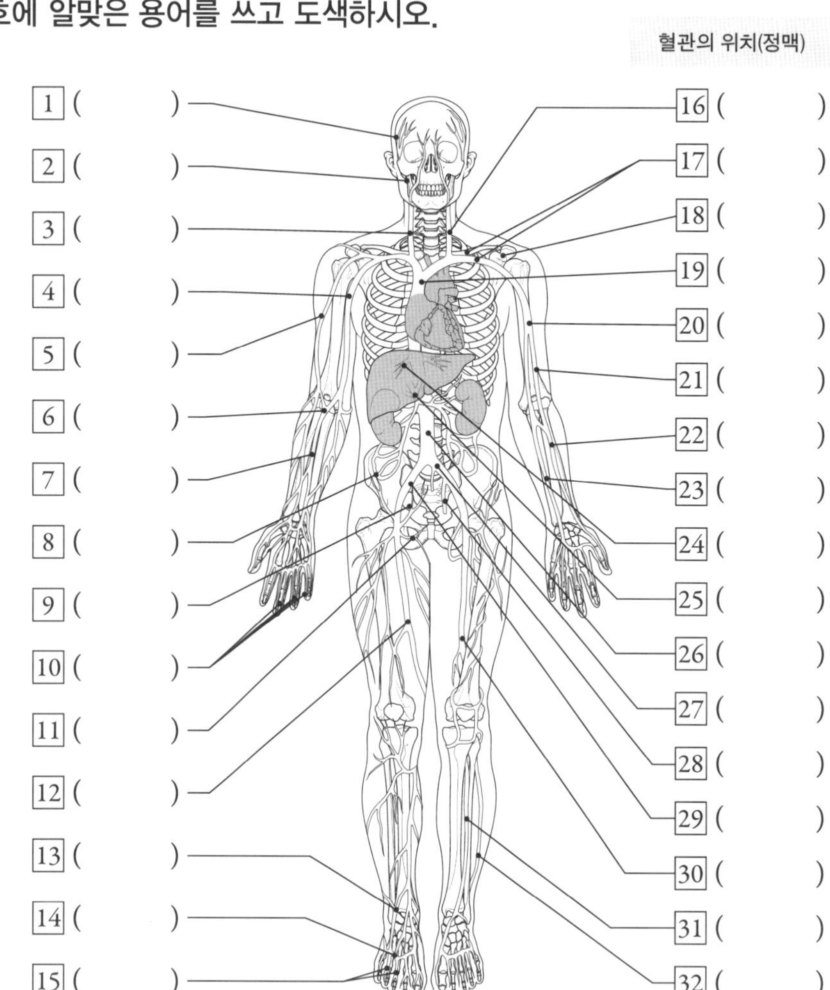

1 얕은관자정맥(천측두정맥; superficial temporal vein) 2 얼굴정맥(안면정맥; facial vein) 3 바깥목정맥(외경정맥; external jugular vein) 4 바깥목정맥(외경정맥; external jugular vein) 5 노쪽피부정맥(요골측피부정맥; cephalic vein) 6 팔오금중간정맥(정중주와정맥; median cubital vein) 7 아래팔중간정맥(정중전완정맥; median antebrachial vein) 8 장간막정맥(창자간막정맥; mesenteric vein) 9 얕은배벽정맥(천복벽정맥; superficial epigastric vein) 10 바닥쪽손가락정맥(장측지정맥; palmar digital vein) 11 바깥음부정맥(외음부정맥; external pudendal vein) 12 바깥음부정맥(외음부정맥; external pudendal vein) 13 작은두렁정맥(소복재정맥; small saphenous vein) 14 발등정맥활(족배정맥궁; dorsal venous arch of foot) 15 등쪽발가락정맥(배측지정맥; dorsal digital veins of foot) 16 속목정맥(내경정맥; Internal jugular vein) 17 팔머리정맥(완두정맥; brachiocephalic vein) 18 빗장밑정맥(쇄골하정맥; subclavian vein) 19 위대정맥(상대정맥; superior vena cava) 20 위대정맥(상대정맥; superior vena cava) 21 위팔정맥(상완정맥; brachial vein) 22 노정맥(요골정맥; radial vein) 23 자정맥(척골정맥; radial vein ulnar vein) 24 간정맥(간정맥; hepatic vein) 25 간문맥(간문맥; hepatic portal vein) 26 아래대정맥(하대정맥; inferior vena cava) 27 온엉덩정맥(총장골정맥; common iliac vein) 28 바깥엉덩정맥(외장골정맥; external iliac vein) 29 속엉덩정맥(내장골정맥; internal iliac vein) 30 넙다리정맥(대퇴정맥; femoral vein) 31 앞정강정맥(전경골정맥; anterior tibial vein) 32 종아리정맥(비골정맥; peroneal vein)

note

2. 심장의 구조

심장벽의 구조

- **심장벽(heart wall)** : 심장벽(heart wall)은 심장속막심내막(endocardium), 내피(endothelium), 심장근육층심근층(myocardium), 심장막심낭(pericardium)으로 구성되며 심장막심낭은 내장쪽층장측막(visceral pericardium), 벽쪽층벽측막(parietal pericardium)으로 구분된다.

1. 괄호 안에 알맞은 해부학 용어를 넣으시오.
2. 심장벽을 구조에 맞추어 색칠하시오.

Main Point. 심장벽의 구조(심장속막(심내막), 내피, 심장근육층(심근층), 심장막(심낭)에 관해 학습한다.

괄호에 알맞은 용어를 쓰고 도색하시오.

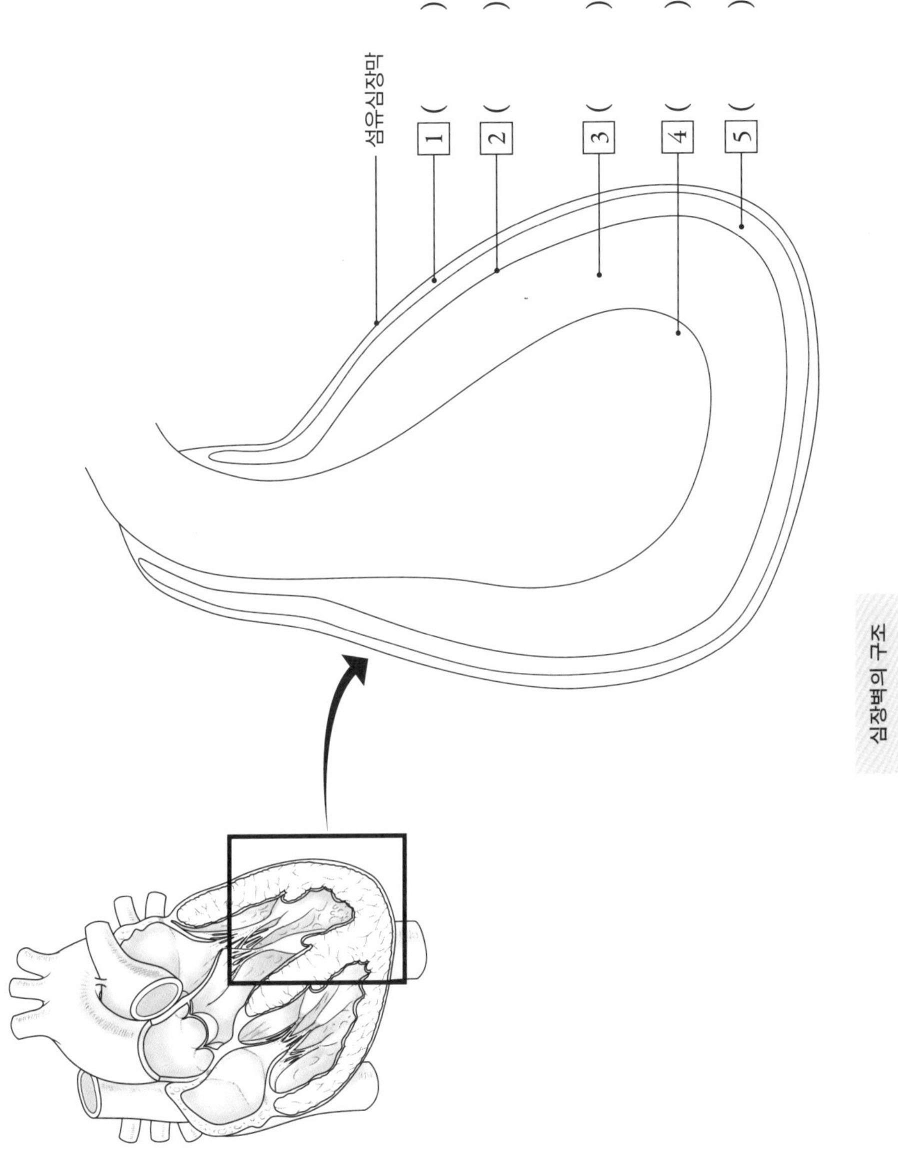

1 벽쪽심장막(벽측판; parietal pericardium) 2 심장막안(심낭; pericardial cavity) 3 심장바깥막(심외막; epicardium) 4 심장근육층(심근층; myocardium) 5 심장속막(심내막; endocardium)

심장의 구성

- **심방(atrium)** : 오른심방우심방(right atrium)은 대정맥을 통해 혈액을 받고 왼심방좌심방(left atrium)은 허파동맥폐동맥을 통해 들어오는 혈액을 받는다.

- **심실(ventricle)** : 오른심실우심실(right ventricle)은 삼첨판(tricuspid)을 통해 혈액을 제공받고 왼심실좌심실(left ventricle)은 승모판(mitral valve)을 통해 혈액을 받는다.

- **판막(valve)** : 심장관련 판막은 오른 방실판막인 삼첨판(tricuspid)과 왼 방실판막인 승모판(mitral valve)로 구성된다. 또한, 우측 방실판막인 삼첨판(tricuspid)과 좌측 방실판막인 승모판(mitral valve)로 구성된다. 또한, 반달판반월판(semi-lunar valves)의 형태를 가진 대동맥의 대동맥판막(aortic valve)과 허파동맥의 허파동맥 판막(pulmonary valve)이 있다.

- **중격(사이막; septum)** : 심장을 네 개의 방으로 나누는 벽은 중격(septum)이며, 심방사이의 벽을 심방중격(interatrial septum)이라 하고 심실사이의 벽을 심실중격(interventricular septum)이라 한다.

- **혈관들(vessels)** : 심장으로 들어오는 정맥은 신체의 위쪽 혈액을 받는 상대정맥위대정맥(superior vena cava)과 아랫 부분에서 오는 혈액을 받는 아래대정맥하대정맥(inferior vena cava) 및 폐(허파)에서 좌심방으로 혈액을 전달하는 허파정맥폐정맥(pulmonary vein)이 있다. 또한, 동맥은 오른심실에서 허파로 연결되는 허파동맥폐동맥(pulmonary artery)과 왼심실에서 신체의 조직으로 혈액을 공급하는 대동맥(aorta)이 있다.

1. 괄호 안에 알맞은 해부학 용어를 넣으시오.
2. 심장의 겉 표면의 조직을 구분하여 색칠하시오.
3. 심장의 내부를 각 조직을 구분하여 색칠하시오.

Main Point. 심장의 구조(심방, 심실, 판막, 혈관)에 관해 학습한다.

괄호에 알맞은 용어를 쓰고 도색하시오.

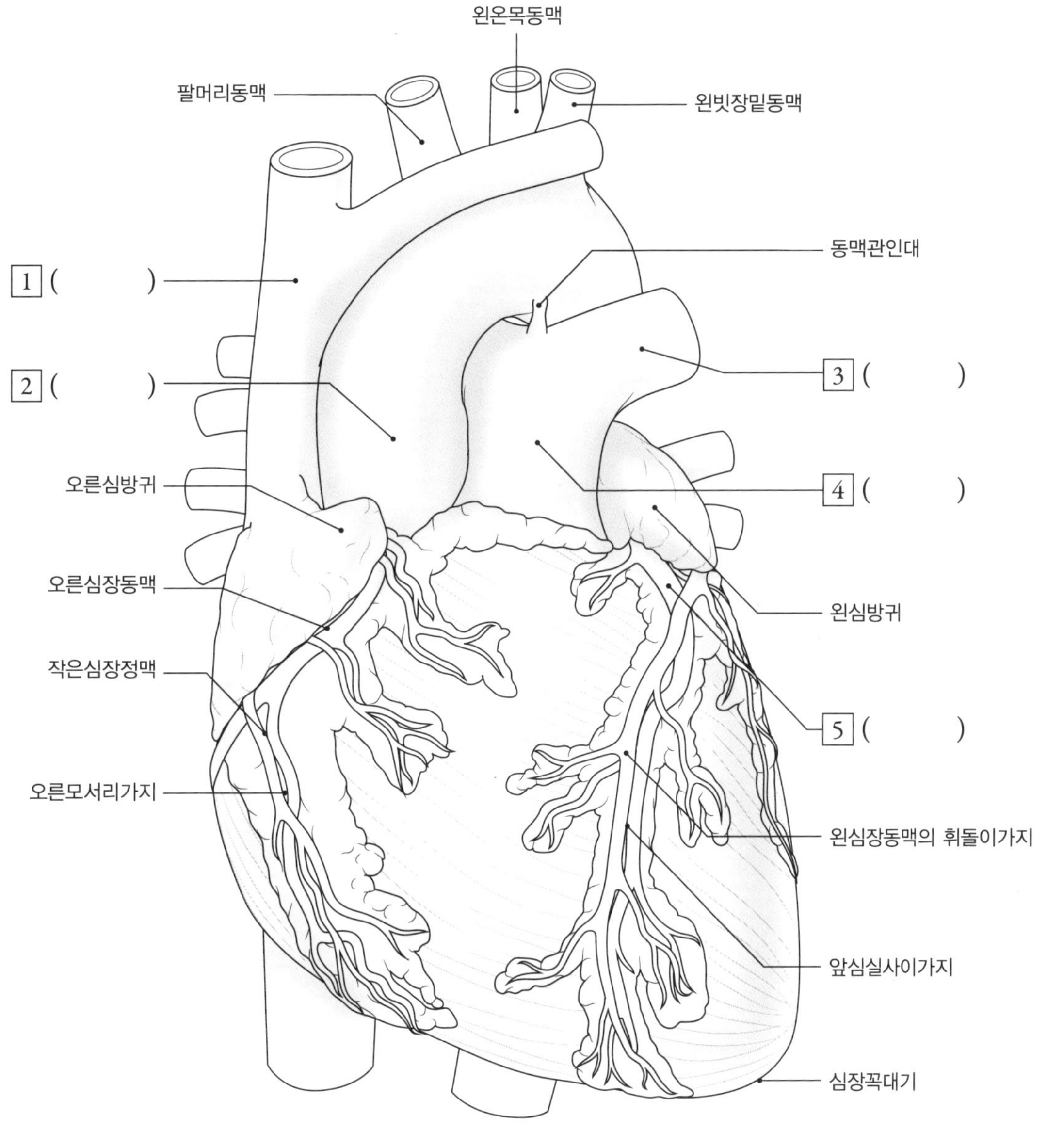

심장의 구조(가쪽-앞면)

1 위대정맥(상대정맥; superior vena cava) 2 오름대동맥(상행대동맥; ascending aorta) 3 왼허파동맥(좌폐동맥; left pulmonary artery) 4 허파동맥(폐동맥; pulmonary artery) 5 왼심장동맥(좌관상동맥; left coronary artery)

괄호에 알맞은 용어를 쓰고 도색하시오.

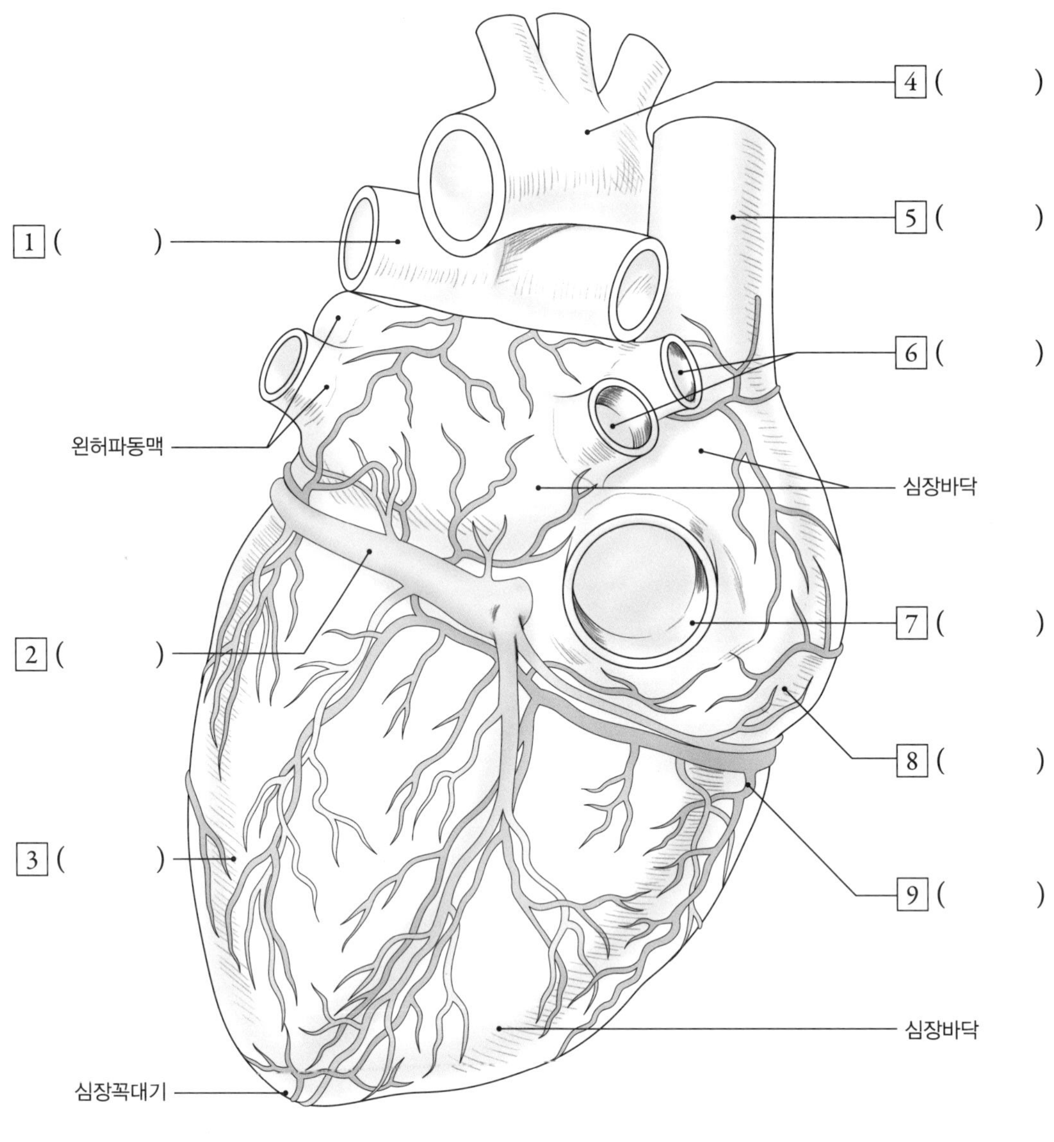

심장의 구조(가쪽-뒷면)

1 위대정맥(상대정맥; superior vena cava) 2 관상정맥동(심장정맥동굴; coronary sinus) 3 왼심실(좌심실; left ventricle) 4 대동맥(대동맥; aorta) 5 위대정맥(상대정맥; superior vena cava) 6 오른허파동맥(우폐동맥; right pulmonary artery) 7 아래대정맥(하대정맥; inferior vena cava) 8 우심방(오른심방; right atrium) 9 오른심장동맥(우관상동맥; right coronary artery)

괄호에 알맞은 용어를 쓰고 도색하시오.

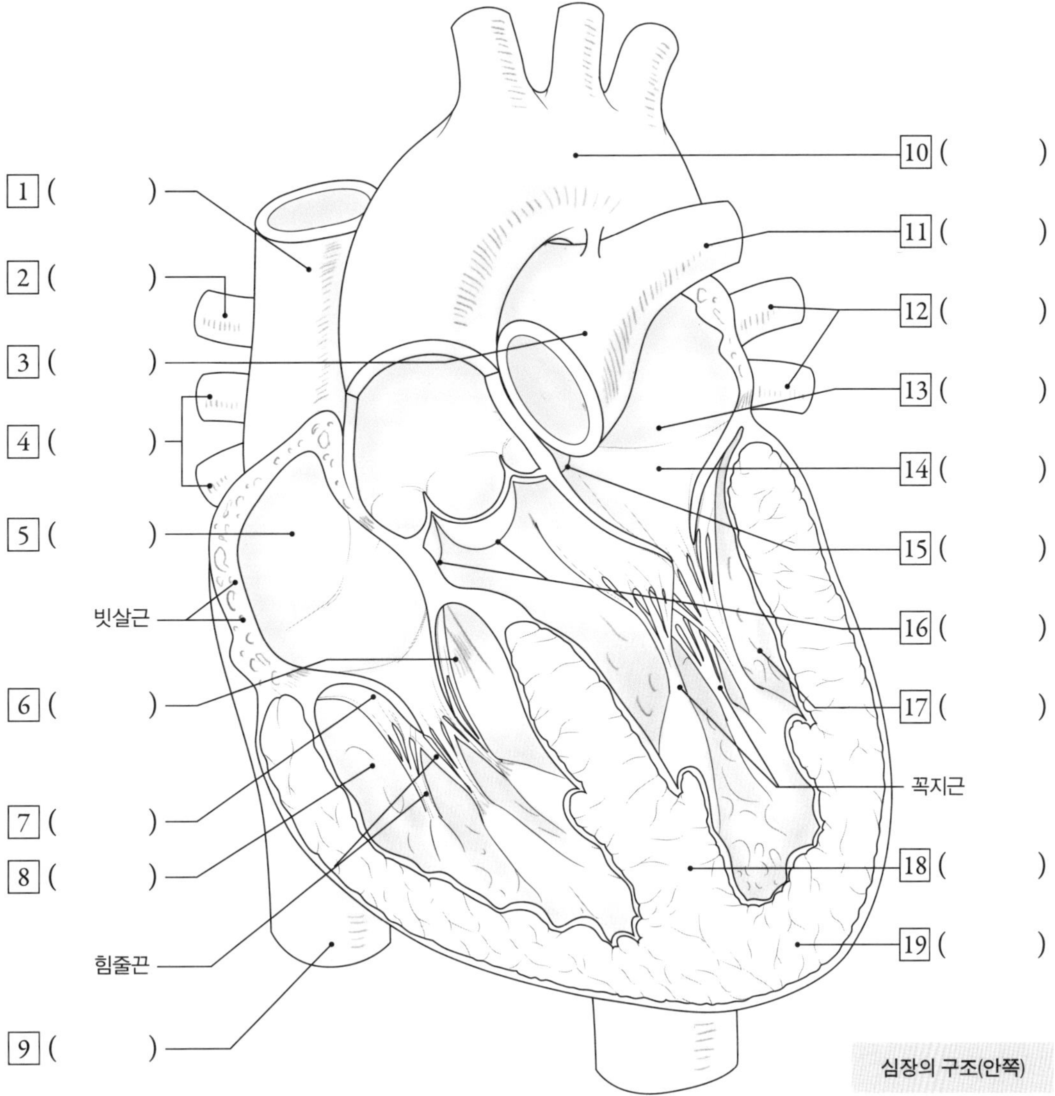

심장의 구조(안쪽)

1 위대정맥(상대정맥; superior vena cava) 2 오른허파동맥(우폐동맥; right pulmonary artery) 3 허파동맥(폐동맥; pulmonary artery) 4 오른허파정맥(우폐정맥; right pulmonary vein) 5 오른심방(우심방; right atrium) 6 심실사이막(심실중격; interventricular septum) 7 오른방실판막(삼첨판막; tricuspid valve) 8 오른심실(우심실; right ventricle) 9 아래대정맥(하대정맥; inferior vena cava) 10 대동맥(aorta) 11 왼허파동맥(좌폐동맥; left pulmonary artery) 12 왼허파정맥(좌폐정맥; left pulmonary vein) 13 왼심방(좌심방; left atrium) 14 왼방실판막(승모판; mitral valve) 15 대동맥판막(대동맥판; aortic valve) 16 허파동맥판막(폐동맥판; pulmonary valve) 17 왼심실(좌심실; left ventricle) 18 심실사이막(심실중격; interventricular septum) 19 심장근육층(심근층; myocardium)

4. 심장의 흥분전도계의 구조

심장의 흥분전도계(conduction system)의 구조

- **굴심방결절(동방결절; sinoatrial node, SA node)** : 오른 심방과 위대정맥 근처에 위치하며 심장 박동 조절자(pacemaker) 기능을 하며 분당 60−100회의 전기적 흥분을 주기적으로 발생시켜 심장을 규칙적으로 기능하게 하며 심전도 상에서 p파(p−wave)를 유발한다.

- **방실결절(atrioventricular node, AV node)** : 삼첨판 근처의 오른 심방벽에 위치하며 굴심방결절 동방결절의 전기적 흥분을 심실로 전달하는 역할을 한다. 심방수축이 끝난 후 히스속(bundle of His)으로 전도시키며 심전도 상에서 PR간격을 나타낸다.

- **히스속(bundle of His), 방실다발(atrioventricular bundle), 푸르킨예섬유(Purkinje fiber)** : 전기신호를 전달할 수 있는 특수한 근육세포의 다발로 심실사이막종격(interventricular septum)에서 히스속이 왼방실다발갈래(left bundle branch)와 오른방실다발갈래(right bundle branch)로 분화되며 푸르킨예섬유(Purkinje fiber)에 도달하여 심실수축을 유발시킨다.

1. 괄호 안에 알맞은 해부학 용어를 넣으시오.
2. 심장전도계를 전기전도 순서에 맞게 구분하여 색칠하시오.

Main Point. 심장전도계의 구조(굴심방결절, 방실셜절, 히스속, 방실다발, 푸르킨예섬유)에 관해 학습한다.

괄호에 알맞은 용어를 쓰고 도색하시오.

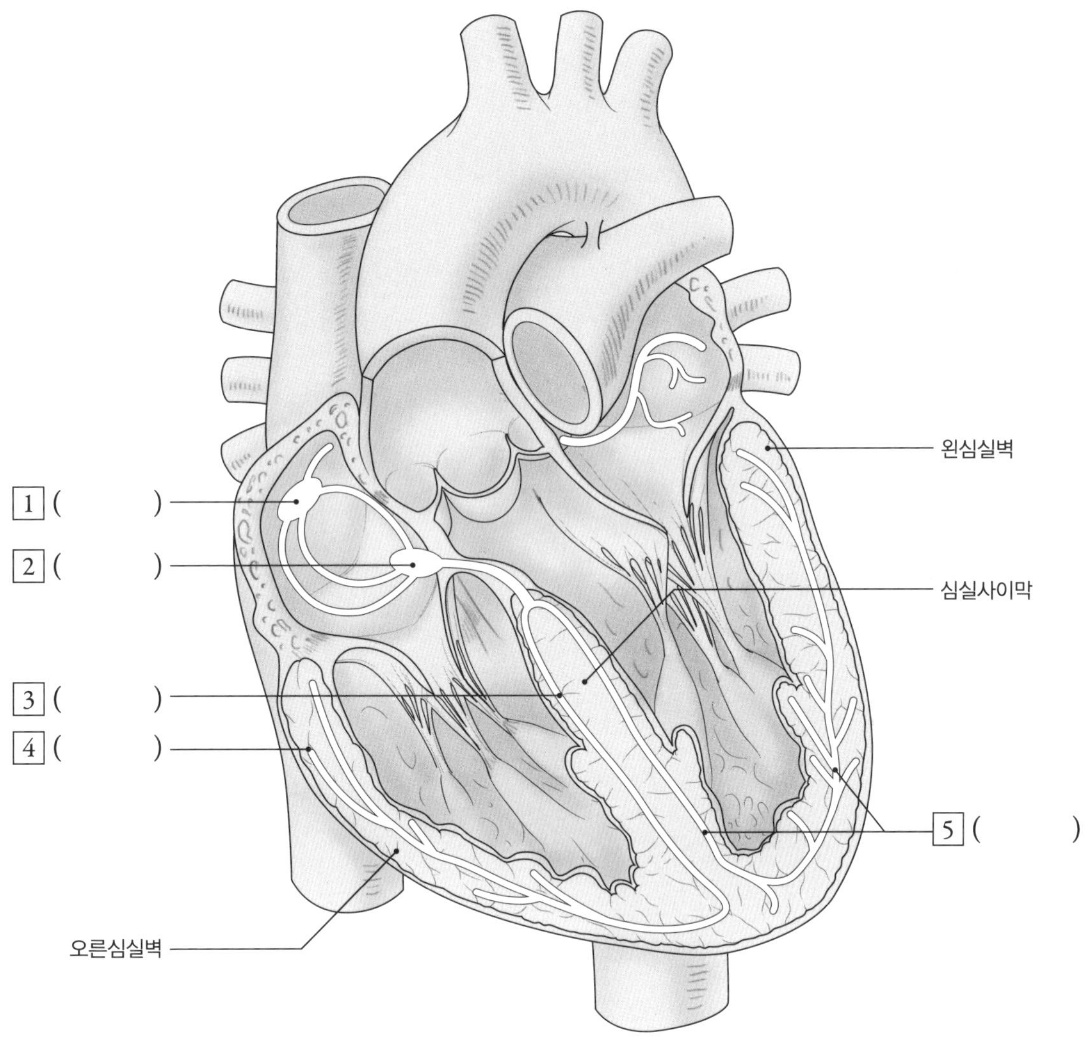

심장전도계의 구조

1 굴심방결절(동방결절; sinoatrial node) 2 방실결절(방실결절; atrioventricular node) 3 방실다발오른갈래(우각지; right bundle branch) 4 심장전도근육섬유(전도계근섬유; purkinje fiber) 5 방실다발왼갈래(좌각지; left bundle branch)

3. 혈액순환의 경로

허파순환(폐순환), 온몸순환(체순환) 및 심장순환

- **온몸순환(체순환; systemic circulation)** : 산소포화도가 높은 동맥혈이 왼심실좌심실(left ventricle)에서 대동맥(aorta), 동맥(artery), 세동맥(arteriole), 조직모세혈관(tissue capillary)을 경유하여 조직의 모세혈관을 통해 신체대사를 한 후 대사산물을 정맥혈을 통해 세정맥(venule), 정맥(vein), 대정맥(vena cava)을 통해 오른심방(right atrium)으로 운반하는 과정을 의미한다.

- **허파순환(폐순환; pulmonary circulation)** : 오른심실우심실(right ventricle)에서 허파동맥폐동맥(pulmonary artery), 허파폐(lung)의 허파모세혈관폐모세혈관(lung capillary)경유 하면서 산소 농도가 높아진 혈액을 허파정맥폐정맥(pulmonary vein)에서 왼심방좌심방(left atrium)으로 운반하는 가스교환을 동반하는 순환과정을 의미한다.

- **심장순환(coronary circulation)** : 심장도 펌핑을 하기위해서는 심장근육의 수축이 필요하며 이에 따라 에너지의 공급 및 대사산물의 배출이 필요하다. 심장의 에너지 공급은 심장동맥관상동맥(coronary artery)이 하며 심장활동 후 대사산물의 배출은 심장정맥(coronary vein)이 한다.

1. 괄호 안에 알맞은 해부학 용어를 넣으시오.
2. 허파순환 경로를 구분하여 색칠하시오.
3. 온몸순환 경로를 구분하여 색칠하시오.
4. 심장순환과 관련된 정맥, 동맥을 구분하여 색칠하시오.

Main Point. 순환(온몸순환, 허파순환, 심장순환)에 관해 학습한다.

괄호에 알맞은 용어를 쓰고 도색하시오.

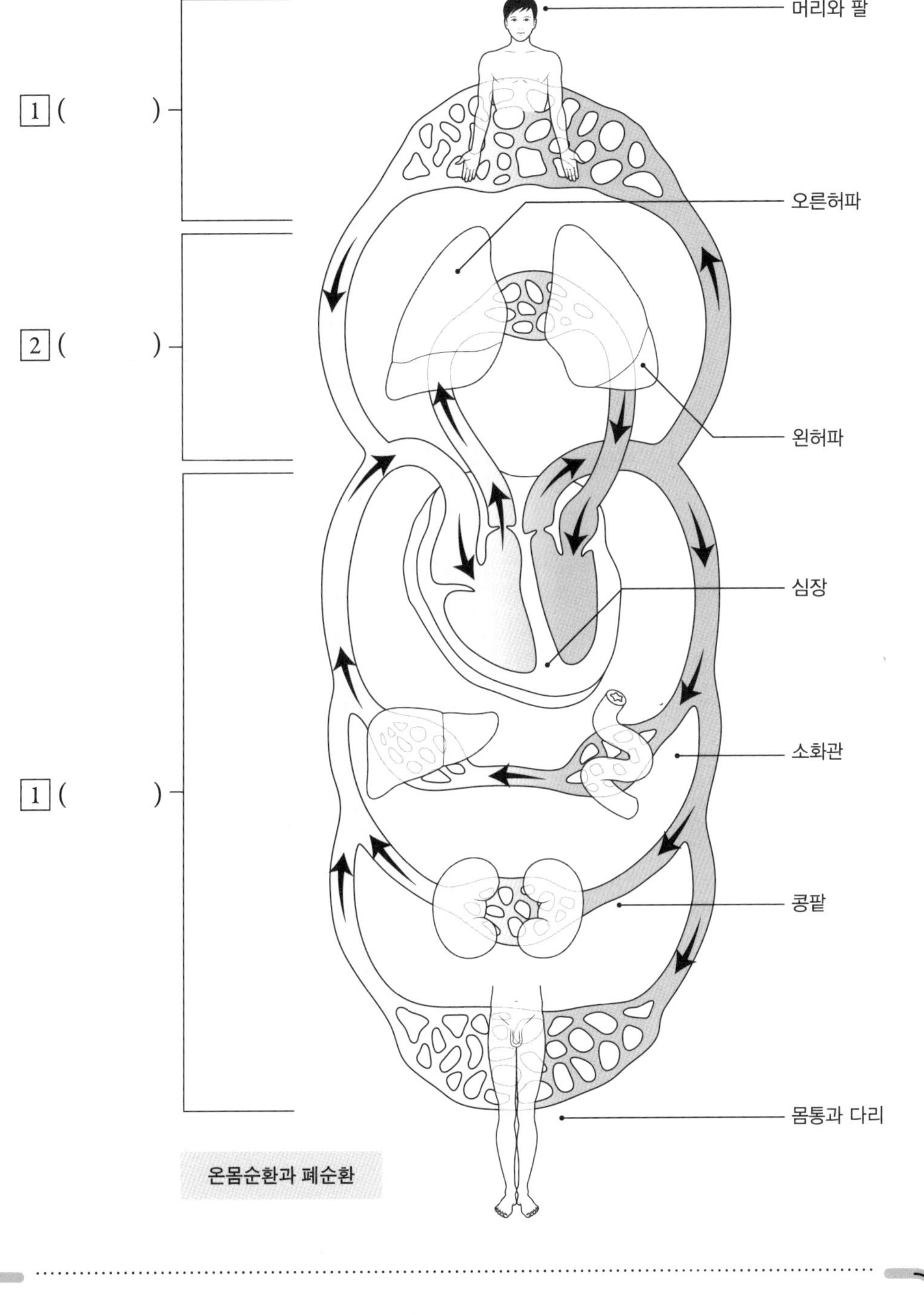

온몸순환과 폐순환

1 온몸순환(체순환; systemic circulation) 2 허파순환(폐순환; pulmonary circulation)

괄호에 알맞은 용어를 쓰고 도색하시오.

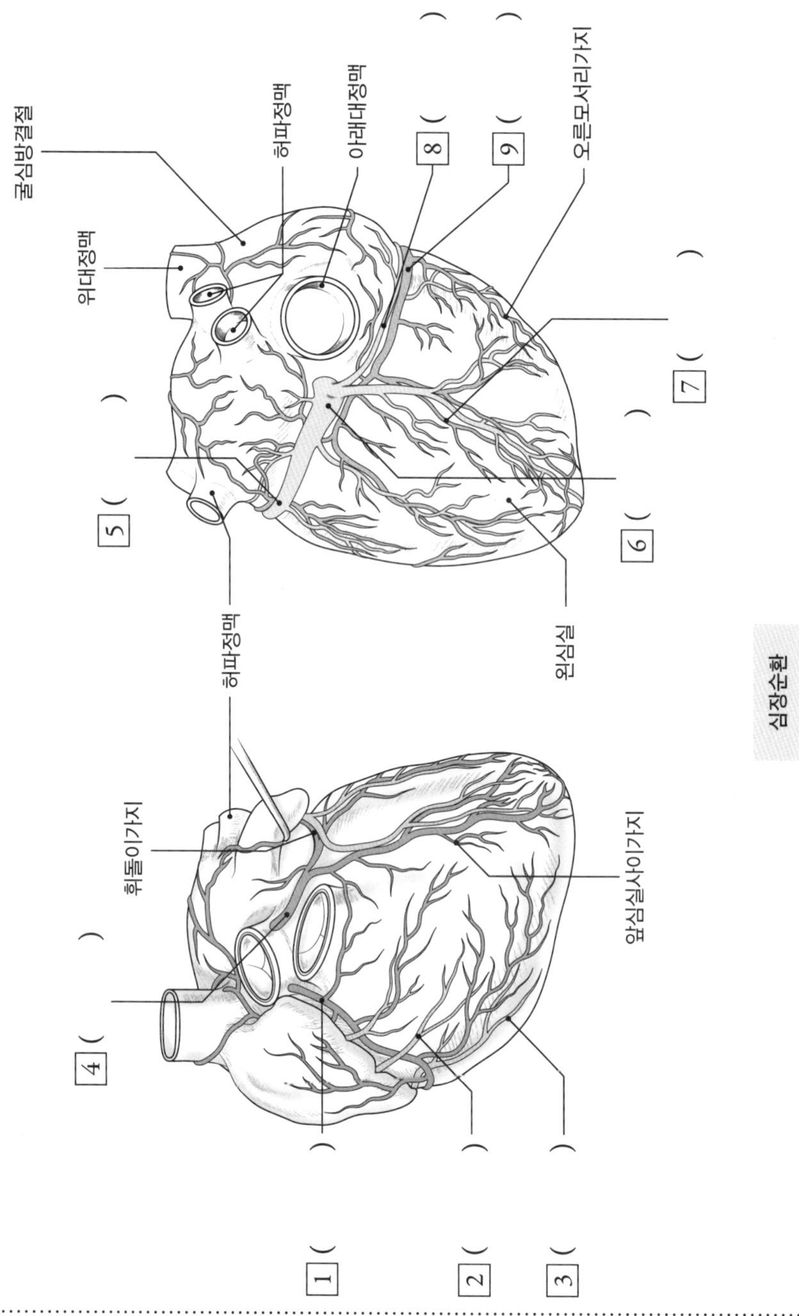

심장순환

1 오른심장동맥(우관상동맥; right coronary artery) 2 앞심장정맥(전심정맥; venae cordis anteriores) 3 작은심장정맥(소심정맥; small cardiac vein) 4 왼심장동맥(좌관상동맥; left coronary artery) 5 큰심장정맥(대심정맥; great cardiac vein) 6 심장정맥굴(관상정맥동; coronary sinus) 7 뒤내림동맥(후하행동맥; posterior descending artery) 8 작은심장정맥(소심정맥; small cardiac vein) 9 오른심장정맥(우관상정맥; right coronary vein)

5. 림프계의 구성

림프계의 구조 및 순환

• **림프계(lymph system)** : 모세혈관에서 나오는 사이질액간질액(interstrial fluid)을 다시 정맥으로 돌려보내는 배액계통(drainage system)기능과 창자에서 지방을 흡수하여 혈류로 보내는 기능, 인체를 보호하는 면역기능을 하며 대표적인 림프기관은 림프절(lymph node), 지라비장(spleen) 및 가슴샘흉선(thymus) 등이며 림프액(lymph), 림프관(lymph vessel), 림프절(lymph node)로 구성된다.

1. 괄호 안에 알맞은 해부학 용어를 넣으시오.
2. 신체에 배열되어 있는 림프계 명칭에 맞게 구분지어 색칠 하시오.
3. 림프절을 구조에 맞게 구분하여 색칠하시오.

Main Point. 림프계의 구조(림프액, 림프관, 림프절)에 관해 학습한다.

괄호에 알맞은 용어를 쓰고 도색하시오.

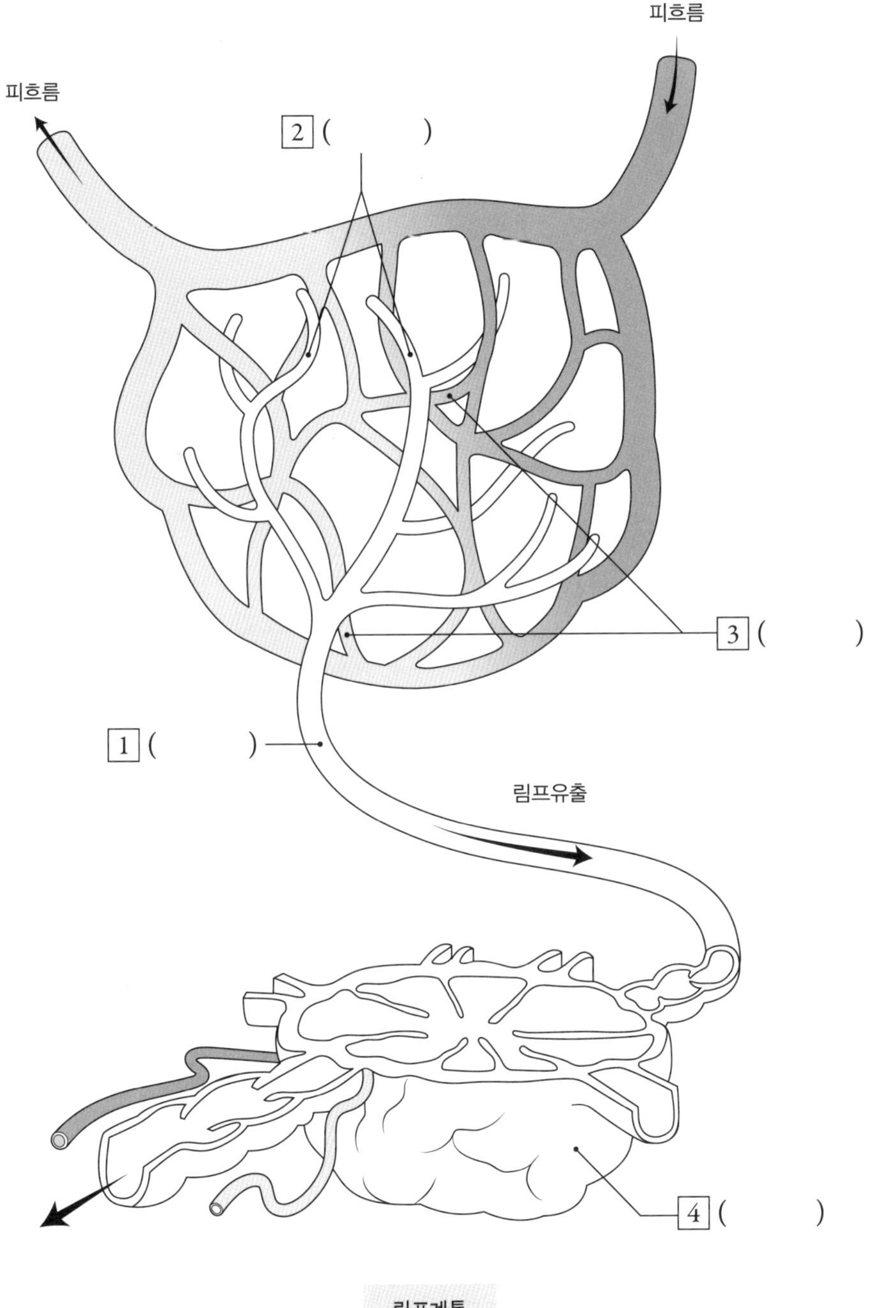

림프계통

1 림프관(lymphatic vessel) 2 모세림프관(lymphatic capillary) 3 모세혈관그물(모세혈관망; capillary network)
4 림프절(lymph nodes)

괄호에 알맞은 용어를 쓰고 도색하시오.

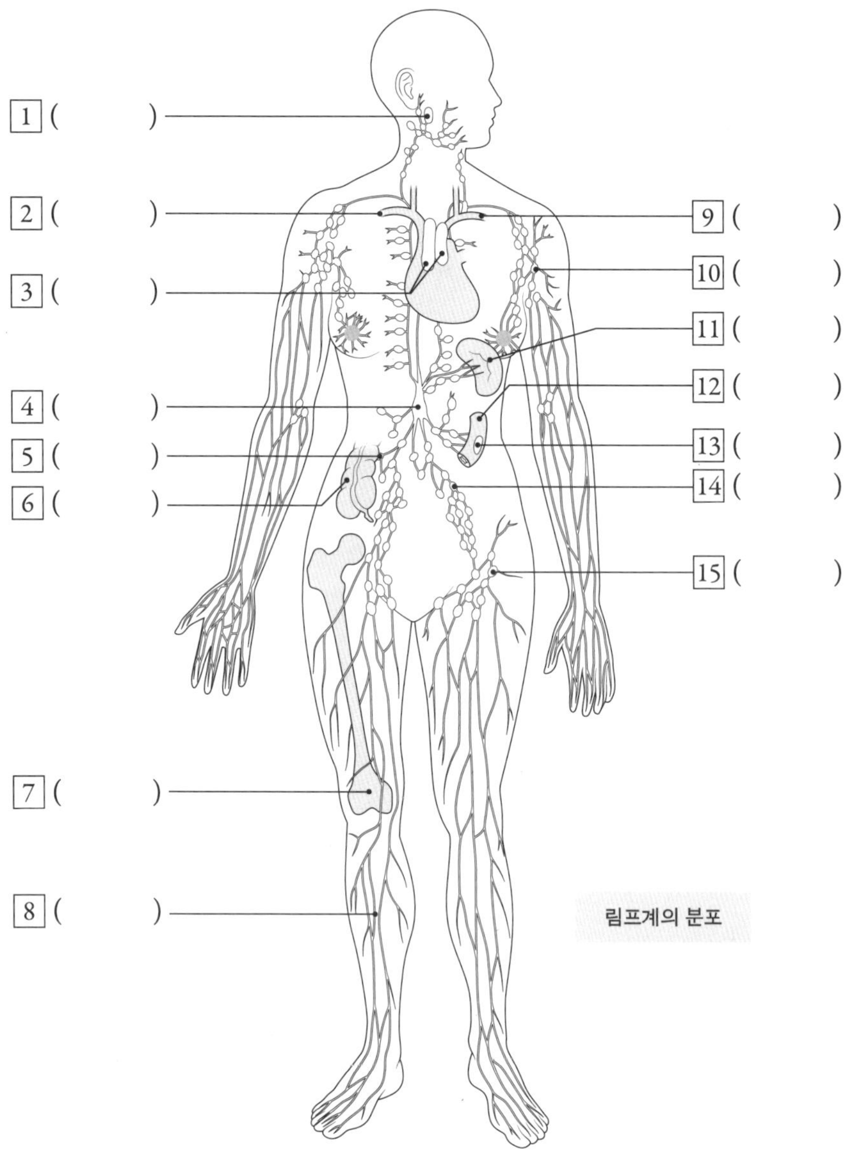

림프계의 분포

1 턱밑림프절(악하림프절; submandibular lymph node) 2 오른빗장밑정맥(우쇄골하정맥; right subclavian vein) 3 가슴샘(흉선; thymus gland) 4 가슴림프관팽대(유미조; cisterna chyli) 5 창자간막림프절(장간막림프절; mesenteric lymph nodes) 6 큰창자(대장; large intestine) 7 골수(bone marrow) 8 림프관(임파관; lymphatic vessel) 9 오른빗장밑정맥(우쇄골하정맥; right subclavian vein) 10 겨드랑림프절(액와림프절; axillary lymph nodes) 11 지라(비장; spleen) 12 작은창자(소장; small intestine) 13 무리림프소절(집합림프소절; aggregated lymphatic follicle) 14 창자간막림프절(장간막림프절; mesenteric lymph nodes) 15 샅고랑림프절(서혜림프절; inguinal node)

괄호에 알맞은 용어를 쓰고 도색하시오.

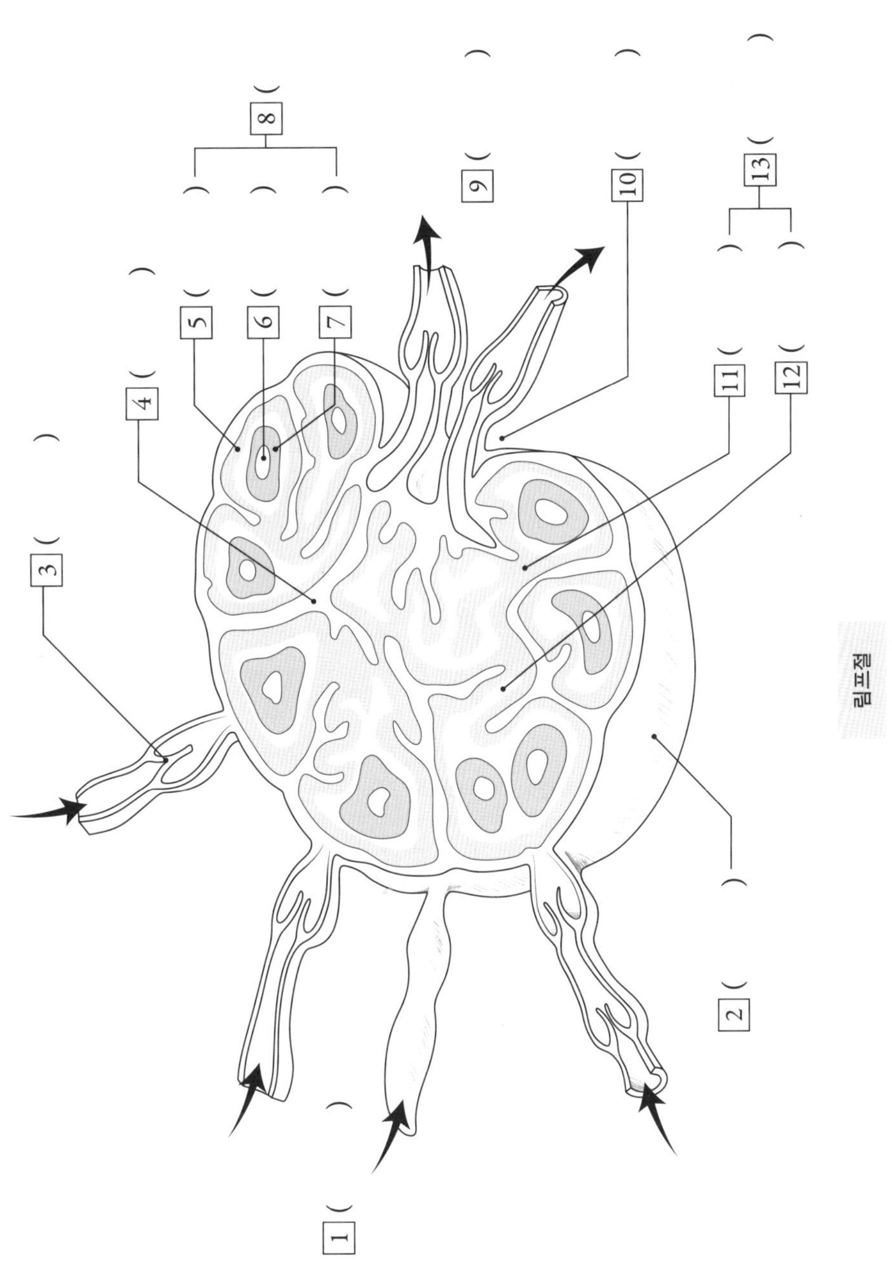

1 들림프관(수입림프관; afferent lymphatic vessel) 2 피막(상피막; epithelial membrane) 3 판막(판; valve) 4 잔기둥(소주; trabecula) 5 겉질굴(피질동; cortical sinus) 6 종자중심(배중심; germinal center) 7 림프소절(lymphatic nodule) 8 겉질(피질; cortex) 9 날림프관(수출림프관; efferent lymphatic vessel) 10 문(hilum) 11 속질굴(수질동; medullary sinus) 12 속질끈(수질삭; medullary cord) 13 속질(수질; medulla)

CHAPTER 6 소화, 호흡, 감각계통

Digestive, Respiratory, Sense System

소화계통은 음식을 분해하여 영양소를 흡수하고 찌꺼기를 몸 밖으로 배출하는 기관계통이며 해부학적으로 소화관과 부속기관 두 가지 부분으로 구성되어 있다.

- **소화관(digestive tract)**은 입에서부터 항문까지 이어진 근육관으로 약 9m에 달하고 입, 인두, 식도, 위, 작은창자(소장) 및 큰창자(대장)로 구성되어 있다.
- **부속기관(accessory organs)**은 치아, 침샘혀, 침샘(타액선), 간, 쓸개(담낭), 이자(췌장)가 있다.

호흡계통은 혈액 속에 산소를 공급하고 혈액 속의 이산화탄소를 제거하는 기관계통이며 체액의 pH 조절, 발성 및 후각계통에서 냄새를 감지하는 역할 또한 담당한다.

- **호흡관(respiratory tract)**은 코, 코곁굴(부비동), 인두, 후두, 기관, 기관지, 세기관지, 허파꽈리관(폐포관), 허파꽈리(폐포) 및 허파(폐)로 구성되어 있다.

감각계통은 여러 분류 기준에 따라 중복되는 계통으로 분류할 수 있으나 여기에서는 몸에 위치한 수용기의 분포에 따라 나누고 일반감각(몸감각)과 특수감각으로 분류한다.

- **일반감각**[general(somatosensory) senses]은 피부, 근육, 힘줄(건), 관절주머니(관절낭) 및 내장에 넓게 분포하며 신장, 촉각, 압각, 통증, 온각, 냉각이 포함된다.
- **특수감각(special senses)**은 뇌신경의 지배를 받는 머리의 복잡한 감각기관에 의해 전달되며 시각, 청각, 평형, 미각, 후각이 포함된다.

학습목표

1. 소화관과 부속기관의 해부학적 구조와 기능을 서술할 수 있다.
2. 호흡계통의 해부학적 구조와 기능을 설명하고 호흡에 대한 기능을 서술할 수 있다.
3. 수용기와 일반감각을 정의할 수 있다.
4. 일반감각과 특수감각을 분류하고 해부학적 구조와 기능을 서술할 수 있다.

1. 소화계통의 구조

소화관

소화관은 입, 인두, 식도, 위, 작은창자, 큰창자로 구성되어 있다.

- **입(mouth)** : 혀, 치아, 침샘과 같은 부속기관을 포함한다.
- **인두(pharynx)** : 코인두비인두, 입인두구인두, 후두인두로 나뉜다.
- **식도(esophagus)**, **위(stomach)**
- **작은창자(small intestine)** : 샘창자십이지장, 빈창자공장, 돌창자회장로 구분된다.
- **큰창자(large intestine)** : 막창자맹장, 오름잘록창자상행결장, 가로잘록창자횡행결장, 내림잘록창자하행결장, 구불창자S상결장, 곧창자직장, 항문관으로 구분된다.

부속기관

부속기관은 치아, 혀, 침샘, 간, 쓸개, 이자로 구성되어 있다.

- **침샘(salivary glands)** : 귀밑샘이하선, 혀밑샘설하선, 턱밑샘악하선의 큰 침샘 3개와 수천 개의 작은침샘이 입안 점막에 흩어져 있다.
- **간(liver)** : 몸에서 가장 큰 샘이며, 다양한 기능을 가지고 있다.
- **쓸개(gallbladder)** : 쓸개즙담즙을 저장하고 농축한다.
- **이자(pancreas)** : 내분비샘과 외분비샘 모두를 가지고 있으며 대부분의 소화는 이자 효소에 의해 수행된다.

소화관의 조직층

소화관의 대부분은 안쪽에서 바깥쪽으로 점막층, 점막밑층, 근육층, 장막으로 구성되어 있다.

1. 소화관을 구분하여 색칠하시오.
2. 소화 부속기관을 구분하여 색칠하시오.
3. 소화관의 조직층을 구분하여 색칠하시오.

Main Point. 소화관과 부속기관의 해부학적 구조를 이해한다.

괄호에 알맞은 용어를 쓰고 도색하시오.

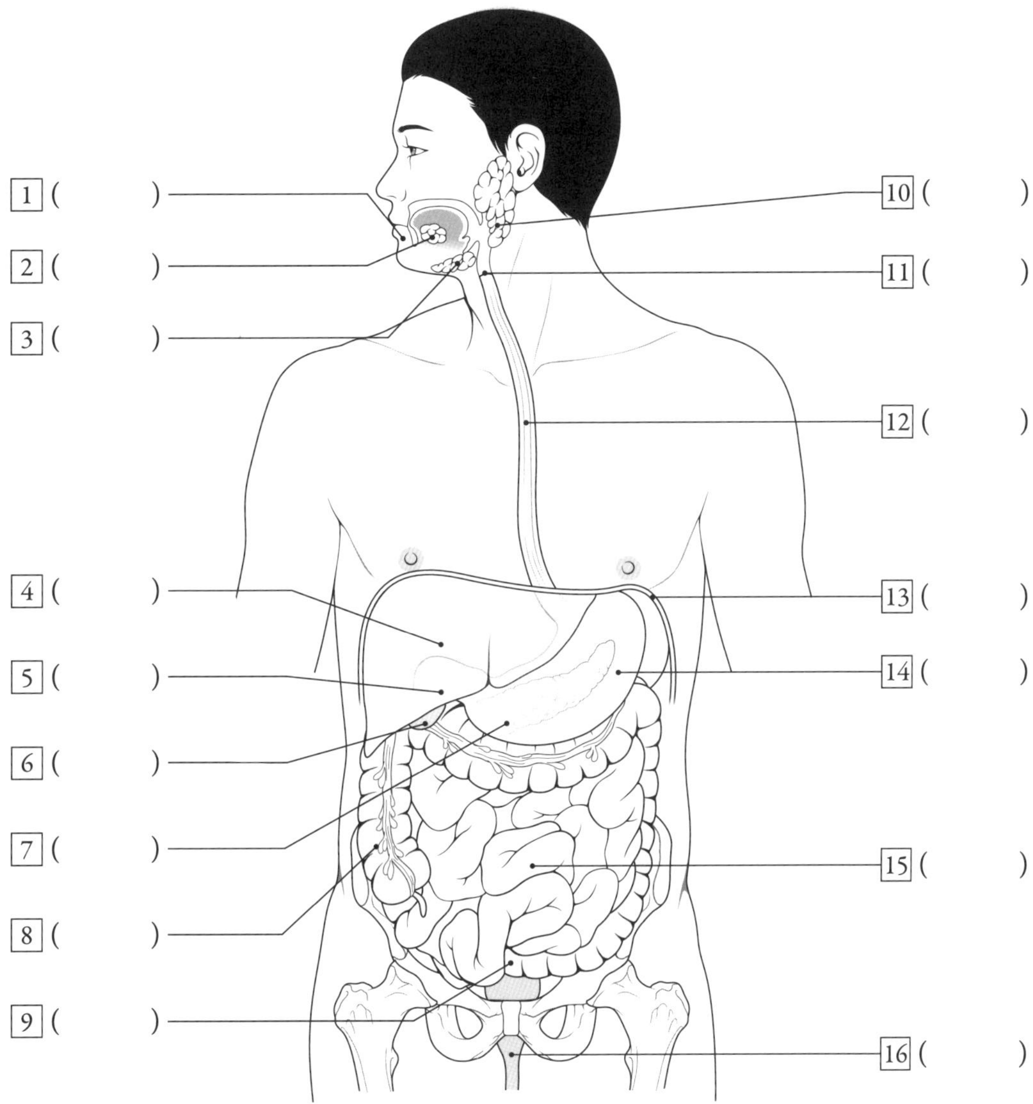

1 입안(구강; oral cavity) 2 혀밑샘(설하선; sublingual gland) 3 턱밑샘(악하선; submandibular gland) 4 간(liver) 5 샘창자(십이지장; duodenum) 6 쓸개(담낭; gallbladder) 7 이자(췌장; pancreas) 8 큰창자(대장; large intestine) 9 곧창자(직장; rectum) 10 귀밑샘(이하선; parotid gland) 11 인두(pharynx) 12 식도(esophagus) 13 가로막(횡격막; diaphragm) 14 위(stomach) 15 작은창자(소장; small intestine) 16 항문(anus)

괄호에 알맞은 용어를 쓰고 도색하시오.

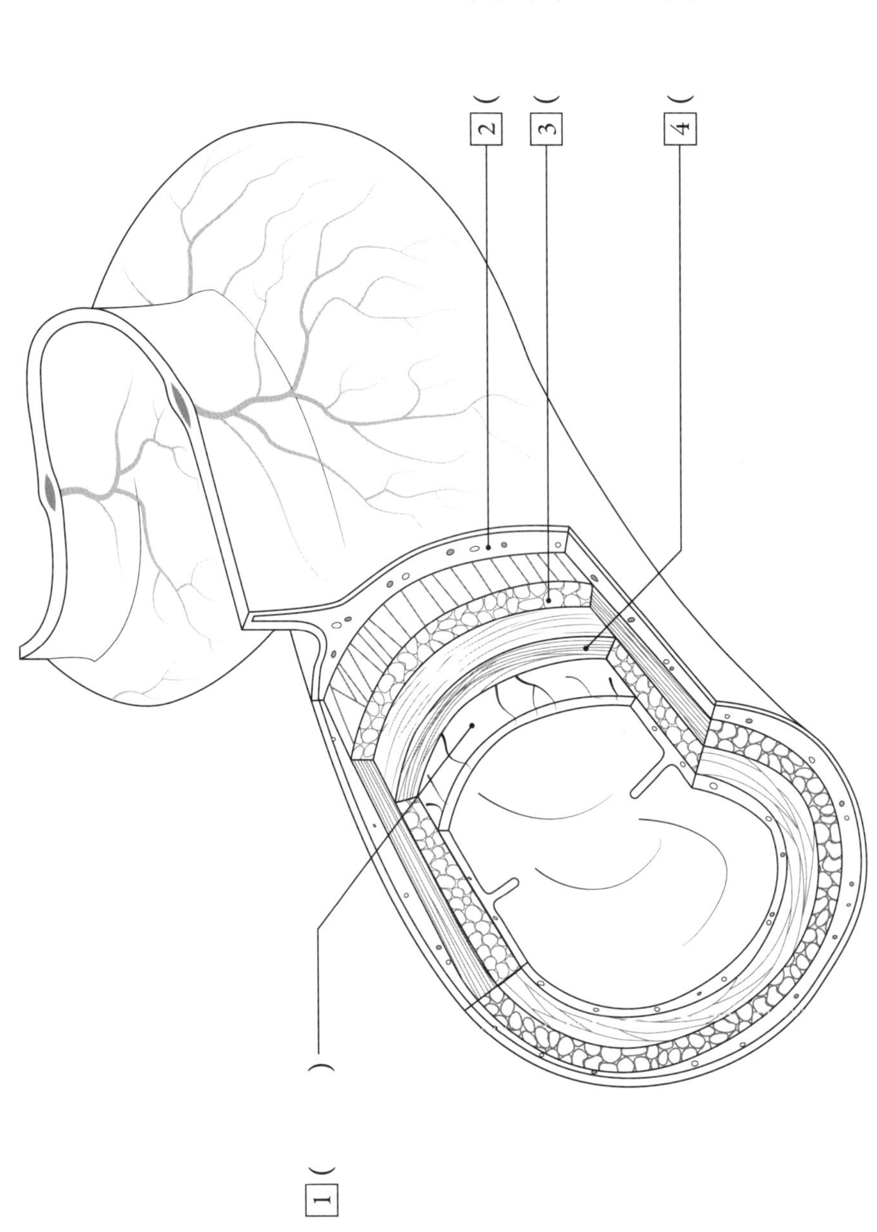

1 점막관련 림프조직(mucosa–associated lymphoid tissue) 2 장막층(serosa) 3 근육층(muscularis) 4 점막밑층(submucosa)

note

2. 입의 구조

입

입은 혀, 입천장구개, 치아, 침샘으로 구성되어 있다.

- **혀(tongue)** : 혀는 음식 섭취를 돕고 음식 수용과 거부에 중요한 맛, 촉감, 온도를 느끼기 위한 감각 수용기를 가지고 있다.
- **입천장(palate)** : 코안과 입안을 구분하며 단단입천장경구개(hard palate)과 물렁입천장연구개(soft palate)으로 구성되어 있다.
- **치아(teeth)** : 20개의 젖니(deciduous teeth)가 6~30개월부터 나와 6~25세 사이에 젖니들은 간니(permanent teeth)로 대체된다. 성인은 일반적으로 아래턱과 위턱뼈에 각각 16개의 치아를 가지고 있다. 치아의 대부분은 상아질(dentin), 사기질(enamel), 시멘트질(cementum)로 덮여 있다.
- **침샘(salivary glands)** : 작은침샘은 일정하지 않은 수의 작은 샘이 입안 조직에 흩어져 있고, 큰침샘은 입안 점막층 바깥에 위치한 귀밑샘, 턱밑샘, 혀밑샘이며 세 쌍의 큰침샘은 관을 통해 입안과 교류한다.

큰침샘의 특징과 신경지배

- **귀밑샘(parotid gland)** : 장액샘(serous gland)으로 혀인두신경설인신경의 부교감신경이 지배한다.
- **턱밑샘(submandibular gland)** : 장액샘과 점액샘(mucous gland)으로 얼굴신경안면신경의 부교감신경이 지배한다.
- **혀밑샘(sublingual gland)** : 대부분이 점액샘으로 얼굴신경의 부교감심경이 지배한다.

1. 입안 구조를 구분하여 색칠하시오.
2. 치아를 덮고 있는 구성 성분을 구분하여 색칠하시오.
3. 큰침샘을 구분하여 색칠하시오.

Main Point. 입안의 해부학적 구조와 침샘의 해부학적 구조를 이해한다.

괄호에 알맞은 용어를 쓰고 도색하시오.

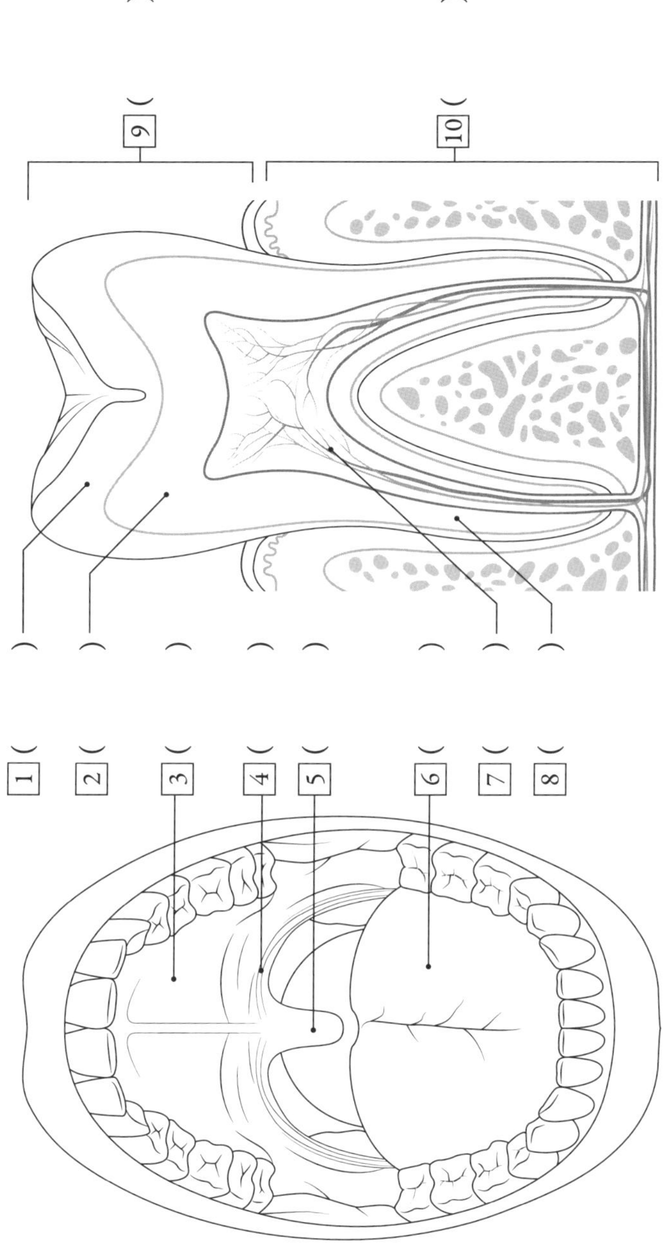

1 사기질(enamel) 2 상아질(dentin) 3 단단입천장(경구개; hard palate) 4 입천장혀활(구개설궁; palatoglossal arch) 5 목젖(구개수; uvula) 6 혀(tongue) 7 치아속질(치수; dental pulp) 8 시멘트질(cementum) 9 치아머리(치관; crown) 10 치아뿌리(치근; dental root)

괄호에 알맞은 용어를 쓰고 도색하시오.

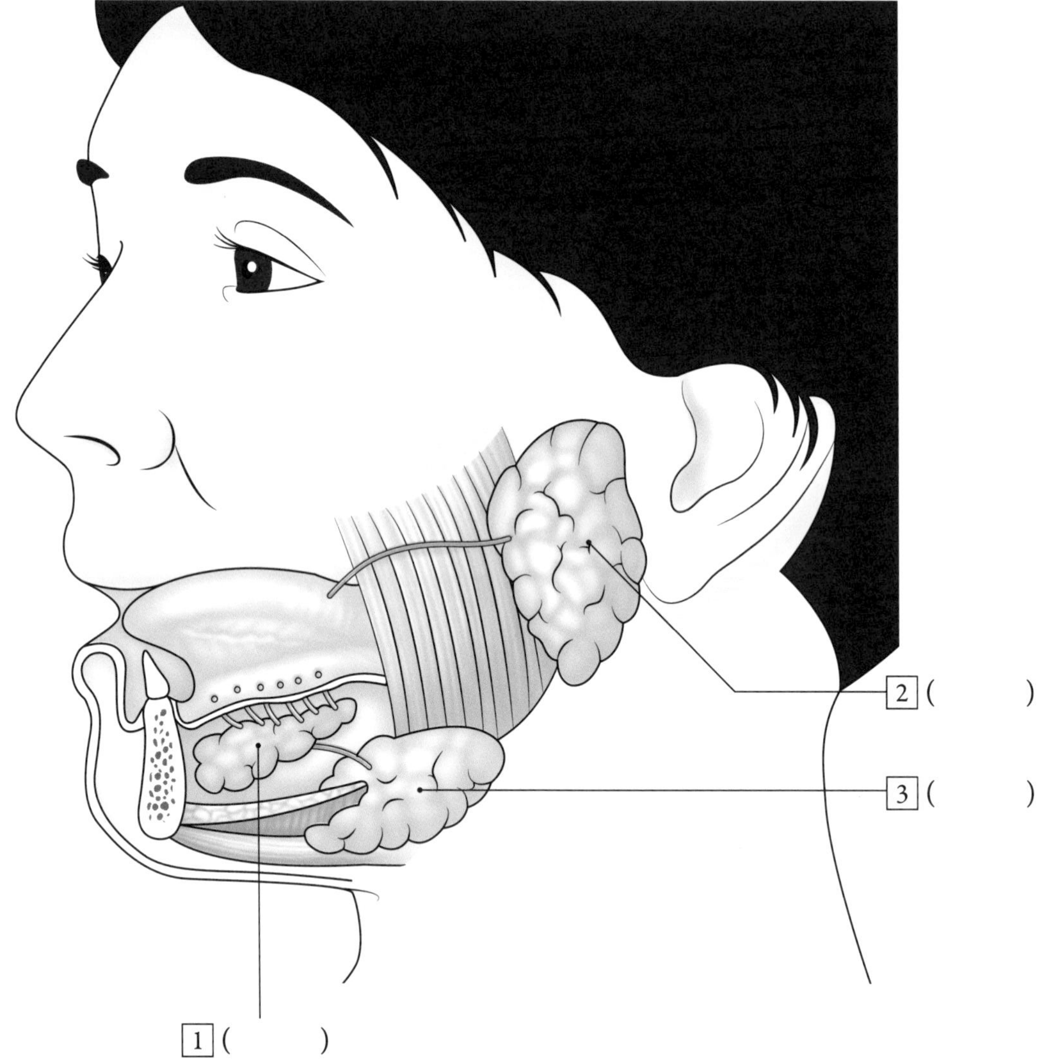

1 혀밑샘(설하선; sublingual gland) 2 귀밑샘(이하선; parotid gland) 3 턱밑샘(악하선; submandibular gland)

3. 인두와 식도의 구조

인두

인두는 입안을 식도와 연결하고 코안을 후두와 연결하는 깔대기 기능의 근육이다. 인두는 코인두(nasopharynx), 입인두(oropharynx), 후두인두(laryngopharynx)로 구성되어 있다.

식도

식도는 25~30cm 길이 정도로 기관 뒤에 있으며, 식도의 위쪽 1/3은 뼈대근육, 중간 1/3은 뼈대근육과 민무늬근육이 혼합되어 있고, 아래쪽 1/3은 민무늬근육만으로 구성되어 있다.

1. 인두의 구조를 구분하여 색칠하시오.
2. 식도를 구성하는 근육을 구분하여 색칠하시오.

Main Point. 인두의 해부학적 구분과 식도를 구성하는 근육 형태를 이해한다.

괄호에 알맞은 용어를 쓰고 도색하시오.

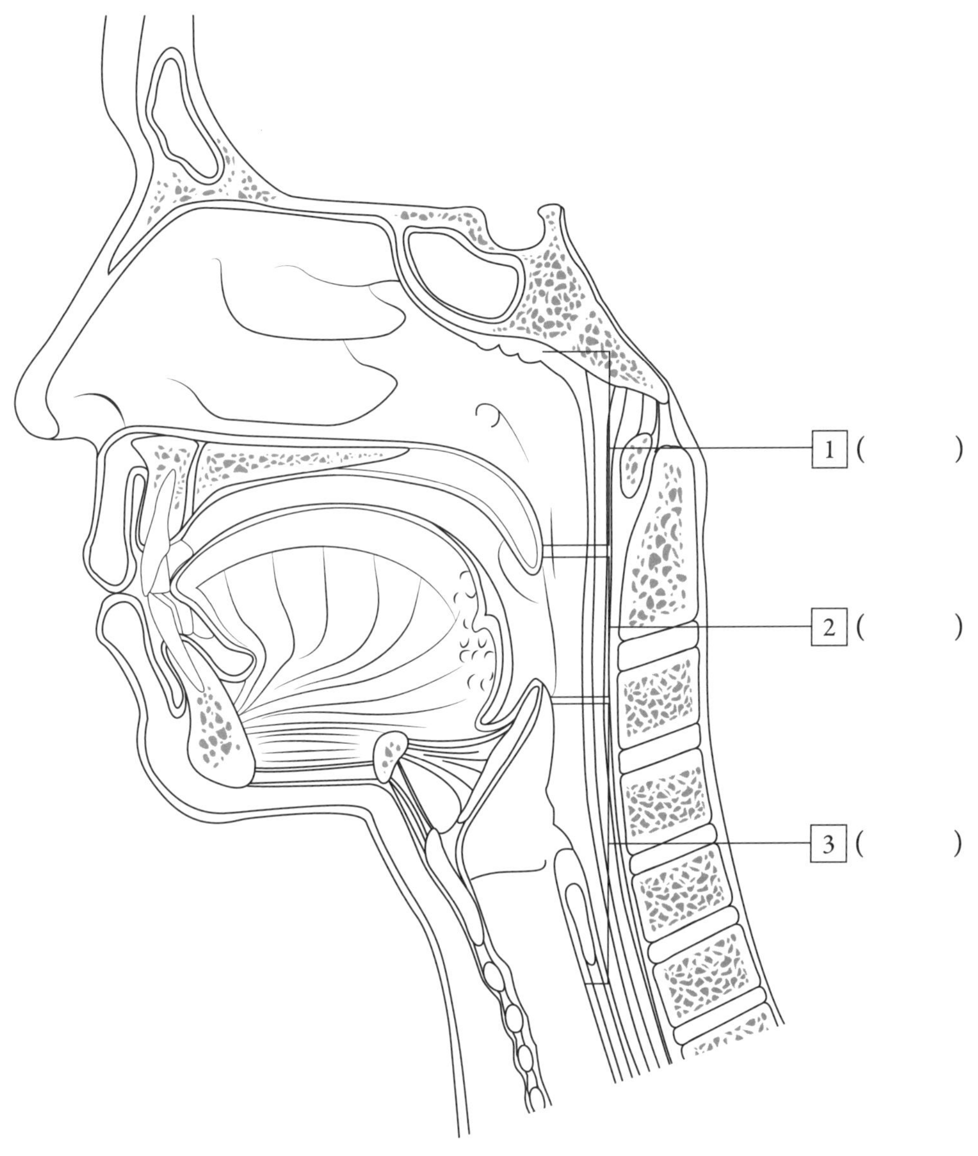

1 코인두(비인두; nasopharynx) 2 입인두(구인두; oropharynx) 3 후두인두(laryngopharynx)

괄호에 알맞은 용어를 쓰고 도색하시오.

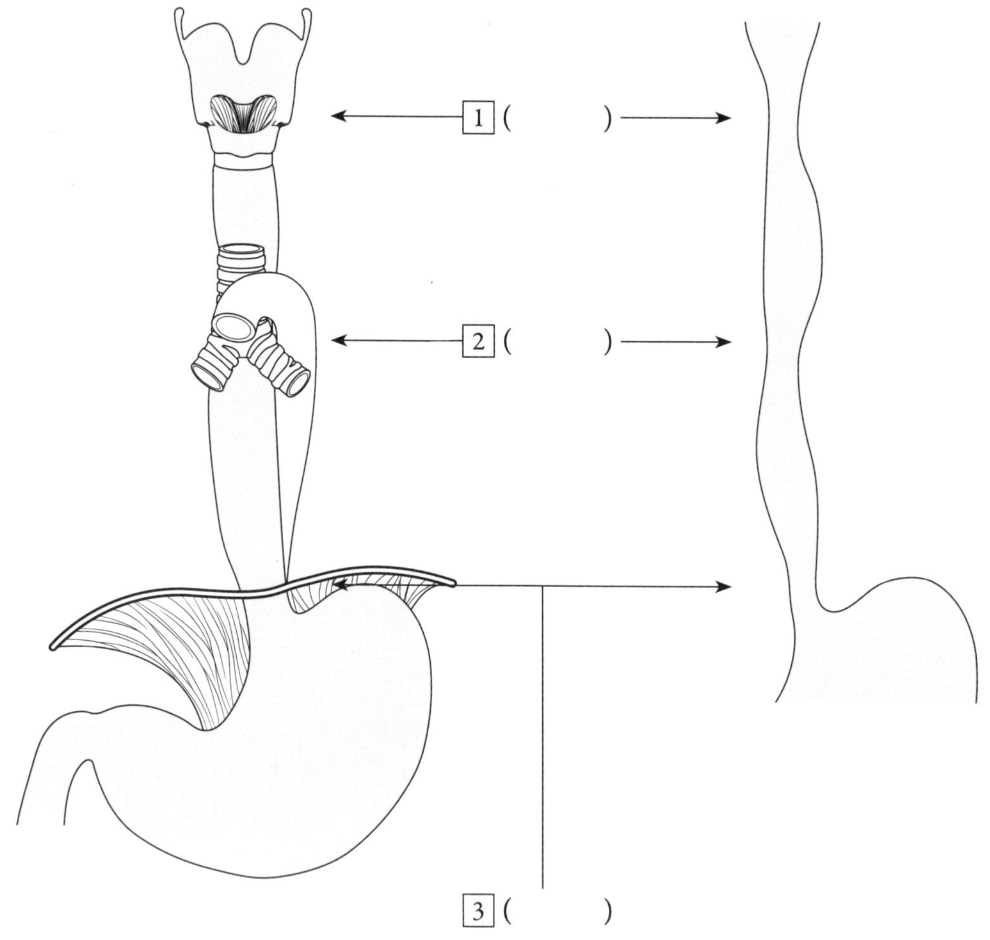

1 첫째잘록부분(식도시작) 2 둘째잘록부분(기관갈림)(기관분기부; bifurcation of trachea) 3 셋째잘록부분(가로막통과)

note

4. 위의 구조

위

위는 J-모양이고 크게 들문분문부위, 바닥부위, 몸통, 날문유문부위의 구역으로 나눌 수 있다.

- **들문부위(cardiac region)** : 위쪽의 식도와 연결되어 있는 들문구멍의 작은 구역이다.
- **바닥부위(fundic region)** : 가로막 왼쪽의 둥근지붕 아래에 위치한 위의 위쪽 구역이다.
- **몸통(body)** : 들문부위와 바닥부위를 제외하고 먼쪽으로 날문부위까지 위의 대부분을 구성하는 구역이다.
- **날문부위(pyloric region)** : 샘창자와 연결되어 있는 위의 먼쪽 끝 구역이다. 날문부위는 날문방전정부(antrum), 날문관(pyloric canal), 날문(pylorus)으로 구분하며 날문조임근유문괄약근(pyloricsphincter)이 샘창자 안으로 음식 통과를 조절한다.

위 벽

위벽은 속공간에서부터 바깥쪽으로 점막층(mucosa), 점막밑층(submucosa), 점막근육판(muscularis externa), 장막(serosa)으로 구성되어 있다. 점막근육판은 속공간에서부터 빗근층사근층, 돌림근층윤주근층, 세로근층으로 구분한다.

1. 위의 각 부위를 구분하여 색칠하시오.
2. 위 벽을 구분하여 색칠하시오.
3. 위 벽의 근육층을 구분하여 색칠하시오.

Main Point. 위의 해부학적 구조와 위 벽을 형성하는 근육 구조를 이해한다.

괄호에 알맞은 용어를 쓰고 도색하시오.

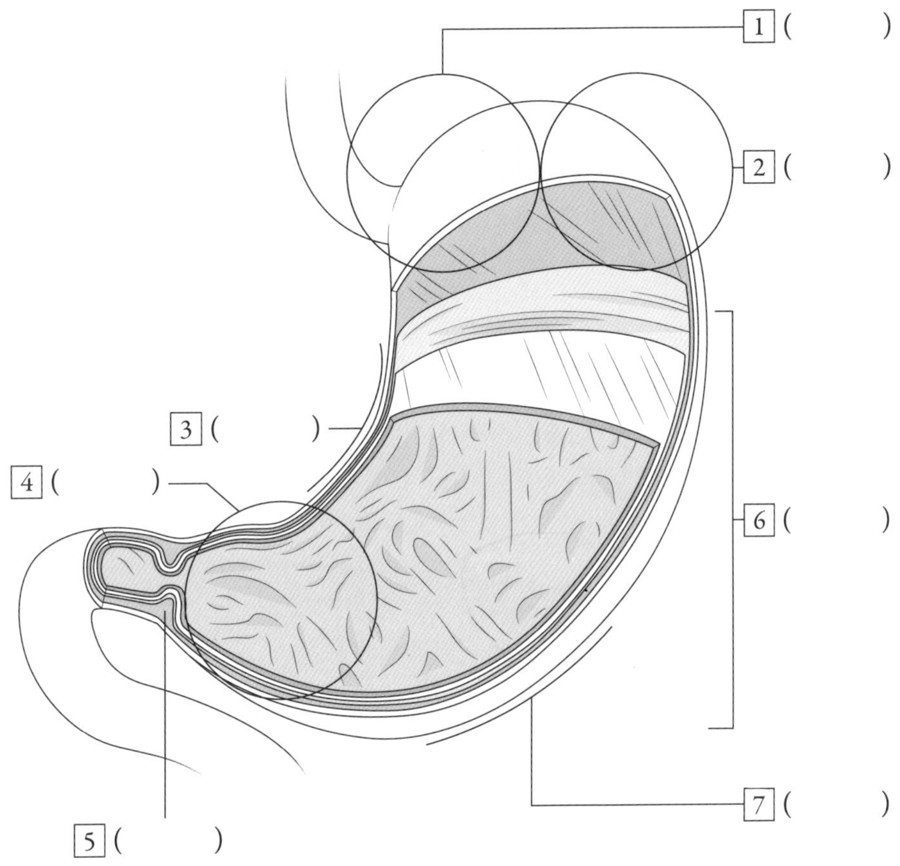

1 들문부위(분문부위; cardiac region) 2 위바닥부위(fundic region) 3 작은굽이(소만; lesser curvature) 4 날문부위(유문부위; pyloric region) 5 날문조임근(유문괄약근; pyloricsphincter) 6 몸통(body) 7 큰굽이(대만; greater curvature)

괄호에 알맞은 용어를 쓰고 도색하시오.

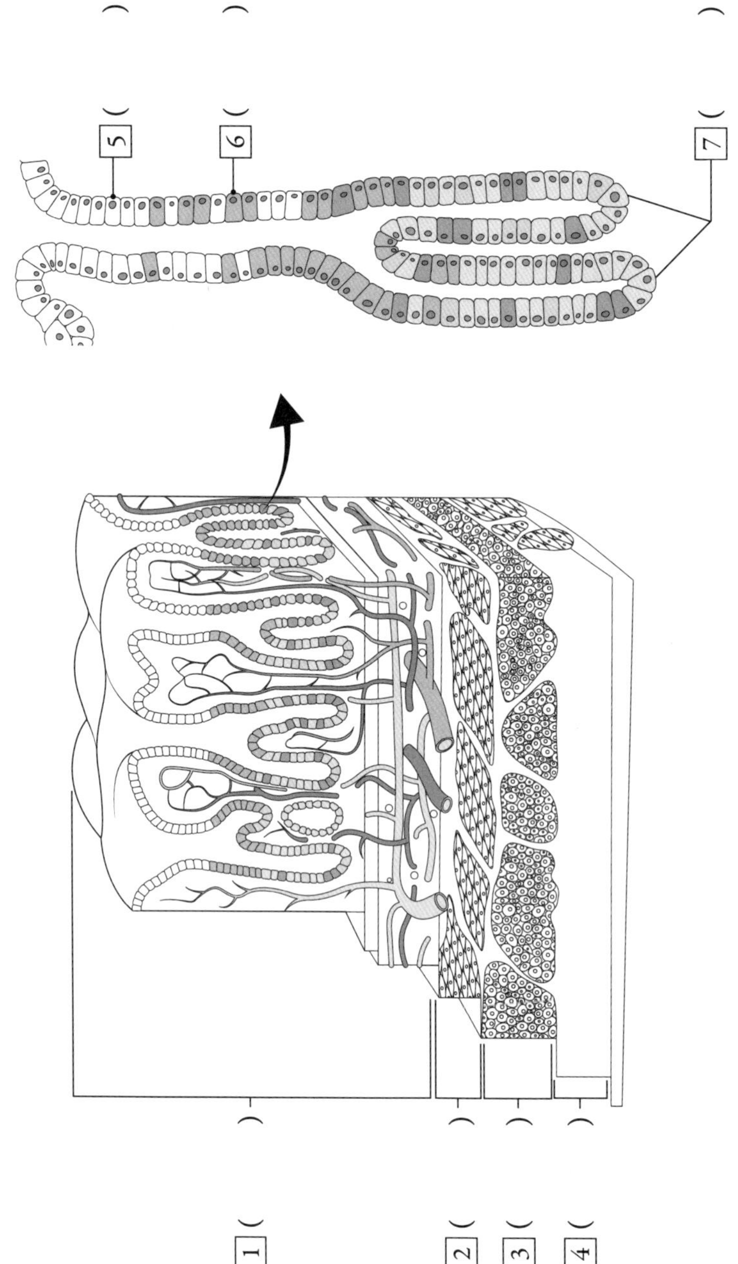

1 점막층(mucosa) 2 점막밑층(점막하층; submucosa) 3 점막근육판(muscularis externa) 4 장막(serosa) 5 점액모세포(mucoblast) 6 벽세포(parietal cell) 7 G세포(G cell)

5. 작은창자의 구조

작은창자

작은창자는 샘창자, 빈창자, 돌창자로 구성되어 있다.

- **샘창자(duodenum)** : 작은창자의 몸쪽 구역이며(약 25cm), 날문조임근에서 시작하여 이자의 머리를 따라 호를 형성하고 대부분 복막 뒤에 위치한다.
- **빈창자(jejunum)** : 샘창자 다음이며(약 1~1.7m), 배의 왼쪽 위쪽 사분위에서 시작하여 대부분 배꼽구역 안쪽에 위치하면서 일차 흡수 대부분이 일어나는 구역이다.
- **돌창자(ileum)** : 작은창자의 먼쪽 구역이며(약 1.5~3m), 배 아래부위와 골반안의 일부에 위치하고 돌막창자판막회맹판(ileocecal valve)을 통하여 큰창자의 막창자맹장(cecum)와 연결되어 있는 구역이다.

융모

창자의 융모(villi)는 약 1mm 정도 높이이며, 빈창자와 돌창자의 표면적을 넓히는 역할을 하고 창자세포장세포(enterocytes)와 술잔세포(goblet cells)라고 하는 두 종류의 원주상피세포로 구성되어 있다. 중심부에는 림프성 모세혈관들이 존재하여 대부분의 영양소를 흡수한다. 융모 바닥 사이에는 창자움(intestinal crypts)이라고 하는 대롱샘관상선 안으로 통하는 많은 구멍이 존재한다.

1. 작은창자를 구분하여 색칠하시오.
2. 융모의 특징을 구분하여 색칠하시오.

Main Point. 위의 해부학적 구조와 위 벽을 형성하는 근육 구조를 이해한다.

괄호에 알맞은 용어를 쓰고 도색하시오.

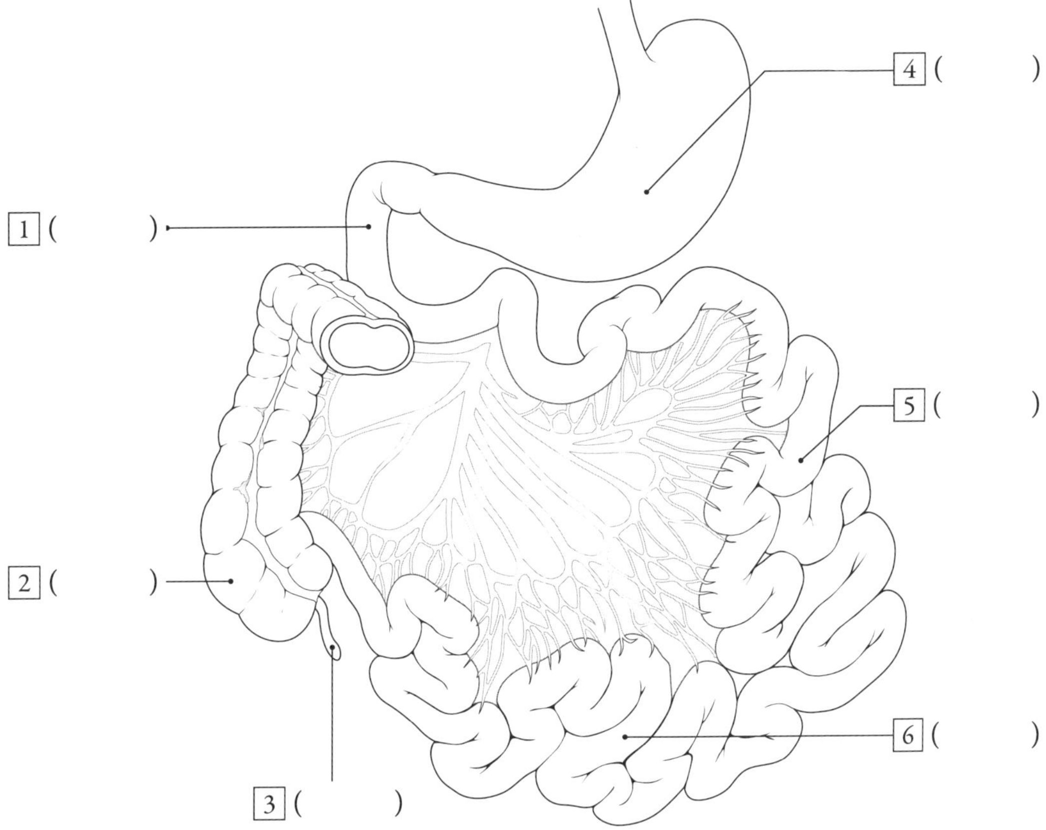

1 샘창자(십이지장; duodenum) 2 막창자(맹장; cecum) 3 막창자꼬리(충수; vermiform appendix) 4 위(stomach) 5 빈창자(공장; jejunum) 6 돌창자(회장; ileum)

괄호에 알맞은 용어를 쓰고 도색하시오.

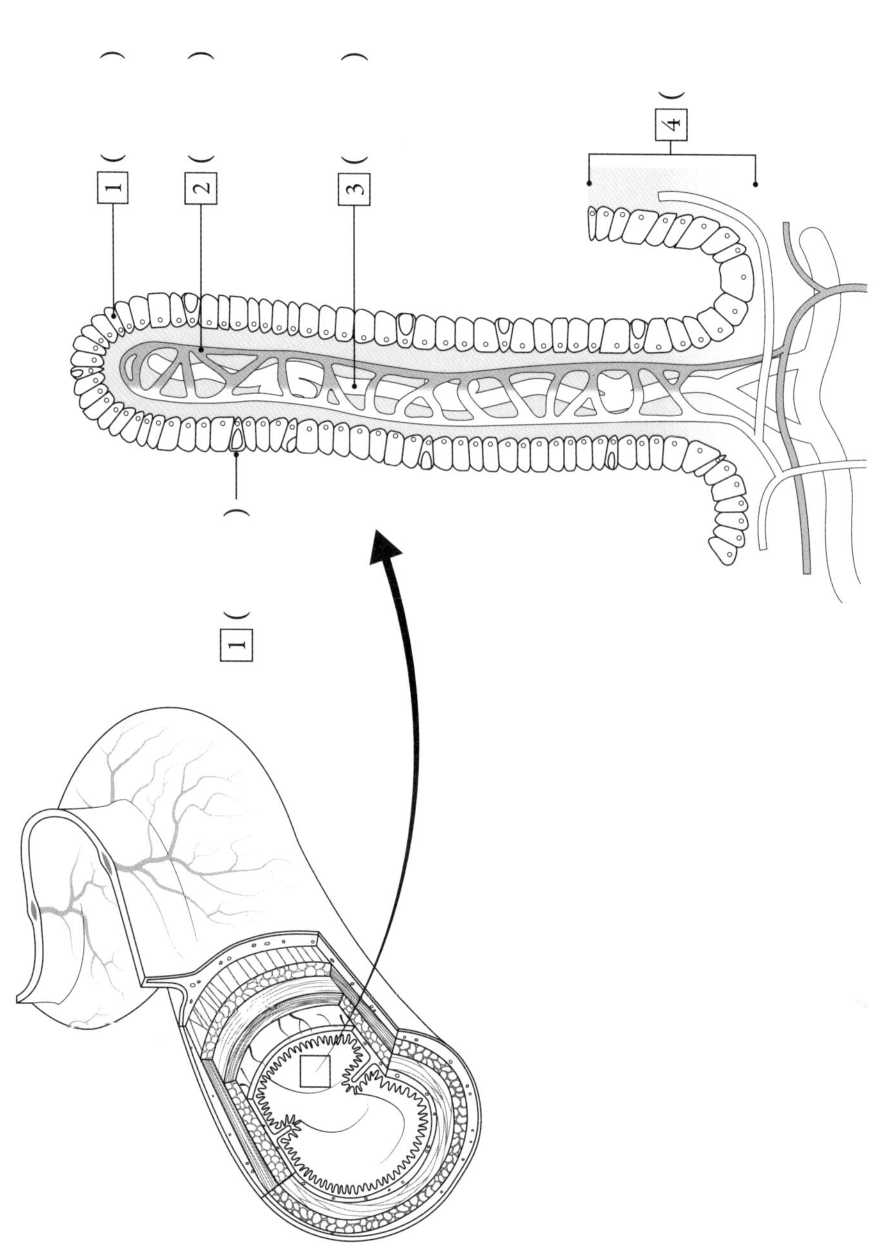

1 상피세포(epithelial cell) 2 모세혈관(capillary) 3 암죽관(lacteal) 4 창자샘(장선; intestinal gland)

note

6. 큰창자의 구조

큰창자

큰창자는 막창자, 오름잘록창자, 가로잘록창자, 내림잘록창자, 구불잘록창자, 곧창자, 항문관으로 구성되어 있다.

- **막창자(cecum)** : 배의 오른쪽 아래 사분위의 돌막창자판막 아래에 위치하며, 막창자꼬리(appendix)가 아래쪽에 매달려 있다.
- **오름잘록창자(ascending colon)** : 돌막창자판막에서부터 시작하여 위쪽으로 배안의 오른쪽을 통과하며, 복막 뒤에 위치한다.
- **가로잘록창자(transverse colon)** : 오름잘록창자의 연속이며, 배안을 수평으로 통과한다.
- **내림잘록창자(descending colon)** : 가로잘록창자의 연속이며, 배안의 왼쪽을 아래쪽으로 통과한다.
- **구불잘록창자(sigmoid colon)** : 내림잘록창자의 연속이며, 골반의 입구에서 안쪽과 아래쪽으로 꺾여 S자 형태로 내려간다.
- **곧창자(rectum)** : 구불잘록창자의 연속이며, 약 15cm 정도의 길이이며 복막 뒤에 위치한다.
- **항문관(anal canal)** : 큰창자의 끝으로 약 3cm 정도이다.

1. 큰창자를 구분하여 색칠하시오.
2. 곧창자의 근육을 구분하여 색칠하시오.

Main Point. 큰창자의 해부학적 구조를 이해한다.

괄호에 알맞은 용어를 쓰고 도색하시오.

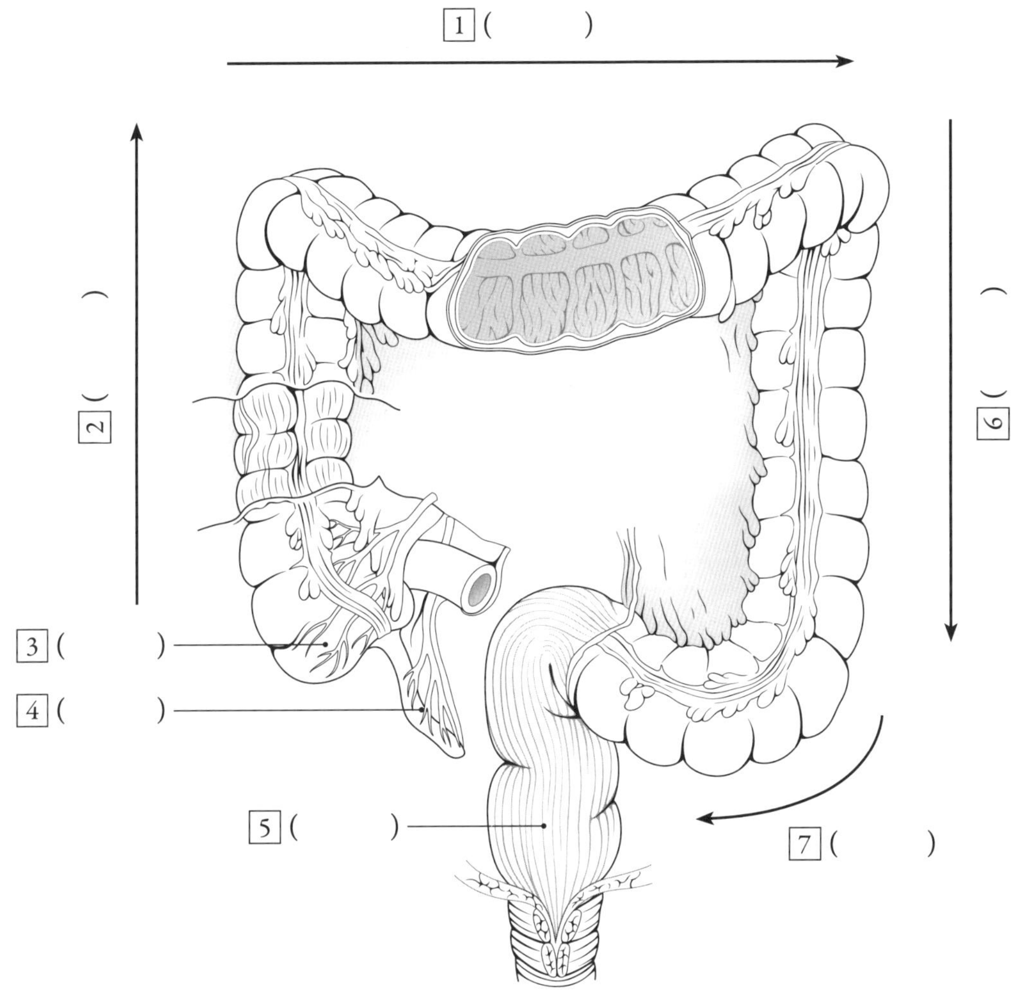

1 가로잘록창자(횡행결장; transverse colon) 2 오름잘록창자(상행결장; ascending colon) 3 막창자(맹장; cecum) 4 막창자꼬리(충수; vermiform appendix) 5 곧창자(직장; rectum) 6 내림잘록창자(하행결장; descending colon) 7 구불잘록창자(S상결장; sigmoid colon)

괄호에 알맞은 용어를 쓰고 도색하시오.

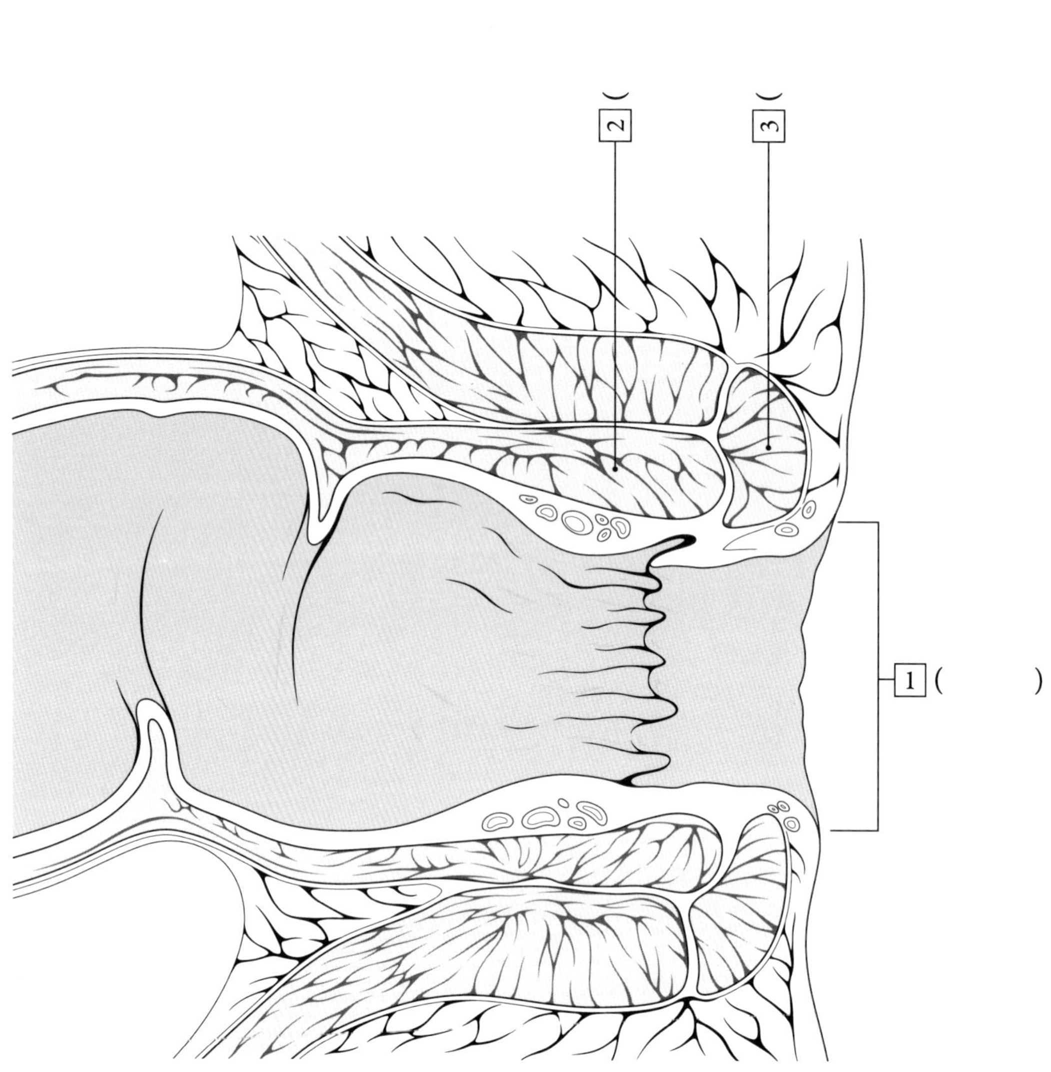

1 항문(anus) 2 속항문조임근(내항문괄약근; sphincter ani internus muscle) 3 바깥항문조임근(외항문괄약근; sphincter ani externus muscle)

7. 소화부속 기관 1

간

간은 가로막 바로 아래에 위치하고 인체에서 가장 큰 기관이며, 4개의 엽(lobe)으로 나누어져 있다.

- **오른엽(right lobe)** : 가장 큰 엽이다.
- **왼엽(left lobe)**
- **네모엽(방형엽; quadrate lobe)** : 아래쪽에서 보았을 때 앞쪽의 사각형 구역이며 쓸개와 간원인대(round ligament) 사이에 있다.
- **꼬리엽(미상엽; caudate lobe)** : 아래쪽에서 보았을 때 뒤쪽에 쓸개와 함께 있는 구역이며 꼬리처럼 생겼다.

간소엽

간소엽(hepatic lobule)은 간의 중심정맥(central vein)을 중심으로 간세포들이 배열되어 있는 육면체 형태를 가지고 있는 간의 구성단위이고, 간소엽의 가장자리에 간동맥과 간문맥 분지 및 쓸개관으로 구성되어 있는 간세동이(hepatic triad)가 있다.

1. 간의 구역을 구분하여 색칠하시오.
2. 간의 주요 인대를 구분하여 색칠하시오.
3. 간소엽의 주요 구성 성분을 구분하여 색칠하시오.

Main Point. 간의 해부학적 구조와 이를 나누는 인대의 구조를 이해한다.

괄호에 알맞은 용어를 쓰고 도색하시오.

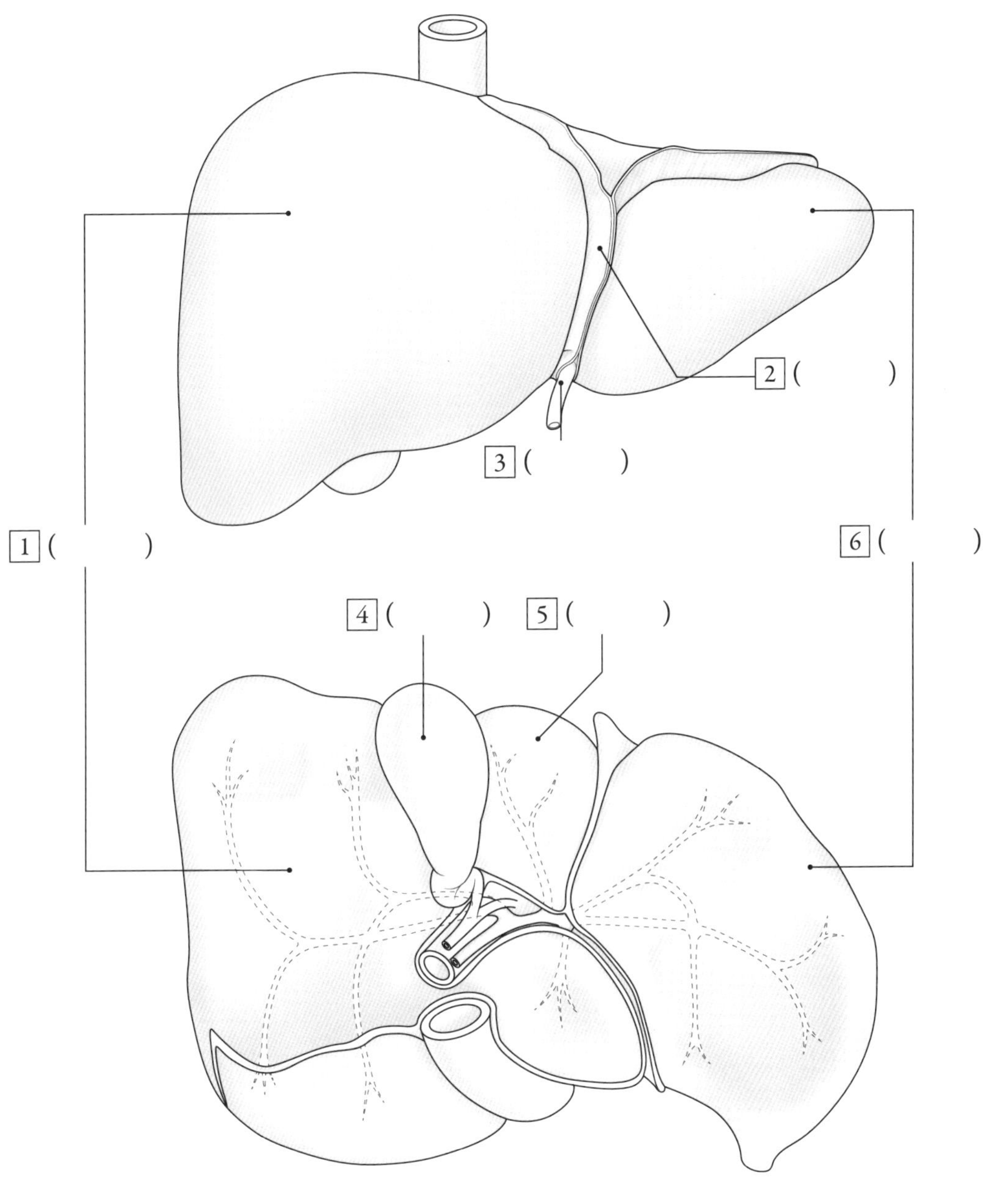

1 오른엽(우엽; right lobe) 2 낫인대(겸상인대; falciform ligament) 3 간원인대(간원삭; round ligament) 4 쓸개(담낭; gallbladder) 5 네모엽(방형엽; quadrate lobe) 6 왼엽(좌엽; left lobe)

괄호에 알맞은 용어를 쓰고 도색하시오.

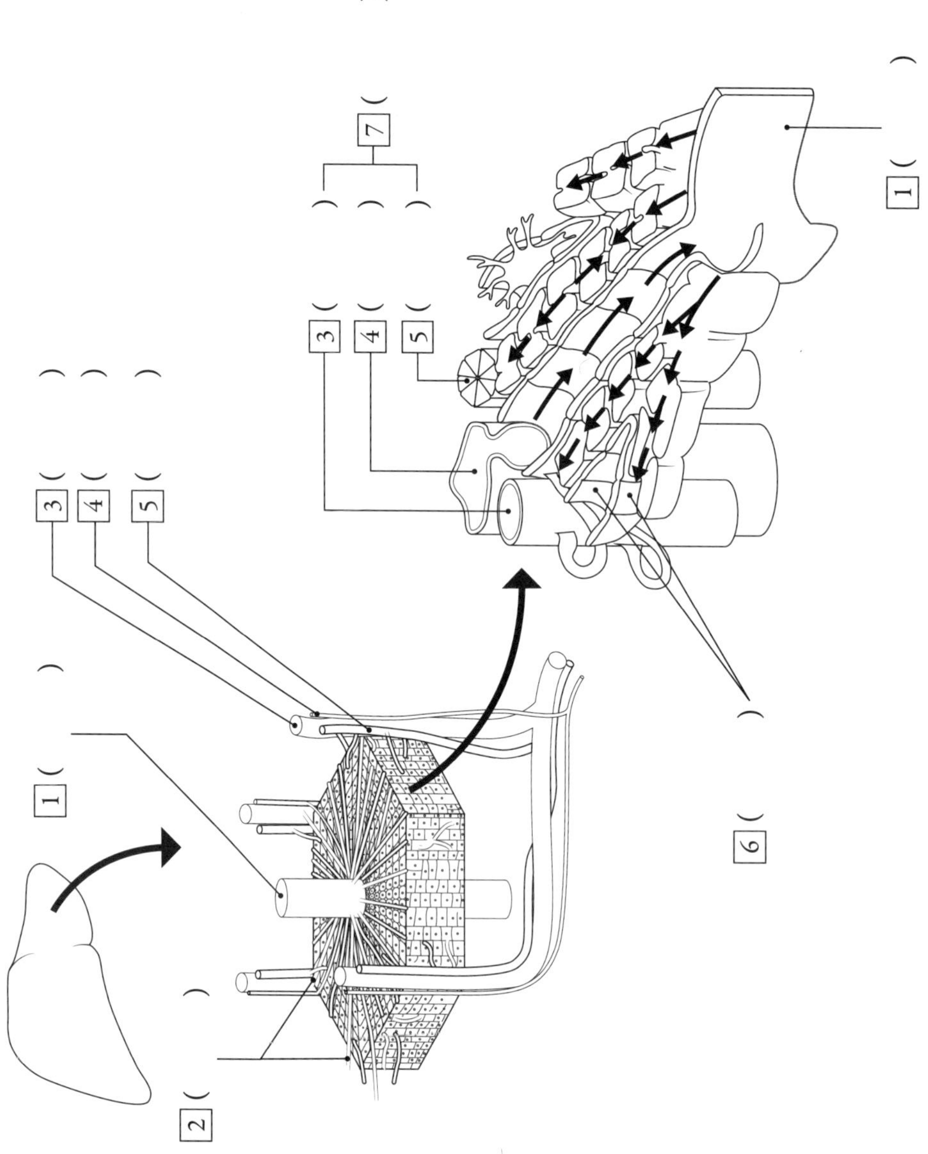

1 중심정맥(central vein) 2 굴모양혈관(동양혈관; sinusoid) 3 간문맥(portal vein) 4 간동맥(hepatic artery) 5 쓸개관(담관; bile duct) 6 간굴모양혈관 7 간세동이(hepatic triad)

note

8. 소화부속 기관 2

쓸개

간의 유일한 소화기능은 쓸개즙 분비이고 쓸개즙은 쓸개(gallbladder)에서 저장하고 농축한다.

이자

대부분의 소화는 이자효소에 의해 수행되며, 이자(pancreas)는 머리, 몸통, 꼬리로 나누어지고 인체에서 내분비샘(이자섬)과 외분비샘을 동시에 가지고 있는 대표적인 기관이다.

Q. 쓸개와 이자를 구분하여 색칠하시오.

Main Point. 쓸개와 이자의 해부학적 구조를 이해한다.

괄호에 알맞은 용어를 쓰고 도색하시오.

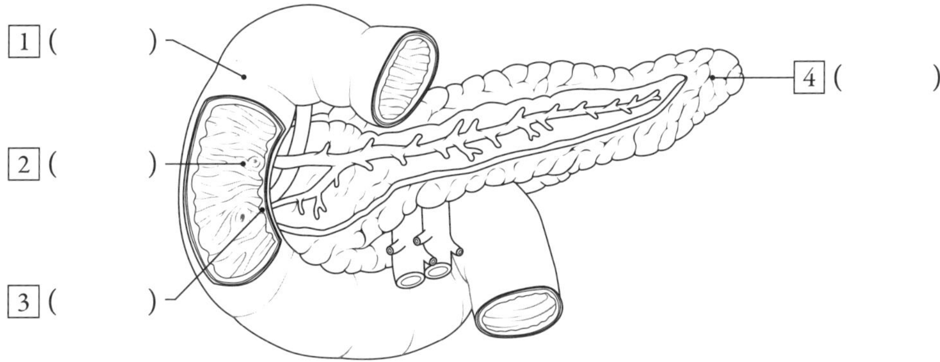

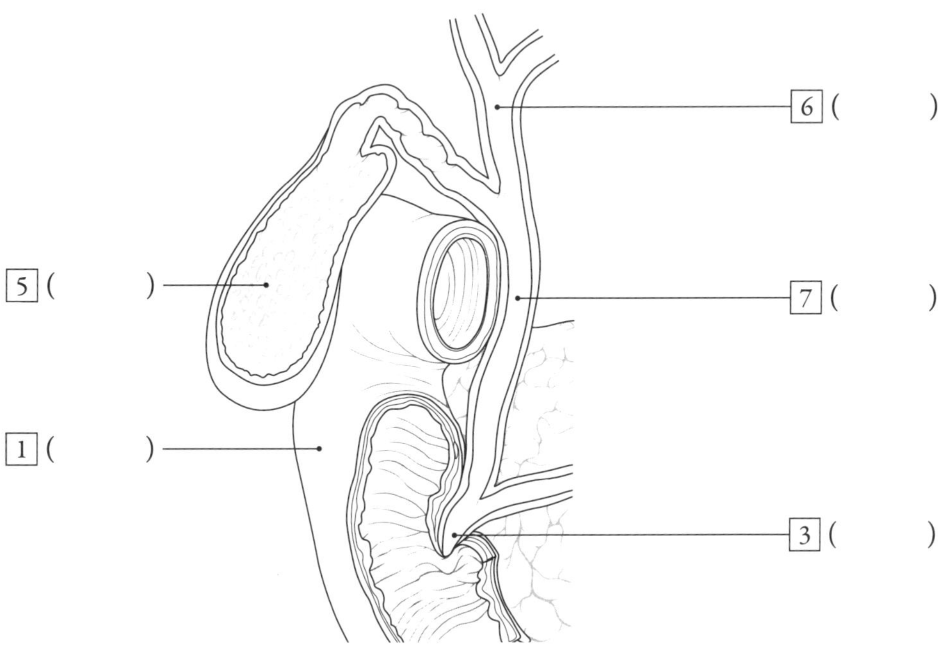

1 샘창자(십이지장; duodenum) 2 덧이자관(부췌관; accessory pancreatic duct) 3 쓸개이자관팽대(간췌팽대; hepatopancreatic ampulla) 4 이자(췌장; pancreas) 5 쓸개몸통(담낭체; body of gallbladder) 6 온간관(총간관; common hepatic duct) 7 온쓸개관(총담관; common bile duct)

9. 복막

복막

복막(peritoneum)은 인체에서 가장 큰 장막으로서 단층편평상피와 이것을 지지해주는 결합조직층으로 구성되어 있으며 벽쪽복막, 내장쪽복막, 복막안복강, 창자간막장간막, 큰그물막대망, 작은그물막소망, 잘록창자간막결장간막이 포함된다.

- **벽쪽복막(parietal peritoneum)** : 배골반안 안쪽벽을 덮고 있다.
- **내장쪽복막(visceral peritoneum)** : 배골반안의 일부 내장을 덮고 있다.
- **복막안(peritoneal cavity)** : 벽쪽복막과 내장쪽복막 사이의 공간이다.
- **창자간막(mesentery)** : 뒤복벽에서 나와 작은창자를 감싸고 다시 원래 자리에 가서 붙는 두 겹의 막이다.
- **큰그물막(greater omentum)** : 위의 큰굽이(greater curvature)에서부터 작은창자를 느슨하게 덮고 있으며 앞치마처럼 펼쳐져 있는 막이다.
- **작은그물막(lesser omentum)** : 위의 작은굽이(lesser curvature)에서 간까지 짧은 거리에 펼쳐져 있는 막이다.
- **잘록창자간막(mesocolon)** : 가로잘록창자에서 뒤쪽 벽까지 이어져 잘록창자를 고정 시키는 창자간막이다.

Q. 복막의 주요 구성을 구분하여 색칠하고 복막속장기와 복막뒤장기를 찾아서 쓰시오.

Main Point. 복막 주요 구성의 해부학적 구조를 이해한다.

괄호에 알맞은 용어를 쓰고 도색하시오.

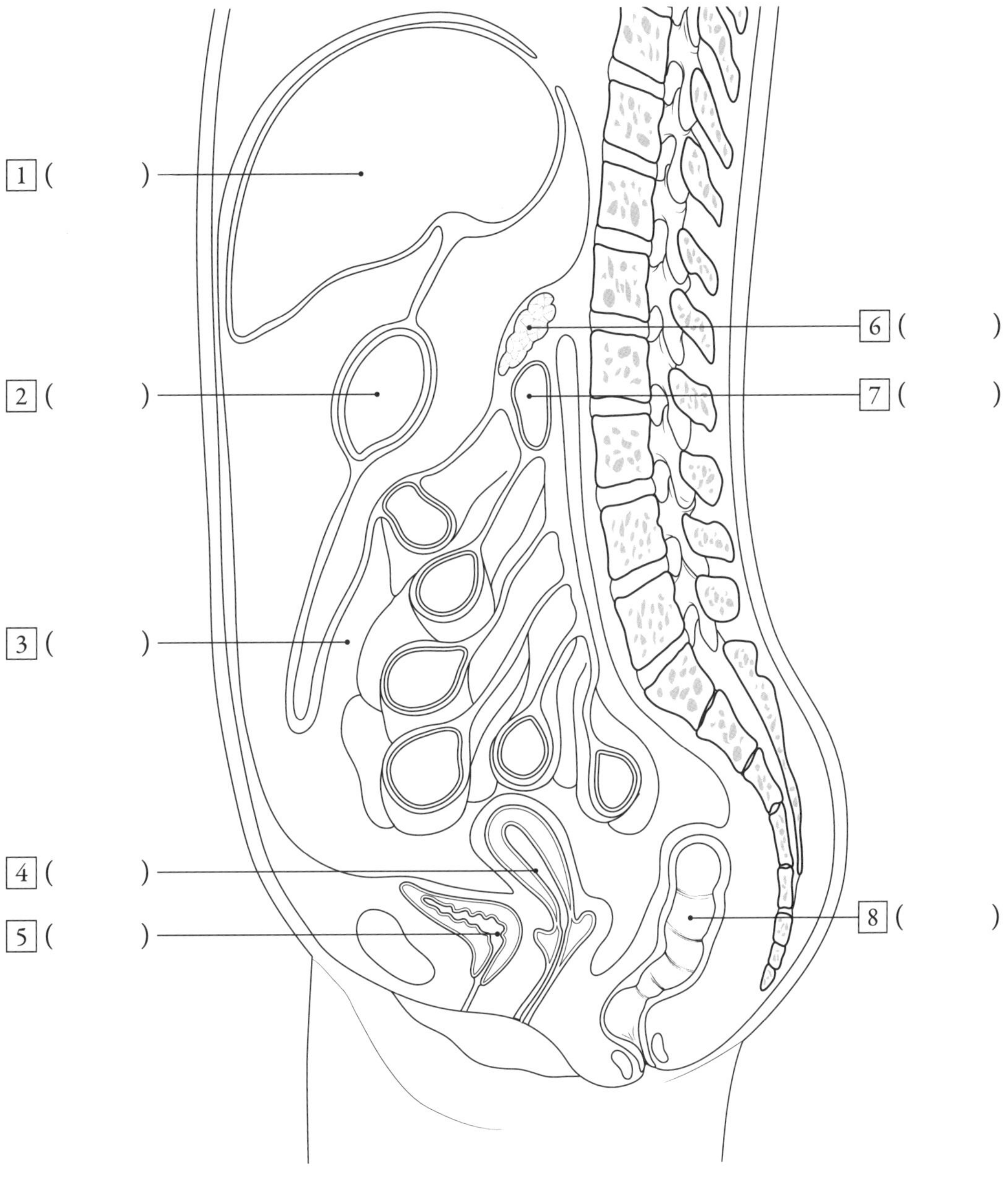

1 간(liver) 2 위(stomach) 3 배막안(복강내; peritoneal cavity) 4 자궁(uterus) 5 방광(urinary bladder) 6 이자(췌장; pancreas) 7 샘창자(십이지장; duodenum) 8 곧창자(직장; rectum)

10. 호흡계통의 구조

호흡계통의 구분

호흡계통은 코, 코곁굴, 인두, 후두, 기관, 기관지, 허파꽈리관, 허파꽈리, 허파로 구성되어 있으며, 단순히 공기를 전달하는 통로전도부(conducting division)와 호흡이 일어나는 구역호흡부(respiratory division)으로 나누거나, 코에서 후두까지의 상부호흡기도(upper respiratory tract)와 기관에서 허파로 연결되는 하부호흡기도(lower respiratory tract)로 세분화 할 수 있다.

- **코(nose)**와 **코곁굴(paranasal sinus)** : 코곁굴인 이마굴전두동, 나비굴접형동, 벌집굴사골동, 위턱굴상악동을 포함한다.
- **인두(pharynx)** : 코인두, 입인두, 후두인두로 나뉜다.
- **후두(larynx)**, **기관(trachea)**
- **기관지(bronchus)** : 허파의 기관지나무(bronchial tree)라고 하며, 나뭇가지처럼 기관갈림부에서부터 점점 작아지는 기관지의 가지 체계를 가지고 있다.
- **허파꽈리관(alveolar duct)**과 **허파꽈리(alveolar alveolus)**
- **허파(lung)**

호흡계통의 5대 기능

- 공기를 여과하여 촉촉하게 허파로 전달
- 가스 교환 장소 제공
- 체액의 pH 조절
- 말하기와 발성(vocalization)에 도움
- 냄새 감지

0。 호흡계통을 구분하여 색칠하시오.

Main Point. 복막 주요 구성의 해부학적 구조를 이해한다.

괄호에 알맞은 용어를 쓰고 도색하시오.

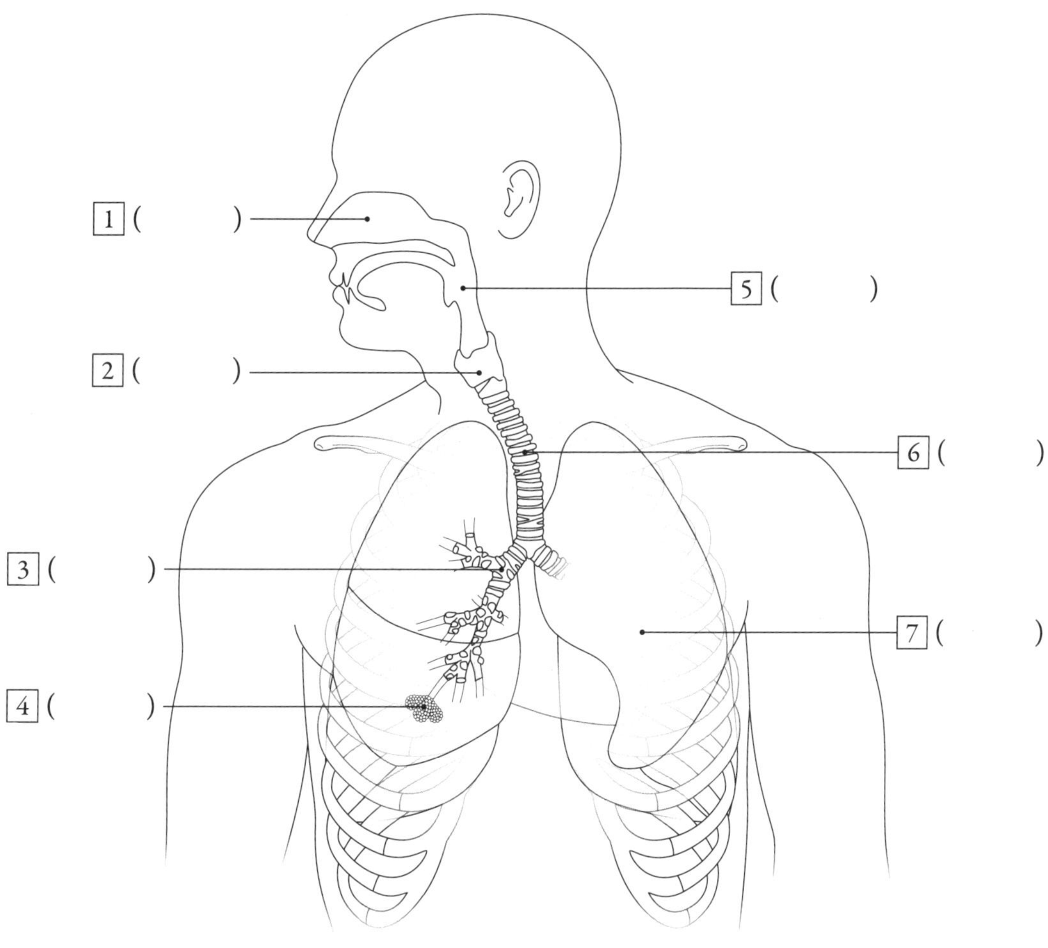

1 코안(비강; nasal cavity) 2 후두(larynx) 3 기관지(bronchus) 4 허파꽈리(폐포; alveolar alveolus) 5 인두(pharynx) 6 기관(trachea) 7 허파(폐; lung)

11. 코와 코결굴의 구조

코

코의 내부는 코안비강이라고 하며, 위쪽의 머리안두개강(cranial cavity)과 아래쪽의 입안구강(oral cavity)과는 분리되어 있다. 또한 코사이막비중격(nasal septum)에 의해 오른쪽과 왼쪽으로 나뉘어져 있으며, 가쪽벽은 3개의 코선반비갑개(nasal concha)이 돌출되어 표면적을 넓게 해준다.

코곁굴

코곁굴은 이마굴, 나비굴, 벌집굴, 위턱굴로 각각 쌍으로 구성되어 있다.

- **이마굴(frontal sinus)** : 이마굴은 중간콧길중비도과 연결되어 있다.
- **나비굴(sphenoidal sinus)** : 나비굴은 나비벌집오목접형사골(spenoethmoid simus)과 연결되어 있다.
- **벌집굴(ethmoid sinus)** : 벌집굴은 중간콧길 및 위콧길상비도과 연결되어 있다.
- **위턱굴(maxillary sinus)** : 위턱굴은 가장 큰 굴이며(약 20~20mL), 중간콧길과 연결되어 있다.

1. 코안 구조를 구분하여 색칠하시오.
2. 인두를 구분하여 색칠하시오(소화계통 참조).
3. 코곁굴을 구분하여 색칠하시오.

Main Point. 코안과 코곁굴의 해부학적 구조를 이해한다.

괄호에 알맞은 용어를 쓰고 도색하시오.

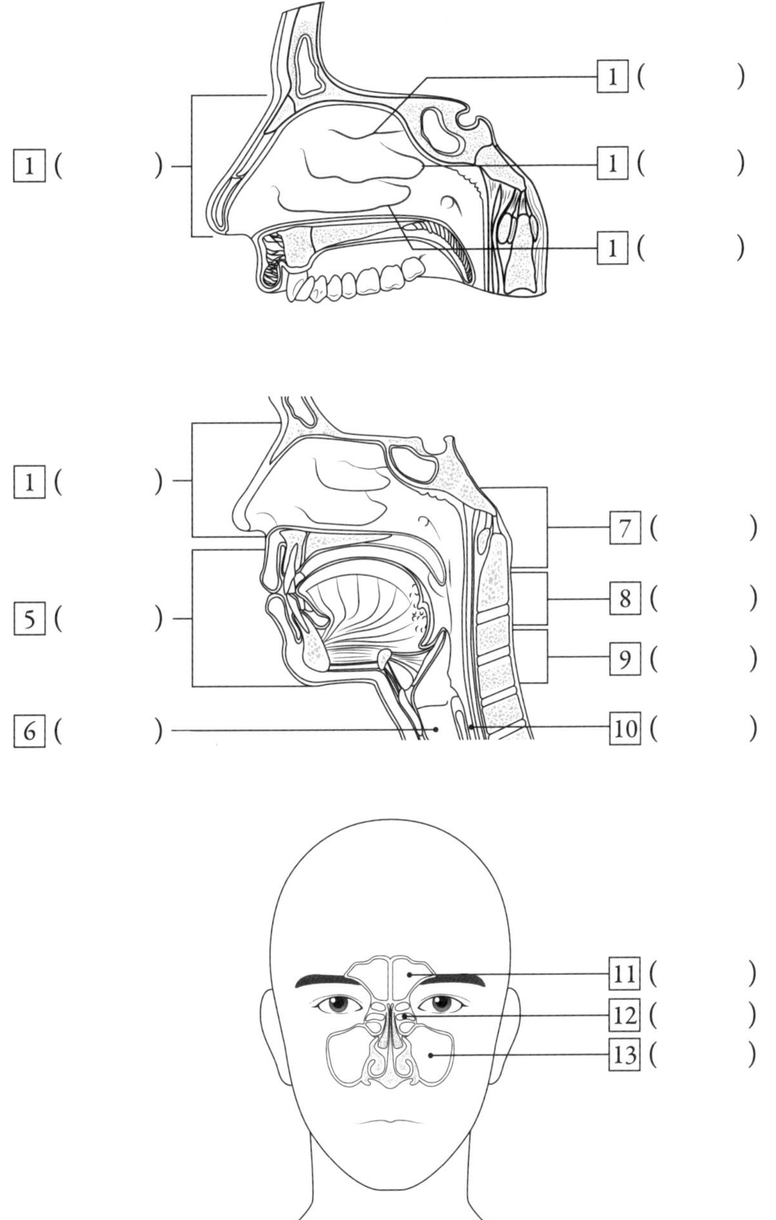

1 코(nose) 2 위코선반(상비갑개; superior nasal concha) 3 중간코선반(중비갑개; middle nasal concha) 4 아래코선반(하비갑개; inferior nasal concha) 5 입(mouth) 6 기관(trachea) 7 코인두(비인두; nasopharynx) 8 입인두(구인두; oropharynx) 9 후두인두(laryngopharynx) 10 식도(esophagus) 11 이마굴(전두동; frontal sinus) 12 나비굴(접형동; sphenoidal sinus) 13 위턱굴(상악동; maxillary sinus)

12. 후두의 구조

후두

후두는 9개의 후두 연골로 구성되어 있으며, 발성에 도움을 주기 위한 성대(vocal cord)를 포함하고 있다.

- **후두덮개연골(후두개연골; epiglottic cartilage)** : 후두개 안쪽의 순가락 모양 지지판이며, 방패연골에 부착되어 있다.
- **방패연골(갑상연골; thyroid cartilage)** : 후두 앞쪽과 가쪽면을 덮고 있다.
- **반지연골(윤상연골; cricoid cartilage)** : 후두와 기관을 연결하며, 방패연골 아래쪽의 반지 모양 연골이다.
- **모뿔연골(피열연골; arytenoid cartilage)** : 방패연골 뒤쪽에 있는 한 쌍의 연골이다.
- **잔뿔연골(소각연골; corniculate cartilage)** : 모뿔연골 위쪽 끝 부분에 붙여 있는 한 쌍의 연골이다.
- **쐐기연골(설상연골; cuneiform cartilage)** : 양쪽 윤상후두개주름 속에서 연부조직을 지지하는 한 쌍의 연골이다.

Q. 후두연골을 구분하여 색칠하시오.

Main Point. 후두와 이를 구성하는 연골의 해부학적 구조를 이해한다.

괄호에 알맞은 용어를 쓰고 도색하시오.

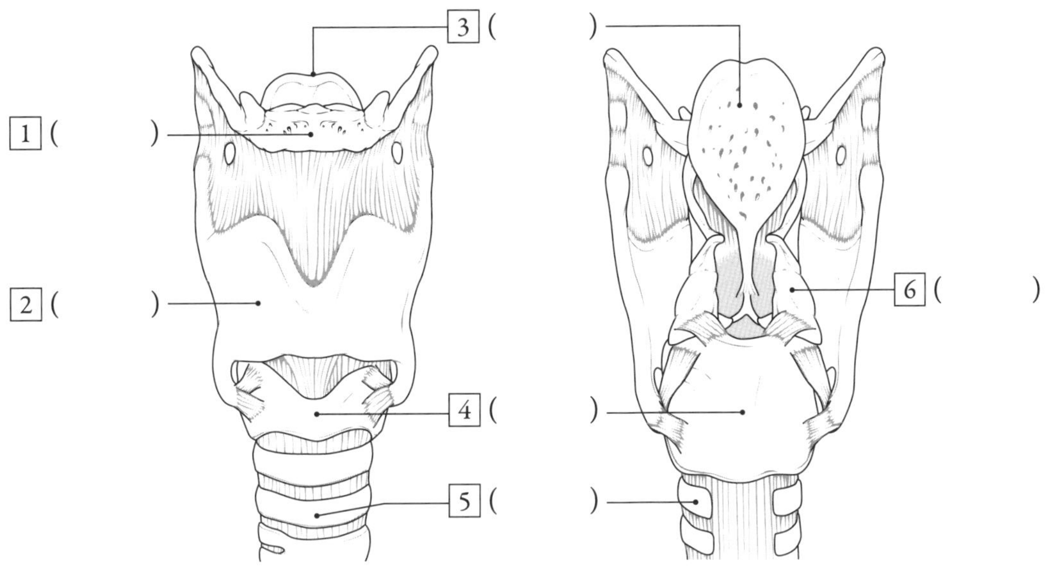

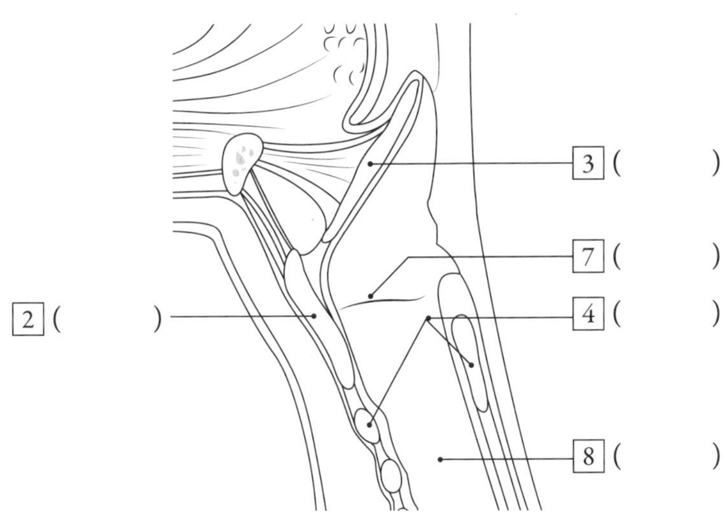

1 목뿔뼈(설골; hyoid bone) 2 방패연골(갑상연골; thyroid cartilage) 3 후두덮개(후두개; epiglottis) 4 반지연골(윤상연골; cricoid cartilage) 5 기관연골(tracheal cartilage) 6 모뿔연골(피열연골; arytenoid cartilage) 7 안뜰주름(전정주름; vestibular fold) 8 기관(trachea)

13. 기관과 기관지의 구조

기관과 기관지

기관(trachea)은 15~20개 정도의 C자 모양 유리연골로 구성되어 있으며, 복장뼈각흉골각과 T5 위모서리 높이에서 오른쪽과 왼쪽 기관지로 두 갈래가 된다. 기관지는 기관지나무(bronchial tree)로 설명된다.

- **기관지(bronchus)** : T5 위모서리 높이에서 오른기관지와 왼기관지로 나뉜다.
- **일차기관지(primary bronchi)** : 기관에서 나누어진 오른기관지와 왼기관지.
- **이차기관지(secondary bronchi)** : 오른쪽은 위, 중간, 아래 3개의 엽으로, 왼쪽은 위, 아래 2개의 엽으로 나뉜다.
- **삼차기관지(tertiary bronchi)** : 양쪽 허파의 10개의 기관지허파 구역으로 나뉜다.

1. 기관과 각 기관지를 구분하여 색칠하시오.
2. 기관지나무를 구분하여 색칠하시오.

Main Point. 기관과 기관지의 해부학적 구조를 이해한다.

괄호에 알맞은 용어를 쓰고 도색하시오.

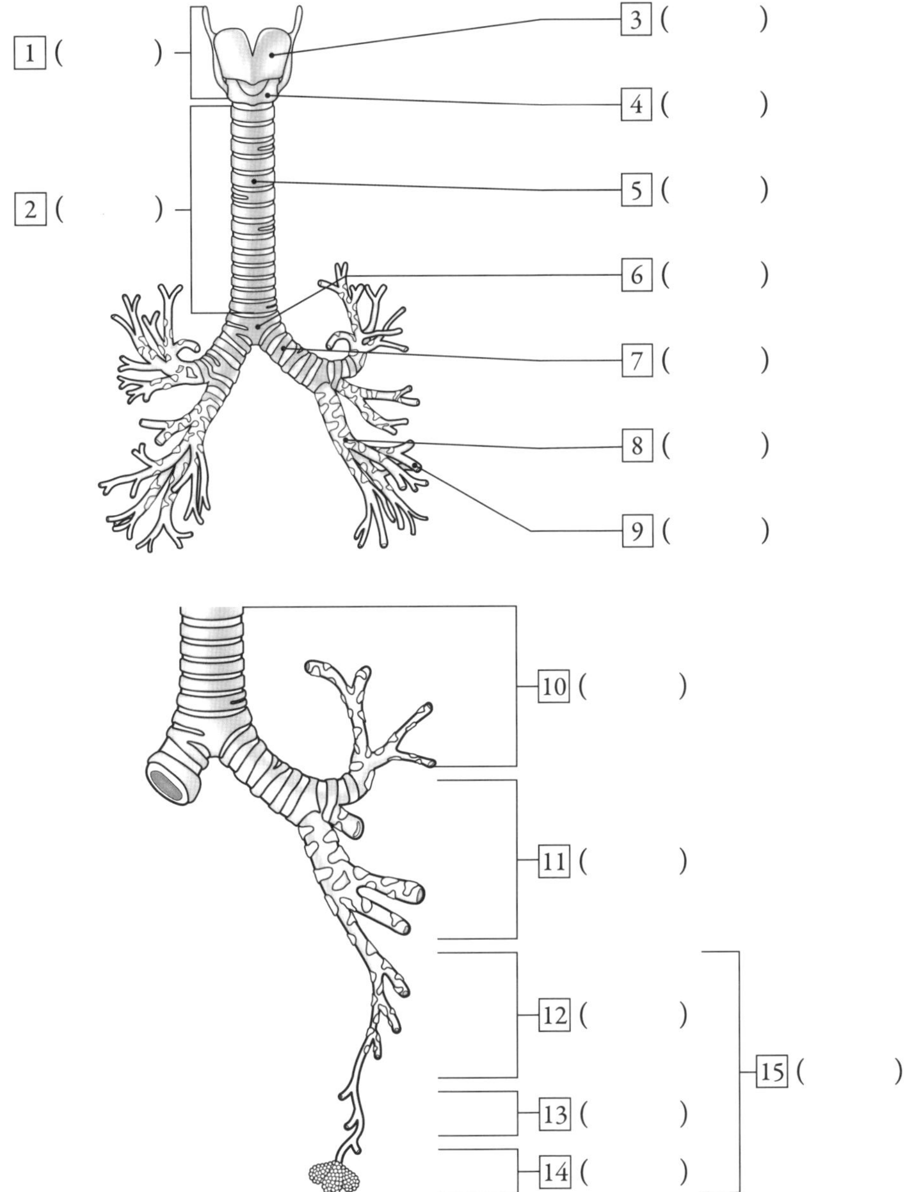

1 후두(larynx) 2 기관(trachea) 3 방패연골(갑상연골; thyroid cartilage) 4 반지연골(윤상연골; cricoid cartilage) 5 연골고리(tracheal ring) 6 기관갈림(기관분기부; bifurcation of trachea) 7 일차기관지(primary bronchi) 8 이차기관지(secondary bronchi) 9 삼차기관지(tertiary bronchi) 10 구역기관지(segmental bronchus) 11 큰구역기관지 12 작은구역기관지 13 호흡세기관지(respiratory bronchiole) 14 허파꽈리주머니(폐포낭; alveolar saccules) 15 세기관지(bronchiole)

14. 허파와 허파꽈리의 구조

허파

허파(lung)는 오목한 바닥이 가로막(diaphragm) 위에 있고, 꼭대기는 빗장뼈쇄골 위로 약간 돌출되어 있다. 오른허파는 3개의 엽으로 왼허파는 2개의 엽으로 나뉘어지며 안쪽에는 허파문폐문(hilum)이 있어 혈관, 기관지, 신경 및 림프관 등이 들어오고 나간다.

허파꽈리

가스교환은 허파꽈리폐포(pulmonary alveolus)와 모세혈관 사이에서 일어나며, 1형허파꽈리세포, 2형허파꽈리세포, 먼지세포 및 내피세포로 구성되어 있다.

- **I 형허파꽈리세포(type I alveolar cell)** : 허파꽈리와 혈류 사이의 빠른 가스 확산을 담당한다.
- **II 형허파꽈리세포(type II alveolar cell)** : 표면활성제를 분비한다.
- **허파꽈리큰포식세포(폐포대식세포; alveolar macrophage)** : 먼지 입자를 포식한다.

1. 허파의 각 엽을 구분하여 색칠하시오.
2. 허파꽈리의 세포를 구분하여 색칠하시오.

Main Point. 허파와 허파꽈리의 해부학적 구조를 이해한다.

괄호에 알맞은 용어를 쓰고 도색하시오.

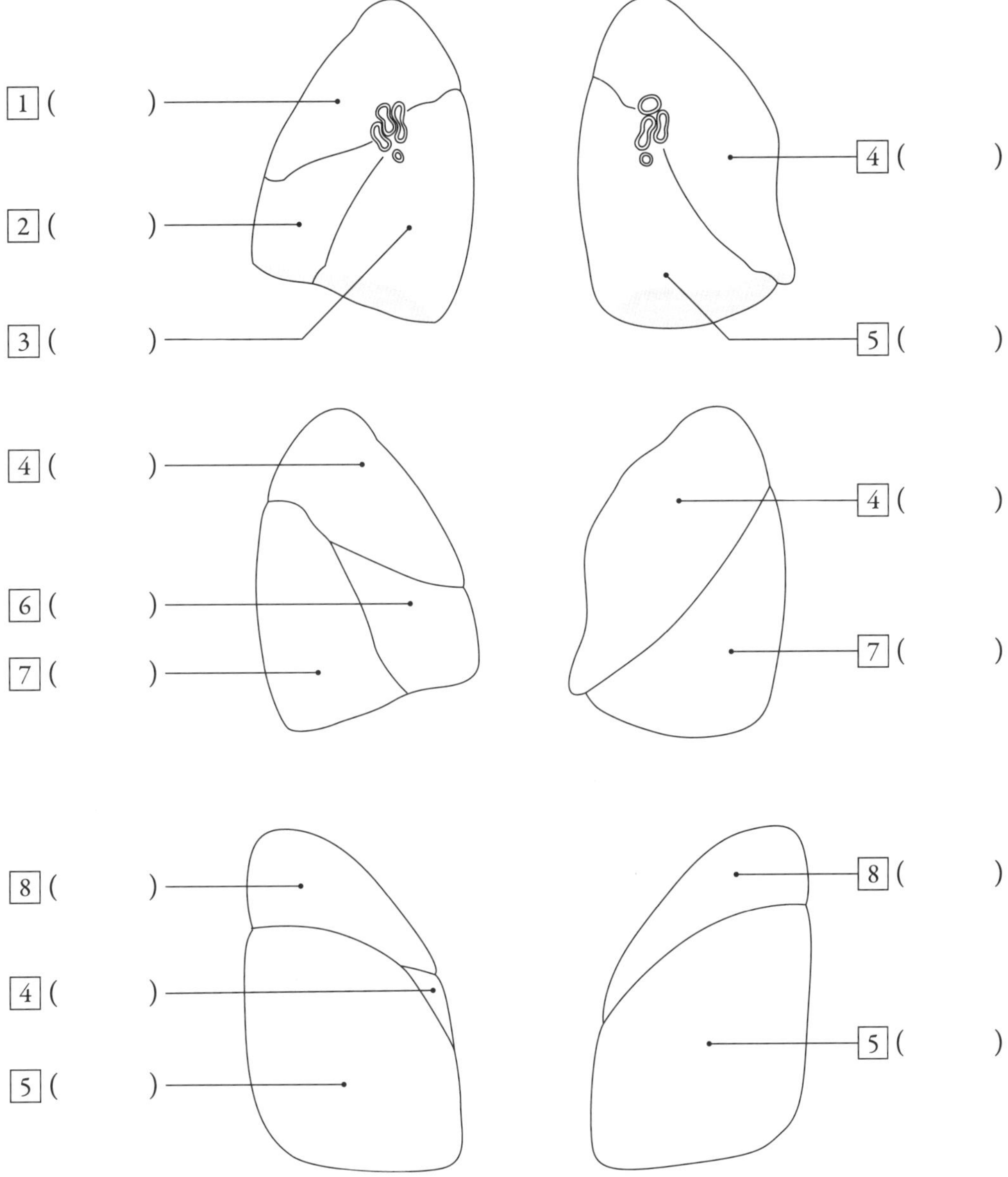

1 꼭대기구역(폐첨구; apical segment) 2 안쪽구역(내측중엽구; medial segment) 3 앞바닥구역(전폐저구; anterior basal segment) 4 앞구역(전상엽구; anterior segment) 5 뒤바닥구역(후폐저구; posterior basal segment) 6 가쪽구역(외측구; lateral segment) 7 가쪽바닥구역(외측폐저구; lateral basal segment) 8 꼭대기뒤구역(폐첨후구; apicoposterior segment)

괄호에 알맞은 용어를 쓰고 도색하시오.

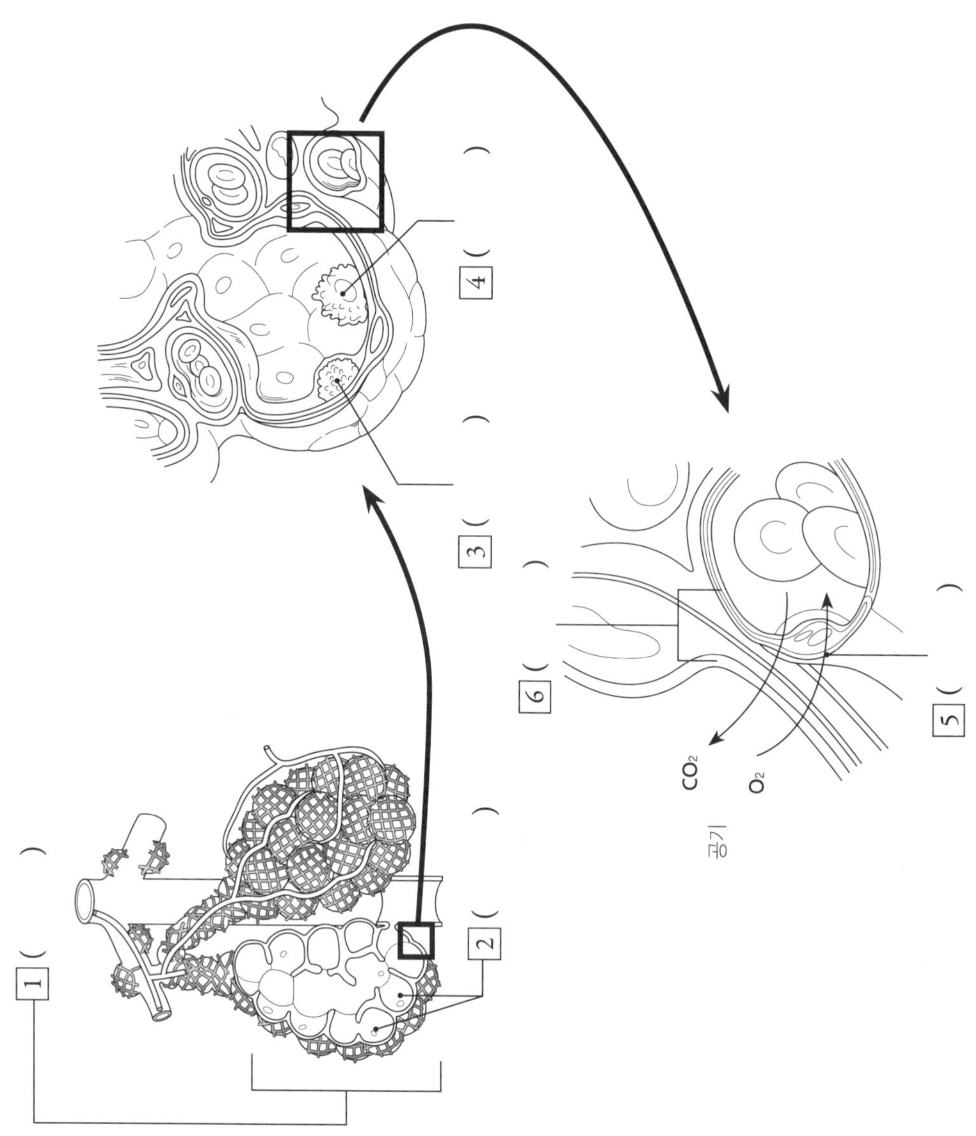

1 허리꽈리주머니(폐포낭; alveolar saccules) 2 허파꽈리(폐포; pulmonary alveolus) 3 큰허파꽈리세포 4 허파꽈리큰포식세포(폐포대식세포; alveolar macrophage) 5 혈관(blood vessel) 6 호흡막

15. 감각계통

감각계통의 구분

감각계통은 일반감각과 특수감각으로 나뉜다.

- **일반감각(general senses)** : 피부, 근육, 힘줄, 관절주머니 및 내장에 넓게 분포하며(수용기 분포) 촉각, 압각, 신장, 온각, 냉각, 통증이 대표적인 일반감각이다.

표 6-15-1. 일반감각의 수용기

	수용기 형태	위치	종류
피막이 없는 신경종말	자유신경종말	특히 상피조직과 결합조직에 퍼져 있음	통증, 온각, 냉각
	촉각원반	표피의 바닥층	가벼운 촉각, 압각
	털수용기	털주머니(모낭) 주위	가벼운 촉각, 털의 움직임
피막이 있는 신경종말	촉각소체	손끝, 손바닥, 눈꺼풀(안검), 입술, 혀, 젖꼭지(유두), 성기의 진피유두	가벼운 촉각, 감촉
	끝망울(신경종말구)	점막	촉각소체와 유사함
	망울소체	진피, 피부밑조직, 관절주머니	강하고 지속적인 촉각과 압각, 관절 움직임
	층판소체	진피, 관절주머니, 뼈막(골막), 가슴, 성기, 그리고 일부 내장	깊은 압각, 신장, 간지럼, 진동
	근육방추(근방추)	뼈대근육 근처의 힘줄	근육 신장(고유감각)
	힘줄기관(건기관)	힘줄	힘줄에 대한 장력(고유감각)

- **특수감각(special senses)** : 뇌신경의 지배를 받는 머리의 감각기관이며 미각, 후각, 청각, 균형, 시각이 포함된다.

0。 일반감각 수용기를 해부학 책과 대조하여 명명하고 색칠하시오.

Main Point. 일반감각과 특수감각을 구분하고 이들의 해부학적 구조를 이해한다.

괄호에 알맞은 용어를 쓰고 도색하시오.

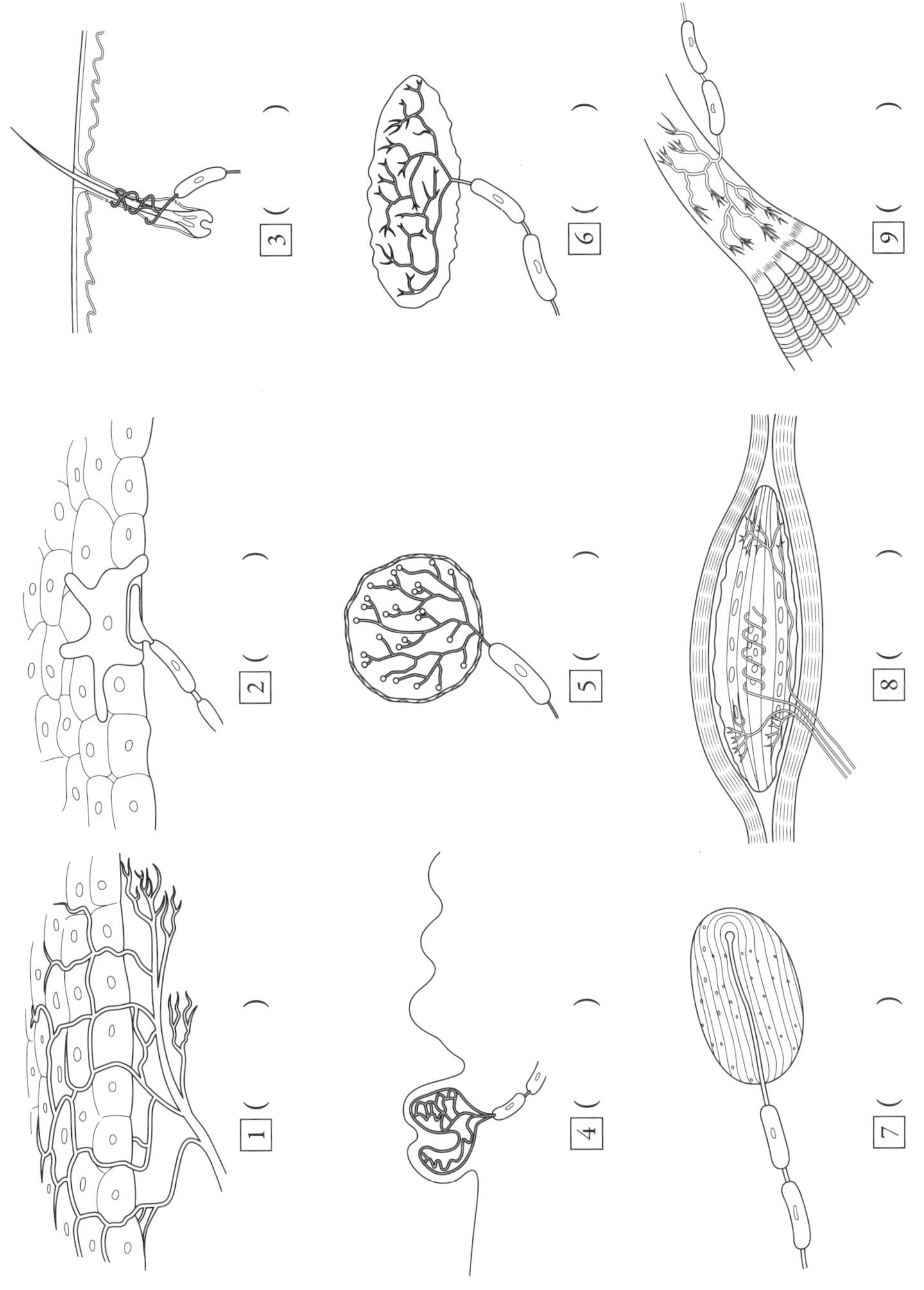

1 자유신경종말(free nerve ending) 2 촉각원반(촉반; tactile meniscus) 3 털수용기 4 촉각소체(tactile corpuscle) 5 끝망울 6 망울소체(bulboid corpuscle) 7 층판소체(lamellated corpuscles) 8 근육방추(근방추; muscle spindle) 9 힘줄기관(건방추; tendon organ)

16. 감각계통의 구조-미각

미각

미각gustation(taste)은 맛봉오리미뢰(taste bud)에서 "맛"이라고 하는 화학적 신호를 전기적 신호로 바꾸어 중추신경계로 보내는 화학수용기(chemoreceptor)이다. 미각이 가장 발달되어 있는 혀는 실유두, 잎새유두, 버섯유두, 성곽유두라고 하는 4개의 혀유두(lingual papillae)로 분류되는 표면 돌기를 가지고 있으며, 주요 맛감각은 짠맛, 단맛, 신맛, 쓴맛, 감칠맛이다.

- **실유두(사상유두; filiform papillae)** : 혀 표면에 가장 작고 많은 유두이며, 맛봉오리가 없다.
- **잎새유두(foliate papillae)** : 혀의 뒤쪽 끝 가쪽 가장자리 양쪽에 평행하게 배열되어 있고 맛봉오리가 많다.
- **버섯유두(fungiform papillae)** : 버섯 형태의 혀유두로 혀의 앞끝과 옆면에 많으며 맛봉오리가 있다.
- **성곽유두(circumvallate papillae)** : 커다란 유두로 혀의 뒤에 V자로 배열되어 있으며 맛봉오리가 있다.

1. 혀유두를 구분하여 색칠하시오.
2. 맛봉오리 조직을 구분하여 색칠하시오.

Main Point. 혀와 혀유두 및 맛봉오리의 해부학적 구조를 이해한다.

괄호에 알맞은 용어를 쓰고 도색하시오.

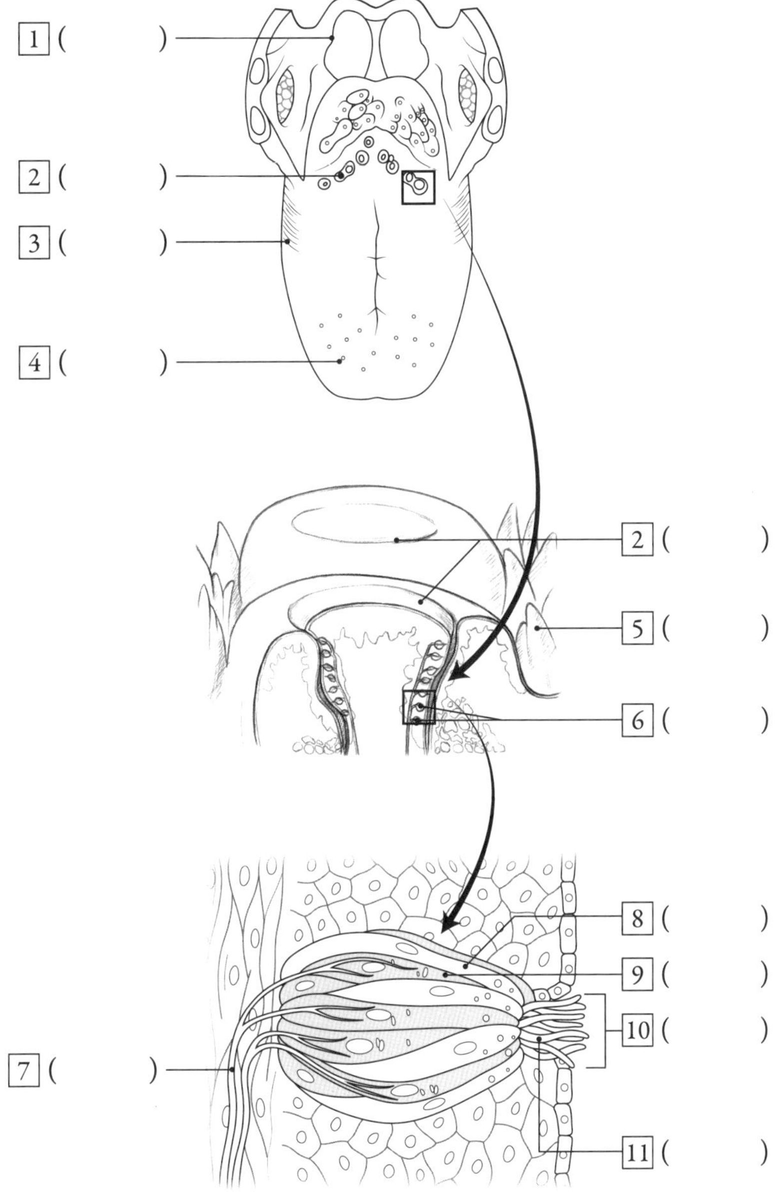

1 후두덮개(후두개; epiglottis) 2 성곽유두(유곽유두; circumvallate papillae) 3 잎새유두(엽상유두; foliate papillae) 4 버섯유두(심상유두; fungiform papillae) 5 실유두(사상유두; filiform papillae) 6 맛봉오리(미뢰; taste bud) 7 감각신경섬유(sensory nerve fiber) 8 버팀세포(지지세포; sustentacular cell) 9 맛세포(미각세포; taste cell) 10 맛구멍(미공; taste pore) 11 맛털(미모; taste hair)

17. 감각계통의 구조-후각

후각

후각olfaction(smell)은 코안(nasal cavity) 지붕에 있는 후각 상피(olfactory epithelium)의 화학수용기(chemoreceptor)에 의해 중추신경계로 전달된다. 이러한 화학수용기를 후각신경세포(olfactory neurons)라고 한다. 후각세포는 신경세포인 반면 미각세포는 신경세포가 아니다.

0. 후각신경세포와 연결되어 있는 여러 구조를 구분하여 색칠하시오.

Main Point. 코안 후각신경세포의 해부학적 구조를 이해한다.

괄호에 알맞은 용어를 쓰고 도색하시오.

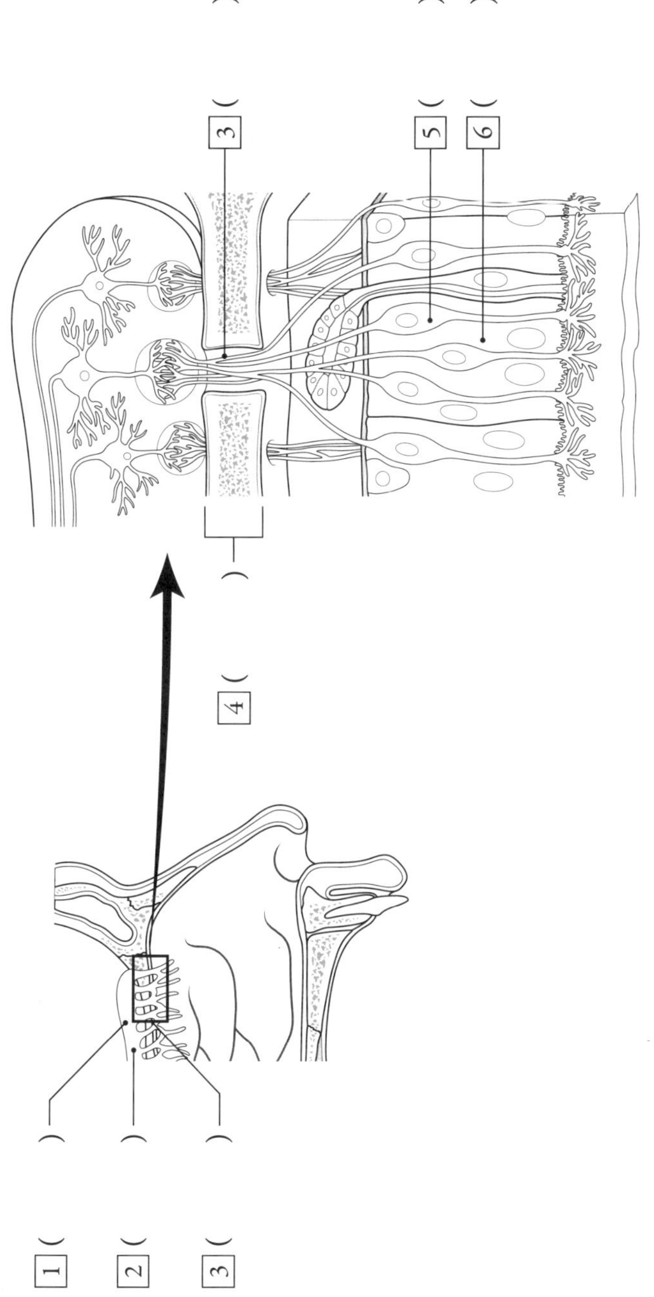

1 후각망울(후구; olfactory bulb) 2 후각전달로 3 후각신경다발 4 벌집뼈의 체판 5 후각세포(collenchymatous cell) 6 버팀세포(지지세포; sustentacular cells)

18. 감각계통의 구조-청각과 균형 1

청각과 균형

청각(hearing)은 떨리는 공기 분자에 대한 반응이며, 균형(equilibrium)은 운동과 평형에 대한 반응이다. 귀(청각)와 안뜰계통(균형)의 신호전달체계는 해부학적으로 매우 밀접하며 귀는 바깥귀외이, 가운데귀중이, 속귀내이로 나누어지고 속귀는 다시 청각기관, 안뜰기관, 반고리뼈관으로 구성되어 있다.

- **바깥귀(external ear)** : 귓바퀴이개(auricle), 바깥귀길외이도(external acoustic meatus), 고막으로 구성되어 있다.
- **가운데귀(middle ear)** : 관자뼈의 고실(tympanic cavity)에 위치하며 가쪽부터 망치뼈추골(malleus), 모루뼈침골(incus), 등자뼈등골(stapes)라고 하는 귓속뼈이소골(auditory ossicles)가 존재한다.
- **속귀(inner ear)** : 관자뼈측두골의 바위 부분에 있는 뼈미로(osseous labyrinth)라고 하는 거대한 통로에 있다. 뼈미로는 액으로 가든 찬 방과 막미로(membranous labyrinth)로 구성되어 있다. 속귀는 기능 및 부위별로 달팽이와우(cochlea), 안뜰전정(vestibule), 반고리뼈관(semicircular canals)로 구성되어 있으며 달팽이는 청각, 안뜰과 반고리뼈관은 균형을 담당한다.

1. 바깥귀, 가운데귀, 속귀 구조를 구분하여 색칠하시오.
2. 망치뼈, 모루뼈, 등자뼈 구조를 구분하여 색칠하시오.
3. 달팽이, 안뜰, 반고리뼈관 구조를 구분하여 색칠하시오.

Main Point. 바깥귀, 가운데귀, 속귀의 해부학적 구조를 이해한다.

괄호에 알맞은 용어를 쓰고 도색하시오.

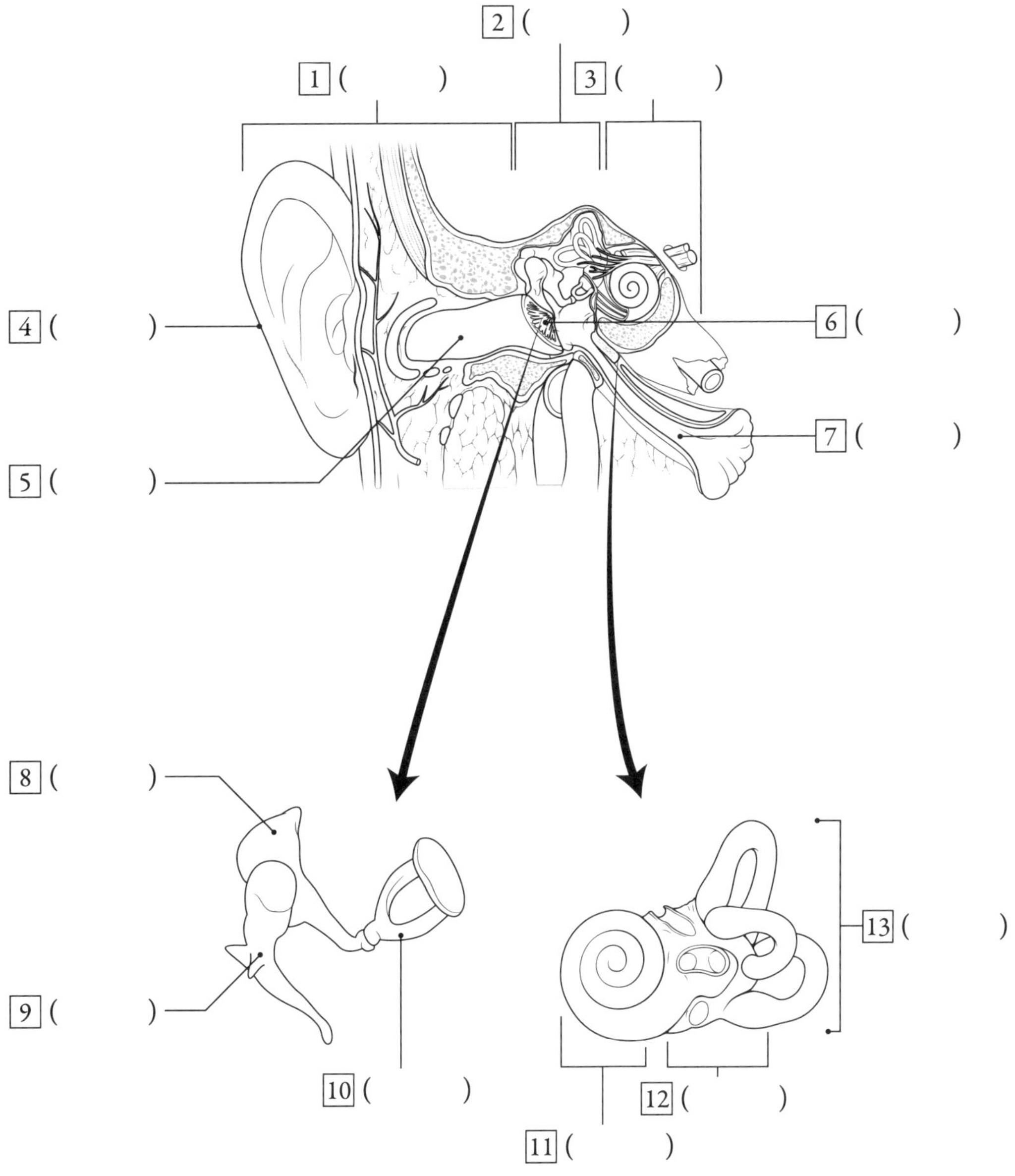

1 바깥귀(외이; external ear) 2 가운데귀(중이; middle ear) 3 속귀(내이; inner ear) 4 귓바퀴(이개; auricle) 5 바깥귀길(외이도; external acoustic meatus) 6 고막(tympanic membrane) 7 귀관(이관; auditory tube) 8 모루뼈(침골; incus) 9 망치뼈(추골; malleus) 10 등자뼈(등골; stapes) 11 달팽이(와우; cochlea) 12 안뜰(전정; vestibule) 13 반고리뼈관(semicircular canals)

19. 감각계통의 구조–청각과 균형 2

달팽이, 안뜰, 반고리뼈관의 구조

- **달팽이(cochlea)** : 안뜰계단전정계단(scala vestibuli), 달팽이관와우관(cochlear duct), 고실계단(scala tympani)으로 구성되어 있으며 달팽이관 내에는 코르티기관(organ of corti)이라고 하는 나선기관(spiral organ)이 존재하며 이는 청각신경 신호를 생성하는 곳이다.
- **안뜰(vestibule)** : 타원주머니난형낭(utricle)와 둥근주머니구형낭(saccule)가 존재하며 머리의 위치와 선형가속도수평가속도(타원주머니), 수직가속도(둥근주머니)를 감지하는 곳이다.
- **반고리뼈관(semicircular canals)** : 두껍고 부드러운 세 개의 고리를 가지고 있으며 머리의 돌림회전을 감지하는 곳이다.

1. 달팽이 구조를 구분하여 색칠하시오.
2. 안뜰 구조를 구분하여 색칠하시오.
3. 반고리뼈관 구조를 구분하여 색칠하시오.

Main Point. 달팽이, 안뜰, 반고리뼈관의 해부학적 구조를 이해한다.

괄호에 알맞은 용어를 쓰고 도색하시오.

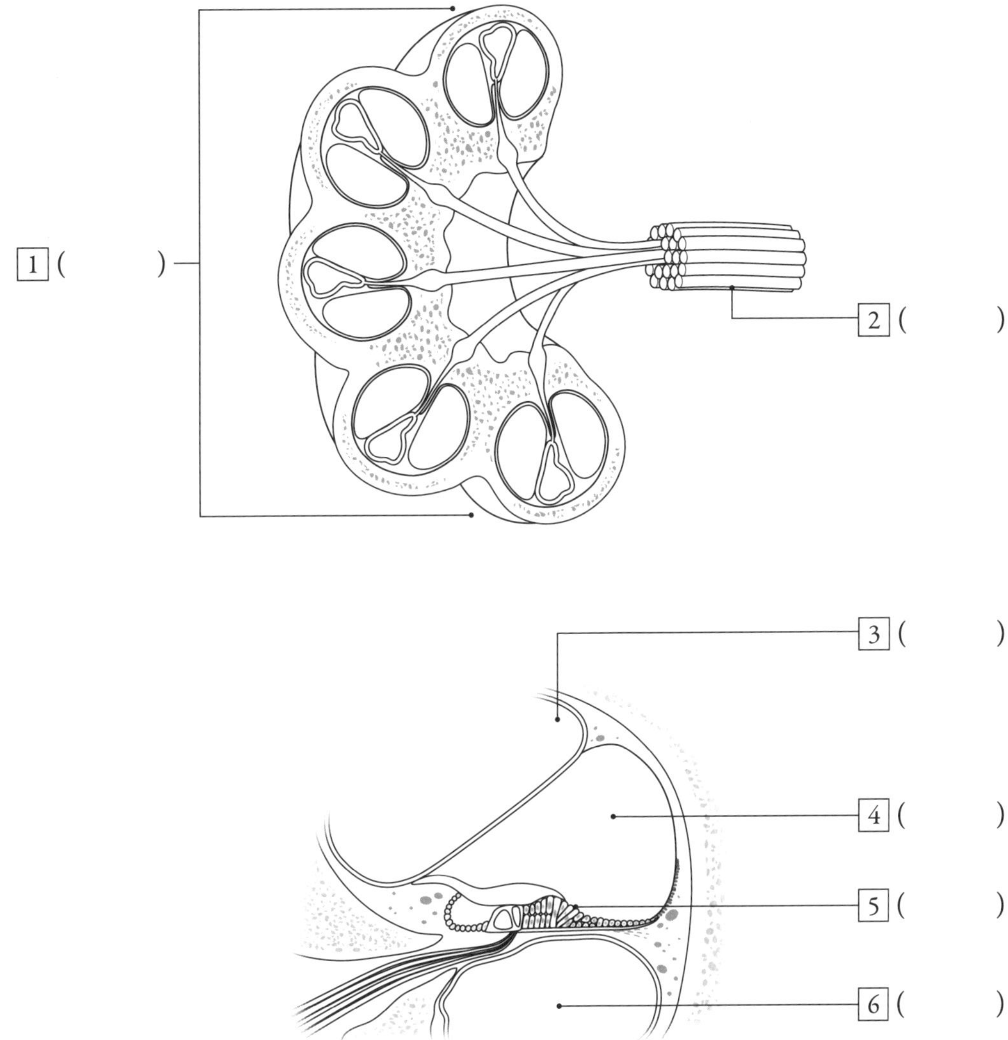

1 달팽이관(와우관; cochlear duct) 2 달팽이신경(와우신경; cochlear nerve) 3 안뜰계단(전정계단; scala vestibuli) 4 달팽이(와우; cochlea) 5 나선기관(나선기; spiral organ) 6 고실계단(고실계; scala tympani)

괄호에 알맞은 용어를 쓰고 도색하시오.

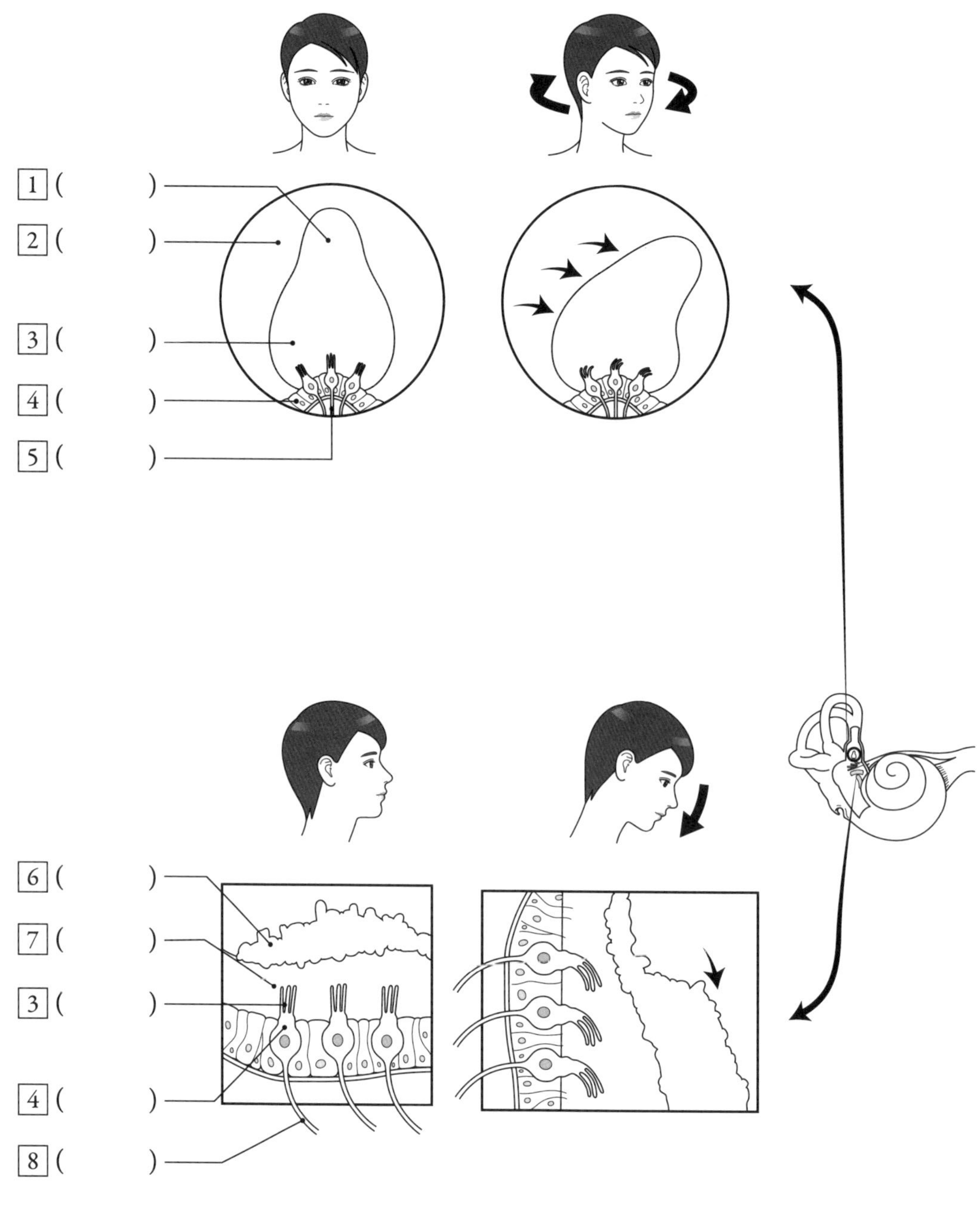

1 팽대능선꼭대기(cupula cristae ampullaris) 2 속림프(endolymph) 3 입체섬모(stereocillia) 4 털세포(hair cell) 5 안뜰신경(전정신경; vestibular nerve) 6 평형모래(otoconia) 7 평형모래막(otolithic membrane) 8 안뜰달팽이신경(전정와우신경; vestibulocochlear nerve)

note

20. 감각계통의 구조-시각 1

시각 1

시각vision(sight)은 어떤 물질이 내뿜거나 반사하는 빛을 수단으로 하여 물체를 지각하는 것이며 크게 눈확, 바깥눈근육외안근, 안구로 구분할 수 있다.

- **눈확(안와; orbit)** : 눈썹(eyebrows), 눈꺼풀(eyelids), 결막(conjunctiva), 눈물기관(lacrimal apparatus)으로 구성되어 있으며 바깥눈근육 또한 눈확의 일부로 포함된다.
- **바깥눈근육(extrinsic eye muscles)** : 눈확에 포함되는 구성 성분이지만 안구를 움직이는 근육이기 때문에 도색은 따로 한다.

1. 눈확의 세부구조를 구분하여 색칠하시오.
2. 눈물기관을 구분하여 색칠하시오.
3. 바깥눈근육을 기능대로 구분하여 색칠하시오.

Main Point. 눈확, 바깥눈근육의 해부학적 구조를 이해한다.

괄호에 알맞은 용어를 쓰고 도색하시오.

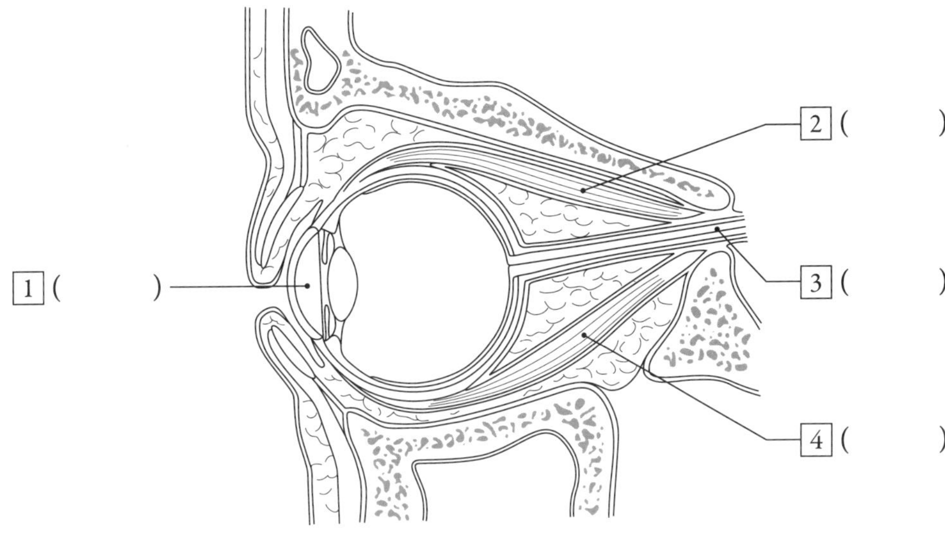

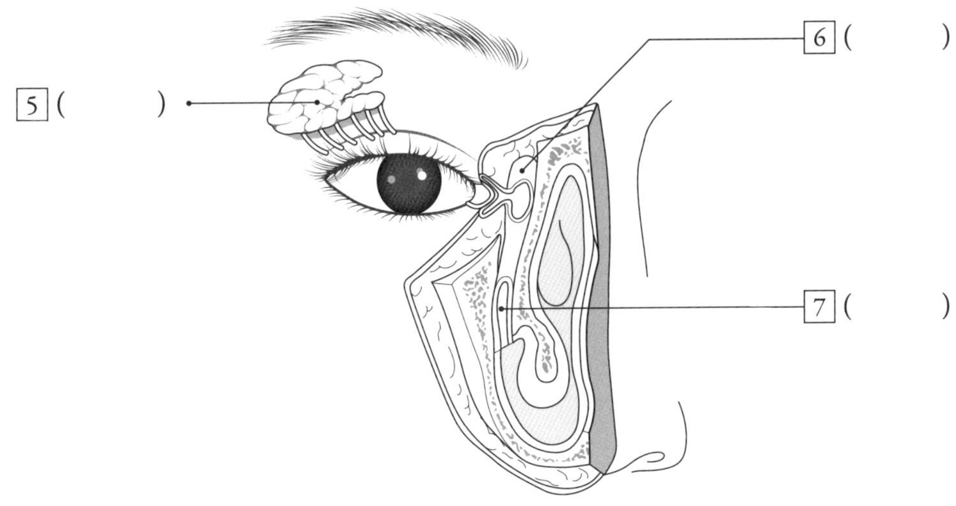

1 수정체(lens) 2 위곧은근(상직근; superior rectus muscle) 3 시각신경(optic nerve) 4 아래곧은근(하직근; inferior rectus muscle) 5 눈물샘(누선; lacrimal glands) 6 눈물주머니(누낭; lacrimal sac) 7 코눈물관(비누관; nasolacrimal duct)

괄호에 알맞은 용어를 쓰고 도색하시오.

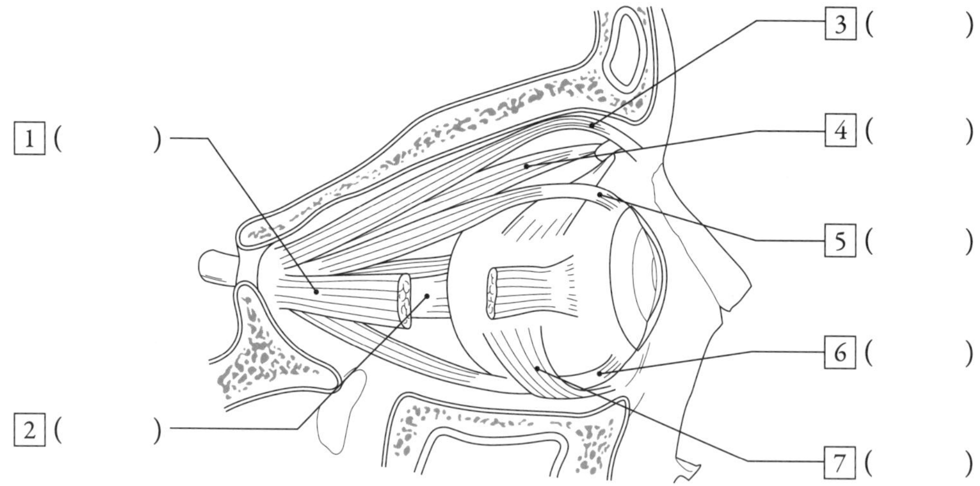

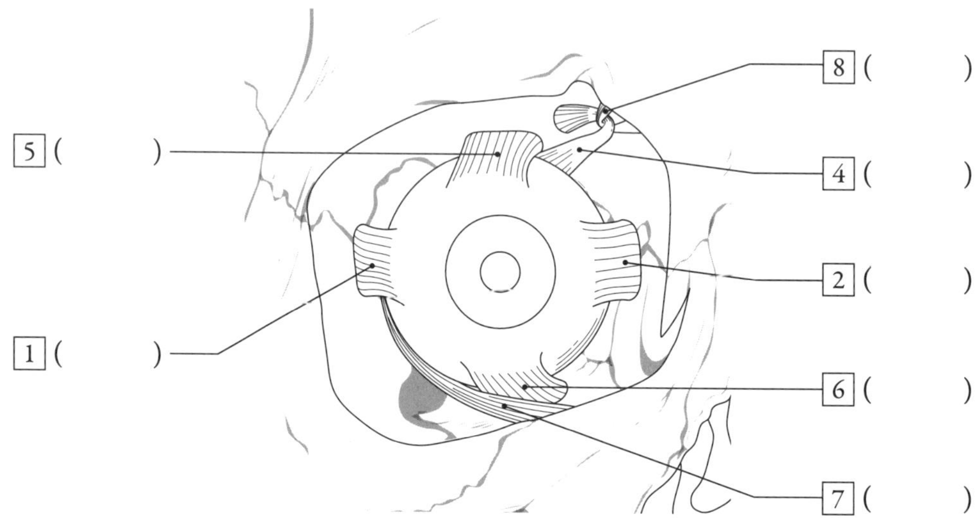

1 가쪽곧은근(외직근; lateral rectus muscle) 2 안쪽곧은근(내직근; medial rectus muscle) 3 눈꺼풀올림근(상안검거근; levator palpebrae superioris muscle) 4 위빗근(상사근; superior oblique muscle) 5 위곧은근(상직근; superior rectus muscle) 6 아래곧은근(하직근; inferior rectus muscle) 7 아래빗근(하사근; inferior oblique muscle) 8 도르래(활차; pulley)

note

21. 감각계통의 구조-시각 2

시각 2

- **안구(eyeball)** : 안구벽은 섬유층(tunica fibrosa), 혈관층(tunica vasculosa), 속층(tunica interna)의 세 개의 층으로 구성되어 있으며, 시각은 각막(cornea), 안방수(aqueous humor), 수정체(lens), 유리체(vitreous body)를 포함하는 구성요소들이 관여한다.
- **광수용기(photoreceptor cells)** : 주로 막대세포간상세포(rods)와 원뿔세포원추세포(cones)를 의미한다.

1. 안구의 세부구조를 구분하여 색칠하시오.
2. 안방수의 흐름을 구분하여 색칠하시오.
3. 주요 망막세포를 구분하여 색칠하시오.

Main Point. 안구의 해부학적 구조와 광수용기를 이해한다.

괄호에 알맞은 용어를 쓰고 도색하시오.

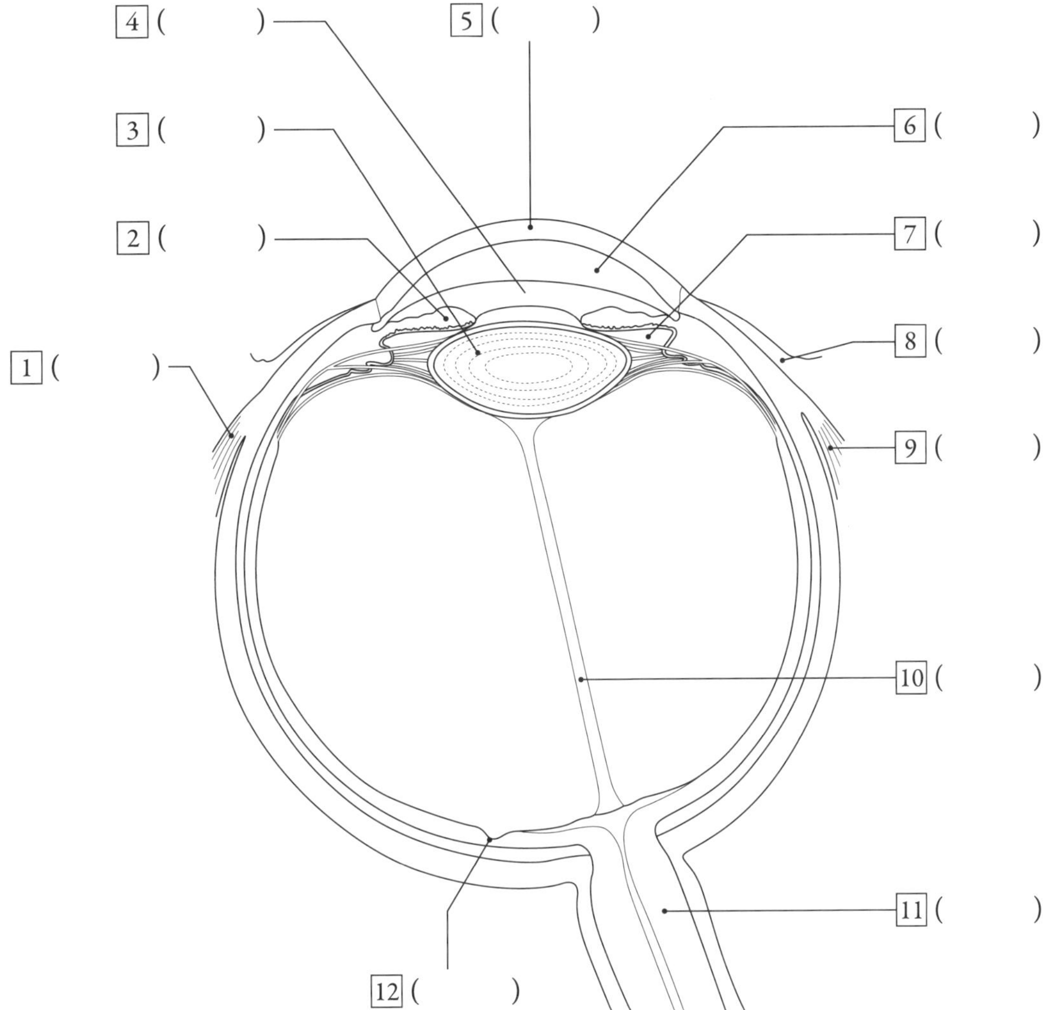

1 가쪽곧은근(외직근; lateral rectus muscle) 2 홍채(iris) 3 수정체(lens) 4 동공(pupil) 5 각막(cornea) 6 앞방(전안방; anterior chamber) 7 뒤방(후안방; posterior chamber) 8 결막(conjunctiva) 9 안쪽곧은근(내측직근; medial rectus muscle) 10 유리관 11 시각신경(optic nerve) 12 황반중심오목(central fovea)

괄호에 알맞은 용어를 쓰고 도색하시오.

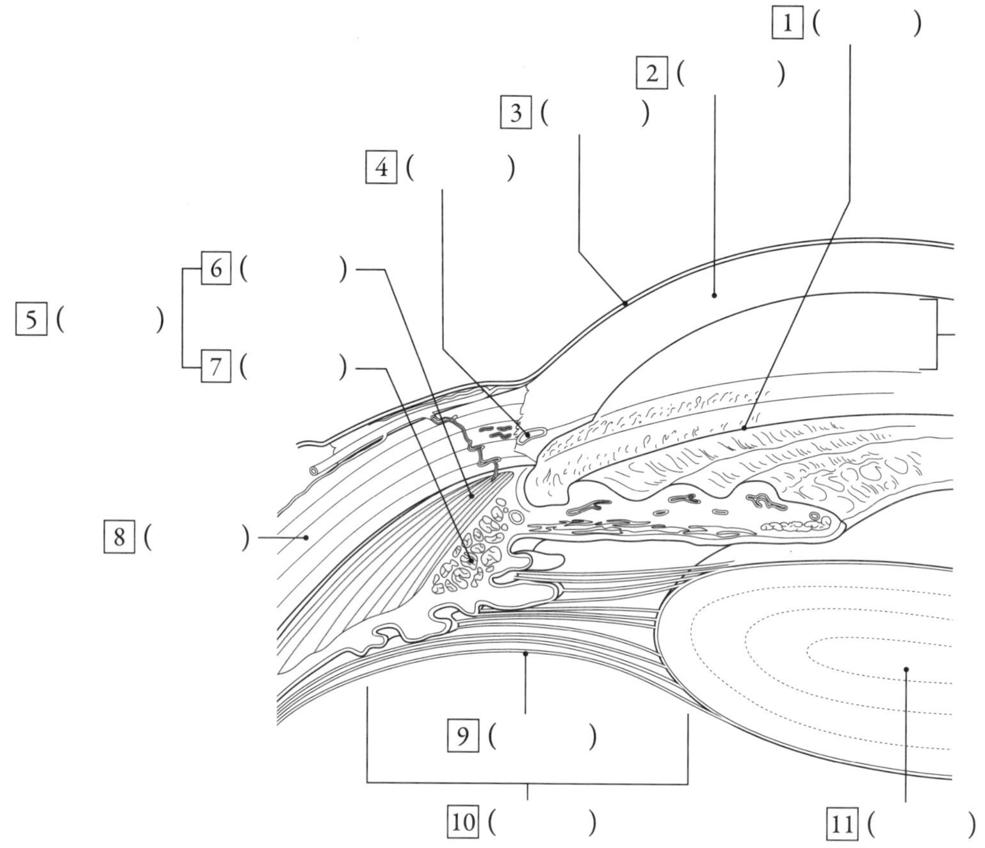

1 홍채(조리개)(iris) 2 각막(맑은막)(cornea) 3 결막(이음막)(conjunctiva) 4 공막정맥굴(공막정맥동; scleral venous sinus) 5 섬모체근(모양체근; ciliary muscle) 6 날줄섬유(경선섬유; meridional fiber) 7 돌림섬유(윤상섬유; circular fiber) 8 공막/흰자위막(sclera) 9 안구뒷방(후안방; posterior chamber) 10 섬모체띠(모양체소대; ciliary zonule) 11 수정체(lens) 12 안구앞방(전안방; anterior chamber)

괄호에 알맞은 용어를 쓰고 도색하시오.

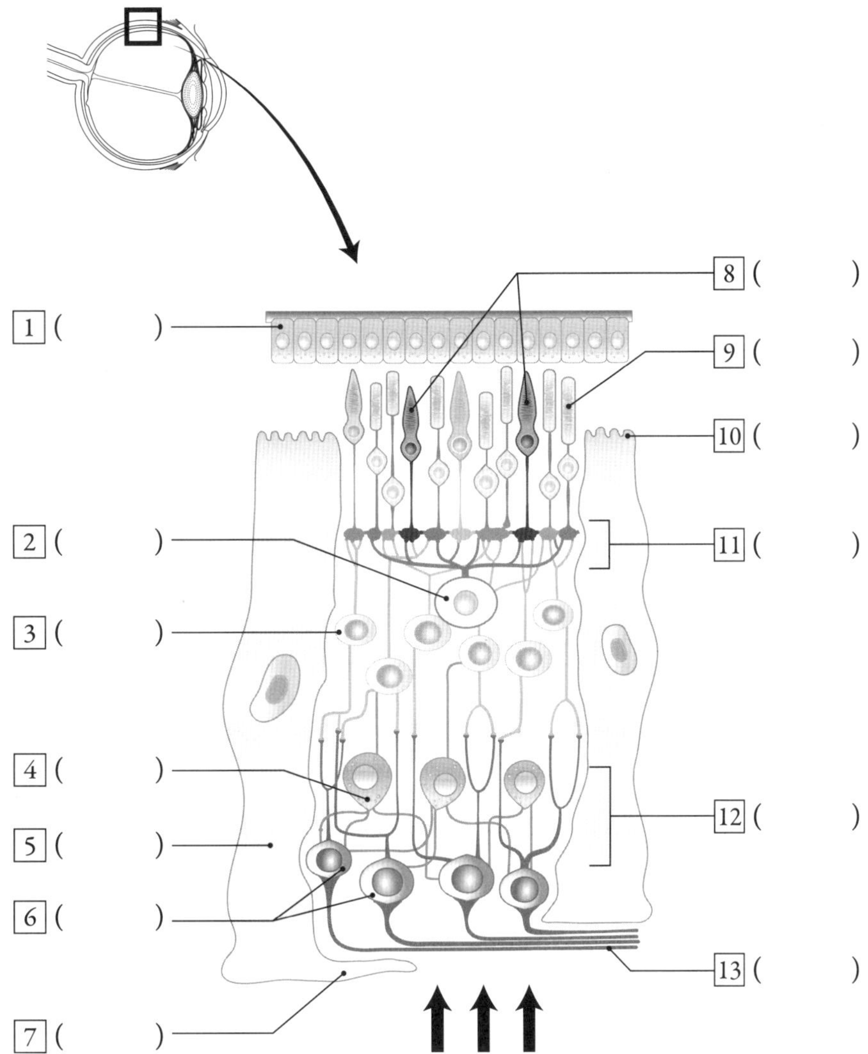

1 색소상피(pigment epithelium) 2 수평세포(horizontal cell) 3 두극세포(양극세포; bipolar cell) 4 무축삭세포(amacrine cell) 5 부챗살아교세포(방사교세포; muller cell) 6 신경절세포(ganglion cell) 7 속경계막(internal limiting membrane) 8 원뿔세포(추상체시세포; cones) 9 막대세포(간상체시세포; rods) 10 바깥경계막(external limiting membrane) 11 바깥얼기층(외망상층; outer plexiform layer) 12 속얼기층(내망상층; inner plexiform layer) 13 시(각)신경섬유층(layer of optic nerve fiber)

CHAPTER 7

중추신경계통

Central Nervous System

중추신경계는 뇌와 척수로 구성되어 있다.

- **뇌(brain)**는 머리, 얼굴, 목에 있는 피부와 관절로부터 오는 일반감각과 청각, 미각, 시각 및 균형감각 같은 특수감각(대뇌, 소뇌, 사이뇌(간뇌))로 되어 있다.
  - 대뇌는 속질과 겉질(피질)로 나누며, 회백질인 겉질(피질)은 사고, 판단, 추리, 감정 등을 담당하고, 백색의 속질은 신경섬유에 의해 흥분의 통로역할을 하게 된다.
  - 중간뇌(중뇌)는 눈운동의 직접적인 조절, 뼈대근(골격근)의 운동조절에 관여, 청각계통과 시각계통의 중요한 중계핵을 포함하고 있다.
  - **소뇌**는 몸의 자세나 운동을 조절하며, 뇌 전체의 약 1할을 차지한다.
  - 사이뇌(**간뇌**)의 시상은 척수나 숨뇌(연수)로부터 오는 흥분을 대뇌겉질(대뇌피질)에 전달하며, 시상하부는 체온, 호르몬의 농도와 식욕을 조절한다. 또한 뇌하수체를 조절하여 우리 몸의 평형을 유지하는 것을 돕는다.
  - 숨뇌(연수)는 하품, 기침 등의 반사중추가 모여 있고, 심장박동, 혈압, 호흡, 운동, 음식물의 연동작용을 조절한다.
- **척수(spinal cord)**는 피부관절 및 체간과 사지의 근육들로부터 감각정보를 받아들이고 수의운동과 반사운동을 담당하는 운동신경세포(운동신경원)을 포함하고 있다. 또한 척수는 내장기관으로부터 감각정보를 받아들이고 많은 내장기능들을 조절하는 신경세포들의 집합체를 가지고 있으며, 체간과 사지의 일반감각과 운동을 조절한다.

학습목표

1. 신경계통의 구성을 이해할 수 있다.
2. 세포의 구조를 이해할 수 있다.
3. 대뇌피질과 대뇌섬유의 구조를 이해할 수 있다.
4. 기저핵과 변연계통의 구조를 이해할 수 있다.
5. 간뇌, 중뇌, 소뇌의 구조를 이해할 수 있다.
6. 뇌척수막과 뇌척수액의 순환을 이해할 수 있다.
7. 척수의 구조를 이해할 수 있다.
8. 상행로, 하행로 및 반사를 이해할 수 있다.

1. 신경계통의 구성

신경계통(nervous system)은 중추신경계통(CNS)과 말초신경계통(PNS)로 구분할 수 있다.

중추신경계통

- **뇌** : 대뇌(cerebrum), 사이뇌간뇌(diencephalon), 중간뇌중뇌(midbrain), 숨뇌연수(medulla oblongate), 소뇌(cerebellum)
- **척수** : 각각의 척수분절

말초신경계통

- **몸신경(체신경)** : 뇌신경(cranial nerve), 척수신경(spinal nerve)
- **자율신경** : 교감신경(sympathetic nerve), 부교감신경(parasympathetic nerve)

1. 중추신경계를 구분하여 색칠하시오.
2. 말초신경계를 구분하여 색칠하시오.

Main Point. 신경계통의 구성(중추신경계, 말초신경계)에 대하여 학습한다.

괄호에 알맞은 용어를 쓰고 도색하시오.

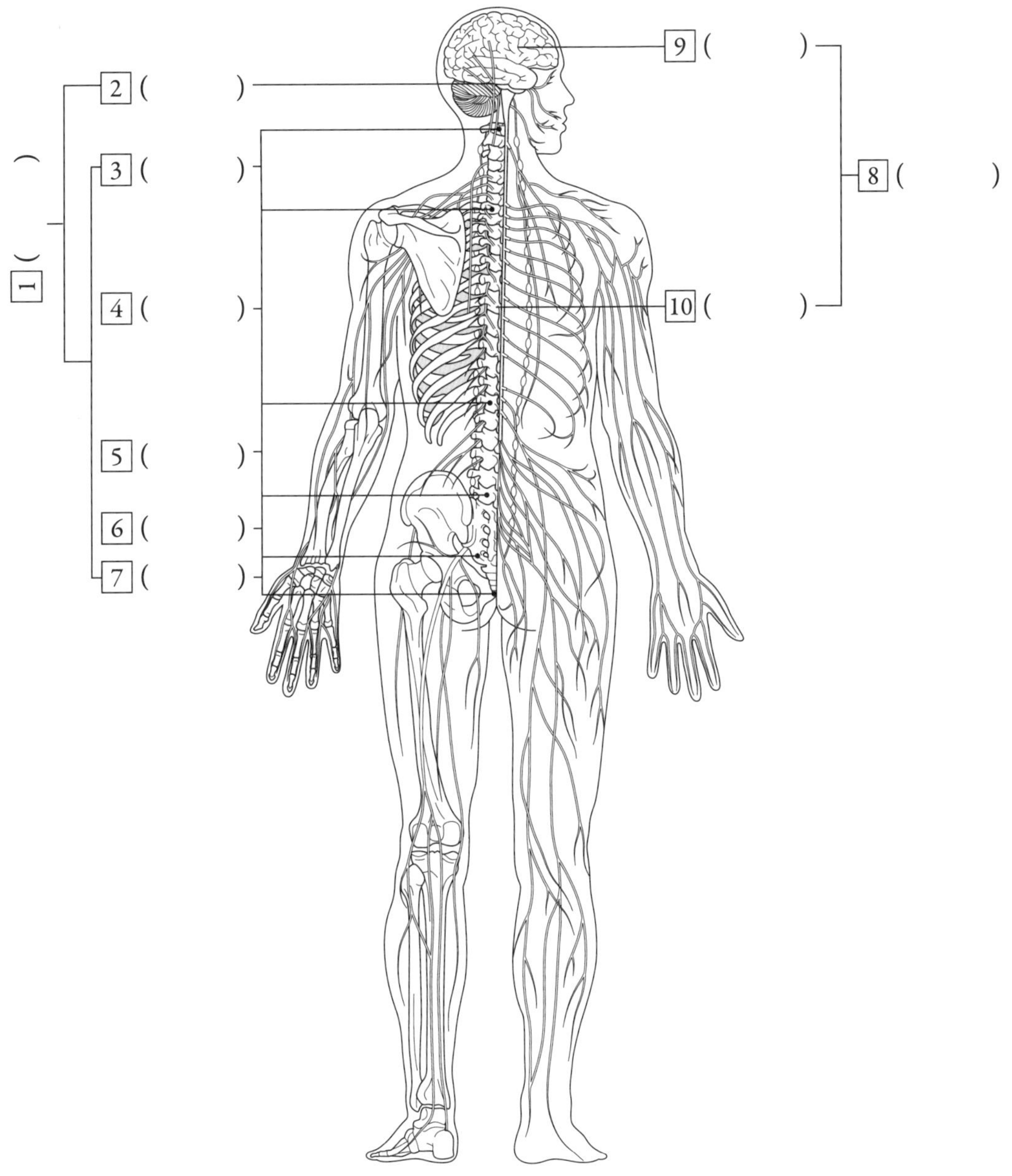

1 말초신경계통(peripheral nervous system; PNS) 2 뇌신경(cranial nerve) 3 목신경(경신경; cervical nerve) 4 가슴신경(흉신경; thoracic nerve) 5 허리신경(요신경; lumbar nerve) 6 엉치신경(천골신경; sacral nerve) 7 꼬리신경(미골신경; coccygeal nerve) 8 중추신경계통(central nervous system; CNS) 9 뇌(brain) 10 척수(spinal cord)

2. 신경세포(신경원)의 구조

신경세포(신경원)

신경세포신경원(neuron)는 신경계통의 기능적 기본단위로 흥분이나 억제에 반응하며, 다른 세포처럼 신경세포신경원도 세포질을 싸는 원형질막과 핵으로 구성되어 있다.

신경원의 구조

신경세포신경원로의 정보전달은 주로 축삭(axon)이라고 불리는 돌기에 의하여 이루어지며, 끝은 연접(synapse)이라고 하는 특별한 이음부접합부로 되어있다. 시냅스는 가지돌기수상돌기(dendrite)라고 불리는 신경돌기와 신경세포신경원의 몸통인 세포체(soma, perikaryon)에 위치한다.

신경세포신경원는 기능에 따라 운동(날)신경세포운동신경원, 감각(들)신경세포감각신경원, 사이신경세포개재뉴런로 나눈다.

- **운동(날)신경세포(운동신경원)** : 중추신경계통 또는 신경절에서 나온 원심성 신호를 표적세포로 전달한다.
- **감각(들)신경세포(감각신경원)** : 구심성 신호를 수용기에서 CNS로 전달한다.
- **사이신경세포(개재뉴런)** : 감각(들)신경세포(감각신경원)와 운동(날)신경세포(운동신경원) 사이에 위치하며 이들 사이의 신호를 전달한다.

1. 세포체, 가지돌기(수상돌기), 축삭을 구분하여 색칠하시오.
2. 운동(날)신경세포(운동신경원), 감각(들)신경세포(감각신경원), 사이신경세포(개재뉴런)를 구분하여 색칠하시오.

Main Point. 신경세포(신경원)의 구조인 세포체, 가지돌기(수상돌기), 축삭에 대하여 학습한다.

괄호에 알맞은 용어를 쓰고 도색하시오.

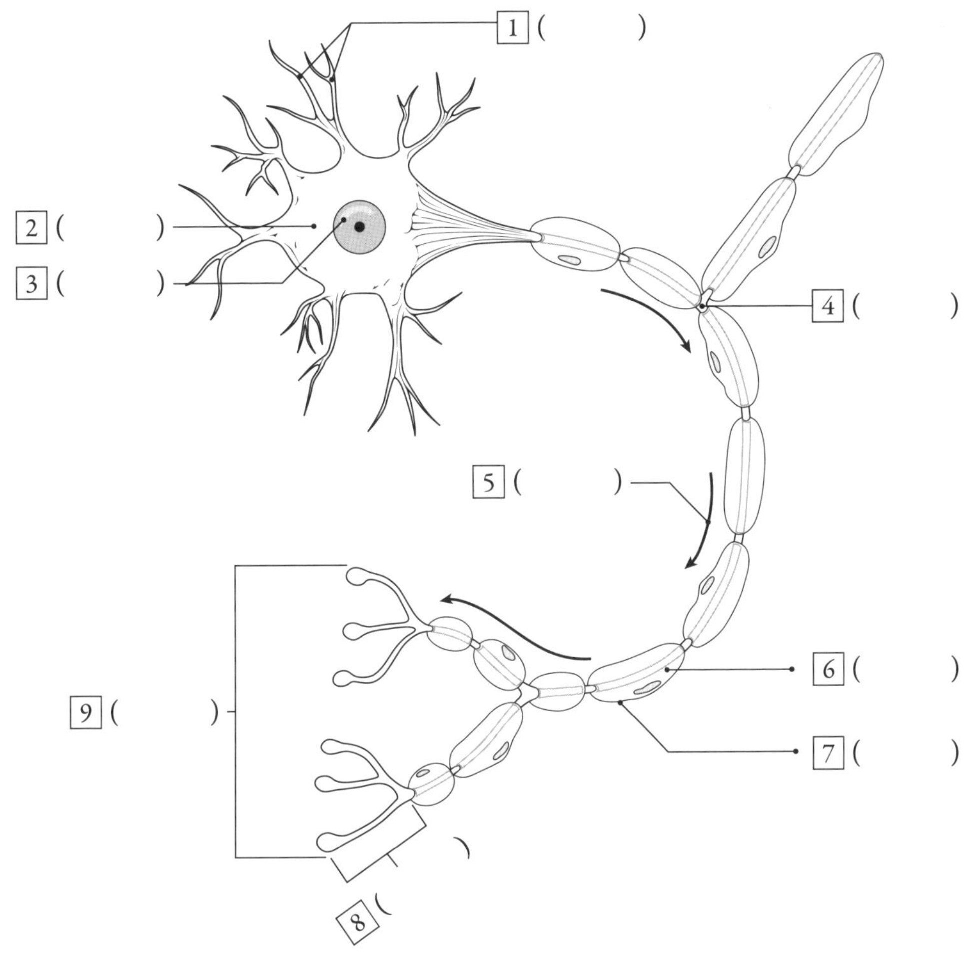

1 가지돌기(수상돌기; dendrite) 2 세포체(soma, perikaryon) 3 세포핵(nucleus) 4 축삭(axon) 5 신경전달 방향 6 말이집(myelin sheath) 7 슈반세포(schwann cell) 8 종말가지(terminal arborization) 9 연접단추(synaptic knobs)

괄호에 알맞은 용어를 쓰고 도색하시오.

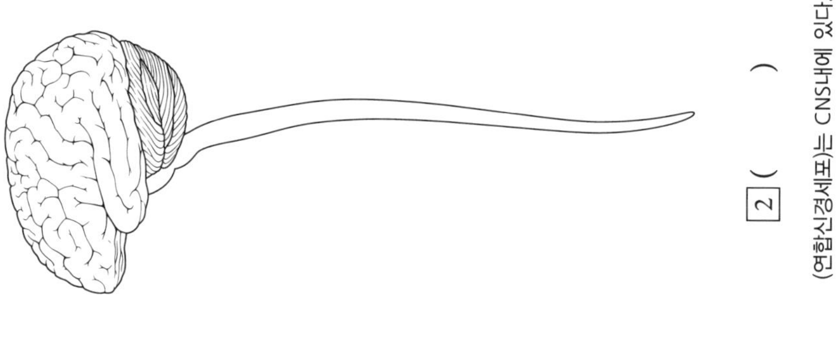

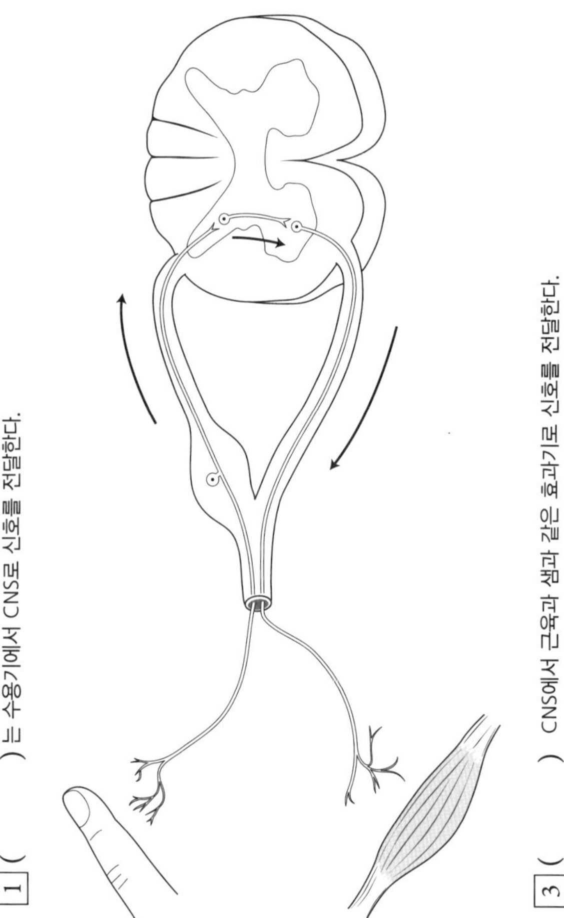

1 감각(들)신경세포(감각신경원; sensory neuron) 2 운동(날)신경세포(운동신경원; motor neuron) 3 사이신경세포(연합신경원; interneuron)

note

3. 대뇌겉질(대뇌피질)과 대뇌섬유의 구조

대뇌겉질(대뇌피질)의 구조

대뇌겉질대뇌피질(cerebral cortex)은 대뇌반구의 바깥쪽의 회백질로 주름을 형성하며, 이 주름에 의해 표면적이 증가하게 된다. 또한 표면에 위치는 4개의 엽과 안으로 들어가 있는 하나의 엽으로 구성되어 있다.

- **대뇌반구의 표층** : 회색질(gray substance)로 되어 있으며 대부분 신경세포로 구성되며 고랑과 이랑이 있어 표면적과 용량을 크게 한다.
- **대뇌겉질(대뇌피질)의 두께** : 1.5~4.5mm의 회색질 6층으로 구분된다.
- **브로드만 뇌지도** : 대뇌겉질(대뇌피질)을 52영역으로 나누고 Brodmann 번호를 사용한다.
- **대뇌겉질(대뇌피질)의 기능영역(Brodmann 영역)**

대뇌섬유의 구조

- **이마엽(전두엽)** : 운동을 담당하고 판단 및 통찰에 관여한다.
- **마루엽(두정엽)** : 지각, 기억, 학습, 감정 등을 담당한다.
- **뒤통수엽(후두엽)** : 시각을 담당한다.
- **관자엽(측두엽)** : 청각, 후각, 미각을 담당한다.

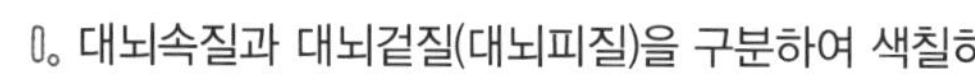

1. 대뇌속질과 대뇌겉질(대뇌피질)을 구분하여 색칠하시오.
2. 대뇌섬유의 이마엽(전두엽), 마루엽(두정엽), 뒤통수엽(후두엽) 및 관자엽(측두엽)을 구분하여 색칠하시오.

Main Point. 대뇌겉질(대뇌피질)의 구조와 대뇌섬유(대뇌섬유)의 구조에 대하여 학습한다.

괄호에 알맞은 용어를 쓰고 도색하시오.

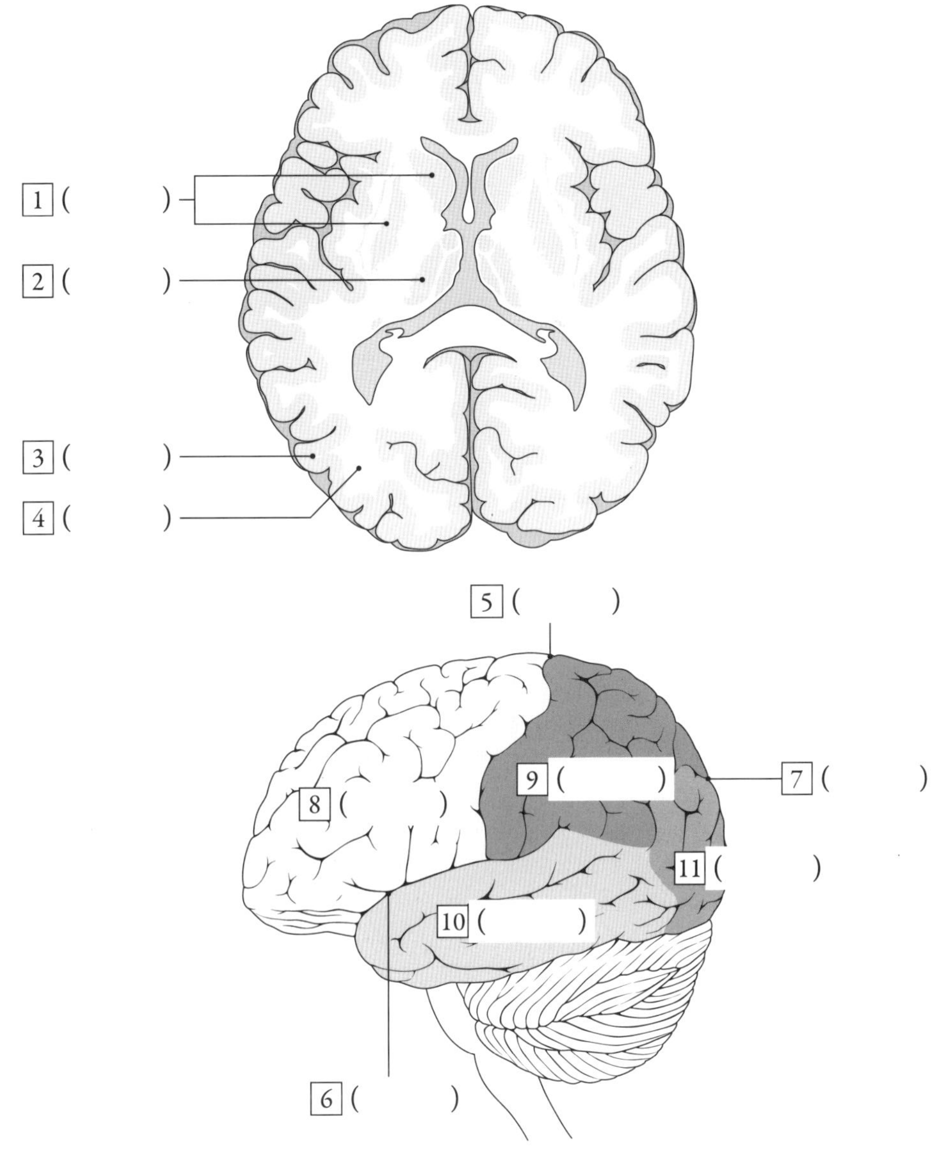

1 바닥핵(기저핵; basal ganglia) 2 시상(thalamus) 3 대뇌겉질(대뇌피질; cerebral cortex) 4 백색질(white matter) 5 중심고랑(중심구; central sulcus) 6 가쪽고랑(외측구; lateral sulcus) 7 마루뒤통수고랑(두정후두구; parietooccipital sulcus) 8 이마엽(전두엽; frontal lobe) 9 마루엽(두정엽; parietal lobe) 10 관자엽(측두엽; temporal lobe) 11 뒤통수엽(후두엽; occipital lobe)

4. 바닥핵(기저핵)과 둘레계통(변연계통)

바닥핵(기저핵)

바닥핵기저핵(basal ganglia)은 대뇌겉질대뇌피질의 내부에는 흰색의 신경섬유 덩어리인 백질이 있는데 이런 수질 안에는 여러 개의 회백색 덩어리가 있다. 신경세포의 집단으로 꼬리핵미상핵(caudate nucleus), 조가비핵피각(putamen), 창백핵담창구(globus palliduss) 등으로 구별된다. 바닥핵기저핵은 새겉질신피질에서 나오는 날신경원심성신경의 중계 장소로 뼈대근육골격근의 긴장도를 무의식적으로 조절하며 학습된 운동을 조정한다.

- **꼬리핵(미상핵)** : 큰 머리부분과 가는 꼬리부분으로 구성되어 있으며, 사이뇌간뇌 주위에 아치형으로 놓여있다.
- **조가비핵(피각)** : 창백핵담창구와 함께 렌즈핵(lentiform nucleus)을 구성한다.
- **창백핵(담창구)** : 조가비핵피각과 렌즈핵을 구성한다.

둘레계통(변연계통)

둘레계통변연계통(limbic system)은 사이뇌간뇌 주위에서 고리모양(limbus)을 형성하는 구조들의 집단이다. 감정행동(무서움, 분노, 즐거움, 성적흥분) 및 내 · 외부 자극의 해석(의식기능과 자율기능의 연결, 기억과 검색)과 관련된 기능을 수행한다. 띠이랑대상회(cingulated gyrus), 해마(hippocampus), 편도(amygdala)와 종말줄(stria terminallis) 사이막핵격막핵(septal nucleus), 후각로후삭(olfactory tract) 등으로 구별된다.

- **해마** : 관자엽측두엽 안쪽에 위치하고, 단기기억을 장기기억으로 전환하는 중추적인 역할을 한다.
- **편도체** : 관자엽측두엽과 해마 바로 앞쪽에 위치한다.

1. 바닥핵(기저핵)(꼬리핵(미상핵), 조가비핵(피각), 창백핵(담창구))을 구분하여 색칠하시오.
2. 둘레계통(변연계통(해마, 편도))을 구분하여 색칠하시오.

Main Point. 바닥핵(기저핵)과 둘레계통(변연계통)의 구조에 대하여 학습한다.

괄호에 알맞은 용어를 쓰고 도색하시오.

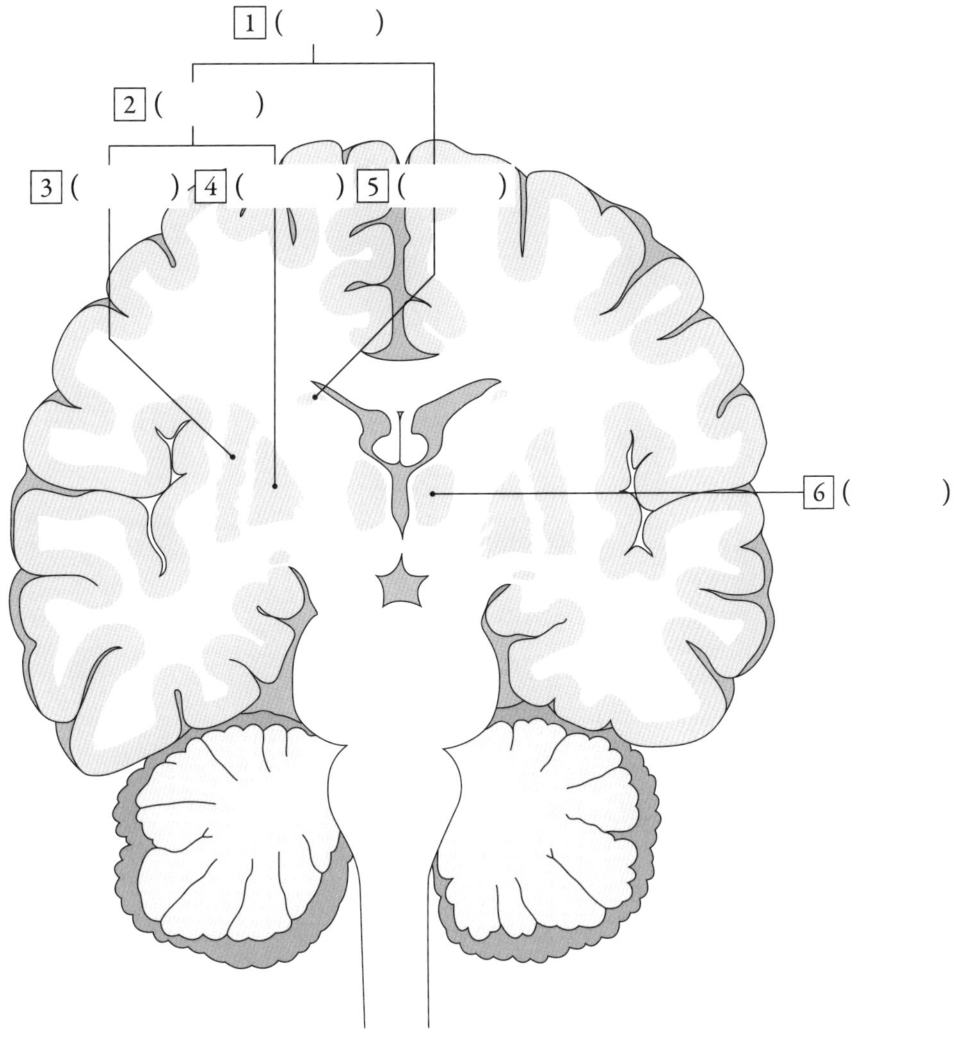

1 줄무늬체(선조체; corpus striatum) 2 렌즈핵(lentiform nucleus) 3 조가비핵(피각; putamen) 4 창백핵(담창구; globus pallidus) 5 꼬리핵(미상핵; caudate nucleus) 6 시상(thalamus)

괄호에 알맞은 용어를 쓰고 도색하시오.

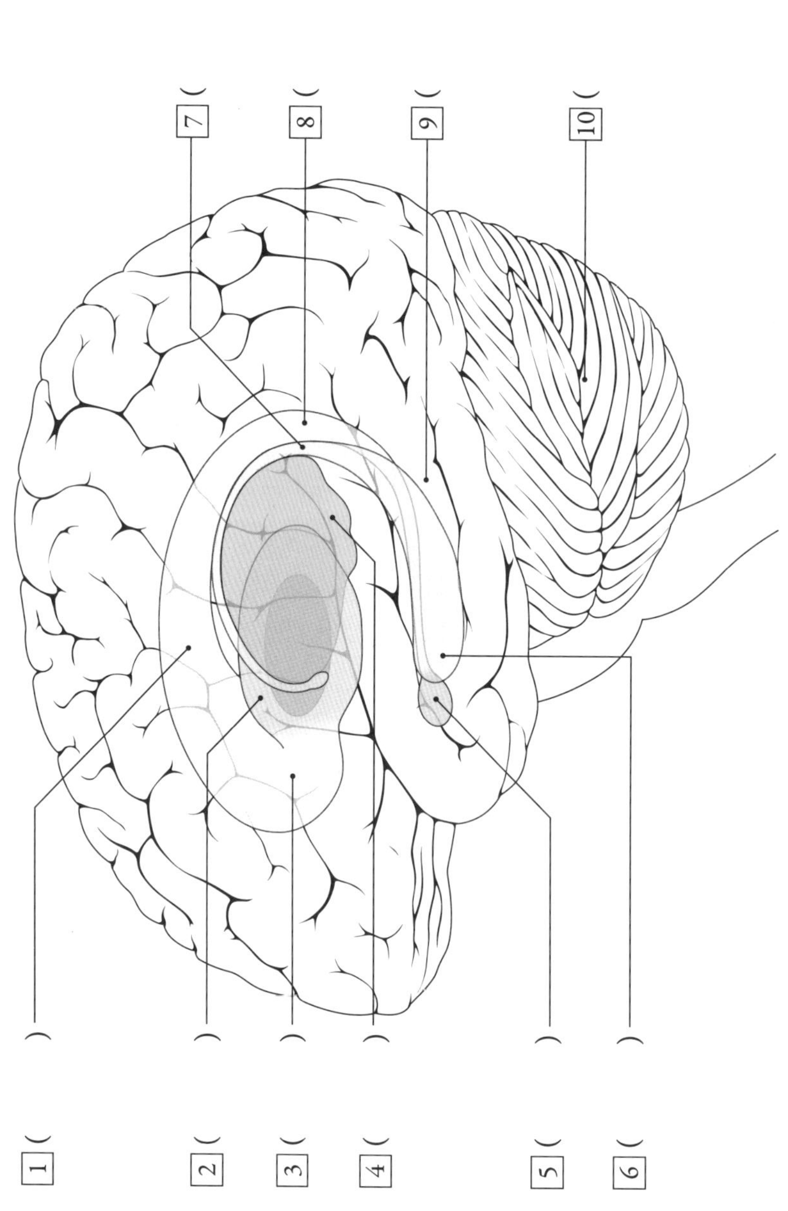

1 꼬리핵몸통(미상핵체; Body of caudate nucleus) 2 뇌들보(뇌량; corpus callosum) 3 꼬리핵머리(매상핵두; Head of caudate nucleus) 4 렌즈핵(lentiform nucleus) 5 편도(amygdala) 6 해마(hippocampus) 7 뇌활(뇌궁; fornix) 8 꼬리핵꼬리(미상핵미; Tail of caudate nucleus) 9 흑색질(흑질; substantia nigra) 10 소뇌(cerebellum)

5. 사이뇌(간뇌)의 구조

사이뇌(간뇌)

사이뇌간뇌(diencephalon)는 항상성의 중추로 뇌줄기뇌간와 대뇌 사이에 존재한다. 이는 시상, 시상하부와 뇌하수체와 솔방울샘송과선을 포함하는 내분비조직으로 나뉜다.

- **시상** : 사이뇌간뇌 바로 위의 대부분을 차지하고 있으며, 감각정보와 운동정보를 처리하여 대뇌로 보내는 기능을 한다(외부에서 들어오는 정보 모니터링하여 처리). 또한 감각기관과 겉질피질의 정보흐름을 안내하는 중계소 역할을 한다.
- **시상하부** : 시상하부는 시상 밑에 위치하여 항상성 유지를 위한 중추로 작용한다. 시상하부는 내분비계와 자율신경계의 기능을 조절하며 망상계를 통해 다양한 감각수용기를 포함한 여러 부위로부터 정보를 받아 시상으로 보낸다(내부의 정보를 모니터링하여 정상상태 유지). 뇌하수체를 자극하여 호르몬 분비를 한다. 대표적인 기능으로는 다양한 호르몬 분비를 통한 체온 유지, 삼투압 유지, 음식 섭취 조절, 생식기능 조절 등이 있다.
- **뇌하수체** : 뇌하수체 전엽과 뇌하수체 후엽으로 이루어져 있다. 뇌하수체 후엽은 시상하부핵에서 합성된 신경호르몬을 분비하는 역할을 하며 뇌하수체 전엽은 뇌하수체 전엽 호르몬을 분비하여 다른 기관에서의 호르몬 분비를 조절한다.
- **솔방울샘(송과선)** : 사이뇌간뇌 뒤쪽에 위치해 있으며 멜라토닌을 분비하는 작은 기관이다.

0. 사이뇌(간뇌(시상, 시상하부, 뇌하수체))를 구분하여 색칠하시오.

Main Point. 사이뇌(간뇌)의 구조에 대하여 학습한다.

괄호에 알맞은 용어를 쓰고 도색하시오.

1 뇌하수체(hypophysis) 2 시상(thalamus) 3 솔방울샘(송과선; pineal gland)

6. 뇌줄기(뇌간)의 구조

뇌줄기(뇌간)

뇌줄기뇌간(brainstem)는 뇌에서 대뇌반구와 소뇌를 제외한 나머지 부분을 총칭하는 말이다. 뇌의 가장 아랫부분으로 숨뇌연수, 다리뇌교뇌, 중간뇌중뇌로 구성되어 있다. 위쪽으로는 사이뇌간뇌와 이어지고, 뒤쪽 위쪽에는 소뇌가 있으며, 아래쪽으로는 척수와 연결되어 있다. 두뇌의 가장 기초적인 부분이며 가장 깊숙한 곳에 위치한다.

- **숨뇌(연수)** : 척수 위쪽에 있는 약간 두꺼워진 부분이며, 그 위에 다리뇌교뇌가 있다. 생명에 관여하는 중추로 호흡중추, 심장중추, 혈관운동중추, 삼킴과 침분비중추, 땀분비중추 등의 역할을 하며, 이것들은 미주신경과 혀인두신경설인신경 등에 속하는 부교감신경을 활성화시킨다.
- **다리뇌(교뇌)** : 중간뇌중뇌와 숨뇌연수 사이의 볼록한 부분으로 모든 감각정보를 받아들이고 처리하는 그물체망상체와도 연결되어 있다. 호흡조정중추이며, 대뇌반구에서 소뇌로 정보를 중계하는 역할을 한다.
- **중간뇌(중뇌)** : 뇌줄기뇌간의 CEO로 눈과 귀로부터 들어온 정보를 그물체망상체로 보내, 빠른 정보 처리를 하도록 조정하고, 생명에 위협을 느끼는 정보에 대해서 즉각적인 반응을 하도록 신체를 조절한다.

0。 뇌줄기(뇌간(숨뇌, 뇌교, 중간뇌))를 구분하여 색칠하시오.

Main Point. 뇌줄기(뇌간(숨뇌, 다리뇌, 중간뇌))의 구조에 대하여 학습한다.

괄호에 알맞은 용어를 쓰고 도색하시오.

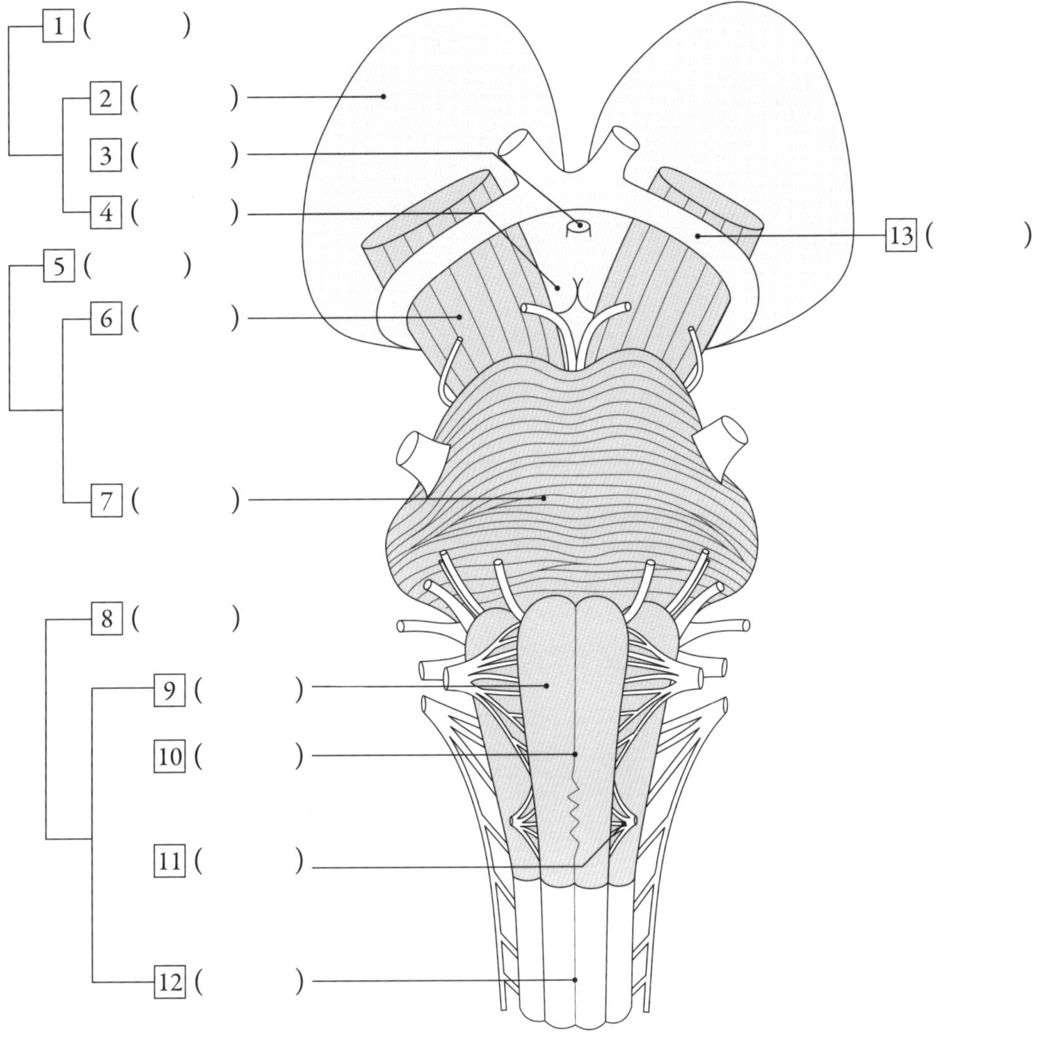

1 사이뇌(간뇌; diencephalon) 2 시상(thalamus) 3 깔떼기(funnel) 4 유도체(mammillary body) 5 중간뇌(중뇌; midbrain) 6 대뇌다리(대뇌각; cerebral peduncle) 7 다리뇌(교뇌; pons) 8 숨뇌(숨뇌(연수); myelencephalon) 9 피라밋(추체; pyramid) 10 앞정중틈새(전정중렬; anterior median fissure) 11 피라밋 교차(추체 교차; pyramid decussation) 12 척수(spinal cord) 13 시각신경로(시신경로; optic pathway)

7. 소뇌의 구조

소뇌

소뇌(cerebellum)는 다리뇌교뇌와 숨뇌연수 뒤에 위치하며, 넷째 뇌실의 지붕을 형성한다. 기능으로 협동운동의 중추, 몸의 균형을 유지, 온몸의 뼈대근육골격근의 긴장도(근육긴장)를 조정한다. 대뇌와 마찬가지로 소뇌는 2개의 측반구로 나누어져 있으며 소뇌벌레소뇌충부(cerebellar vermis)라는 중앙부분을 통해 연결되어 있다. 각각의 반구는 중앙을 차지하는 백질과 표면을 이루는 회백질로 이루어져 있으며, 3개의 엽으로 나누어져 있다.

- **타래결절엽(편소절엽)** : 귀의 전정기관으로부터 감각을 받아들여 균형을 유지한다.
- **앞엽(전엽)** : 척추에서 감각을 받아들인다.
- **뒤엽(후엽)** : 대뇌로부터 신경충격을 받아들인다.

이 모든 신경충격들은 소뇌겉질소뇌피질에서 통합된다.

소뇌에 부상을 입었거나 질병에 걸리면 신경근육장애, 특히 사지의 운동이 적절히 통합되지 못하는 운동실조(ataxia)가 초래된다. 통합된 근조절이 상실되면 진전(tremor)이 생기고 주위의 도움이 없이는 일어서지 못하게 된다.

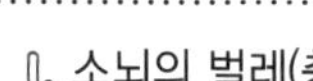

Q. 소뇌의 벌레(충부)와 3개의 엽을 구분하여 색칠하시오.

Main Point. 소뇌의 구조에 대하여 학습한다.

괄호에 알맞은 용어를 쓰고 도색하시오.

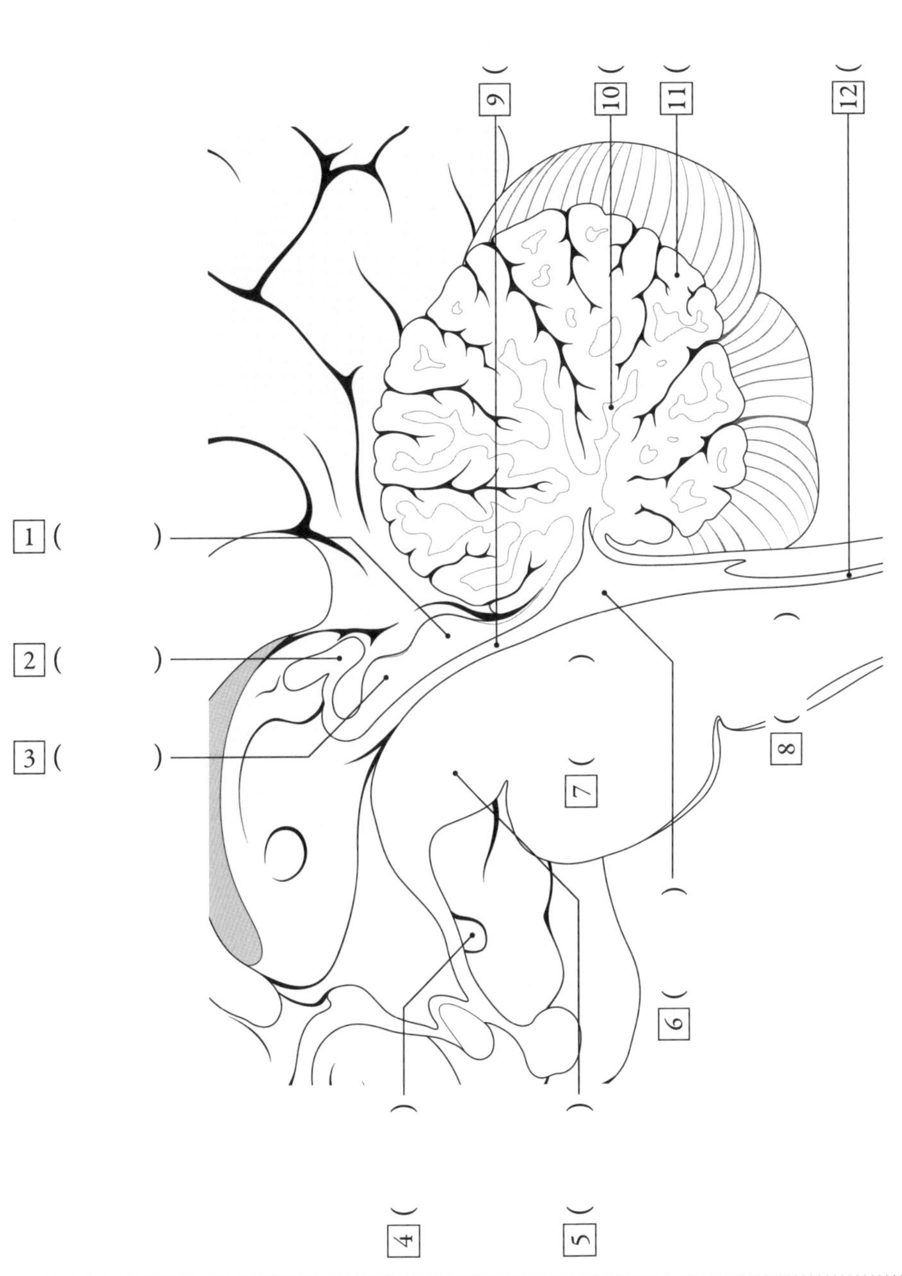

1 아래둔덕(하구; inferior colliculus) 2 솔방울샘(송과선; pineal gland) 3 위둔덕(상구; superior colliculus) 4 유도체(derivative) 5 대뇌다리(대뇌각; cerebral peduncle) 6 넷째뇌실(fourth ventricle) 7 다리뇌(교뇌; pons) 8 숨뇌(숨뇌(연수); myelencephalon) 9 중간뇌수도관(중뇌수도관; mesencephalic aqueduct) 10 소뇌나무(소뇌활수; arbor vitae) 11 소뇌겉질(소뇌피질; cerebellar cortex) 12 척수중심관(syringocele)

괄호에 알맞은 용어를 쓰고 도색하시오.

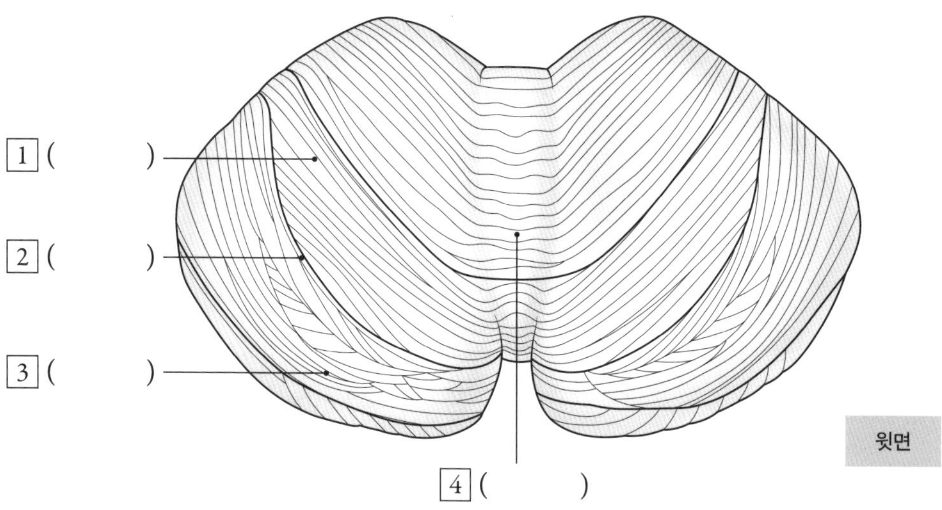

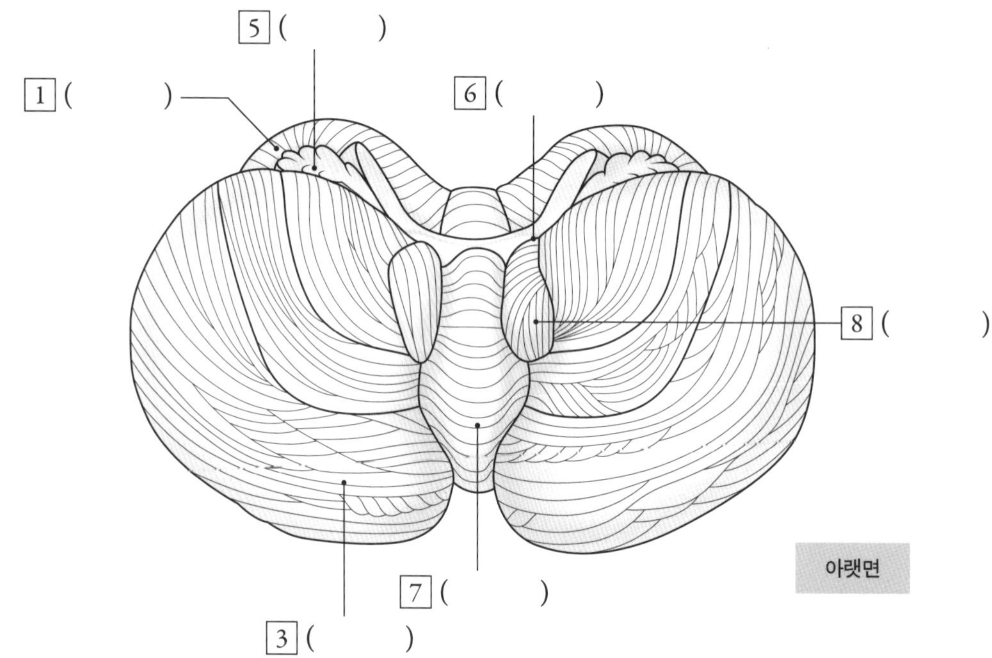

1 앞엽(전엽; anterior lobe) 2 첫째틈새(primary fissure) 3 뒤엽(후엽; posterior lobe) 4 위벌레(상충부; superior vermis) 5 타래결절엽(편소절엽; flocculonodular lobe) 6 아래벌레(하충부; inferior vermis) 7 넷째뇌실(fourth ventricle) 8 편도(amygdala)

note

8. 뇌척수막과 뇌척수액의 순환

뇌척수막의 구조

뇌척수막(meninges)은 뇌와 척수를 싸고 있는 결합 조직의 막으로 뇌막과 척수막이 합쳐진 것이다. 바깥쪽으로부터 경질막경막(dura mater), 거미막지주막(arachnoid), 연질막연막(pia mater)의 세 층으로 되어 있고 거미막과 연질막 사이에 뇌척수액이 차 있다. 뼈로부터 뇌와 척수를 보호하며, 뇌를 두개에 안정시키고 척수를 척추관에 안정시키는 구실을 한다.

뇌척수액의 순환

뇌 속에 존재하는 빈 방을 뇌실이라고 하는데, 무색투명한 액체인 뇌척수액이 차 있으며 계속 순환을 한다. 뇌실은 대퇴반구 속에 좌우에 한 개씩 가쪽뇌실측뇌실이 있고, 사이뇌 사이에 있는 셋째 뇌실, 다리뇌교뇌와 숨뇌연수 뒤에 넷째 뇌실로 구성되는 4개의 방을 가지고 있다.

뇌척수액은 가쪽뇌실측뇌실과 넷째 뇌실이 있는 맥락얼기에서 하루에 120mL 정도가 생성된다.

뇌척수액은 가쪽뇌실측뇌실 → 셋째 뇌실 → 넷째 뇌실 → 거미막아래공간지주막하공간으로 순환한다.

1. 뇌척수막(경막, 지주막, 연막)을 구분하여 색칠하시오.
2. 뇌척수액의 흐름에 대하여 색칠하시오.

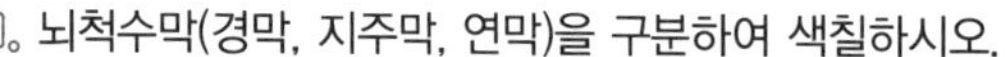

Main Point 1. 뇌척수막의 구조에 대하여 학습한다.
Main Point 2. 뇌척수액의 흐름에 대하여 학습한다.

괄호에 알맞은 용어를 쓰고 도색하시오.

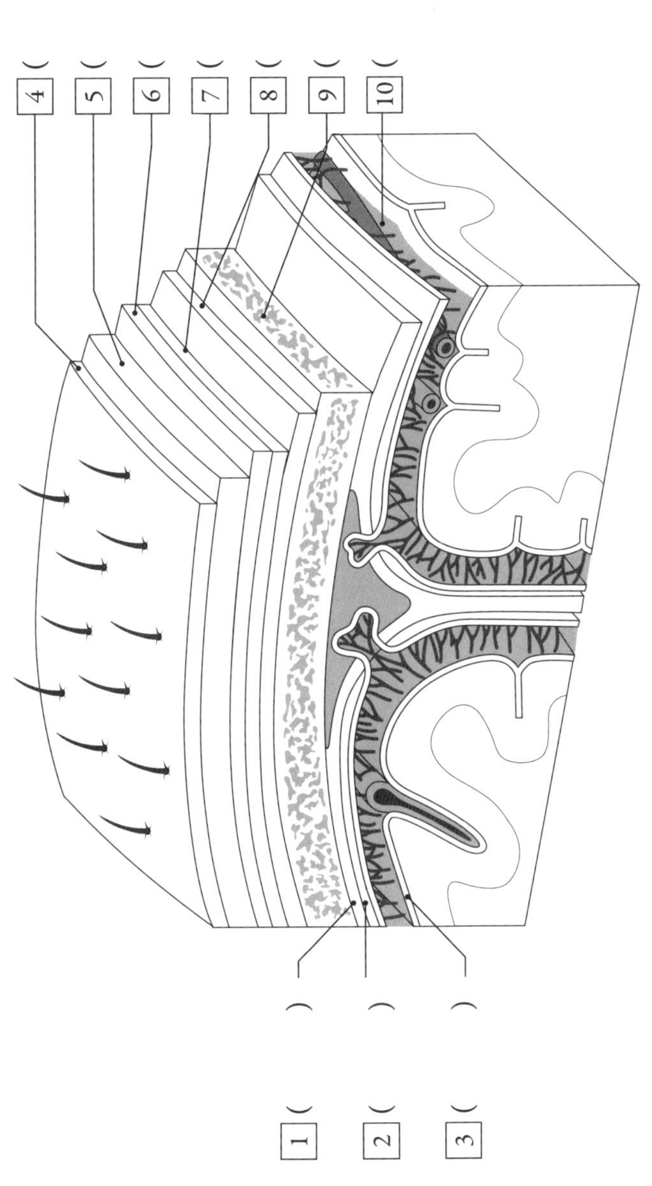

1 앞엽(전엽; anterior lobe) 2 첫째틈새(primary fissure) 3 뒤엽(후엽; posterior lobe) 4 위벌레(상충부; superior vermis) 5 타래결절엽(편소절엽; flocculonodular lobe) 6 아래벌레(하충부; inferior vermis) 7 넷째뇌실(fourth ventricle) 8 편도(amygdala)

괄호에 알맞은 용어를 쓰고 도색하시오.

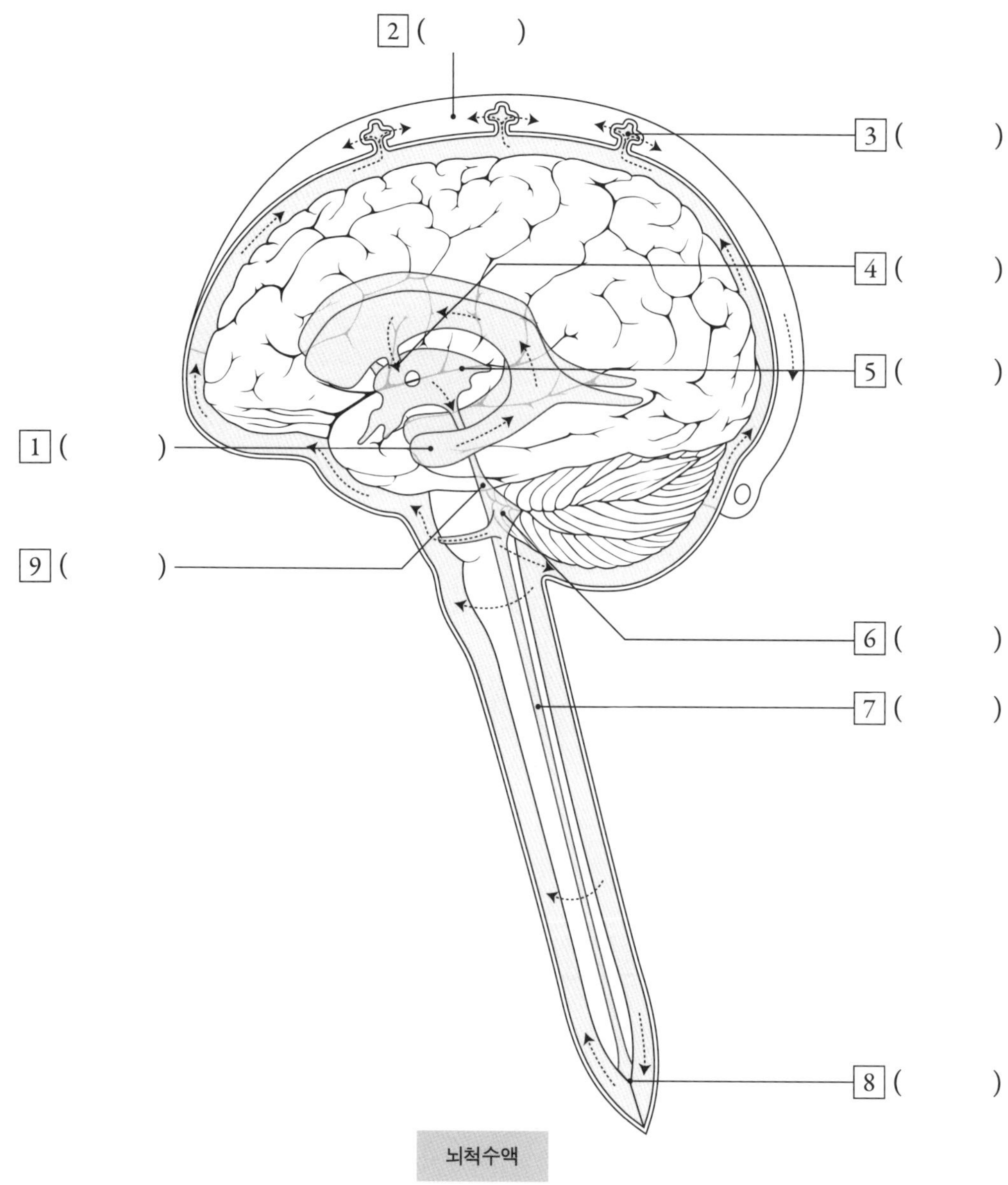

뇌척수액

1 가쪽뇌실(측뇌실; lateral ventricle) 2 위시상정맥굴(위시상정맥동; superior sagittal sinus) 3 거미막과립(지주막과립; arachnoidal granulation) 4 뇌실사이구멍(뇌실간공; interventricular foramen) 5 셋째뇌실(third ventricle) 6 넷째뇌실(fourth ventricle) 7 중심관(central canal) 8 종말끈(종사; filum terminale) 9 중간뇌수도관(중뇌수도관; mesencephalic aqueduct)

9. 척수의 구조

척수

척수(spinal cord)는 숨뇌연수와 연결되며, 머리뼈 바닥두개골저에 위치하는 큰구멍대공(foramen magnum) 아래로 연장되어 있으며, 척추에 의해 형성된 척추관(vertebral canal)을 통과하는 길이가 약 40cm이고, 굵기가 약 1cm 정도 되는 원주 형태의 기관이다. 척수의 가늘어진 끝으로 제 1~2 허리뼈요추(약 20cm)의 하단을 척수원뿔척수원추이라 한다. 그리고 척주관과 척수의 길이가 다르기 때문에 제2, 3허리뼈요추 아래의 척수신경은 말총마미과 같이 길게 뻗어 있다

척수신경은 목신경경신경 8쌍, 가슴신경흉신경 12쌍, 허리신경요신경 5쌍, 엉치신경천골신경 5쌍, 꼬리신경미골신경 1쌍으로 총 31쌍으로 구성되어 있다.

척수 가로면의 구조

척수의 가로면을 보면 바깥의 백색질(white matter)과 안의 회색질(gray matter)로 된 부분이 육안으로도 구별된다. 회색질은 모양이 H자와 비슷하여 그 앞끝을 배쪽뿔전각(anterior horn), 뒤끝을 등쪽뿔후각(posterior horn)이라고 한다. 회색질의 한 가운데에는 중심관(central canal)의 단면이 있는데 이 중심관은 위로 넷째뇌실과 연속되는 가늘고 긴 관으로서 뇌척수액이 채워져 있다.

척수막의 구조

- **경질막(경막)** : 섬유질로된 질긴 막으로 척수관 내면을 덮고 있는 내외 두 겹이다.
- **거미막(지주막)** : 척수 거미막밑공간지주막하공간은 허리천자요추천자 부위로 이용된다.
- **지주막(연막)** : 척수표면을 싸고 있는 섬세하고 얇은 막으로 혈관이 풍부하다.

1. 척수신경(목신경(경신경), 가슴신경(흉신경), 허리신경(요신경), 엉치꼬리신경(천미신경))을 구분하여 색칠하시오.
2. 척수막(경질막(경막), 거미막(지주막), 연질막(연막))을 구분하여 색칠하시오.

Main Point 1. 척수신경에 학습한다.
Main Point 2. 척수의 구조에 대하여 학습한다.

괄호에 알맞은 용어를 쓰고 도색하시오.

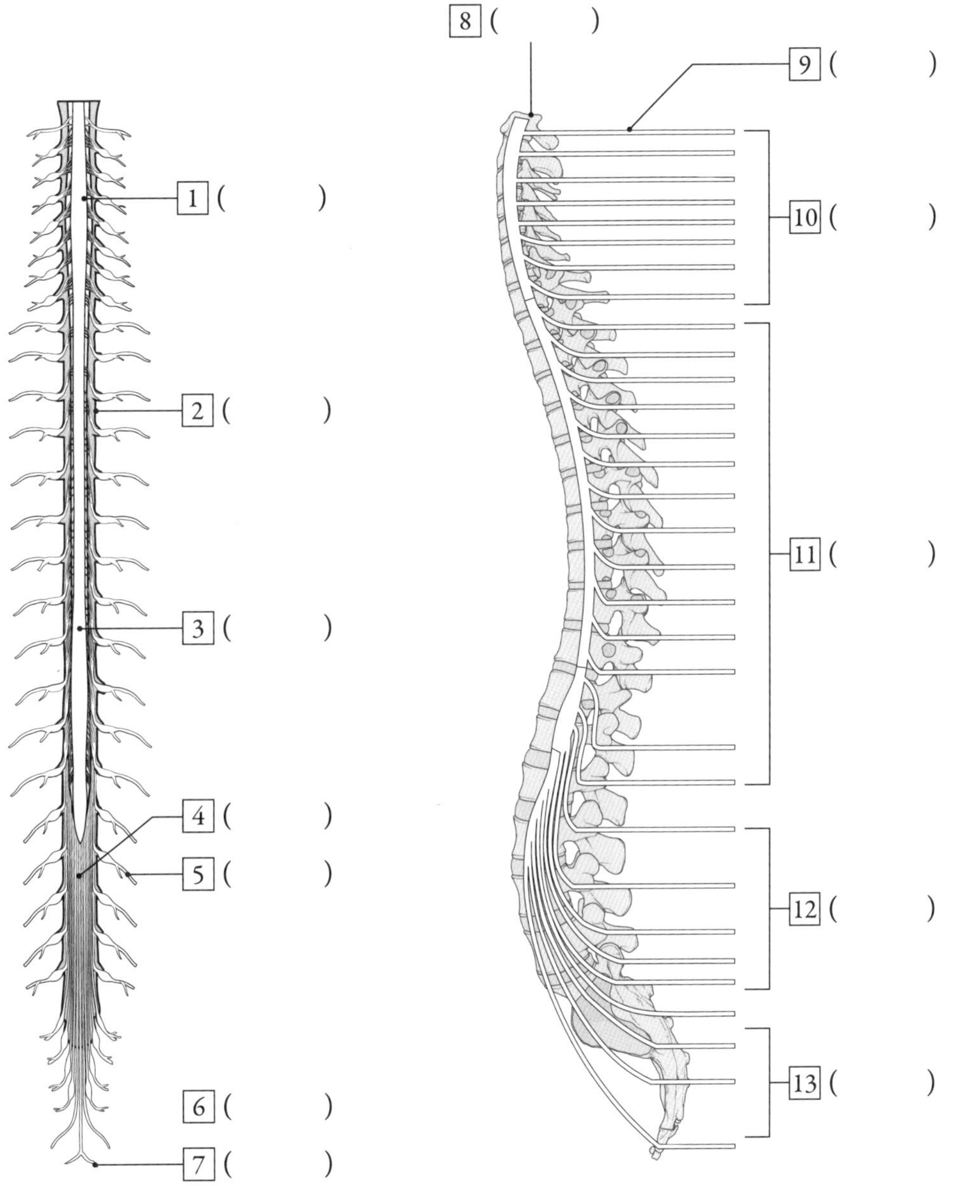

1 목팽대(경팽대; cervical enlargement) 2 경질막(경막; dura mater) 3 허리팽대(요팽대; lumbar enlargement) 4 말총(마미; cauda equina) 5 척수신경절절(spinal ganglion) 6 엉치뼈(천골; sacrum) 7 종말끈(종사; filum terminale) 8 척추뼈몸 통(척추체; vertebral body) 9 척수신경(spinal nerve) 10 목신경(경신경; cervical nerve) 11 가슴신경(흉신경; thoracic nerve) 12 허리신경(요신경; lumbar nerve) 13 엉치신경(천골신경; sacral nerve)

괄호에 알맞은 용어를 쓰고 도색하시오.

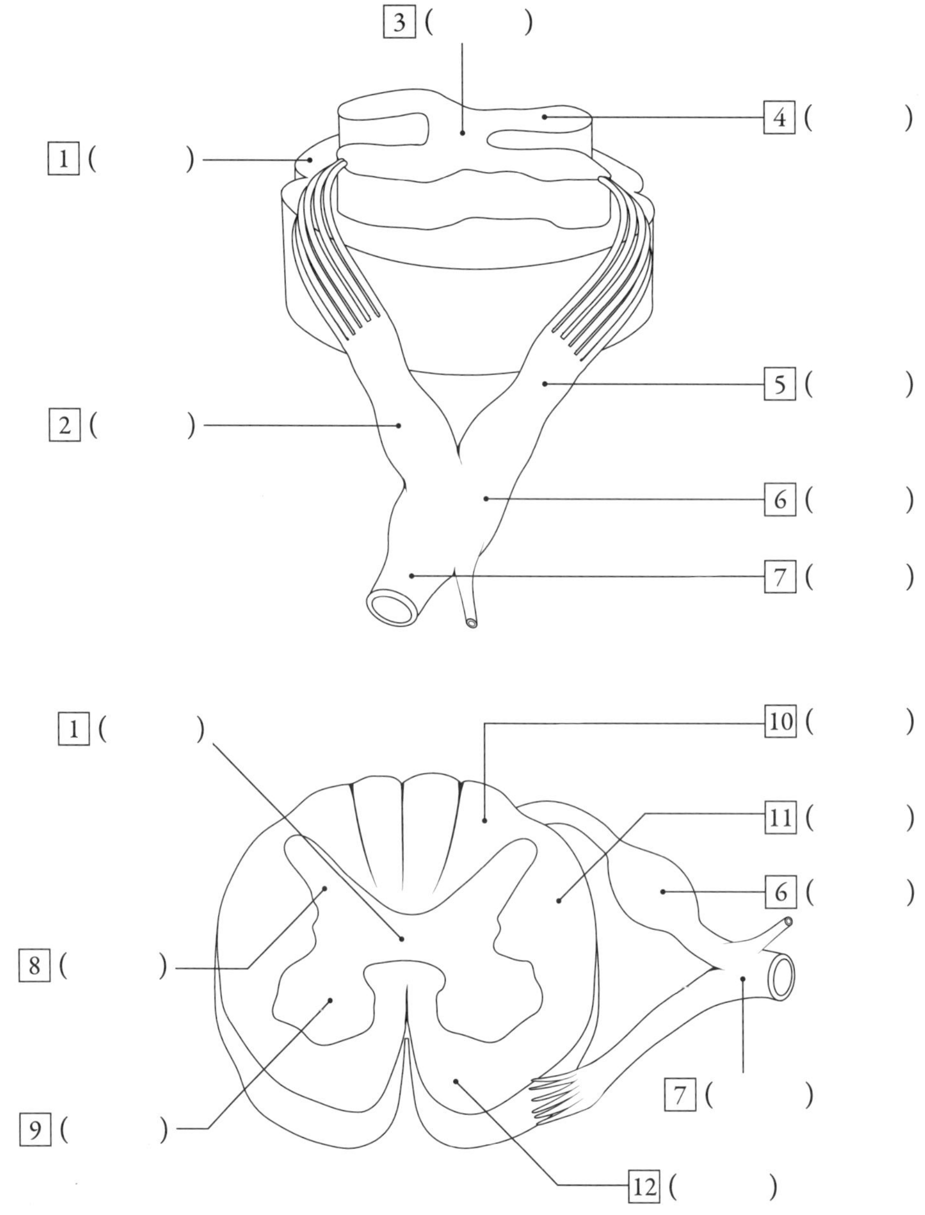

1 백색질(white matter) 2 앞뿌리(전근; anterior root) 3 중심관(central canal) 4 회색질(gray matter) 5 뒤뿌리(후근; posterior root) 6 척수신경절(spinal ganglion) 7 척수신경(spinal nerve) 8 등쪽뿔(후각; posterior horn) 9 배쪽뿔(전각; anterior horn) 10 백색질뒤기둥(백색질후주; white mater posterior column) 11 백색질가쪽기둥(백색질측주; white mater lateral column) 12 백색질앞기둥(백색질전주; white mater anterior column)

괄호에 알맞은 용어를 쓰고 도색하시오.

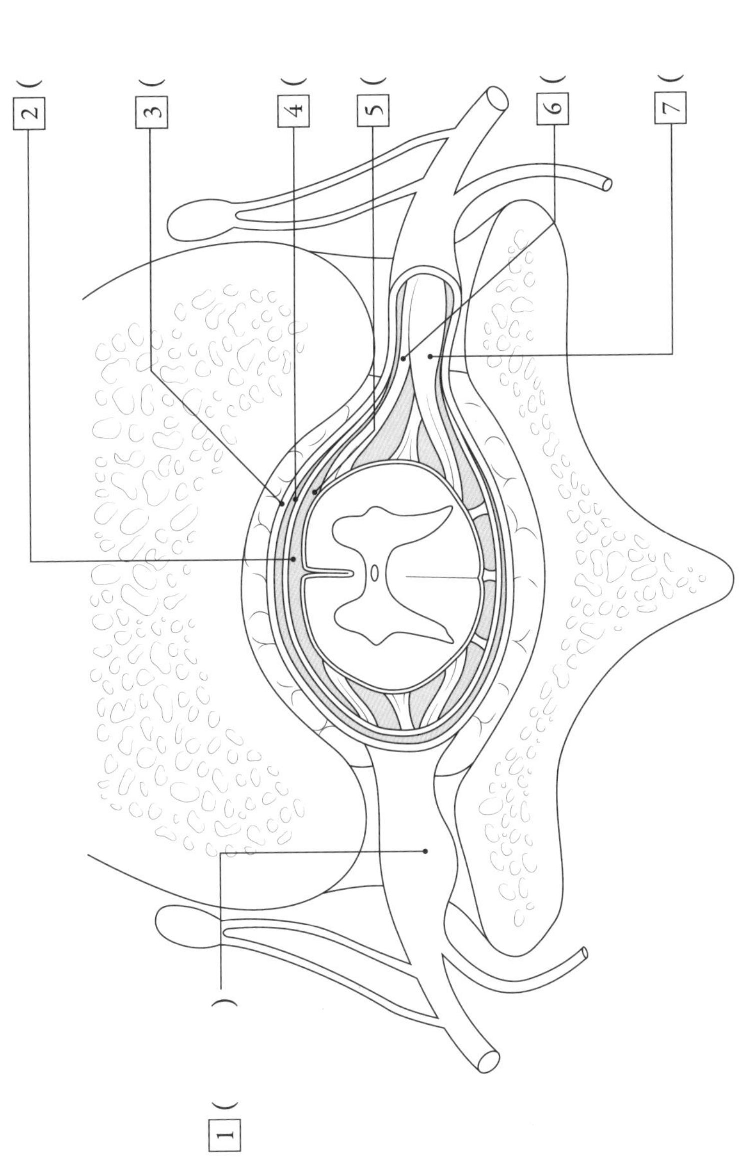

1 척수신경절(spinal ganglion) 2 연질막(연막; pia mater) 3 경질막(경막; dura mater) 4 거미막(지주막; arachnoid) 5 거미막밑공간(지주막하공간; subarachnoid space) 6 뒤뿌리(후근; posterior root) 7 앞뿌리(전근; anterior root)

10. 상행로, 하행로

척수

신경로	기둥(주)	교차	기능
		오름신경로(상행로)	
널판다발 (박속)	뒤쪽	숨뇌 (연수)	사지와 체간 위치와 움직임, 깊은 식별촉감, 진동감, 내장 통증, T6 수준 이하의 감각
쐐기다발 (설상속)	뒤쪽	숨뇌 (연수)	박속과 같으나 T6 이상의 감각
척수시상로	가쪽과 앞쪽	척수	가벼운 접촉, 간지러움, 가려움, 온도, 통증, 압력 감각
척수그물로 (척수망상로)	가쪽과 앞쪽	척수 (일부 섬유)	조직 손상으로 인한 통증 감각
뒤척수소뇌로 (후척수소뇌로)	가쪽	없음	근육에서 오는 되먹임 정보(고유감각)
앞척수소뇌로 (전척수소뇌로)	가쪽	척수	후척수소뇌로와 같음
		내림신경로(하행로)	
가쪽겉질척수로 (외측피질척수로)	가쪽	숨뇌 (연수)	사지의 섬세한 조절
앞겉질척수로 (전피질척수로)	앞쪽	없음	사지의 섬세한 조절
덮개척수로 (시개척수로)	앞쪽	중뇌	시각자극과 청각자극에 반응하여 반사적으로 고개를 돌림
가쪽그물척수로 (외측망상척수로)	가쪽	없음	균형과 자세, 통증 인식 조절
안쪽그물척수로 (내측망상척수로)	앞쪽	없음	외측망상척수로와 같음
가쪽안뜰척수로 (외측전정척수로)	앞쪽	없음	균형과 자세
안쪽안뜰척수로 (내측전정척수로)	앞쪽	숨뇌 (연수)(일부 섬유)	머리의 위치를 조절

1. 오름신경로를(상행로)를 구분하여 색칠하시오.
2. 내림신경로(하행로)를 구분하여 색칠하시오.

Main Point 1. 뇌척수막의 구조에 대하여 학습한다.
Main Point 2. 뇌척수액의 흐름에 대하여 학습한다.

괄호에 알맞은 용어를 쓰고 도색하시오.

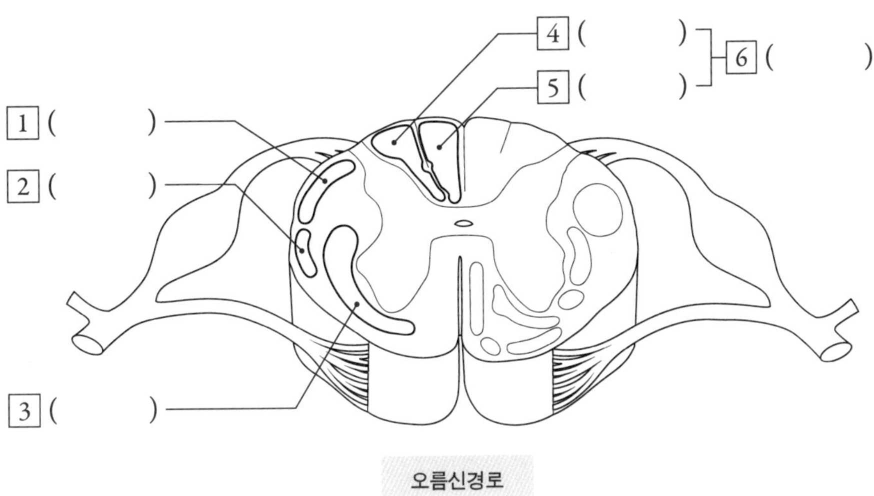

오름신경로

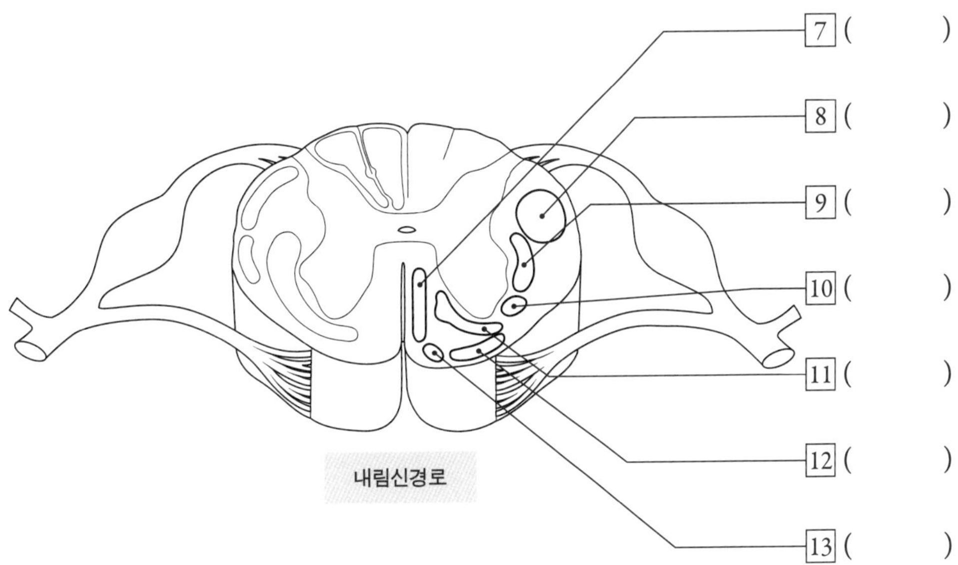

내림신경로

1 뒤척수소뇌로(후척수소뇌로; posterior spinocerebellar tract) 2 앞척수소뇌로(전척수소뇌로; anterior spinocerebellar tract) 3 앞가쪽로계(전외측로계; anterolateral system) 4 널판다발(박속; gracile fasciculus) 5 쐐기다발(설상속; cuneate fasciculus) 6 뒤기둥(후주; posterior column) 7 앞겉질척수로(전피질척수로; anterior corticospinal tract) 8 가쪽겉질척수로(외측피질척수로; lateral corticospinal tract) 9 가쪽그물척수로(외측망상척수로; lateral reticulospinal tract) 10 덮개척수로(시개척수로; tectospinal tract) 11 안쪽그물척수로(내측망상척수로; medial reticulospinal tract) 12 가쪽안뜰척수로(외측전정척수로; lateral vestibulospinal tract) 13 안쪽안뜰척수로(내측전정척수로; medial vestibulospinal tract)

11. 반사

반사

반사(**reflex**)는 자극에 대하여 샘선이나 근육에서 일어나는 빠르고 불수의적이며 틀에 박힌 반응으로 구심성전도로와 원심성전도로에서 대뇌겉질대뇌피질을 경유하지 않고 단축해서, 자극에 대해 무의식적이고 자율적으로 반응하는 즉 반사를 일으키는 경로를 반사로라 한다.

반사활

반사활(**refelx arc**)은 수용기(receptor) → 들(감각)신경(sensory neuron) → 반사중추(reflex center) → 날(운동)신경(motor neuron) → 효과기(effector)

0. 반사활(반사궁)을 구분하여 색칠하시오.

Main Point 1. 뇌척수막의 구조에 대하여 학습한다.
Main Point 2. 뇌척수액의 흐름에 대하여 학습한다.

괄호에 알맞은 용어를 쓰고 도색하시오.

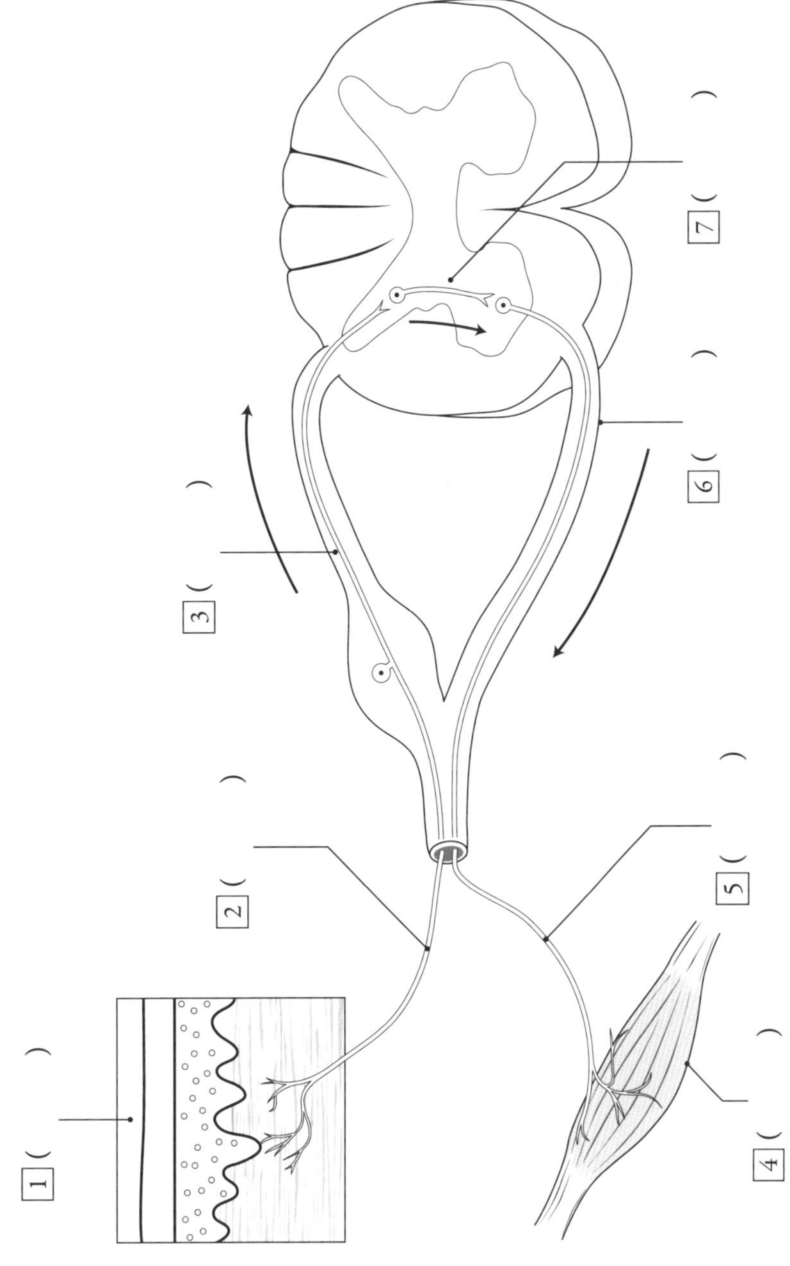

1 감각수용기(피부; sensory receptor) 2 들신경섬유(구심신경섬유; afferent nerve fiber) 3 뒤뿌리(후근; posterior root) 4 사이신경섬유(개재신경섬유; interneuron) 5 앞뿌리(전근; anterior root) 6 날신경섬유(원심신경섬유; efferent nerve fiber) 7 운동효과기(근육; effector)

CHAPTER 8 말초신경계통

Peripherall Nervous System

사람의 신경계는 크게 중추신경계(central nervous system; CNS)와 말초신경계(peripherall nervous system)로 구분되며, 중추신경계는 뇌(brain)와 척수(spinal cord)가 포함되고 말초신경계(peripherall nervous system; PNS)는 뇌신경(cranial nerve)과 척수신경(spinal nerve) 그리고 자율신경이 포함된다. 이 장에서는 뇌신경과 척수신경 그리고 자율신경계에 대하여 학습하고자 한다.

뇌신경(cranial nerves)은 총 12쌍으로 말초신경계에 속하며, 그 기능에 따라 운동성, 지각성, 혼합성 3가지로 구분된다.

척수신경(spinal nerves)은 총 31쌍으로 목신경(경수, cervical nerve) 8개(C1~C8), 가슴신경(흉수, thoracic nerve) 12개(T1~T12), 허리신경(요수, lumbar nerves)5개(L1~L5), 엉치신경(천수, sacral nerve) 5개(S1~S5), 꼬리신경(미수, coccygeal nerve) 1개(Co)이다.

자율신경(autonomic nerves)은 의식과 의지에 거의 영향을 받지 않고 자율적으로 활동하는 신경으로 교감신경과 부교감신경으로 구분되며, 내부장기, 혈관, 피부 등의 민무늬근(평활근)의 운동과 샘 분비 활동을 담당한다. 비뇨계통(urinary system)은 혈액 내 대사성 노폐물을 정화, 노폐물질을 제거하여 오줌을 만드는 콩팥(신장, kidney)과 오줌을 운반하여 배출하는 기관인 2개의 콩팥, 2개의 요관, 방광, 요도로 구성되어있다.

학습목표

1. 뇌신경의 해부학적 구조와 기능을 서술할 수 있다.
2. 척수신경의 해부학적 구조와 기능을 서술할 수 있다.
3. 자율신경의 해부학적 구조와 기능을 서술할 수 있다.

1. 뇌신경의 구분

뇌신경

뇌에서 나오는 뇌신경은 대뇌에서 척수 쪽으로 나오는 다음의 12쌍의 신경이 있다.

- **제 I 뇌신경** : 후각신경후신경(olfactory nerve)
- **제 II 뇌신경** : 시각신경시신경(optic nerves)
- **제 III 뇌신경** : 눈돌림신경동안신경(oculomotor nerve)
- **제 IV 뇌신경** : 도르래신경활차신경(trochlear nerve)
- **제 V 뇌신경** : 삼차신경(trigeminal nerve)
- **제 VI 뇌신경** : 갓돌림신경외전신경(abducens nerve)
- **제 VII 뇌신경** : 얼굴신경안면신경(facial nerve)
- **제 VIII 뇌신경** : 속귀신경내이신경(acoustic nerve)
- **제 IX 뇌신경** : 혀인두신경설인신경(glossopharyngeal nerve)
- **제 X 뇌신경** : 미주신경(vagus nerve)
- **제 XI 뇌신경** : 더부신경부신경(accessory nerve)
- **제 XII 뇌신경** : 혀밑신경설하신경(hypoglossal nerve)

0。 12개의 뇌신경을 구분하여 색칠하시오.

Main Point. 뇌신경의 해부학적 구조를 이해한다.

괄호에 알맞은 용어를 쓰고 도색하시오.

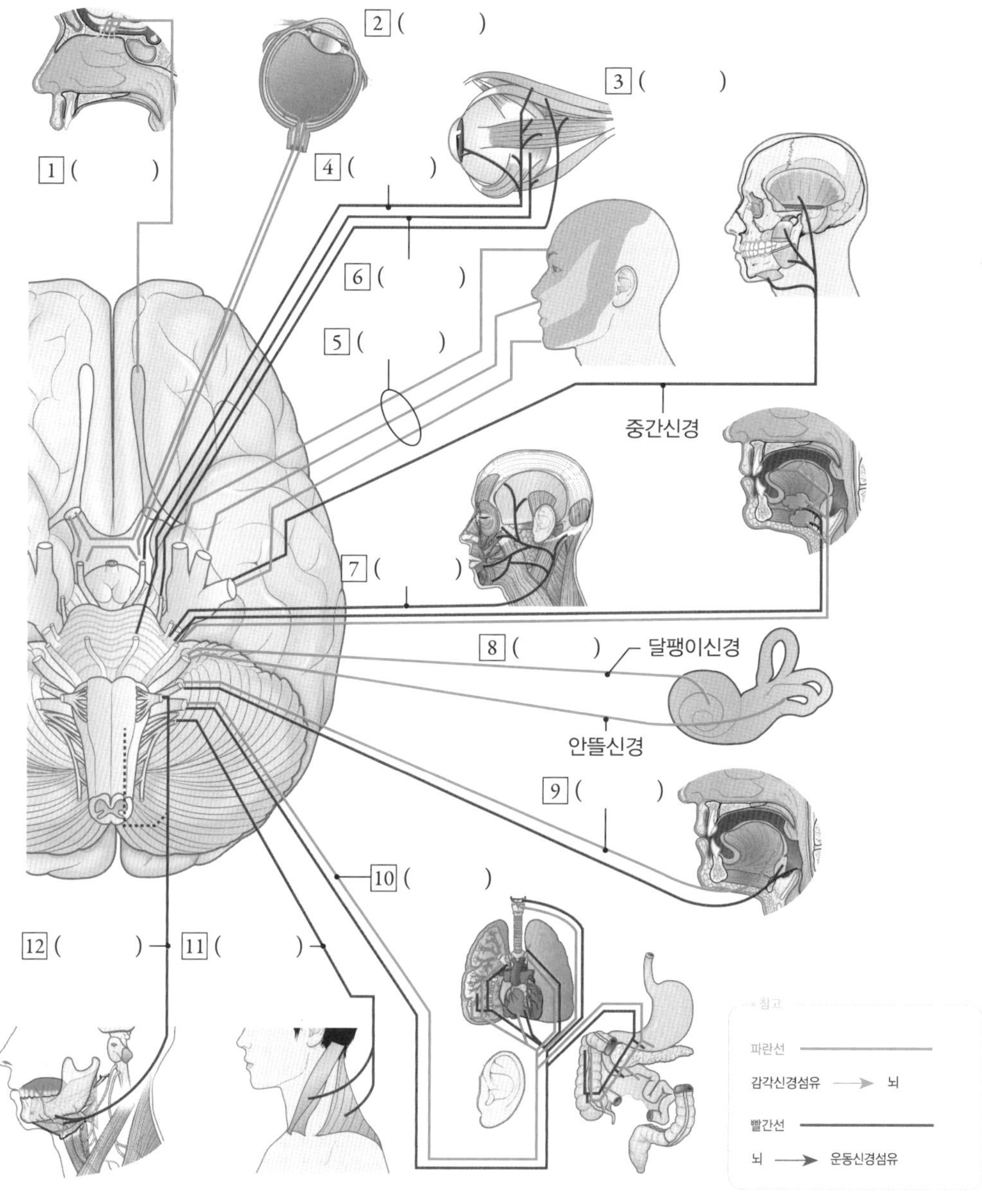

1 후각신경(후신경; olfactory nerve) 2 시각신경(시신경; optic nerves) 3 눈돌림신경(동안신경; oculomotor nerve) 4 도르래신경(활차신경; trochlear nerve) 5 삼차신경(trigeminal nerve) 6 갓돌림신경(외전신경; abducens nerve) 7 얼굴신경(안면신경; facial nerve) 8 속귀신경(내이신경; acoustic nerve) 9 혀인두신경(설인신경; glossopharyngeal nerve) 10 미주신경(vagus nerve) 11 더부신경(부신경; accessory nerve) 12 혀밑신경(설하신경; hypoglossal nerve)

1. 제 I · II 뇌신경

후각신경(후신경; olfactory nerve)

냄새를 전달하는 감각신경이다.

시각신경(시신경; optic nerves)

시각을 전달하는 감각신경으로 뇌바닥에서 좌우의 시각신경시신경은 X자 모양으로 결합해 있다.

1. 후신경의 구조를 구분하여 색칠하시오.
2. 시신경의 구조를 구분하여 색칠하시오.

Main Point 1. 후신경의 해부학적 구조를 이해한다.
Main Point 2. 시신경의 해부학적 구조를 이해한다.

괄호에 알맞은 용어를 쓰고 도색하시오.

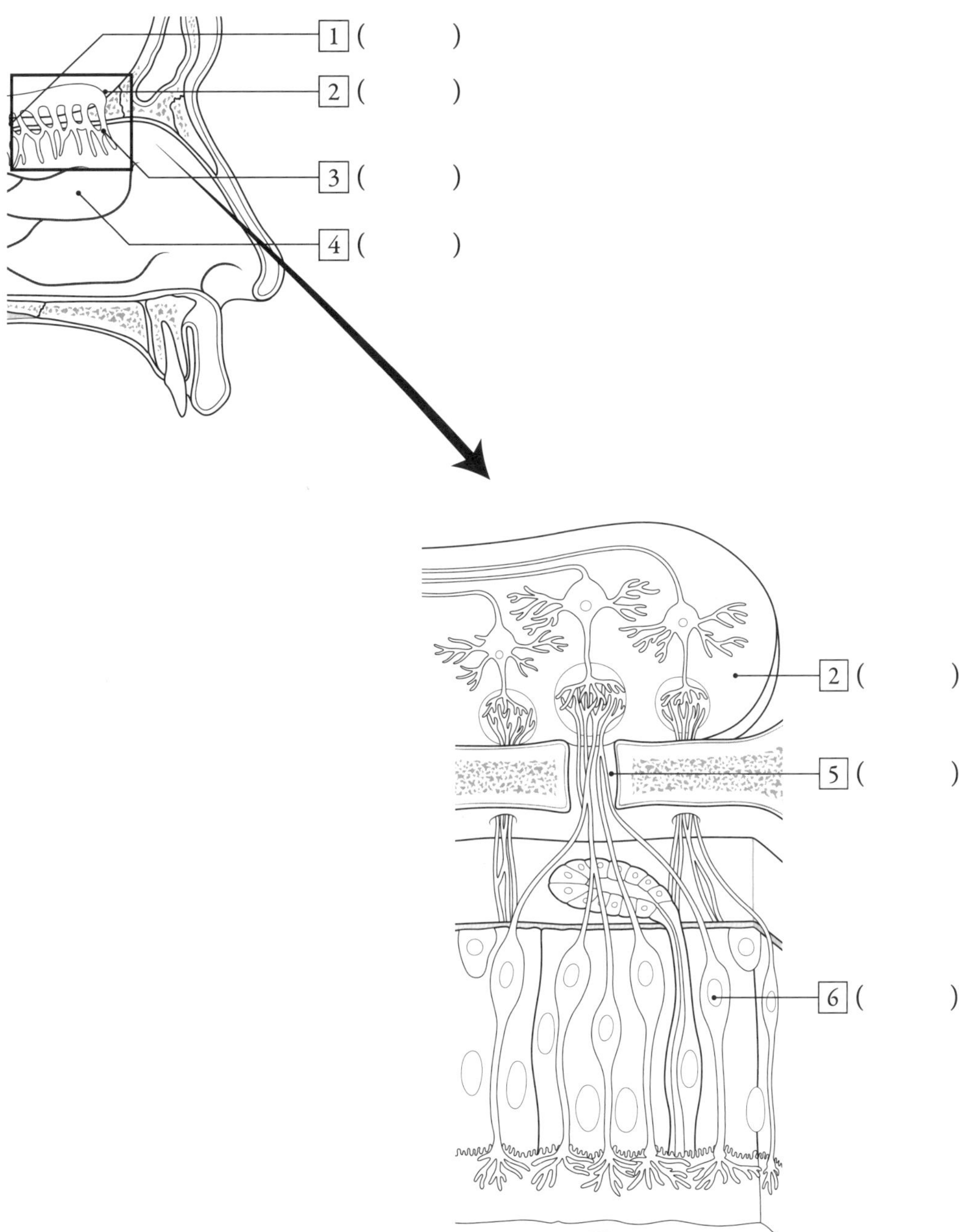

1 후각로(후삭; olfactory tract) 2 후각망울(후구; olfactory bulb) 3 후각신경(후신경; olfactory nerve) 4 중간코선반(중비갑개; middle nasal concha) 5 체판구멍(olfactory foramina) 6 후각세포(olfactory cell)

괄호에 알맞은 용어를 쓰고 도색하시오.

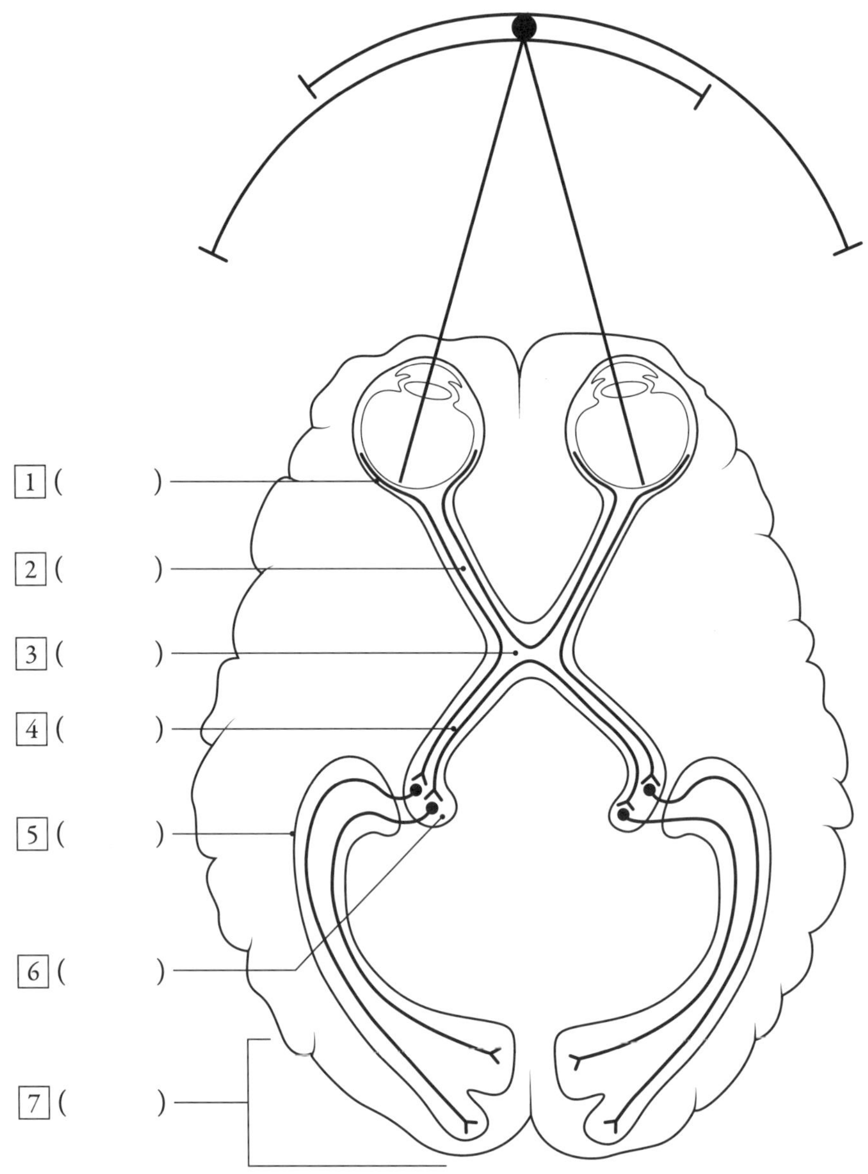

1 그물막(망막; retina) 2 시각신경(시신경; optic nerve) 3 시신경교차(optic chiasm) 4 시각로(시삭; optic tract) 5 시각부챗살(시방사부위; optic radiation) 6 가쪽무릎체(외측슬상체; lateral geniculate body) 7 일차시각영역

note

3. 제 Ⅲ · Ⅳ 뇌신경

눈돌림신경(동안신경; oculomotor nerve)

안구를 위로, 아래로, 안쪽으로 돌리는 근육을 조절하고 홍채와 렌즈, 윗눈꺼풀을 조절하는 운동신경이다.

눈돌림신경(동안신경)의 지배근육

- 위곧은근(상직근; superior rectus)
- 아래곧은근(하직근; inferior rectus)
- 안쪽곧은근(내측직근; medial rectus)
- 아래빗근(하사근; inferior oblique)
- 눈꺼풀올림근(안검거근; levator palpebrae superioris)

도르래신경(활차신경; trochlear nerve)

위빗근상사근을 지배하며, 안구를 안쪽으로 돌리고 고개가 돌아갈 때 안구를 약간 아래로 내리는 근육들을 조절하는 운동신경이다.

1. 눈돌림신경(동안신경)을 구분하여 색칠한다.
2. 눈돌림신경(동안신경)의 지배근육을 색칠한다.
3. 도르래신경(활차신경)을 구분하여 색칠한다.
4. 도르래신경(활차신경)의 지배근육을 색칠한다.

Main Point 1. 눈돌림신경(동안신경)의 해부학적 구조와 지배근육을 이해한다.
Main Point 2. 도르래신경(활차신경)의 해부학적 구조와 지배근육을 이해한다.

괄호에 알맞은 용어를 쓰고 도색하시오.

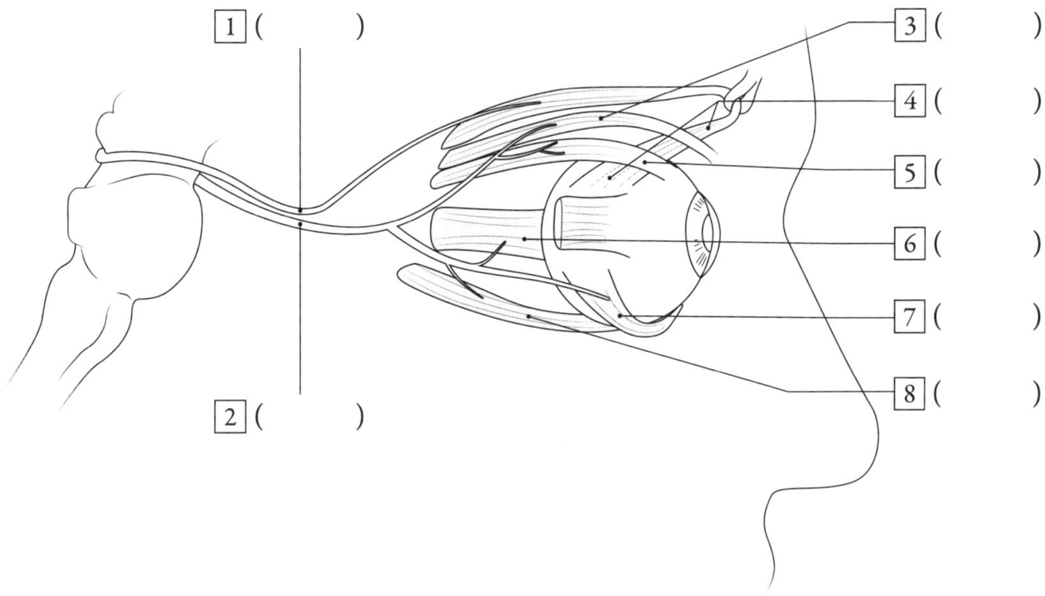

1 도르래신경(활차신경; trochlear nerve) 2 눈돌림신경(동안신경; oculomotor nerve) 3 눈꺼풀올림근(안검거근; levator palpebrae superioris) 4 위빗근(상사근; superior oblique) 5 위곧은근(상직근; superior rectus) 6 안쪽곧은근(내측직근; musculus rectus medialis) 7 아래빗근(하사근; inferior oblique) 8 아래곧은근(하직근; inferior rectus)

4. 제 V 뇌신경

삼차신경(trigeminal nerve)

얼굴에서 가장 중요한 감각신경이며 시각신경을 제외하고 가장 큰 뇌신경이다. 눈가지와 위턱가지상악가지는 감각신경으로 얼굴위쪽과 아래쪽의 촉각, 온도, 통증을 담당하고, 아래턱가지하악가지는 혼합신경으로 얼굴 아래쪽의 촉각, 온도, 통증의 감각을 담당하고 씹기의 운동도 담당한다.

삼차신경의 가지

- **눈신경(ophthalmic nerve)** : 삼차신경 제1가지로 위눈확틈새상안와열(superior orbital fissure)를 나와 눈물샘누선, 이마의 피부, 눈알, 눈꺼풀, 코점막 등에 분포된 감각신경이다.
- **위턱신경(상악신경; maxillary nerve)** : 삼차신경 제2가지로 원형구멍을 빠져나오며, 위턱부상악부의 피부, 윗이빨 및 점막과 아랫눈꺼풀에서 윗입술 사이의 피부와 코점막등에 분포한다.
- **아래턱신경(하악신경; mandibular nerve)** : 삼차신경 제3가지로 타원구멍타원공을 통해 관자아래오목측두하와으로 나오고, 운동신경은 관자근측두근(temporalis)과 안/가쪽날개근내/외측익상근(internal/external pterygoid)을 지배하며, 감각신경은 관자부위측두부위, 뺨, 아랫입술, 턱, 입점막, 아랫니, 혀의 앞부분 2/3을 담당한다.

1. 삼차신경의 세 개의 가지를 구분하여 색칠하시오.
2. 삼차신경의 얼굴의 신경분포를 구분하여 색칠하시오.

Main Point 1. 삼차신경의 해부학적 구조와 세 개의 가지를 이해한다.

괄호에 알맞은 용어를 쓰고 도색하시오.

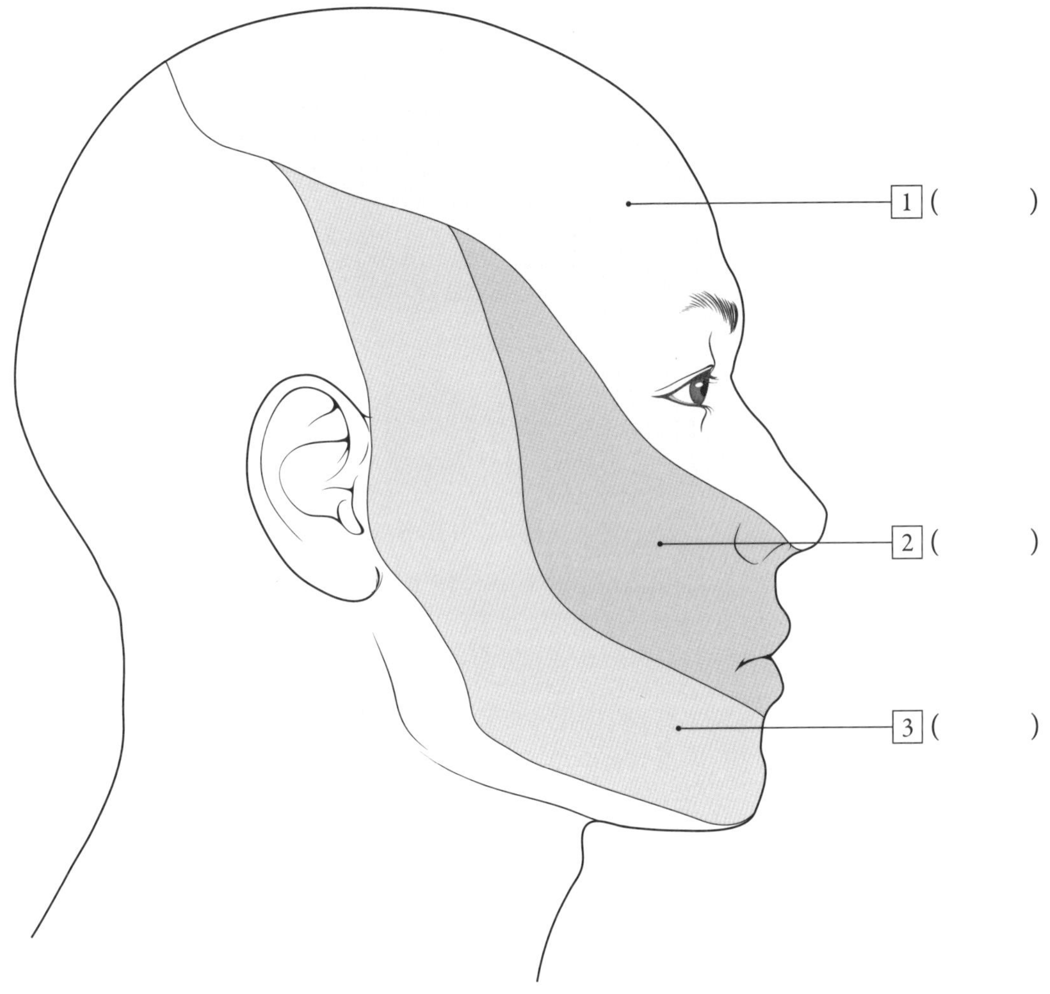

1 눈신경(opthalmic division) 2 위턱신경(상악신경; maxillary nerve) 3 아래턱신경(하악신경; mandibular nerve)

괄호에 알맞은 용어를 쓰고 도색하시오.

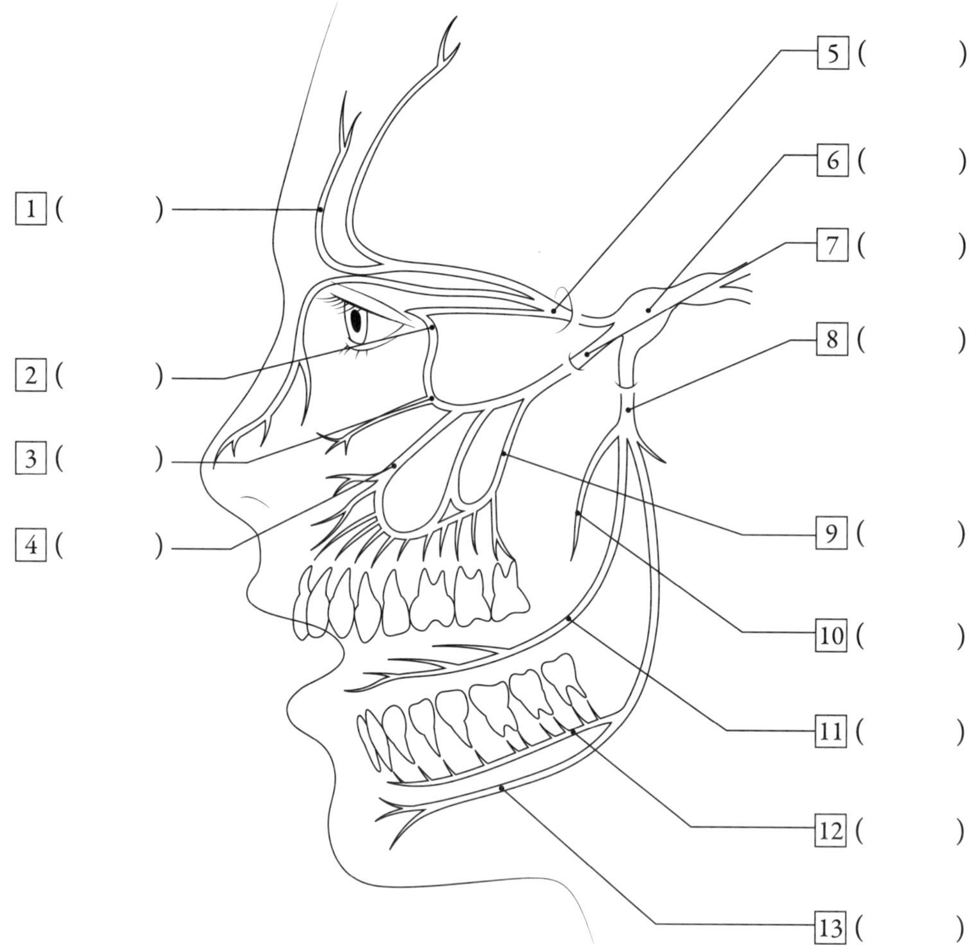

1 도르래위신경(활차상신경; supratrochlear nerve) 2 광대신경(관골신경; zygomatic nerve) 3 눈확아래신경(안와하신경; infraorbital nerve) 4 앞위이틀가지(전상치조지; anterior superior alveolar branches) 5 눈신경(opthalmic division) 6 삼차신경(trigeminal nerve) 7 위턱신경(상악신경; maxillary nerve) 8 아래턱신경(하악신경; mandibular nerve) 9 뒤위이틀가지(후상치조지; posterior superior alveolar branches) 10 볼신경(협신경; buccal nerve) 11 혀신경(설신경; lingual nerve) 12 아래이틀신경(하치조신경; inferior alveolar nerve) 13 턱목뿔근신경(악설골근신경; mylohyoid nerve)

note

5. 제 VI · VIII 뇌신경

갓돌림신경(외전신경; abducens nerve)

안구의 벌림에 작용하는 가쪽곧은근외측직근(lateral rectus)을 조절하는 운동신경이다.

얼굴신경(안면신경; facial nerve)

미각과 얼굴표정, 눈물, 침, 코와 입 점막을 분비하는 혼합신경으로 얼굴근육의 주요 운동신경이며 관자가지측두지, 광대가지관골지, 볼가지협근지, 턱가지하악지, 목가지경지의 5개 가지로 나뉜다.

얼굴신경 기능

- **운동신경** : 얼굴의 표정근을 지배한다.
- **감각신경** : 혀 앞부분 2/3 점막에 분포하여 미각을 관장한다.
- **부교감신경** : 턱밑샘악하선, 혀밑샘설하선, 눈물샘누선 등에 분포한다.

1. 갓돌림신경(외전신경)과 지배근육을 구분하여 색칠하시오.
2. 얼굴신경(안면신경)의 다섯 개의 가지를 구분하여 색칠하시오.

Main Point 1. 갓돌림신경(외전신경)의 해부학적 구조를 이해한다.
Main Point 2. 얼굴신경(안면신경)의 해부학적 구조와 다섯개의 가지를 이해한다.

괄호에 알맞은 용어를 쓰고 도색하시오.

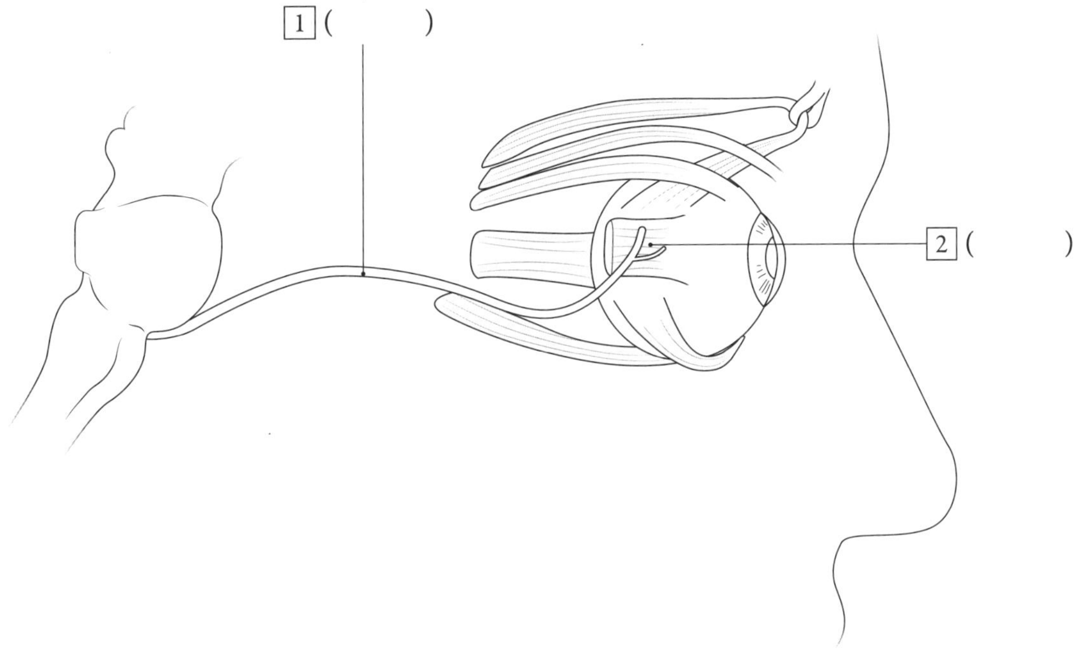

1 갓돌림신경(외전신경; abducens nerve) 2 가쪽곧은근(외측직근; lateral rectus muscle)

괄호에 알맞은 용어를 쓰고 도색하시오.

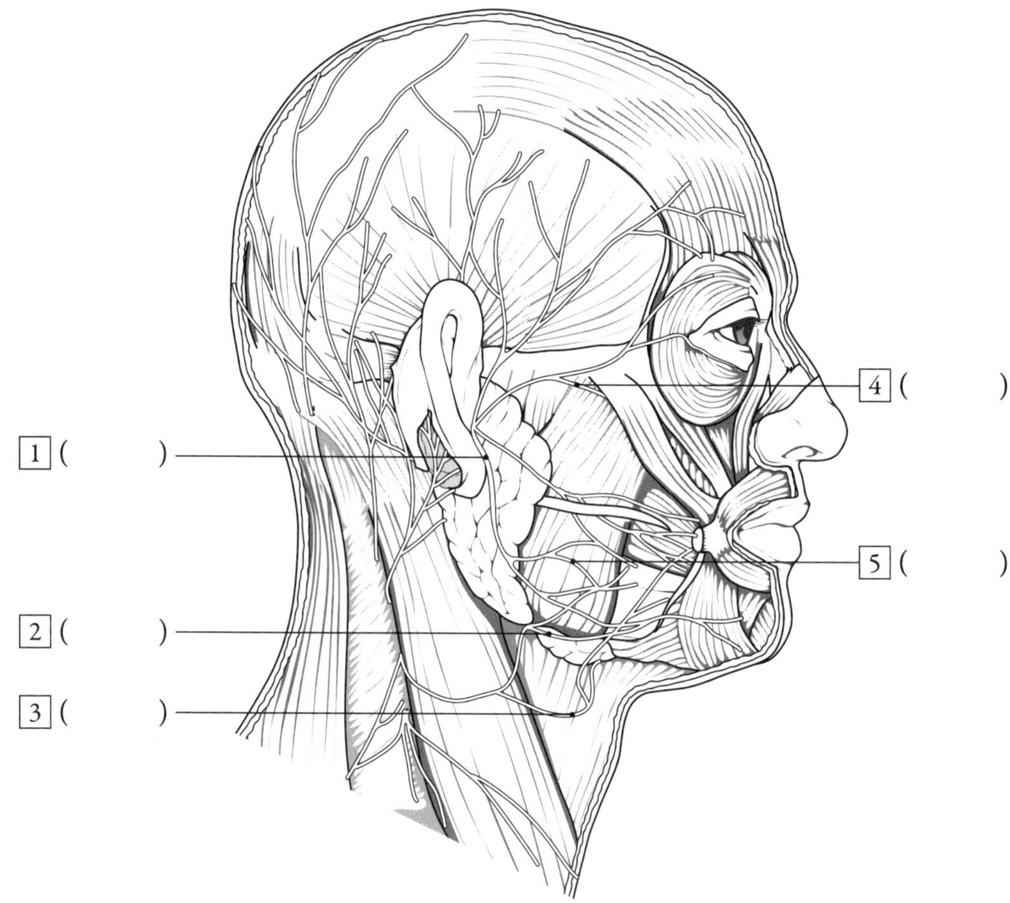

1 얼굴신경(안면신경; facial nerve) 2 목가지(경지; ramus colli) 3 턱뼈모서리가지(악학연지; mandibular marginal branch) 4 관자가지(측두지; rami temporales) 5 볼가지(협근지; buccal branches)

note

6. 제 VIII · IX 뇌신경

속귀신경(내이신경; acoustic nerve)

청각, 평형에 관련된 신경이지만 청각을 미세하게 조정하는 달팽이 세포와우세포를 유발하는 운동섬유도 가진다. 혼합신경이나 감각신경이 우세하다.

속귀신경의 기능

- **달팽이신경(와우신경; cochlear nerve)** : 속귀의 달팽이에 분포하며 콜티나선기에 연결하여 청각을 담당한다.
- **안뜰신경(전정신경; vestibular nerve)** : 속귀의 반고리관과 안뜰에 분포하며 몸의 평형각을 감지한다.

혀인두신경(설하신경; glossopharyngeal nerve)

미각, 혀와 바깥귀의 촉각, 압각, 통증과 온도감과 타액분비, 삼킴, 구역질들에 관여하는 혼합신경으로 혈압과 호흡, 음식 섭취에도 관여한다.

혀인두신경(설신경인)의 기능

- **운동신경** : 인두근의 운동을 지배한다.
- **감각신경** : 목구멍편도와 인두에 분포하며 혀 뒷부분 1/3의 미각, 인두의 점막 등을 담당한다.
- **부교감신경** : 귀밑샘이하선의 침 분비에 관여한다.

1. 속귀신경(내이신경)의 주요 구성을 구분하여 색칠하시오.
2. 혀인두신경(설인신경)을 구분하여 색칠하시오.

Main Point 1. 속귀신경(내이신경)의 해부학적 구조를 이해한다.
Main Point 2. 혀인두신경(설인신경)의 해부학적 구조를 이해한다.

괄호에 알맞은 용어를 쓰고 도색하시오.

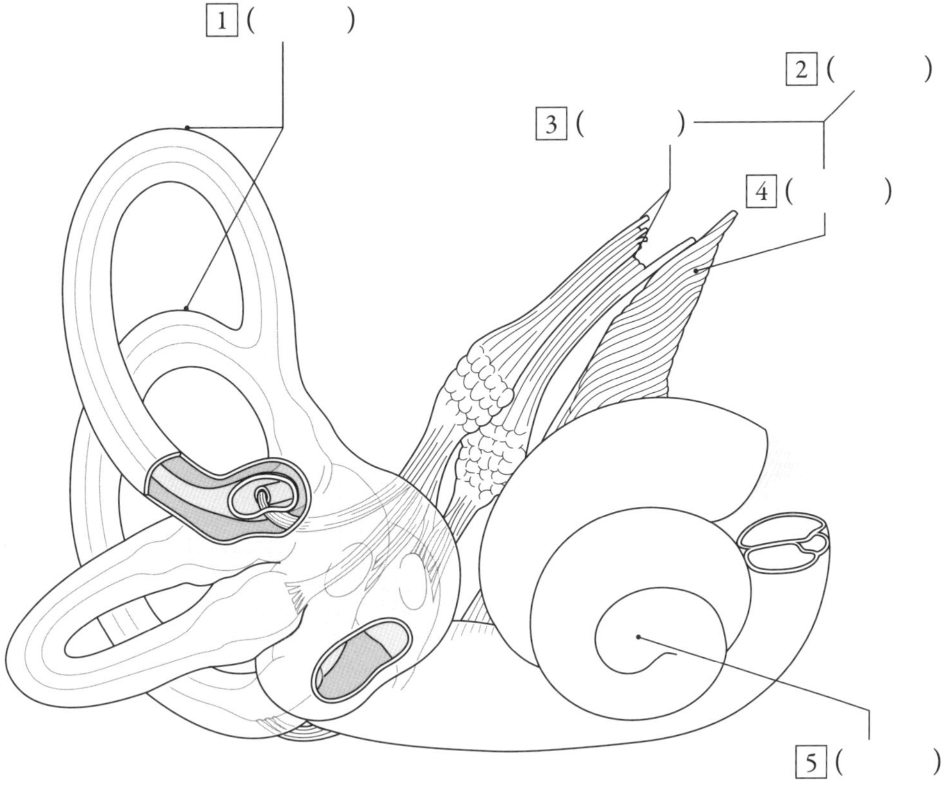

1 반고리뼈관(골반규관; semicircular canal) 2 속귀신경(내이신경; vestibulocochlear nerve) 3 안뜰신경(전정신경; vestibular nerve) 4 달팽이신경(와우신경; cochlear nerve) 5 달팽이(와우; cochlear)

괄호에 알맞은 용어를 쓰고 도색하시오.

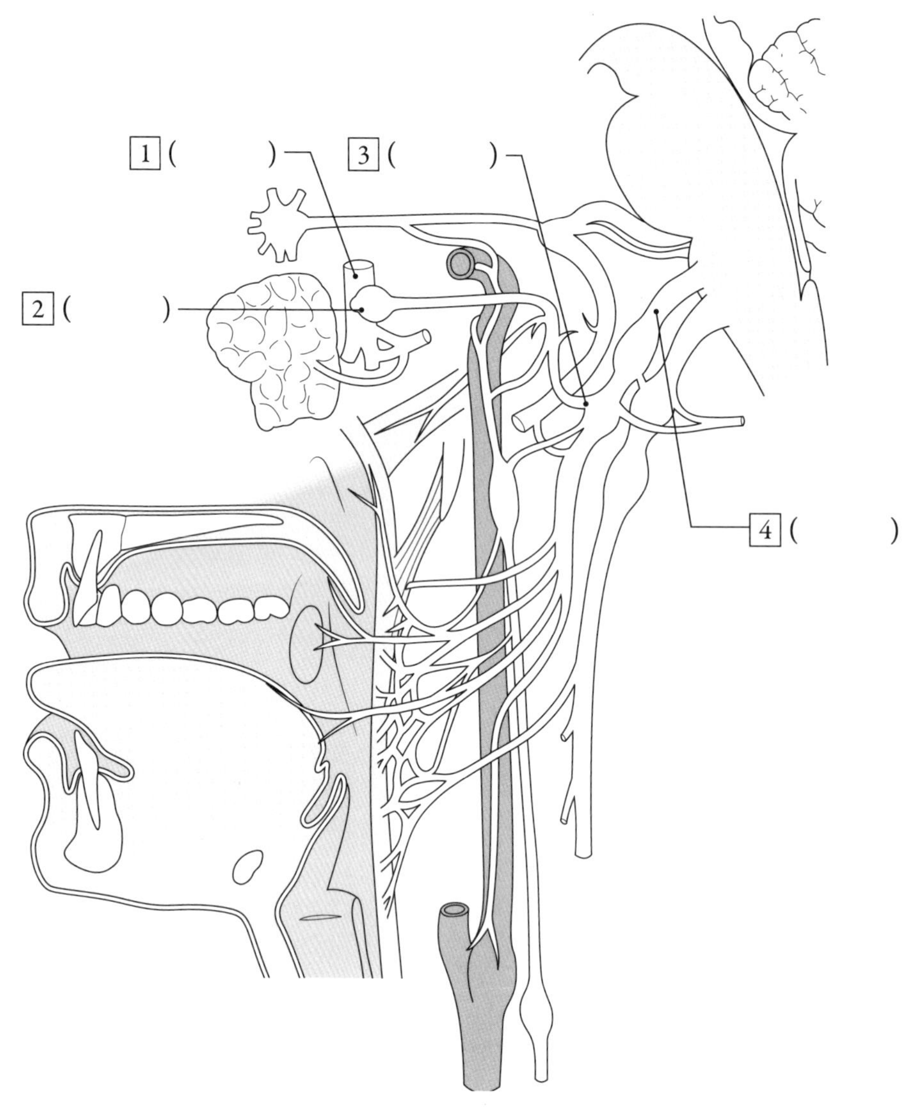

1 아래턱신경(하악신경; mandibular nerve) 2 귀신경절(이신경절; otic ganglion) 3 고실신경(tympanic nerve)
4 혀인두신경(설인신경; glossopharyngeal nerve)

note

7. 제 X 뇌신경

미주신경(vagus nerve)

미각, 배고프고 배부른 감, 위창자의 불편감과 삼킴, 말하기를 관여하며, 심장박동 감속, 기관지 확장, 위창자 분비 및 운동에 관여하는 부교감 신경이 혼합된 혼합신경이다. 뇌신경 중 가장 광범위하게 분포한다.

미주신경의 기능

- **운동신경** : 대부분 뒤통수힘살후두근과 물렁입천장연구개 및 인두에 있는 근육을 지배한다.
- **일반감각신경** : 인두, 후두, 식도, 기관지, 허파, 심장 및 배의 내장점막의 감각을 담당한다.
- **특수감각신경** : 후두덮개후두개 근방의 혀에 분포하여 미각을 감지한다.
- **부교감신경** : 가슴 및 배 내부장기의 민무늬근육평활근과 샘(gland)에 분포한다.

1. 미주신경의 가지를 구분하여 색칠하시오.
2. 미주신경의 담당기관을 구분하여 색칠하시오.

Main Point 1. 미주신경의 해부학적 구조와 기능을 이해한다.

괄호에 알맞은 용어를 쓰고 도색하시오.

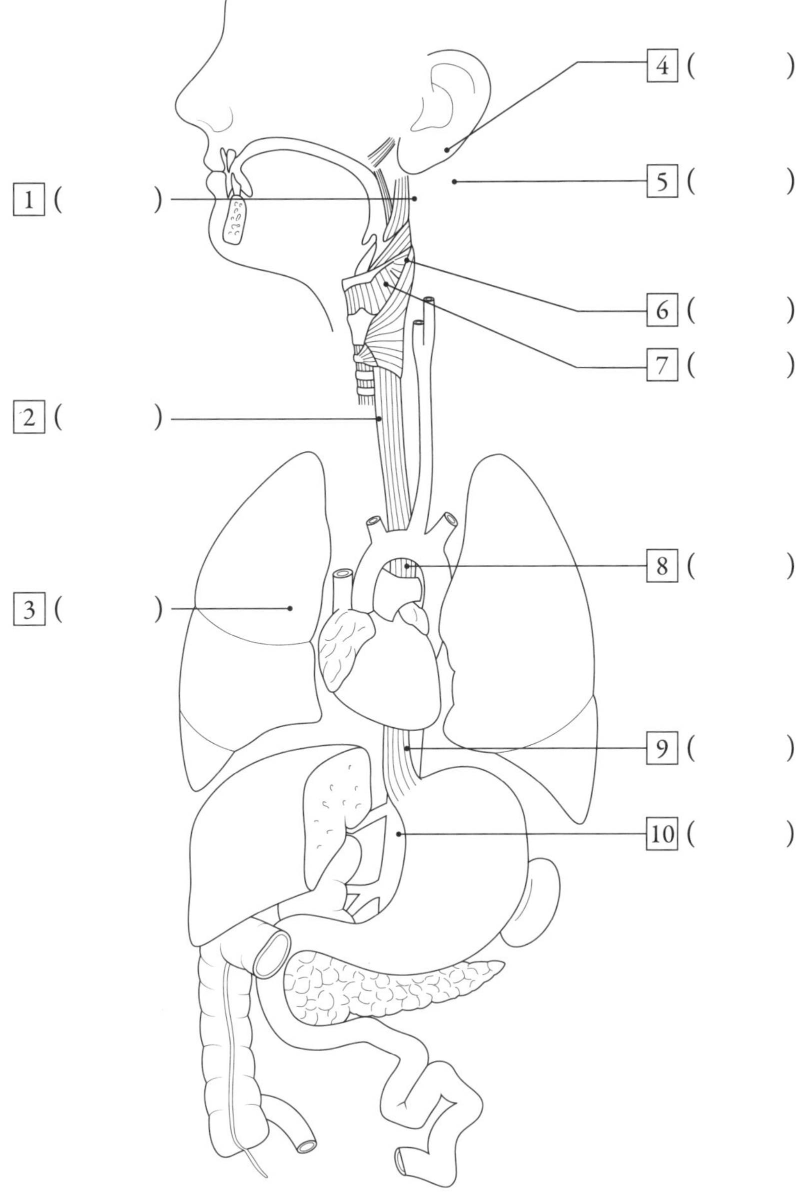

1 인두가지(인두지; pharyngeal branch) 2 되돌이후두신경(반회후두신경; recurrent laryngeal nerve) 3 허파신경얼기(폐신경총; pulmonary plexus) 4 귓바퀴가지(이개지; ramus auricularis) 5 미주신경(vagus nerve) 6 목동맥팽대가지(경동맥동지; branch to carotid sinus) 7 위후두신경(상후두신경; superior laryngeal nerve) 8 심장신경얼기(심장신경총; plexus cardiacus) 9 미주신경줄기(미주신경간; vagal trunk) 10 복강신경얼기(복강신경총; plexus coeliacus)

8. 제 XI · XII 뇌신경

더부신경(부신경; accessory nerve)

삼킴, 목, 머리, 어깨 움직임에 관여하는 운동신경이다.

더부신경(부신경)의 구조

- **뇌뿌리(cranial root)** : 목정맥구멍을 나오는 미주신경과 혼합하여 입천장근육과 인두근의 분지가 된다.
- **척수뿌리(spinal root)** : 목빗근흉쇄유돌근(sternocleidomastoid)과 등세모근승모근(trapezius)에 분포한다.

혀밑신경(설하신경; hypoglossal nerve)

혀의 움직임을 조절하는 우세한 운동신경으로서 말하기, 음식 씹기, 삼키기 동작에서 혀 움직임에 관여한다.

1. 더부신경(부신경)의 구조를 구분하여 색칠하시오.
2. 혀밑신경(설하신경)의 가지를 구분하여 색칠하시오.

Main Point 1. 더부신경(부신경)의 해부학적 구조를 이해한다.
Main Point 2. 혀밑신경(설하신경)의 해부학적 구조를 이해한다.

괄호에 알맞은 용어를 쓰고 도색하시오.

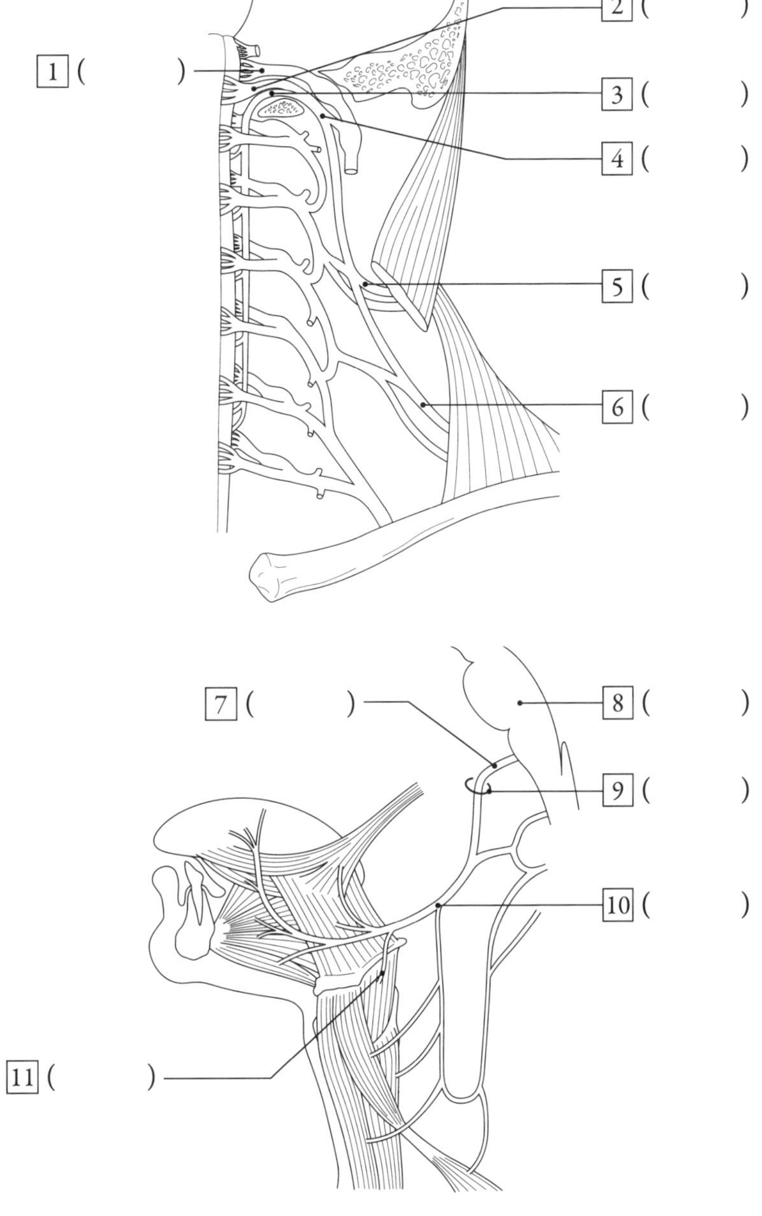

1 미주신경(vagus nerve) 2 뇌뿌리(연수근; cranial root) 3 척수뿌리(척수근; spinal root) 4 더부신경(부신경; accessory nerve) 5 목빗근가지(흉쇄유돌근지; sternocleidomastoid branch) 6 등세모근가지(승모근지) 7 혀밑신경(설하신경; hypoglossal nerve) 8 혀밑신경핵(설하신경핵; hypoglossal nucleus) 9 혀밑신경관(설하신경관; hypoglossal canal) 10 혀가지(설지; rami linguales) 11 방패목뿔근가지(갑상설골근지; muscular branch to thyrohyoideus)

9. 척수신경의 구성

목신경(경수; cervical nerves) : 8쌍(C1~C8)

제1목신경은 뒤통수뼈후두골와 제1목뼈경추 사이에서 출입한다.

제2목신경은 제1, 2목뼈경추 사이의 척추사이구멍추간공을 통과한다.

제8목신경은 제7목뼈경추와 제1등뼈흉추 사이 척추사이구멍추간공을 통과한다.

가슴신경(흉수; thoracic nerves)

12쌍(T1~T12)

허리신경(요수; lumbar nerves)

5쌍(L1~L5)

엉치신경(천수; sacral nerves)

5쌍(S1~S5)

제5엉치신경천수은 엉치뼈천골와 꼬리뼈미골 사이 엉치뼈 틈새천골열공를 통해서 나온다.

꼬리신경(미수; coccygeal nerves)

1쌍(C0)

제1, 2꼬리뼈미골 사이에서 출입한다.

0. 척수신경을 구분하여 색칠하시오.

Main Point 1. 척수신경의 구성을 이해할 수 있다.

괄호에 알맞은 용어를 쓰고 도색하시오.

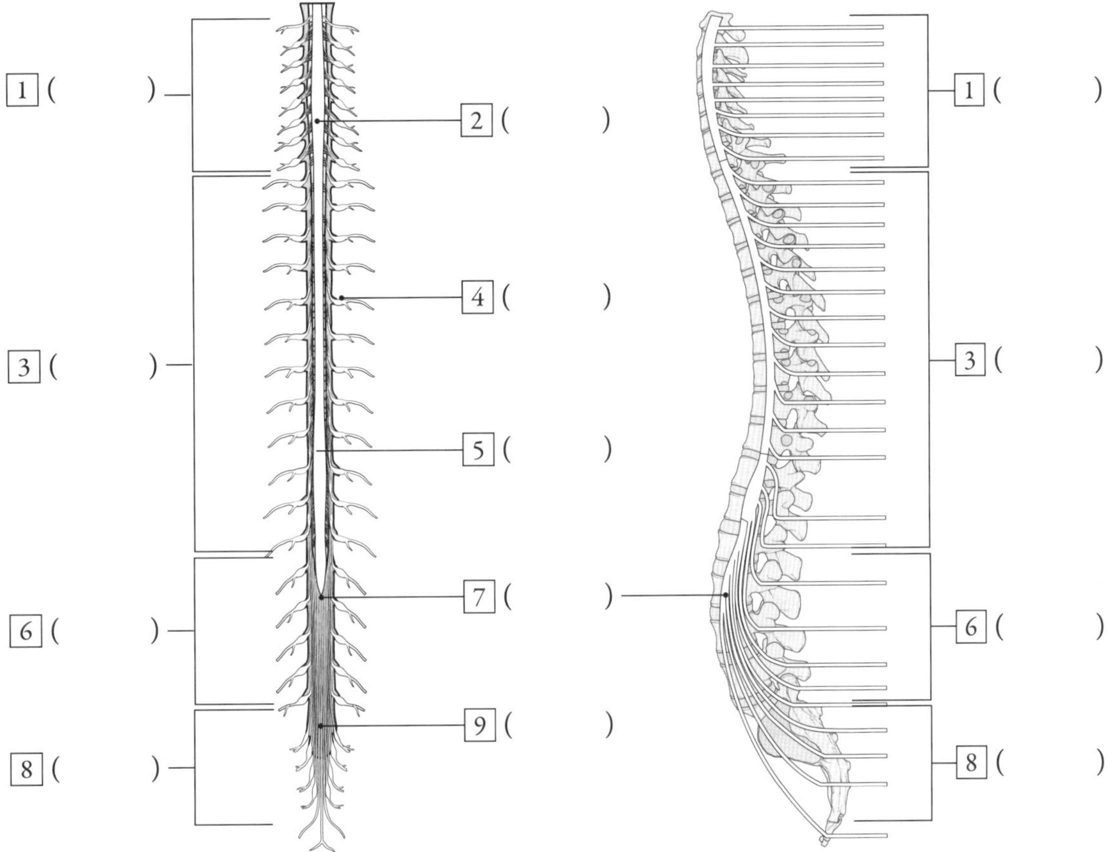

1 목신경(경수; cervical nerve) 2 목팽대(경팽대; cervical enlargement) 3 가슴신경(흉수; thoracic nerve) 4 척수신경절(spinal ganglion) 5 허리팽대(요부팽대; lumbar enlargement) 6 허리신경(요수; lumbar nerves) 7 말총(마미; cauda equina) 8 엉치신경(천수; sacral nerve) 9 종말끈(종사; filum terminale)

10. 목신경얼기(경신경총)

목신경얼기(경신경총; cervical plexus) : C1~C4의 앞가지

- **작은뒤통수신경(소후두신경; lesser occipital nerve)** : 바깥귀 안쪽면의 위 1/3, 귀 뒤쪽 피부, 뒤가쪽 목의 감각지배를 한다.
- **큰귓바퀴신경(대이개신경; great auricular nerve)** : 바깥귀 대부분, 꼭지돌기부위유양돌기, 귀밑샘이하선의 감각지배를 한다.
- **가로목신경(경횡신경; transverse cervical nerve)** : 목 앞쪽과 가쪽, 턱 아래쪽의 감각지배를 한다.
- **목고리신경(경신경고리; ansa cervicalis)** : 견갑설골근, 흉설골근, 흉갑상근을 지배한다.
- **빗장위신경(쇄골상신경; supraclavicular nerve)** : 목 아래 앞쪽과 가쪽 앞가슴의 감각지배를 한다.
- **가로막신경(횡격막신경; phrenic nerve)** : 횡격막, 심막, 흉막의 감각지배와 가로막(횡격막)의 근육지배를 한다.

0. 목신경얼기(경신경총)의 가지를 분류하여 색칠하시오.

Main Point 1. 목신경얼기(경신경총)의 가지와 해부학적 구조를 이해한다.

괄호에 알맞은 용어를 쓰고 도색하시오.

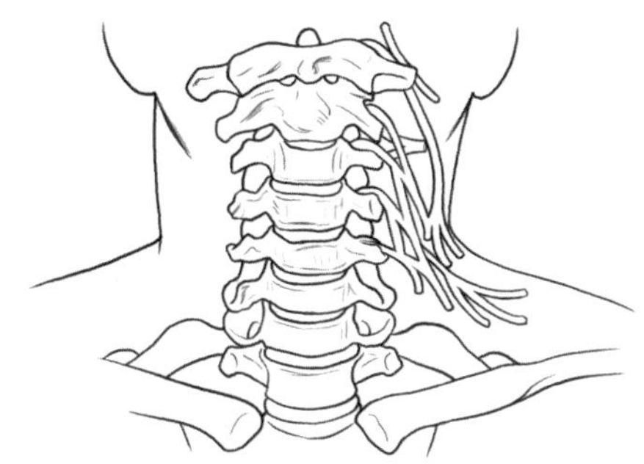

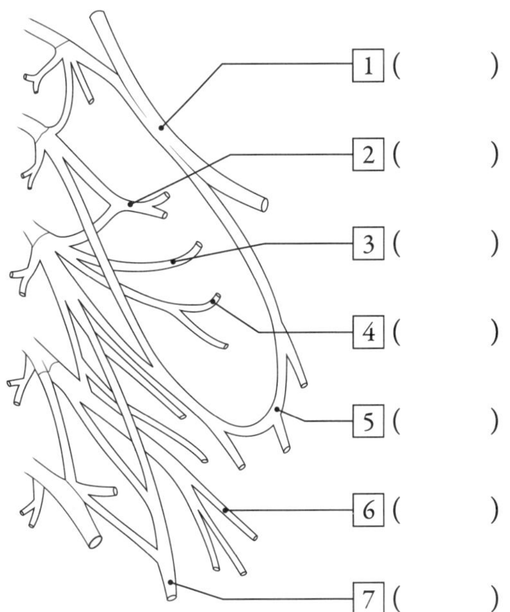

1 첫째목신경(1번 경신경) 2 혀밑신경(설하신경; hypoglossal nerve) 3 방패목뿔근(갑상설골근; thyrohyoid) 4 목신경고리(경신경고리; ansa cervicalis) 5 빗장위신경(쇄골상신경; supraclavicular nerve) 6 가로막신경(횡격막신경; phrenic nerve) 7 다섯째목신경(5번 경신경)

11. 상완신경총

팔신경얼기(상완신경총; branchial plexus) : C4~T1의 앞가지

첫 번째 갈비뼈를 지나 겨드랑이로 들어가서 팔과 목과 어깨의 일부 근육들을 지배한다.

- **근육피부신경(근피신경; musculocutaneous nerve)** : 팔 앞쪽과 가쪽피부, 팔굽관절의 감각지배와 위팔근상완근, 위팔두갈래근상완이두근, 부리위팔근오훼완근을 지배한다.
- **겨드랑신경(액와신경axillay nerve)** : 어깨와 팔의 가쪽 피부, 어깨관절견관절의 감각지배와 어깨세모근삼각근, 작은원근소원근의 운동지배를 한다.
- **노신경(요골신경; radial nerve)** : 팔 뒤쪽 피부, 앞팔과 손목 뒤쪽과 가쪽, 팔굽, 손목, 손관절의 감각지배와 주로 팔과 앞팔 뒤쪽의 폄근신전근의 근육지배를 한다.
- **정중신경(median nerve)** : 손 가쪽 2/3의 피부, 1~4번 손가락 끝, 손의 관절의 감각지배와 주로 앞팔 굽힘근굴곡근, 엄지두덩무지구과 1~2번 벌레근충양근을 지배한다.
- **자신경(척골신경; ulnar nerve)** : 손바닥과 손 안쪽 그리고 3~5번 손가락 안쪽, 팔굽과 손 관절의 감각지배와 일부 앞팔 굽힘근굴곡근, 엄지모음근무지내전근, 새끼두덩소지구, 뼈사이골간근, 3~4번 벌레근충양근을 지배한다.

0. 팔신경얼기(상완신경총)의 가지를 구분하여 색칠하시오.

Main Point 1. 팔신경얼기(상완신경총)의 가지와 해부학적 구조를 이해한다.

괄호에 알맞은 용어를 쓰고 도색하시오.

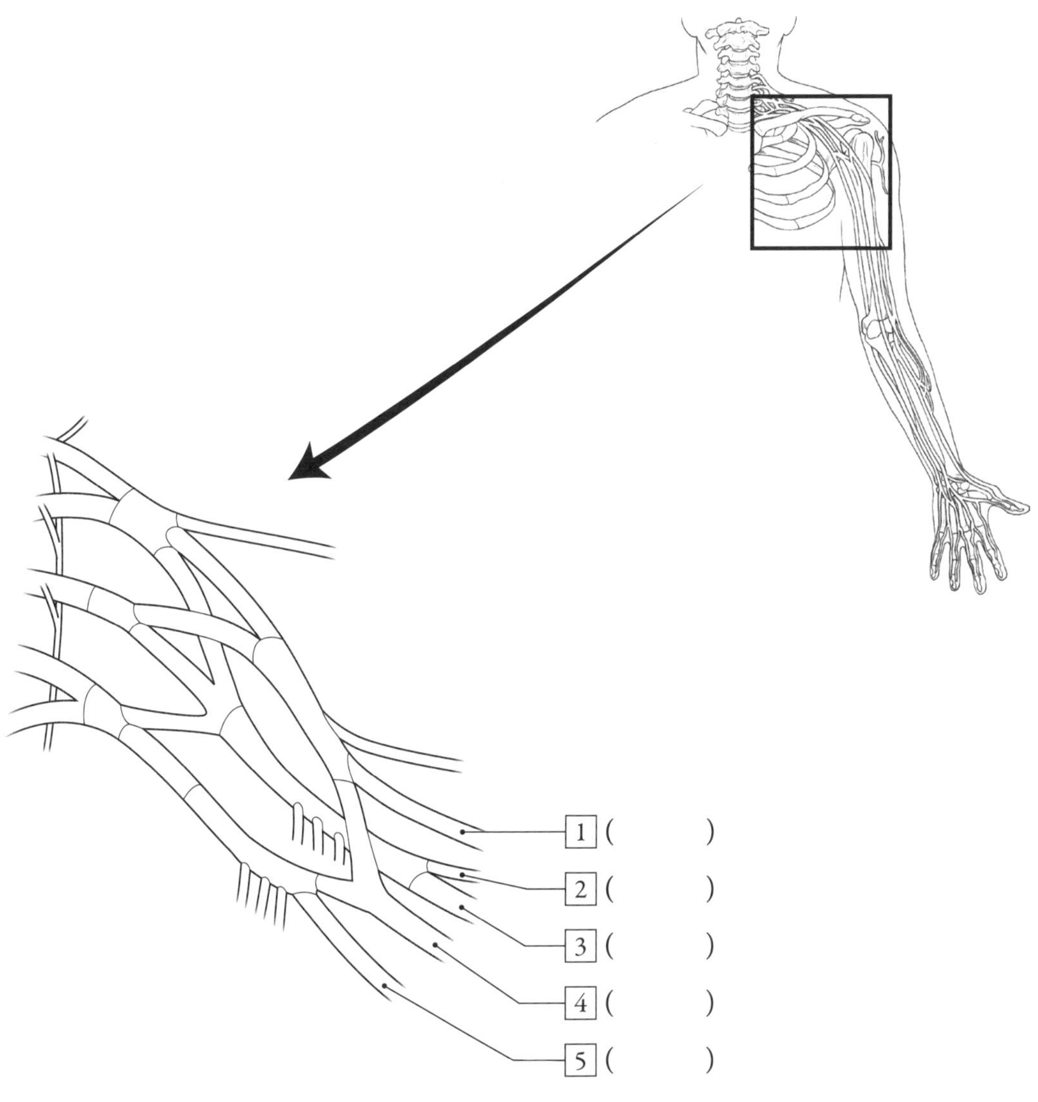

1 근육피부신경(근피신경; musculocutaneous nerve) 2 겨드랑이신경(액와신경; axillary nerve) 3 노신경(요골신경; radial nerve) 4 정중신경(median nerve) 5 자신경(척골신경; ulnar nerve)

12. 가슴신경(흉수)

가슴신경(흉수; thoracic nerve) : T1~T12

가슴신경(흉수)은 여러 척수신경과 달리 신경얼기를 형성하지 않는 것이 특징이다.

- **앞가지(anterior rami)** : 가슴신경 12쌍을 갈비사이신경늑간신경(intercostal nerve)이라고 부른다. 갈비사이근늑간근, 위/아래뒤톱니근상/하후거근, 앞배벽근, 가슴 가슴부위뿐만 아니라 대부분의 배벽(아래쪽 끝부위를 제외하고) 피부에 분절 형태로 분포하며 지각을 전달한다.
- **뒤가지(posterior rami)** : 척주세움근척추기립근들을 지배하며 그 피부의 영역까지 분포한다.

Q. 흉수의 앞가지와 뒤가지를 구분하여 색칠하시오.

Main Point 1. 흉수의 해부학적 구조를 이해한다.

괄호에 알맞은 용어를 쓰고 도색하시오.

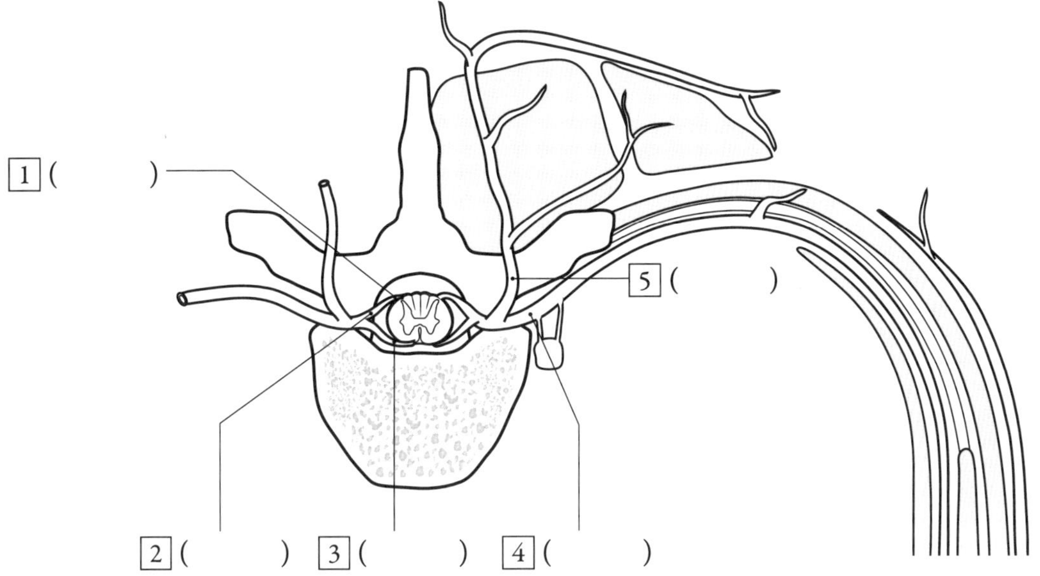

1 뒤뿌리(후근; dorsal root) 2 척수(spinal cord) 3 앞뿌리(전근; ventral root) 4 앞가지(전지; anterior rami)
5 뒤가지(후지; posterior rami)

13. 허리신경얼기(요수)

허리신경얼기(요수; lumbar plexus)

허리신경얼기요수는 L1~L4 신경의 앞가지와 T12 신경 일부 섬유로 형성된다.

- **엉덩아랫배신경(장골하복신경; iliohypogastric nerve)** : 아랫배 앞쪽 피부와 엉덩 뒤가쪽 부위 피부의 감각지배와 배속빗근내복사근, 배바깥빗근외복사근, 가로배근복횡근을 지배한다.
- **엉덩샅굴신경(장골서혜신경; ilioinguinal nerve)** : 허벅지 위안쪽 피부, 남자 음낭과 음경뿌리, 여자 대음순의 감각지배와 배속빗근내복사근을 지배한다.
- **음부넙다리신경(음부대퇴신경; genitofemoral nerve)** : 허벅지 중간 앞쪽 피부, 남자음경, 여자 대음순의 감각지배와 남자 음경근을 지배한다.
- **가쪽넙다리피부신경(외측대퇴피부신경; cutaneous nerve)** : 허벅지 앞쪽과 위 가쪽의 피부의 감각지배를 한다.
- **넙다리신경(대퇴신경; femoral nerve)** : 허벅지 앞쪽, 안쪽, 가쪽피부, 다리와 팔의 안쪽피부, 엉덩관절과 무릎관절의 감각지배와 엉덩근장골근, 두덩근치골근, 넙다리네갈래근대퇴사두근, 넙다리빗근봉공근을 지배한다.
- **폐쇄신경(obturator nerve)** : 허벅지 안쪽 피부, 엉덩관절과 무릎관절의 감각지배와 바깥빗근, 안쪽, 허벅지 근육들을 지배한다.

0。 허리신경얼기(요수)의 가지를 구분하여 색칠하시오.

Main Point 1. 허리신경얼기(요수)의 가지와 해부학적 구조를 이해한다.

괄호에 알맞은 용어를 쓰고 도색하시오.

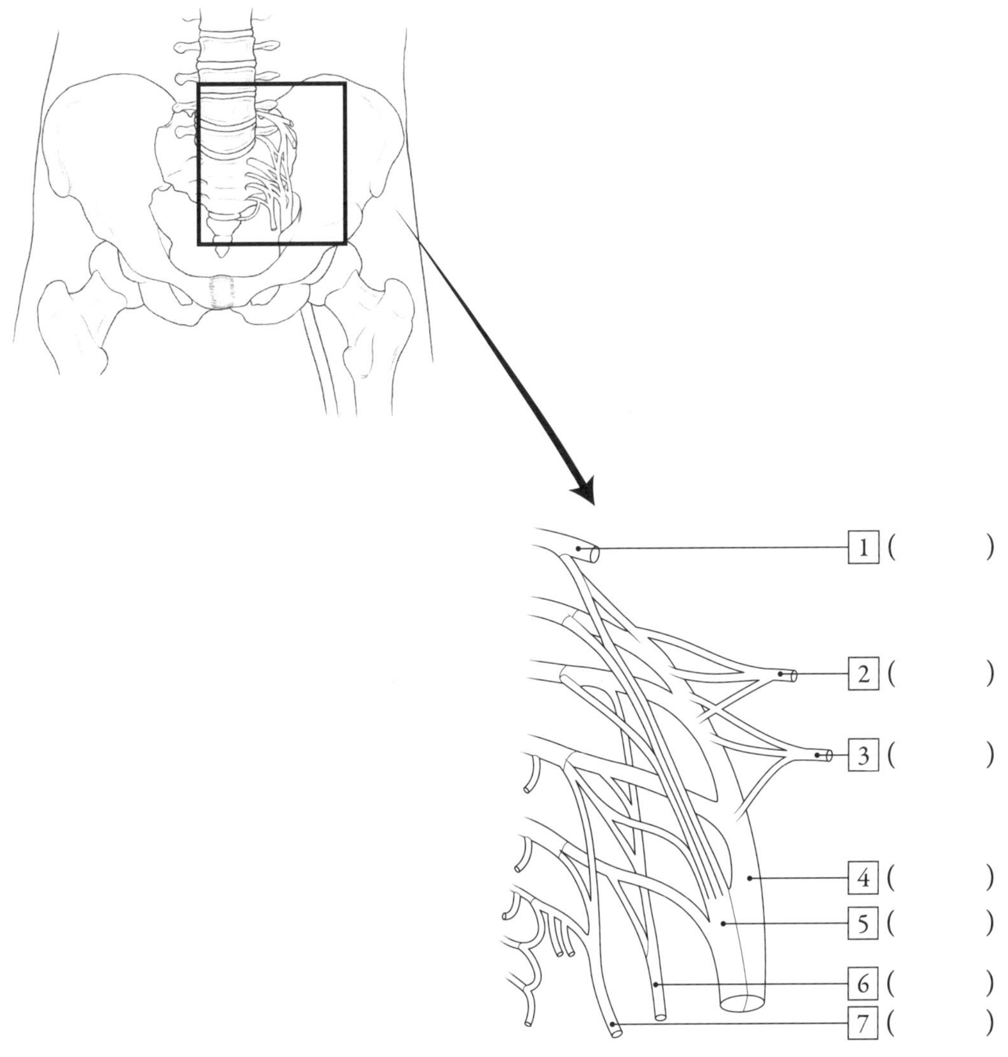

1 허리엉치신경줄기(요천추신경간; lumbosacral trunk) 2 위볼기신경(상둔신경; superior gluteal nerve) 3 아래볼기신경(하둔신경; inferior gluteal nerve) 4 온종아리신경(총비골신경; common peroneal nerve) 5 정강신경(경골신경; tibial nerve) 6 뒤넙다리피부신경(후대퇴피부신경; posterior femoral cutaneous nerve) 7 음부신경(pudendal nerve)

14. 엉치신경 및 꼬리신경얼기

엉치신경얼기(천골신경총; sacral plexus)

엉치신경얼기천골신경총은 L4, L5, S1~S4 신경 앞가지로 형성된다. 궁둥신경좌골신경은 골반의 큰궁둥패임대좌골절흔을 지나 허벅지 길이만큼 내려와 다리오금슬와에서 끝나며, 이 곳에서 경골신경정강신경과 총비골신경온종아리 신경이 갈라져 다리를 향하는 각자의 경로를 지난다.

- **위볼기신경(상둔신경; superior gluteal nerve)** : 작은 볼기근소둔근, 중간볼기근중둔근, 넙다리근막긴장근대퇴근막장근을 지배한다.
- **아래볼기신경(하둔신경; inferior gluteal nerve)** : 큰볼기근대둔근을 지배한다.
- **뒤넙다리피부신경(후대퇴피부신경; posterior femoral cutaneous nerve)** : 궁둥부위, 샅, 허벅지 뒤쪽과 안쪽, 다리오금슬와, 다리의 뒷면 위쪽의 피부의 감각을 지배한다.
- **정강신경(경골신경; tibial nerve)** : 다리뒤쪽 피부, 발바닥 피부, 무릎과 발가락 관절의 감각지배와 넙다리뒤근슬괵근, 다리 뒤근육, 대부분의 발 내재근을 지배한다.
- **종아리신경(비골신경; fibular nerve)(common, deep, superficial)** : 다리 앞쪽의 먼쪽 1/3지점, 발등, 1~2번 발가락의 피부, 무릎관절의 감각지배와 넙다리두갈래근대퇴이두근, 다리앞쪽 그리고 가쪽 근육들, 발의 짧은발가락폄근단지신근을 지배한다.
- **음부신경(pudendal nerve)** : 남자의 음경과 음낭 피부, 여성의 음핵, 대음순, 소음순, 질의 감각지배와 샅근육들을 지배한다.
- **꼬리신경얼기(미골신경총; coccygeal plexus)** : S4~C0

Q. 천골신경총의 가지를 구분하여 색칠하시오.

Main Point 1. 천골신경총의 가지와 해부학적 구조를 이해한다.

괄호에 알맞은 용어를 쓰고 도색하시오.

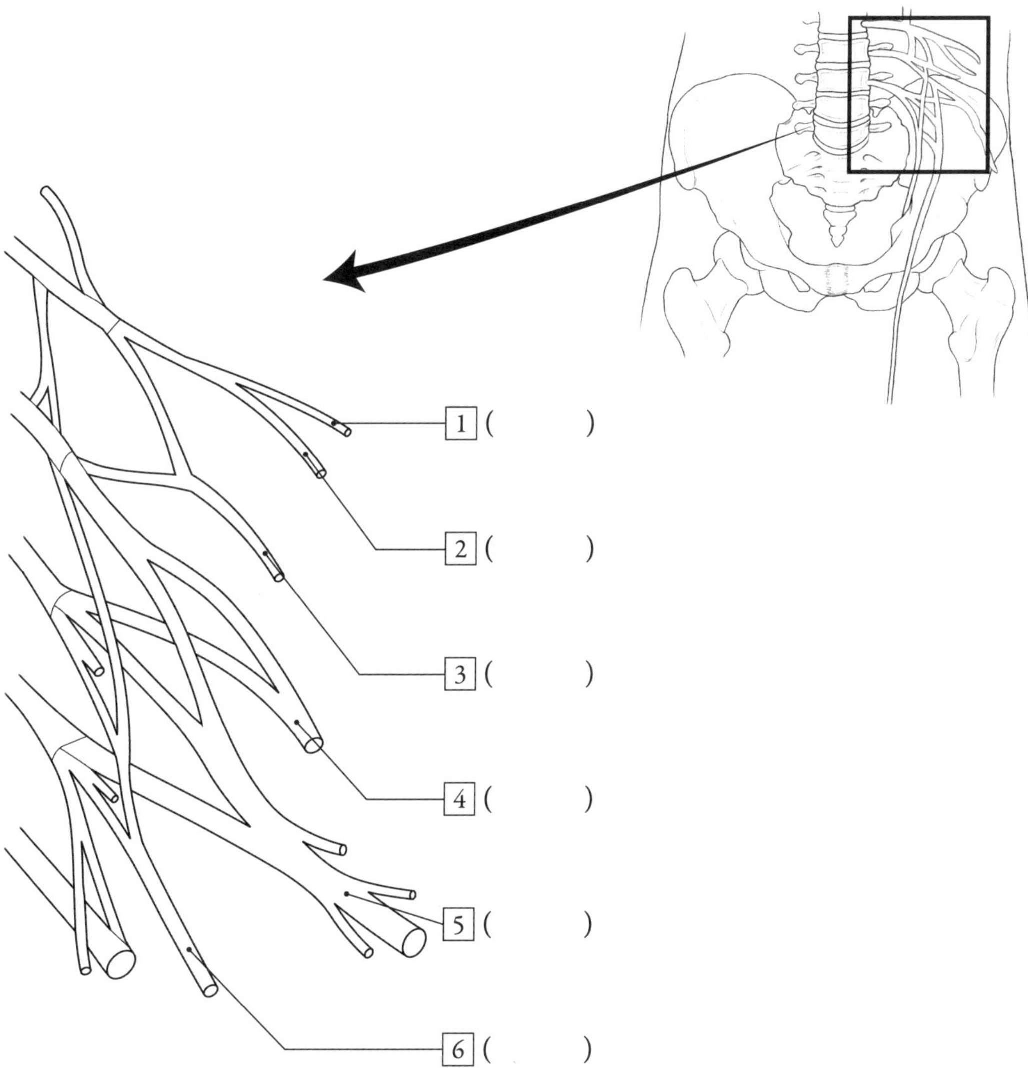

1 엉덩아랫배신경(장골하복신경; iliohypogastric nerve) 2 엉덩샅굴신경(장골서혜신경; ilioinguinal nerve) 3 음부넙다리신경(음부대퇴신경; genitofemoral nerve) 4 가쪽넙다리피부신경(외측대퇴피부신경; lateral femoral cutaneous nerve) 5 넙다리신경(대퇴신경; femoral nerve) 6 폐쇄신경(obturator nerve)

괄호에 알맞은 용어를 쓰고 도색하시오.

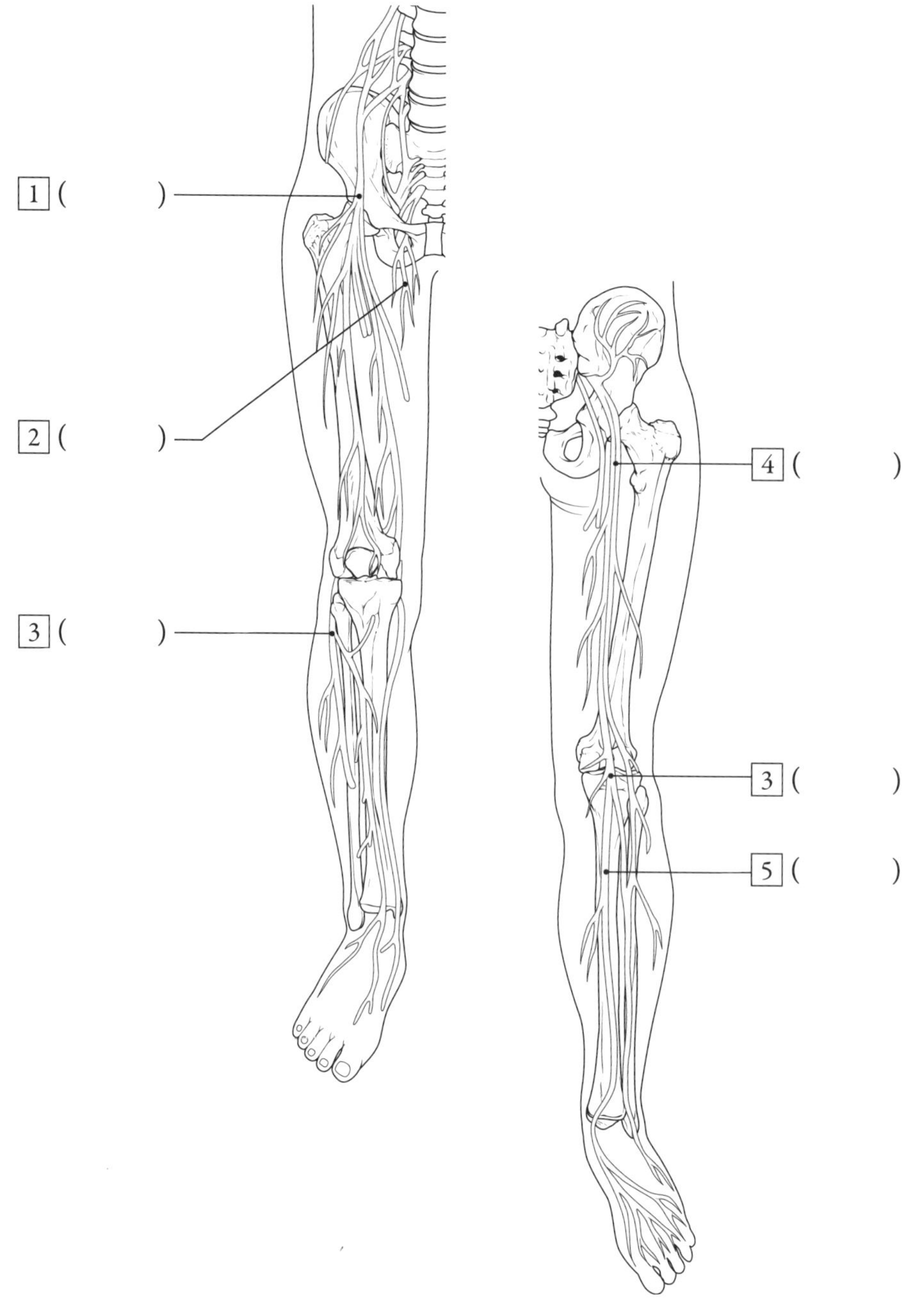

1 넙다리신경(대퇴신경; femoral nerve) 2 폐쇄신경(obturator nerve) 3 온종아리신경(총비골신경; common peroneal nerve) 4 궁둥신경(좌골신경; sciatic nerve) 5 정강신경(경골신경; tibial nerve)

note

15. 자율신경

자율신경(autonomic nerve)

- **교감신경(sympathetic nerve)** : 척주의 양쪽 가장자리를 통과하는 1쌍의 교감신경줄기이다.
- **부교감신경(parasympathetic nerve)** : 뇌줄기뇌간에서 나오는 눈돌림동안신경(III), 얼굴안면신경(VII), 혀인두설인신경(IX), 미주신경(X)이나 엉치분절천구(S2~S4)에서 나오는 엉치신경천수와 섞여서 나오므로 뇌 · 엉치분절천구 신경이라고 한다.

표 8-15-1. 교감신경계통과 부교감신경계통의 작용

목표	교감자극효과	부교감자극효과
동공	확장	수축
심박률	증가	감소
대부분 내장의 혈관	혈관수축	보통 효과 없으나 위장혈관은 확장됨
뼈대근육의 혈관	혈관확장	효과없음
피부의 혈관	혈관수축	보통효과 없으나 얼굴혈관은 확장되어 빨개짐
세기관지	기관지 확장	기관지 수축
콩팥	배변감소	효과없음
방관벽의 근육	효과없음	수축, 방광을 비움
침샘	두꺼운 점액질 분비	얇은 장액질 분비
위창자의 움직임	감소	증가
위창자의 분비	감소	증가
간	글리코겐 결핍	글리코겐 합성
이자효소분비	감소	증가

0. 자율신경의 효과에 대하여 구분하여 색칠하시오.

Main Point 1. 자율신경계를 구분하고 그 효과에 대해 이해한다.

괄호에 알맞은 용어를 쓰고 도색하시오.

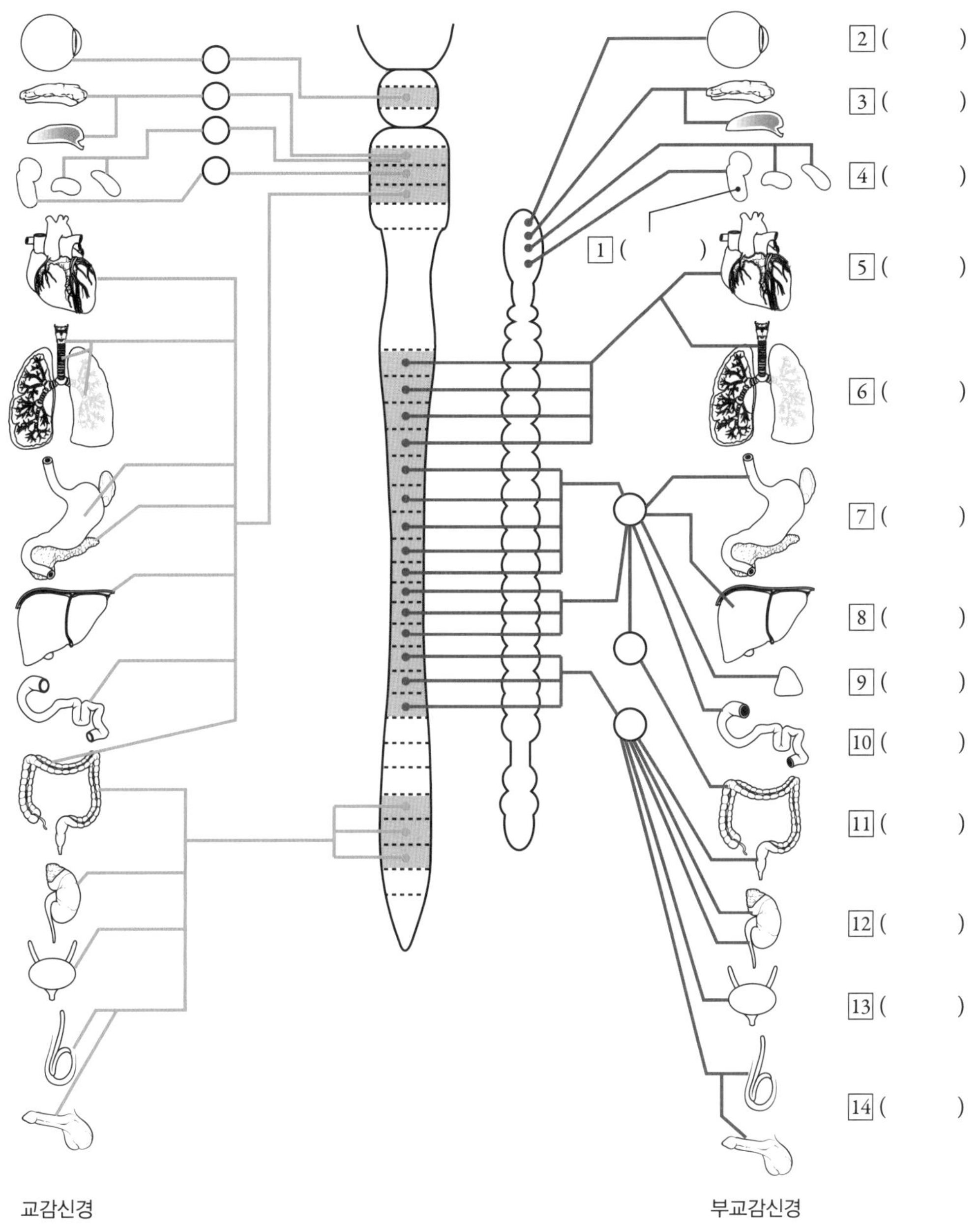

1 귀밑샘(이하선; parotid gland) 2 동공(pupil) 3 혀밑샘(설하선; sublingual gland) 4 턱밑샘(악하선; submandibular gland) 5 심장(heart) 6 허파(폐; lung) 7 위(stomach) 8 간(liver) 9 부신(adrenal gland) 10 작은창자(소장; small intestine) 11 큰창자(대장; large intestine) 12 콩팥(신장; kidney) 13 방광(urinary bladder) 14 생식기(genitalia)

CHAPTER 9

비뇨생식계통 해부

Genitourinary System

비뇨계통(urinary system)은 혈액 내 대사성 노폐물을 정화, 노폐물질을 제거하여 오줌을 만드는 콩팥과 오줌을 운반하여 배출하는 기관인 2개의 콩팥, 2개의 요관, 방광, 요도로 구성되어있다.

- **콩팥**(신장; kidneys)은 혈액을 여과하여 오줌을 만드는 한 쌍의 복막 뒤 기관이며, 호흡기계 및 피부와 함께 인체 최고의 배설기관이다.
- **요관**(ureters)은 복막 뒤 기관이고, 콩팥에서 만들어진 오줌을 방광까지 내려 보내는 관이다.
- **방광**(urinary bladder)은 오줌을 일정 시간 저장해 두는 저장소이다.
- **요도**(urethra)는 저장되었던 오줌을 방광에서 몸 바깥으로 배출시키는 통로이다.

생식계통(reproductive system, genital system)은 부모와 닮은 새로운 개체를 만들어내는 일 즉 생식 기능을 수행하는 일련의 장기들로 이루어져 있고, 남녀 생식기관의 모양은 서로 다르지만 한 쌍의 생식샘, 생식 통로, 부속샘, 접합기관을 공통적으로 가진다. 장기가 놓이는 위치 에 따라 분류 할 때는 바깥생식기관과 속생식 기관으로 구분한다.

학습목표

1. 비뇨계통의 명칭과 위치를 분류 할 수 있다.
2. 콩팥, 요관, 방광, 요도의 주요한 내, 외부 특징을 이해 할 수 있다.
3. 남성과 여성사이의 기초적인 생물학적 차이를 구분할 수 있다.

1. 비뇨기관

비뇨계통은 콩팥, 요관, 방광, 요도로 구성되어 있다.

- **콩팥(신장; kidneys)** : T12 ~ L3 높이에서 뒤쪽 배 벽에 위치해 있고, 위 끝은 가로막에 닿고 아래 끝은 배꼽 높이보다 약간 위에 위치해 있다. 오른쪽 콩팥은 바로 위에 간이 있어 약간 쳐져 있고 왼쪽 콩팥이 약간 더 높이 위치하고 있다.

- **요관(ureters)** : 길이 약 25cm, 직경이 약 4mm 가량 되는 가는 근육성 관이다.

- **방광(urinary bladder)** : 골반공간의 치골결합두덩결합(symphysis pubis)의 뒤쪽인 골반안(pelvic cavity) 바닥의 근주머니이다.

- **요도(urethra)** : 방광에서 몸 바깥까지 연결되는 관으로, 남성요도(male urethra)는 길이가 대략 20cm이고, 오줌의 배설통로로서 뿐만 아니라 정액의 사출로 로서도 작용하는 이중 기능을 가지고 있고. 여성요도(female urethra)는 길이가 약 3cm 가량이고, 비뇨기관의 통로로만 작용한다.

0. 콩팥, 요관, 방광, 요도를 다른 색을 사용하여 색칠하시오.

Main Point. 비뇨계통의 구조와 위치에 대하여 학습한다.

괄호에 알맞은 용어를 쓰고 도색하시오.

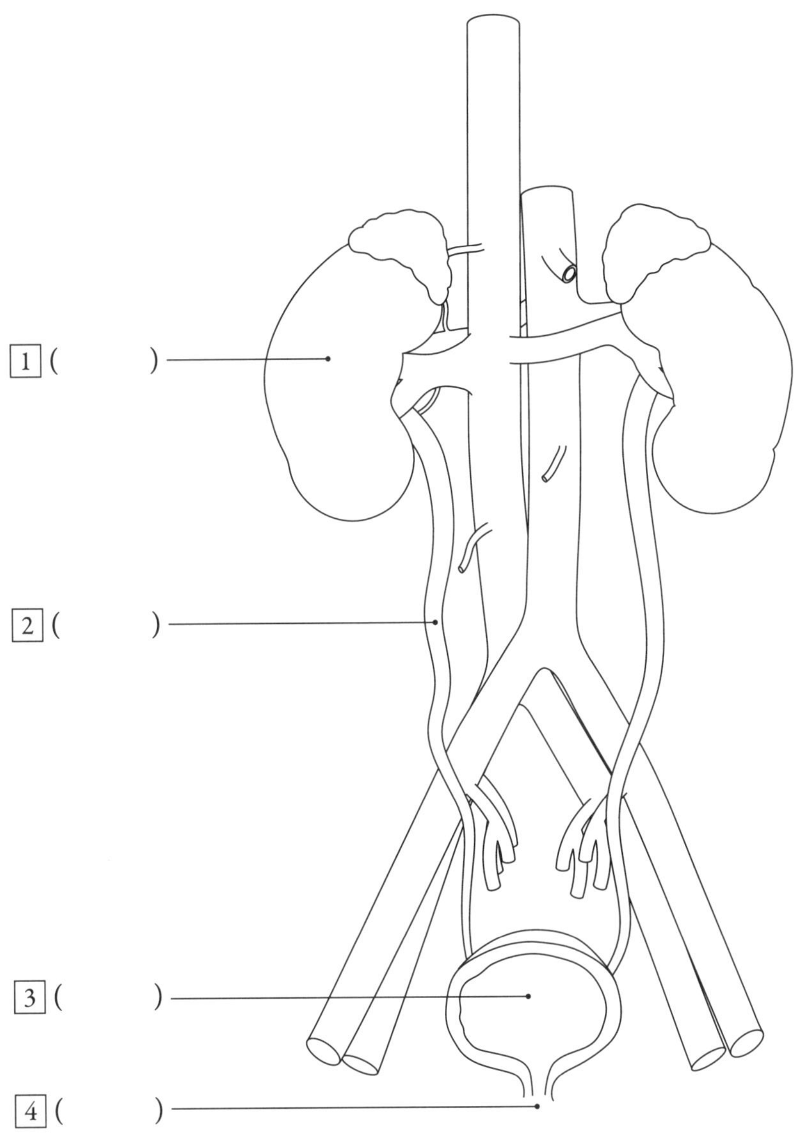

1 콩팥(신장; kidneys) 2 요관(ureters) 3 방광(urinary bladder) 4 요도(urethra)

2. 콩팥단위

콩팥의 구조

콩팥은 피막(capsule)으로 싸여있고, 단면을 보면 겉질피질(cortex)과 피질수질(medulla)로 구분된다.

- **콩팥겉질(renal cortex)** : 콩팥을 싸고 있는 약 1cm의 두께인 바깥층
- **콩팥속질(renal medulla)** : 콩팥의 안쪽층
- **콩팥기둥(신장원주; renal columns)** : 겉질의 확장으로 콩팥굴쪽을 향하고 있고, 콩팥피라밋 사이의 속질 부분이다.
- **콩팥피라밋(신추체; renal pyramids)** : 속질에는 8~18개의 대략 세모 모양의 콩팥피라밋이 콩팥문을 향해 배열되어 있다.
- **작은 술잔(소신배; minor calyx)** : 소변을 수집하는 작은 컵 모양이다.
- **큰 술잔(대신배; major calyx)** : 2~3개의 작은 술잔이 모여 형성한다.
- **콩팥깔때기(신우; renal pelvis)** : 2~3개의 큰 술잔이 모여 형성한다.

1. 콩팥의 겉질과 속질을 구분하여 색칠하시오.
2. 콩팥의 내부구조를 구분하여 색칠하시오.

Main Point. 콩팥의 외부 구조와 내부구조에 대하여 학습한다.

괄호에 알맞은 용어를 쓰고 도색하시오.

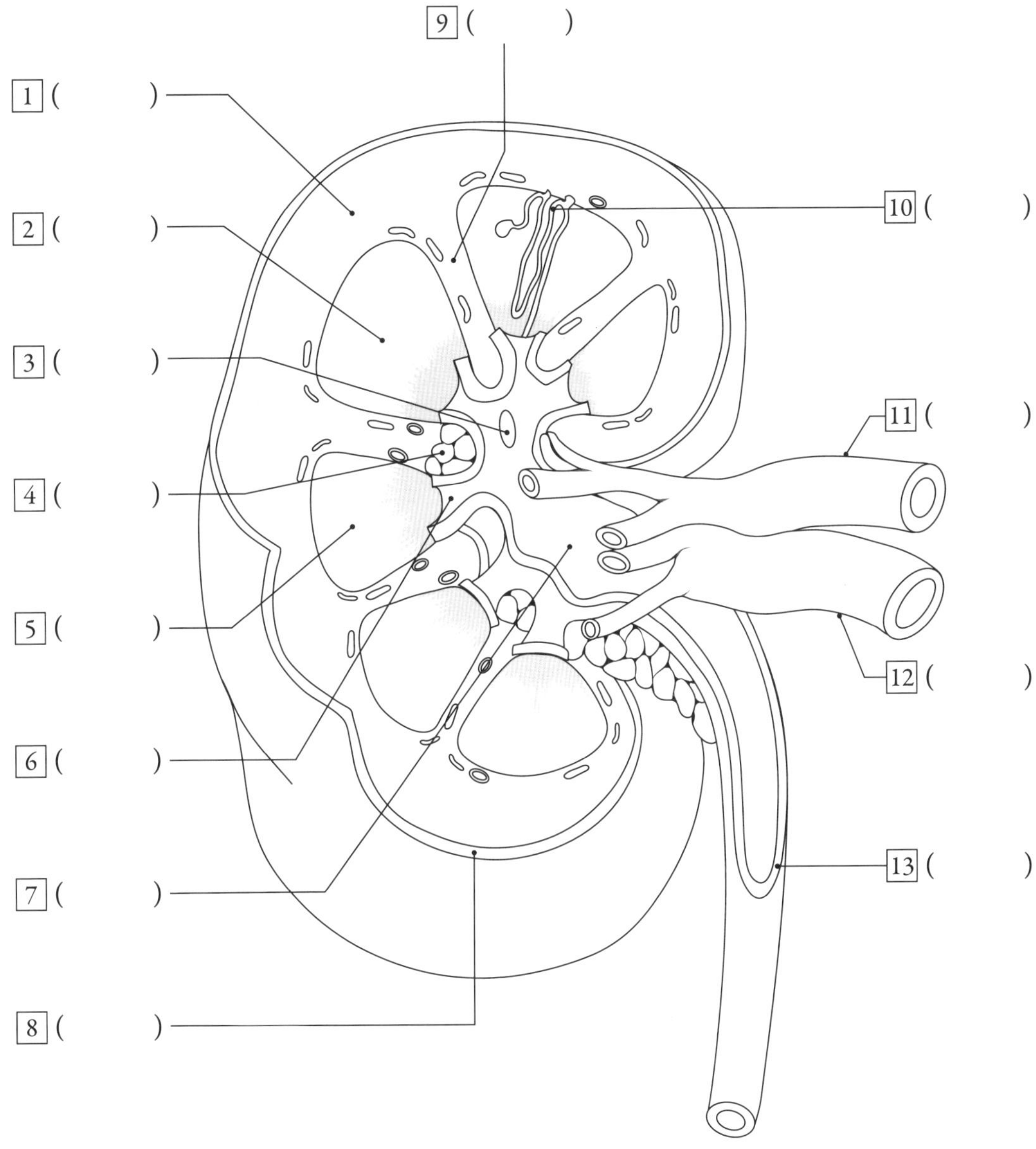

1 콩팥겉질(신장피질; renal cortex) 2 콩팥속질(신장수질; renal medulla) 3 큰술잔(대신배; major calyx) 4 지방조직(adipose tissue) 5 콩팥피라밋(신추체; renal pyramids) 6 작은술잔(소신배; minor calyx) 7 콩팥깔때기(신우; renal pelvis) 8 주머니(피막; capsule) 9 콩팥기둥(신장원주; renal columns) 10 콩팥단위(신장단위; nephron) 11 콩팥동맥(신장동맥; renal artery) 12 콩팥정맥(신장정맥; renal vein) 13 요관(ureters)

3. 콩팥단위

콩팥단위 구조

콩팥단위신장단위(nephron)는 콩팥소체신소체와 콩팥세관신세관으로 구성된 기본단위로 한쪽 콩팥에 약 100만~300만 개 정도 존재한다.

- **콩팥소체(renal corpuscle)** : 토리와 토리주머니로 구성된다.
- **토리(사구체; glomerular)** : 겉질에만 분포되어 있고 마치 털실을 감아 놓은 것 같은 모세혈관의 뭉치로 토리주머니에 싸여 있고 혈장을 여과한다.
- **토리주머니(사구체낭; glomerular capsule)** : 토리를 싸고 있는 술잔 모양의 콩팥세관이다.
- **토리쪽곱슬세관(근위곡세관; proximal convouluted tubules)** : 토리와 연결되어있고 여과된 혈장을 콩팥세관 고리로 내려보낸다.
- **콩팥세관고리(신원고리; henle's loop)** : 주로 속질에서 발견되며 긴 U자형으로 내림부분과 오름부분이 있다.
- **먼쪽곱슬세관(원위곡세관; distal convoluted tubules)** : 겉질에 위치하고 콩팥세관고리를 지나온 오줌이 잔류 하고 콩팥단위의 끝부분이다.
- **집합세관(집합관; collecting tubules)** : 곧은세관으로 오줌을 마지막으로 농축하여 작은 술잔으로 보내기 전에 미세한 조정을 하는 부위이다.

1. 속질과 겉질을 구분하여 색칠하시오.
2. 콩팥단위 구조를 구분하여 색칠하시오.

Main Point. 콩팥단위의 구조에 대하여 학습한다.

괄호에 알맞은 용어를 쓰고 도색하시오.

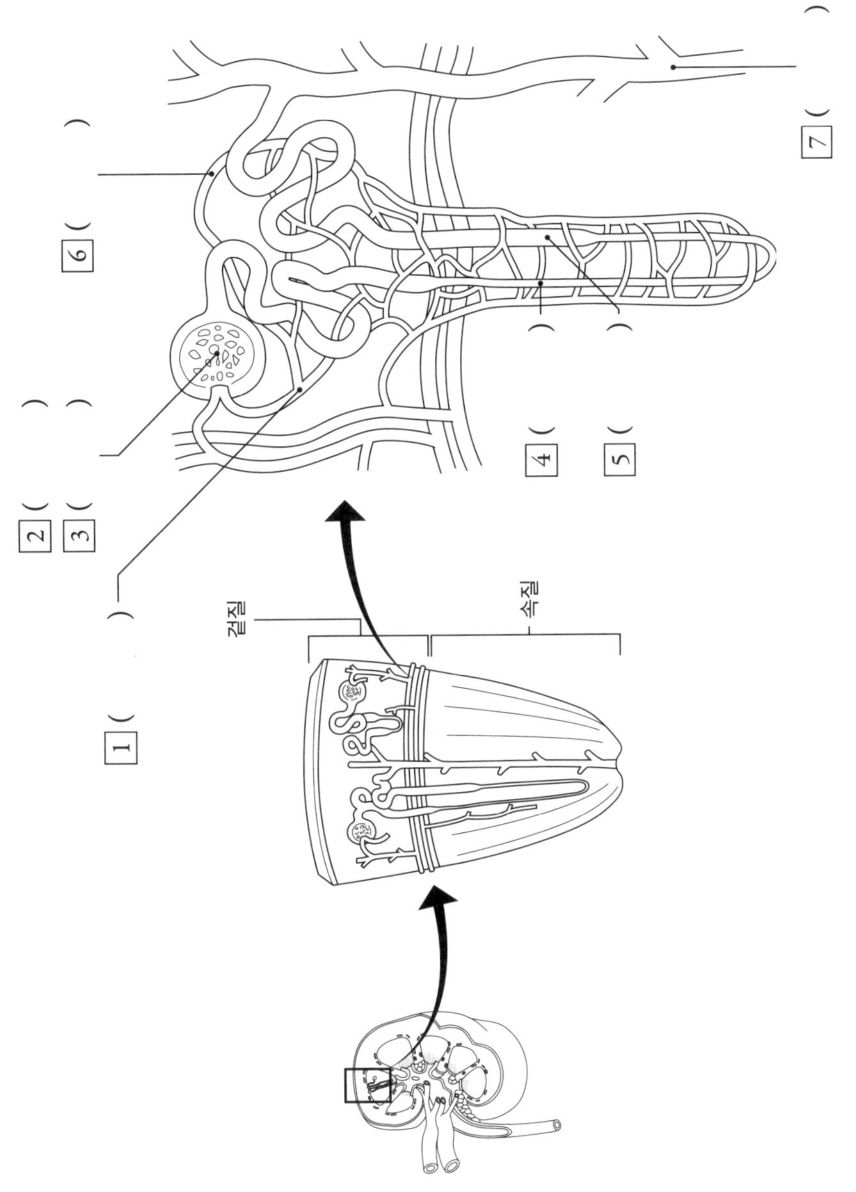

1 토리쪽곱슬세관(근위곡세관; proximal convoluted tubule) 2 콩팥소체(신소체; renal corpuscle) 3 토리주머니(사구체낭; glomerular capsule) 4 내림콩팥세관고리(descending limb of henle's loop) 5 오름콩팥세관고리(ascending limb of henle's loop) 6 먼쪽곱슬세관(원위곡세관; distal convoluted tubule) 7 집합세관(집합관; collecting tubules)

4. 생식계통

남성생식계통(male reproductive system)

남성생식계통은 생식샘인 고환과 생식통로인 부고환, 정관, 사정관, 요도가 있고, 이 통로에는 정낭, 전립샘, 망울요도샘같은 부속샘이 있다.

생식샘

- **고환(testis)** : 남성생식계통의 생식샘으로 정자를 생산하고 음낭속에 존재한다.

생식통로

- **부고환(epididymis)** : 구부러진 작은 관들로 구성되며, 정자를 받아 저장하고 성숙시킨다.
- **정관(ductus deferens)** : 민무늬근육으로 이루어진 관으로 사정 시 수축이 일어나 정자를 밀어내는 기능을 한다.
- **사정관(ejaculatory duct)** : 정관의 끝과 정낭의 배출관이 합쳐져 이룬 관으로 정액을 요도로 보낸다.
- **요도(urethra)** : 전립샘을 지나는 관으로 사정할 때 몸 밖으로 정액을 운반하는 역할을 한다.

부속샘

- **정낭(seminal vesicle)** : 정자를 활성화 시키는 알카리성 분비물을 생산하여 사정관에서 정관과 합쳐진다.
- **전립샘(전립선; prostate)** : 방광아래에 위치하며 약알카리성 분비물을 생산하며 정자의 운동을 촉진, 요도를 윤활하게 하며, 산성인 오줌으로부터 정자를 보호한다.
- **망울요도샘(요도구선; bulbourethral gland)** : 투명한 알칼리성을 가진 액체로서 단순한 성적인 자극만으로도 분비되어 요도 내의 산성이 중화되고 윤활액 역할을 한다.

1. 남성생식계통의 구조를 각각 다른 색을 이용하여 색칠하시오.
2. 생식통로와 부속샘을 구분하여 색칠하시오.

Main Point. 남성생식계통의 구조에 대하여 학습한다.

괄호에 알맞은 용어를 쓰고 도색하시오.

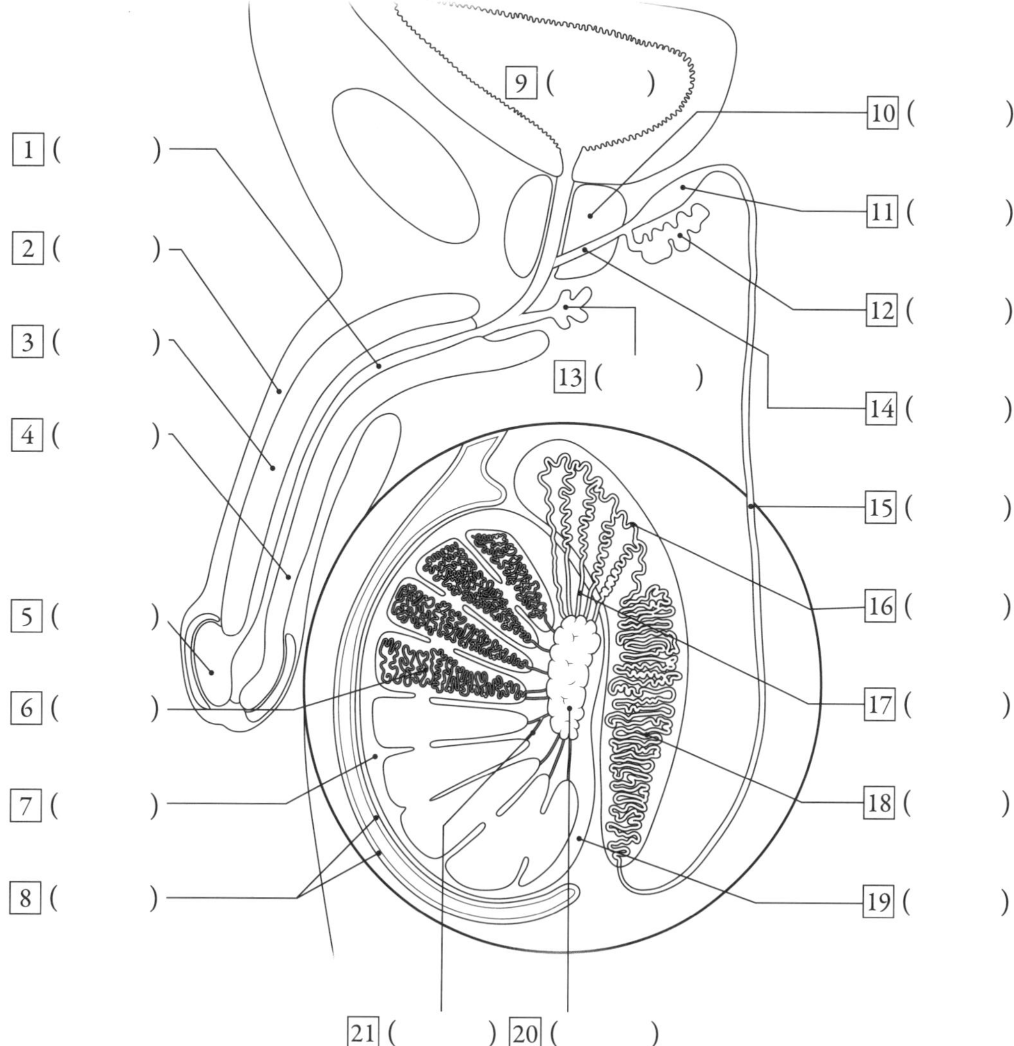

1 요도(urethra) 2 음경(penis) 3 음경해면체(corpus cavernosum penis) 4 요도해면체(corpus spongiosum penis) 5 음경귀두(glans penis) 6 고환소엽(lobule of testis) 7 백색막(백막; tunica albuginea) 8 고환집막(고환초막; tunica vaginalis) 9 방광(urinary bladder) 10 전립샘(전립선; prostate) 11 정관팽대(정관팽대부; ampulla of deferent duct) 12 정낭(seminal vesicle) 13 망울요도샘(요도구선; bulbourethral gland) 14 사정관(ejaculatory duct) 15 정관(ductus deferens) 16 부고환관(epididymal duct) 17 고환날세관(고환수출관; ductulus efferens testis) 18 부고환(epididymis) 19 고환(testis) 20 고환그물(고환망; rete testis) 21 곧은세관(직세관; straight tubule)

남성생식기관

요도(urethra)

요도는 방광에서 체외로 오줌을 운반하는 관이며 그 길이는 약 20cm 정도이며 전립샘부분, 가로막부분, 해면체부분의 세 부분으로 나눈다.

- **전립샘요도(전립선요도; prostatic urethra)** : 전립샘을 통과하여 달리는 요도의 몸쪽부분이며 민무늬근육 조임근인 속요도조임근(internal urethral sphincter)으로 둘러 싸여 있다.
- **가로막요도(요도막부분; membranous urethra)** : 뼈대근육으로 이루어진 바깥요도조임근(external urethral sphincter)에 의해 둘러싸인 요도 중간의 짧은 부분이다.
- **해면체요도(spongy urethra)** : 세 부분 중 가장 긴 부분으로서 음경의 요도해면체를 통과하여 음경망울, 몸통, 귀두를 차례로 통과하여 바깥요도구멍에서 끝난다.

음경(penis)

음경은 오줌과 정액을 배출하는 공통의 통로이며 남성의 교접기인 동시에 오줌을 배출하는 요도를 갖고 있는 발기조직으로 1쌍의 음경해면체, 1개의 요도해면체로 구성된다.

- **음경해면체(corporus cavernosum)** : 궁둥두덩뼈가지를 따라 시작하는 2개의 몸통을 가진 발기조직이다.
- **요도해면체(corporus spongiosum)** : 하나의 발기몸통으로 음경의 기저부를 이루고 내부에는 요도를 수용한다.

0. 남성생식기의 구조를 각각 다른 색을 이용하여 색칠하시오.

Main Point. 남성생식기의 구조에 대하여 학습한다.

괄호에 알맞은 용어를 쓰고 도색하시오.

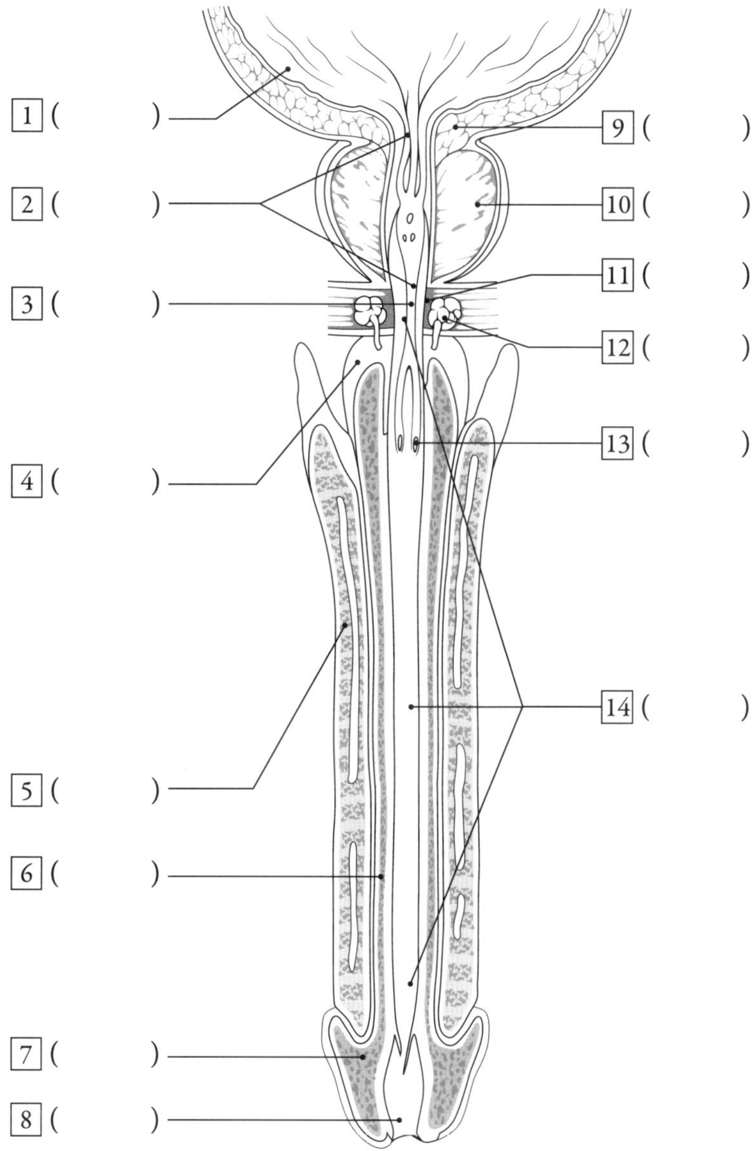

1 방광(urinary bladder) 2 전립샘요도(전립선요도; prostatic urethra) 3 가로막요도(요도막부분; membranous urethra) 4 음경망울(요도구; bulb of penis) 5 음경해면체(corpus cavernosum penis) 6 요도해면체(corpus spongiosum penis) 7 음경귀두(glans penis) 8 바깥요도구멍(외요도구; external urethral prifice) 9 속요도조임근(내부괄약근; internal urethral sphinctors) 10 전립샘(전립선; prostate) 11 바깥요도조임근(외부괄약근; external urethral sphinctors) 12 망울요도샘(요도구선; bulbourethral gland) 13 망울요도샘구멍(bulbourethral gland orifice) 14 해면체요도(spongy urethra)

여성생식계통(female reproductive system)

여성생식계통은 생식샘인 난소와 생식통로인 자궁관, 자궁, 질이 있고, 이 통로에는 부속샘인 질어귀샘전정선이 있다.

생식샘

- **난소(ovary)** : 여성생식계통의 생식샘으로 골반 양측에 1개씩 있고, 여성의 생식세포인 난자와 호르몬을 생산한다.

생식통로

- **자궁관(난관; uterine tube)** : 자궁 위 가쪽벽으로 부터 확장되어 생긴 한 쌍의 관이고, 자궁관술난관채(fimbriae of uterine tube)이 달린 깔때기 모양의 끝 부분이 배란된 난자를 받는다.
- **자궁(uterus)** : 조롱박 또는 서양배(pear)를 거꾸로 놓은 모양을 하고 있는 속이 빈 근육성 장기이며 자궁벽 속에 착상된 수정란(fertilized ovum)을 보호하여 발육시키는 기관이다.
- **질(vagina)** : 길이가 약 7~8cm 정도 되는 신축성이 매우 좋은 길쭉한 관으로 산도라고도 한다.

부속샘

- **큰질어귀샘(대전정선; great vestibular gland)** : 일명 바르톨린샘(bartholin)으로 다량의 점액을 분비한다.

1. 여성생식계통의 구조를 각각 다른 색을 이용하여 색칠하시오.
2. 생식통로와 부속샘을 구분하여 색칠하시오.

Main Point. 여성생식계통의 구조에 대하여 학습한다.

괄호에 알맞은 용어를 쓰고 도색하시오.

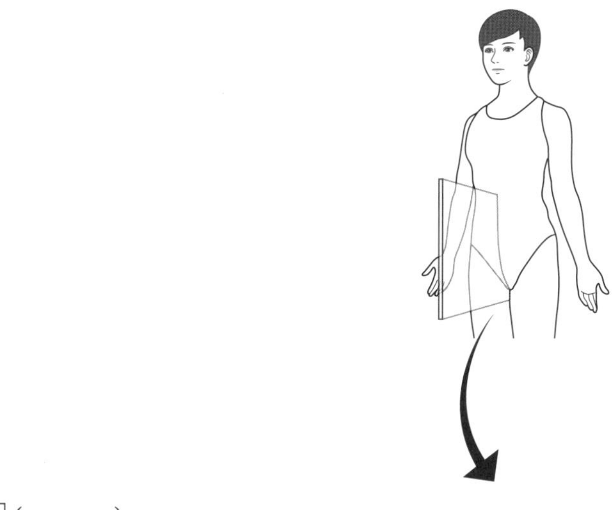

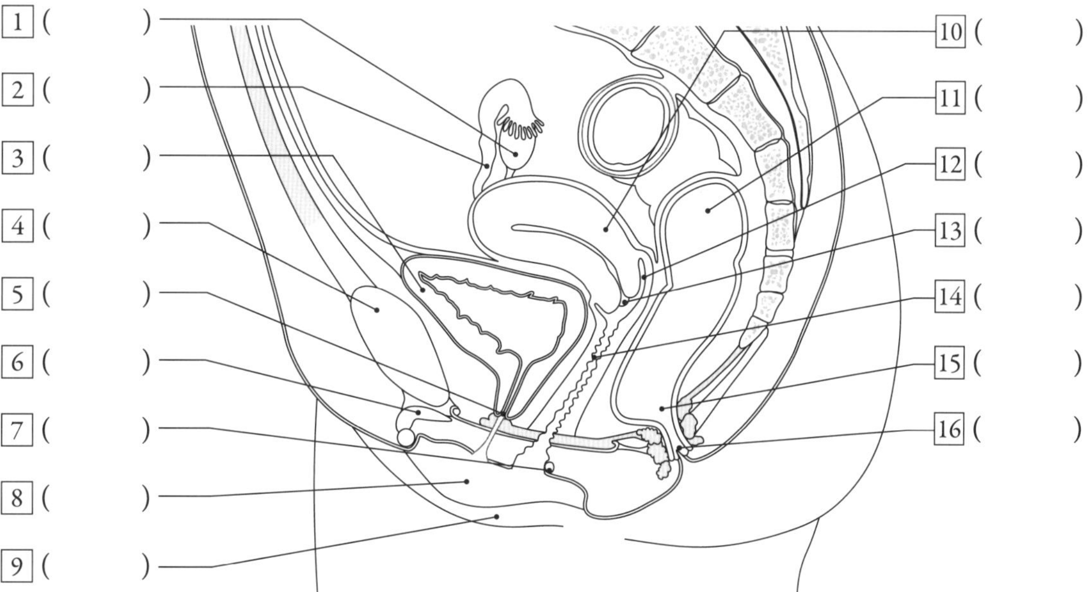

1 난소(ovary) 2 자궁관(난관; uterine tube) 3 방광(urinary bladder) 4 두덩결합(치골결합; pubic symphysis) 5 음핵(clitoris) 6 요도(urethra) 7 큰질어귀샘(대전정선; great vestibular gland) 8 소음순(labium minora) 9 대음순(labium majus) 10 자궁(uterus) 11 구불잘록창자(S상결장; sigmoid colon) 12 질천장(질원개; vaginal fornix) 13 자궁목(자궁경부; uterine cervix) 14 질(vagina) 15 곧창자(직장; rectum) 16 항문(anal)

여성생식기관

바깥생식기관(external reproductive organs)

여성의 바깥생식기는 거의 샅에 위치하고 성교를 할 때 여성의 접합기관 역할을 하는 곳이다.

샅부위(혜부서) 표면

- **불두덩(치구; mons pubis)** : 두덩결합치골결합 바로 앞에 있는 피부밑지방으로 구성된 둥근 언덕 모양의 돌출부분으로서 사춘기 이후엔 여기에 음모(pubic hairs)가 발생한다.
- **대음순(labium majus)** : 한 쌍의 두꺼운 피부주름이고 불두덩 아래의 지방조직이며, 넓적다리 사이에 위치하고 남성의 음낭과 상동기관이다.
- **소음순(labium minora)** : 대음순 안에 있으며 한 쌍의 작은 주름이 있다.
- **음핵(clitoris)** : 소음순의 양 쪽이 만나는 자리에 약간 도드라진 작은 기관이고 감각기능과 성적자극의 주요 중추로서 작용하고 남성의 음경과 상동기관이다.
- **질어귀(vestibule of vagina)** : 소음순에 둘러 싸여 있고 바깥요도구멍과 질구멍등 2개의 구멍이 있다.

샅부위 피부밑조직

- **질어귀망울(전정구; vestibular bulb)** : 대음순 안쪽엔 있으며, 자극으로 혈액이 차면 팽대하는 발기성 조직이고 남성의 요도해면체와 상동기관이다.
- **큰질어귀샘(대전정선; great vestibular gland)** : 질구멍 벽 양쪽에 있으며 남성의 망울요도샘과 상동기관이고, 성적 자극에 의해 투명한 점액을 분비함으로써 윤활액 역할을 한다.
- **요도곁샘(요도방선; paraurethral gland)** : 오르가즘 동안에 사정액을 바깥요도구멍으로 분출하고 남성의 전립샘과 상동기관이다

Q. 여성 바깥생식기의 구조를 각각 다른 색을 이용하여 색칠하시오.

Main Point. 여성 바깥생식기의 구조에 대하여 학습한다.

괄호에 알맞은 용어를 쓰고 도색하시오.

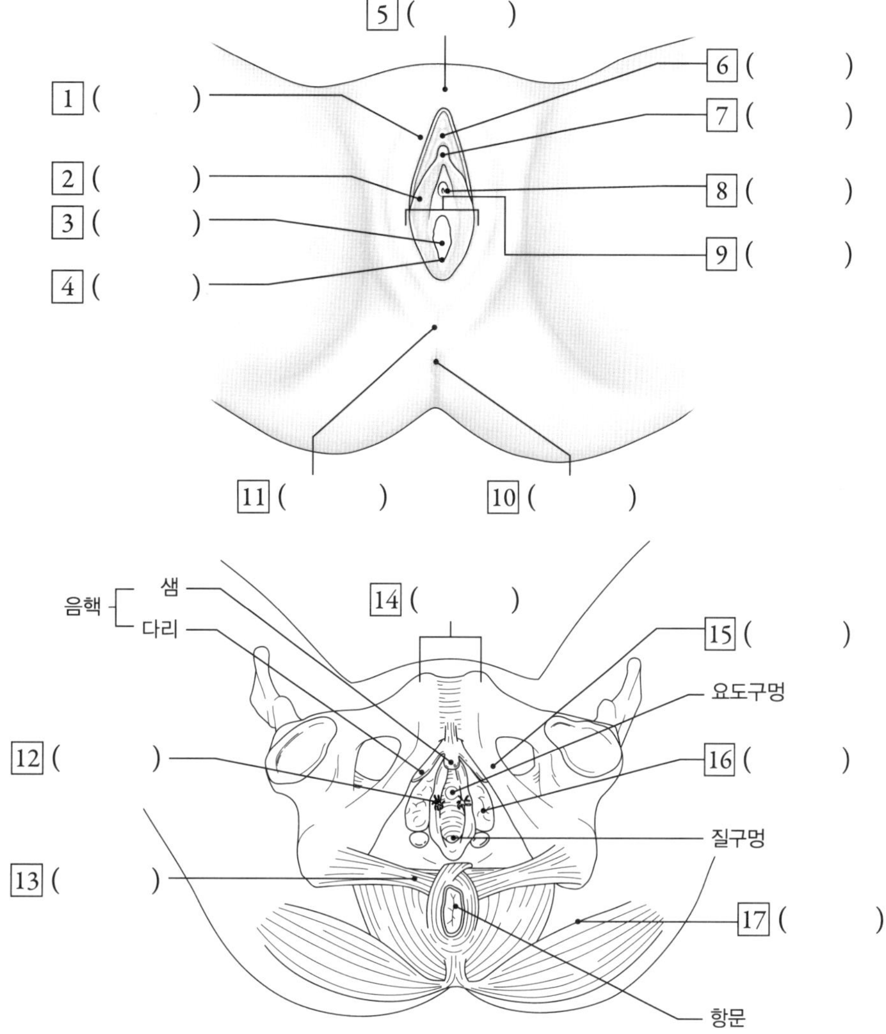

1 대음순(labium majus) 2 소음순(labium minora) 3 질구멍(vaginal orifice) 4 처녀막(hymen) 5 불두덩(치구; mons pubis) 6 음경꺼풀(포피; prepuce of penis) 7 음핵(clitoris) 8 요도구멍(요도구; urethral meatus) 9 질어귀(전정질; vestibule of vagina) 10 항문(anal) 11 샅솔기(회음봉선; perineal raphe) 12 요도곁샘(요도방선; paraurethral gland) 13 큰질어귀샘(대전정선; great vestibular gland) 14 두덩결합(치골결합; pubic symphysis) 15 두덩뼈가지(치골지; pubic ramus) 16 질어귀망울(전정구; vestibular bulb) 17 궁둥뼈결절(좌골결절; ischial tuberosity)

여성생식기관

자궁(uterus)

속이 비어있는 근육성 장기로 자궁관에서 수정된 난자를 받아 착상 발육시키는 기관이며 자궁바닥, 자궁몸통, 자궁목으로 구성된다.

- **자궁바닥(fundus of uterus)** : 자궁 위쪽 2/3 부분, 돔(dome) 형태, 자궁관과 연결된다.
- **자궁몸통(body of uterus)** : 자궁 가운데 부분으로 자궁목쪽으로 가늘어진 모양을 하고 있다.
- **자궁목(자궁경부; cervix of uterus)** : 자궁 아래쪽 1/3 부분, 자궁목관을 통해 질과 연결된다.

자궁관(난관; uterine tube)

난소에서부터 자궁까지 이어지는 길이 약 11cm의 섬모가 있는 1쌍의 관으로 난자를 자궁으로 운반하고, 깔때기, 팽대부, 잘록부, 자궁관술로 구성되며, 불임 절제 시술부위이다.

- **깔때기(누두; infundibulum)** : 자궁관의 넓어진 부분으로 난소 근처의 깔때기 모양이다.
- **팽대부(ampulla)** : 자궁관의 가장 긴 부분으로 가쪽 2/3, 수정장소이다.
- **잘록부(협부; isthmus)** : 자궁벽으로 삽입되는 부분으로 안쪽단 1/3에 위치한다.
- **자궁관술(난관채; fimbriae of uterine tube)** : 자궁관깔때기 끝쪽에 위치하고 깃털 모양으로 난자가 자궁관으로 들어올 수 있게 도와준다.

Q. 여성 생식기의 구조를 각각 다른 색을 이용하여 색칠하시오.

Main Point. 여성생식기의 구조에 대하여 학습한다.

괄호에 알맞은 용어를 쓰고 도색하시오.

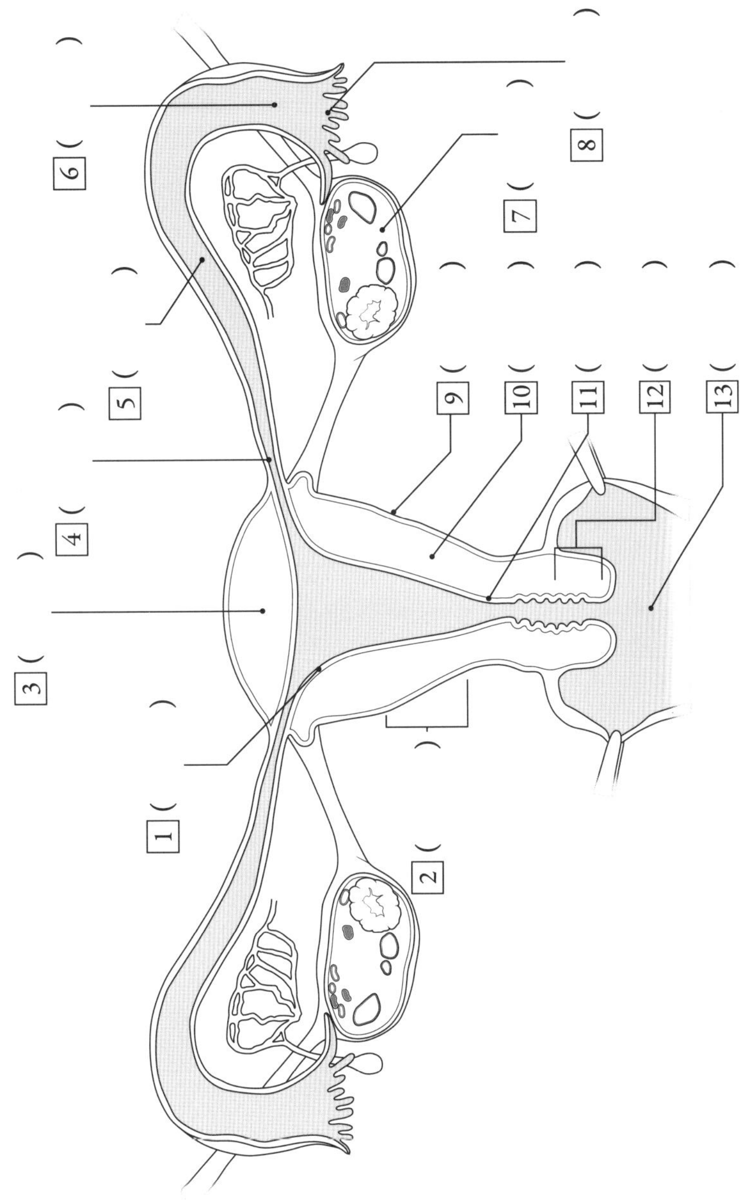

1 자궁안(자궁강) 2 자궁몸통(body of uterus) 3 자궁바닥(fundus of uterus) 4 자궁관잘록(난관협부; tubal isthmus) 5 자궁관팽대(ampulla of uterine tube) 6 자궁관깔때기(난관누두; infundibulum of uterine tube) 7 난소(ovary) 8 자궁관술(난관채; fimbriae of uterine tube) 9 자궁바깥막(자궁외막; perimetrium) 10 자궁근육층(자궁근층; myometrium) 11 자궁속막(자궁내막; endometrium) 12 자궁목(자궁경부; uterine cervix) 13 질(vagina)

CHAPTER 10

내분비계통

Endocrine System

호르몬(hormone)이란 특정한 분비샘(glands)에서 만들어지는 물질을 통틀어 부르는 이름으로서 만들어지는 기관 또는 종류에 따라 고유한 이름이 따로 있다. **내분비샘(endocrine gland)**은 이러한 호르몬을 만들어 내는 분비샘을 말하며 독립된 분비샘으로 있을 때는 이 하나하나를 내분비기관(endocrine organs)이라 부르며 이 내분비기관을 모두 합쳐 부를 때 **내분비계통(endocrine system)**이라고 한다.

이에 속하는 것은 뇌하수체, 갑상샘, 부갑상샘, 부신, 이자, 고환, 난소, 솔방울샘(송과선) 등이 있다.

내분비샘에서 분비된 호르몬은 직접 혈류 속으로 내보내져 가장 좋은 매개체인 혈액의 순환을 따라 전신을 돌아 멀리 떨어진 기관이나 세포의 기능에 영향을 준다.

학습목표

1. 내분비계통을 구성하는 기관과 구조를 이해 할 수 있다.
2. 내분비기관의 기능을 이해 할 수 있다.

1. 내분비기관의 종류와 위치

내분비기관의 종류

뇌하수체, 부신, 갑상샘, 부갑상샘, 솔방울샘은 대표적인 단독 내분비샘이고 이자, 고환, 난소는 본래의 외분비 또는 세포 생성 기능을 가지고 있으며 기관의 일부가 내분비 기능을 가지고 있는 혼합형 분비샘이다.

- **뇌하수체(pituitary gland)**
- **갑상샘(thyroid gland)**
- **부갑상샘(parathyroid gland)**
- **부신(adrenal gland)**
- **이자(pancreas)**
- **고환(testis)**
- **난소(ovary)**
- **솔방울샘(pineal gland)**

내분비기관의 위치

뇌하수체와 솔방울샘은 머리 속에 있고 갑상샘, 부갑상샘은 목에 놓여 있으며 이자와 부신은 배안 속에, 난소는 여성의 골반 공간 속에 있으며 고환은 남자 몸의 바깥인 샅(perineum) 부위에 매달려 있는데 이곳은 배안 속과 통하는 곳이다.

0. 내분비기관의 위치를 확인한 후 색칠하시오.

Main Point. 내분비기관의 종류와 위치를 이해한다.

괄호에 알맞은 용어를 쓰고 도색하시오.

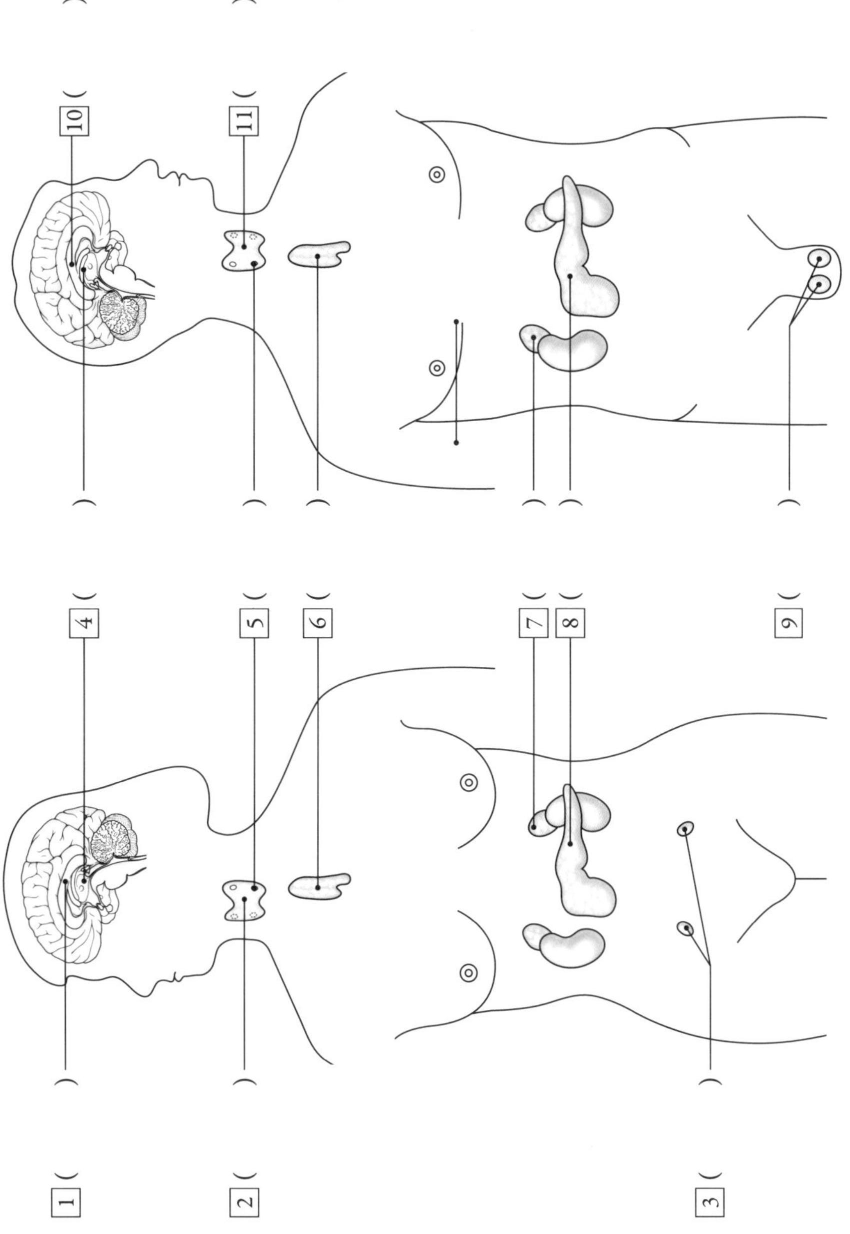

1 뇌하수체(pituitary gland) 2 갑상샘(갑상선; thyroid gland) 3 난소(ovary) 4 솔방울샘(송과선; pineal gland) 5 부갑상샘(부갑상선; parathyroid galnde) 6 가슴샘(흉선; thymus) 7 부신(adrenal gland) 8 이자(pancreas) 9 고환(testis) 10 뇌하수체(pituitary gland) 11 갑상샘(갑상선; thyroid gland)

2. 뇌하수체

뇌하수체의 위치와 호르몬

뇌하수체는 뇌바닥의 중심 가까이에 있는 사이뇌간뇌의 아랫면에 가는 줄기에 매달려서 머리뼈바닥두개기저선에 있는 뇌하수체 오목 들어간 곳 안에 들어 있다.

뇌하수체의 앞엽(pituitary gland anterior lobe)

- **부신겉진자극호르몬(부신피질호르몬; adrenocorticotropic hormone)**
- **갑상샘자극호르몬(thyroid stimulating hormone)**
- **성장호르몬(growth hormone)**
- **젖분비호르몬(유즙분비호르몬; prolactin)**
- **난포자극호르몬(follicle stimulating hormone)**
- **황체형성호르몬(luteinizing hormone)**

뇌하수체의 뒤엽

- **항이뇨호르몬(antidiuretic hormone)**
- **옥시토신(oxytocin)**

1. 뇌하수체 위치를 확인한 후 색칠하시오.
2. 뇌하수체에 위치한 호르몬을 구분하여 색칠하시오.

Main Point. 뇌하수체에 대하여 이해한다.

괄호에 알맞은 용어를 쓰고 도색하시오.

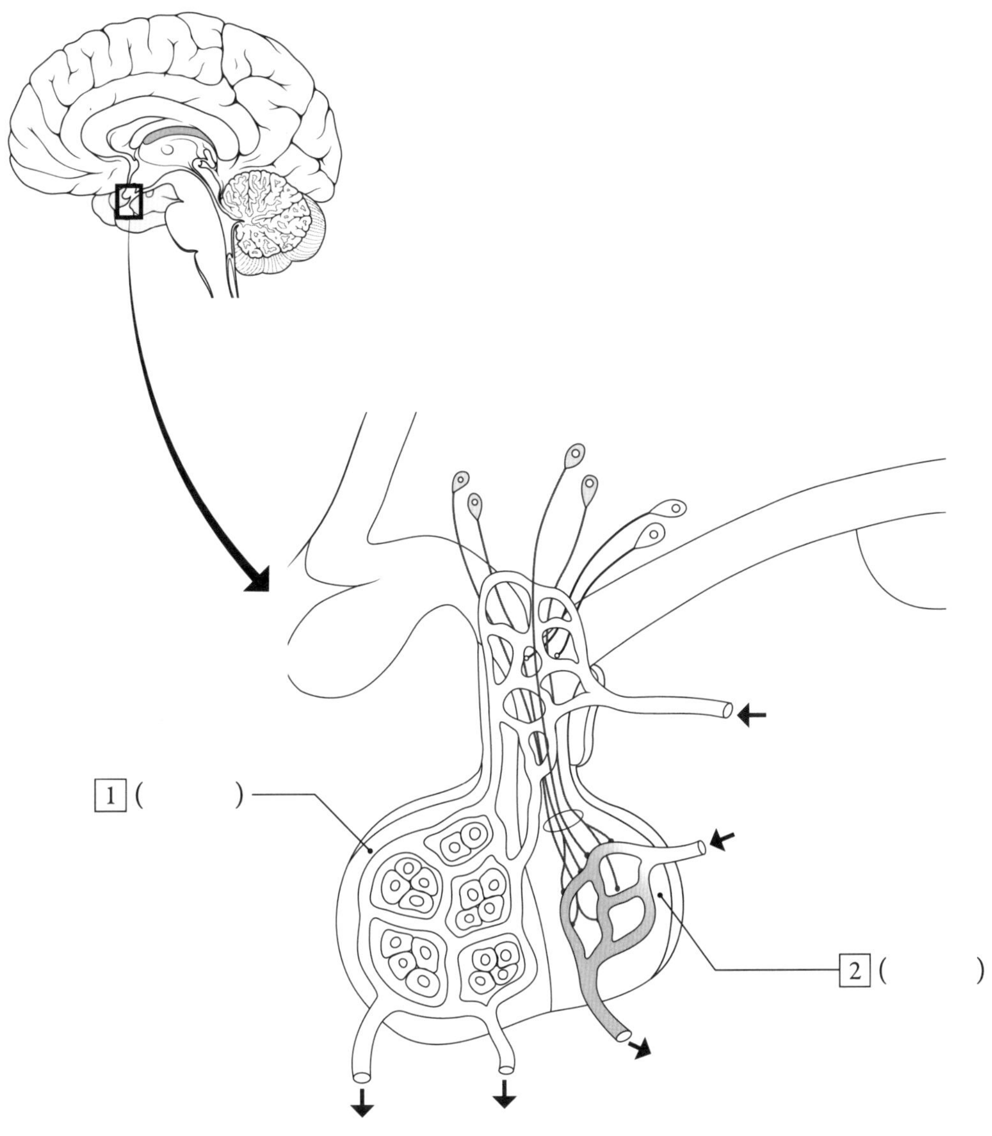

1 뇌하수체 앞엽(뇌하수체 전엽; anterior putuitary) 2 뇌하수체 뒤엽(뇌하수체 후엽; posterior putuitary)

괄호에 알맞은 용어를 쓰고 도색하시오.

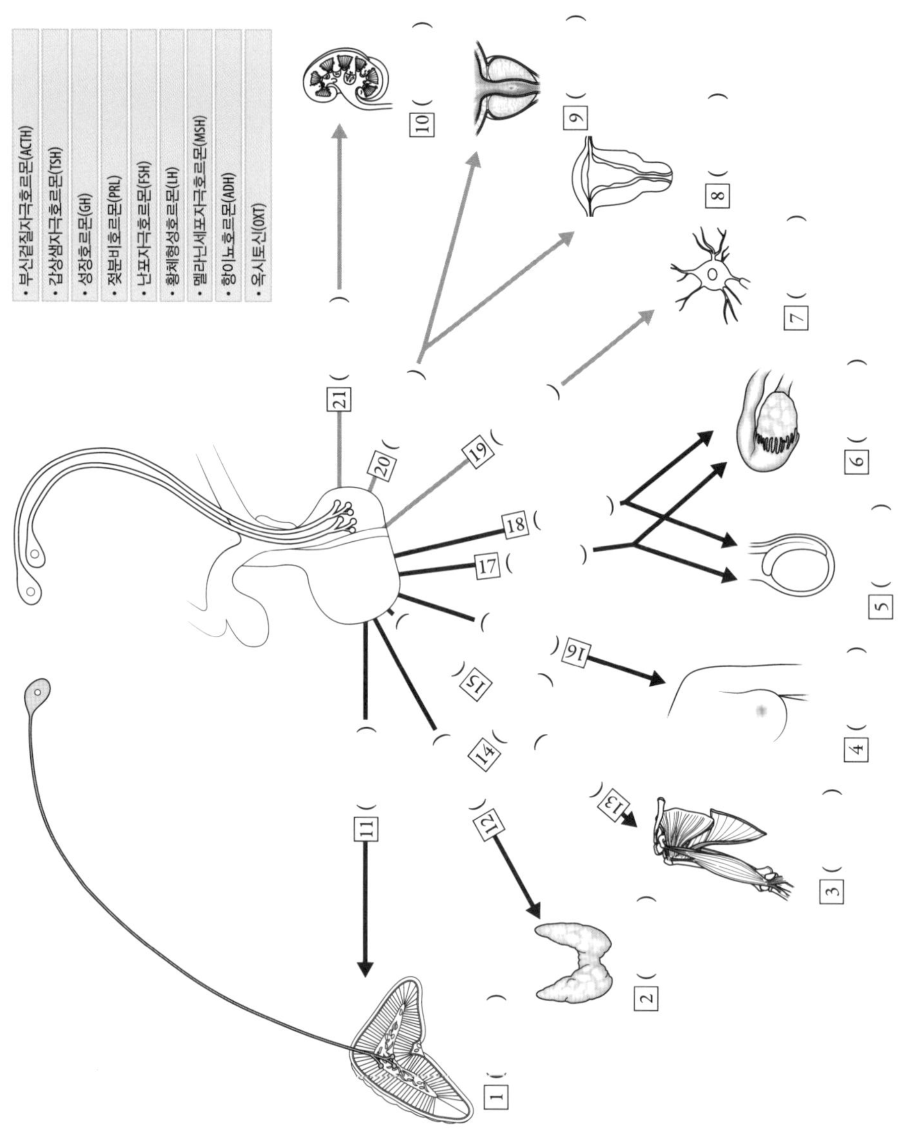

1 부신(adrenal gland) 2 갑상샘(갑상선자극호르몬; thyroid stimulating hormone) 3 뼈, 근육, 다른조직(bone, muscle, etc) 4 젖샘(유선; mammary gland) 5 남성의 고환(testis) 6 여성의 난소(ovary) 7 멜라닌세포(melanocyte) 8 자궁 민무늬근과 젖샘(자궁 민평활근과 유선; uterus smooth muscle, mammary gland) 9 정관과 전립샘의 민무늬근(정관과 진립선의 평활근; vas deferens and prostate gland smooth muscle) 10 콩팥(신장; kidney) 11 부신겉질자극호르몬(부신피질자극호르몬; adrenocorticotropic hormone) 12 갑상샘자극호르몬(갑상선자극호르몬; thyroid stimulating hormone) 13 소마토메딘(smatomedin) 14 간(liver) 15 성장호르몬(growth hormone) 16 젖분비호르몬(유즙분비호르몬; lactogenic hormone) 17 난포자극호르몬(follicle stimulating hormone) 18 황체형성호르몬(luteinizing hormone) 19 멜라닌세포자극호르몬(melanocyte stimulating hormone) 20 옥시토신(oxytocin) 21 항이뇨호르몬(vasopressin)

note

3. 갑상샘

갑상샘의 위치와 구조

목 피부 바로 아래에서부터 U자 형태로 기관 상단부를 둘러싸고 있는 내분비샘이다. 왼 · 오른엽(left · right lobes)과 갑상샘잘록갑상선지협(isthmus)으로 구분된다.

갑상샘 호르몬 기능

갑상샘은 몸의 대사(metabolism) 기능과 관계가 깊은 매우 중요한 기관이다. 또한 갑상샘에서 분비되는 호르몬인 싸이록신(thyroxine)은 세포의 대사율(metabolic rate)을 조절한다.

싸이록신 기능

- 신체 모든 세포내에서 신진대사를 촉진하여 에너지를 만든다.
- 뼈, 생식샘 발육, 성숙과 정신지능에도 영향을 미친다.

0. 갑상샘의 위치를 확인한 후 색칠하시오.

Main Point. 갑상샘에 대하여 이해한다.

괄호에 알맞은 용어를 쓰고 도색하시오.

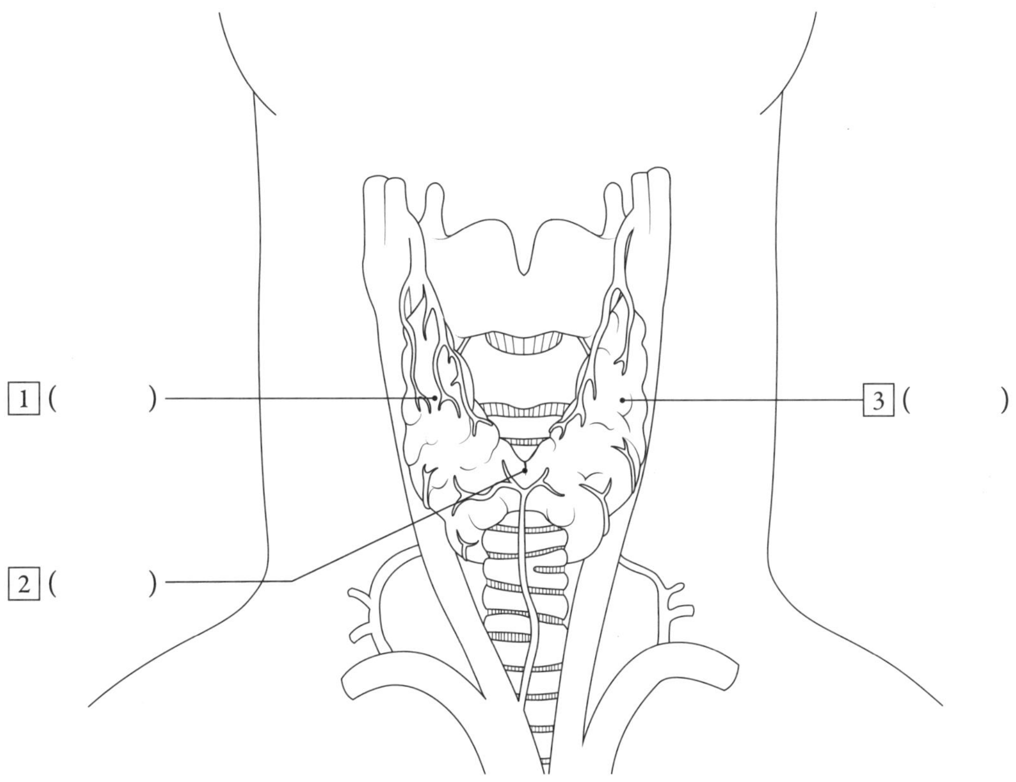

1 갑상샘의 오른엽(갑상선 우엽; thyroid right lobe) 2 잘록(지엽; isthmus) 3 갑상샘의 왼엽(갑상선 좌엽; thyroid left lobe)

4. 부갑상샘

부갑상샘의 위치와 구조

부갑상샘은 갑상생의 좌우엽 뒷면에 아래위에 흩어져 있는 매우 작은 갈색의 작은 분비샘으로서 그 수는 네 개 내지 여섯 개가 있다. 해부학적 위치로는 위로는 인두(pharynx)와 인접하고 아래로는 식도(esophagus)와 인접해있다.

부갑상샘 호르몬 기능

부갑상샘 역시 위치만 갑상샘과 같이 하고 있고 혈액공급, 구조, 기능 모든 것이 독립적인 내분비기관이다.

부갑상샘 호르몬(parathyroid hormone) 분비

- 칼슘과 인의 대사를 하며 뼈를 튼튼하게 한다.
- 뼈파괴 세포파골세포를 자극하여 칼슘이 뼈에서 유리된다.
- 뼈세포골세포를 자극하여 뼈의 칼슘 침착 속도를 낮춘다

0. 부갑상샘의 위치를 확인한 후 색칠하시오.

Main Point. 부갑상샘에 대하여 이해한다.

괄호에 알맞은 용어를 쓰고 도색하시오.

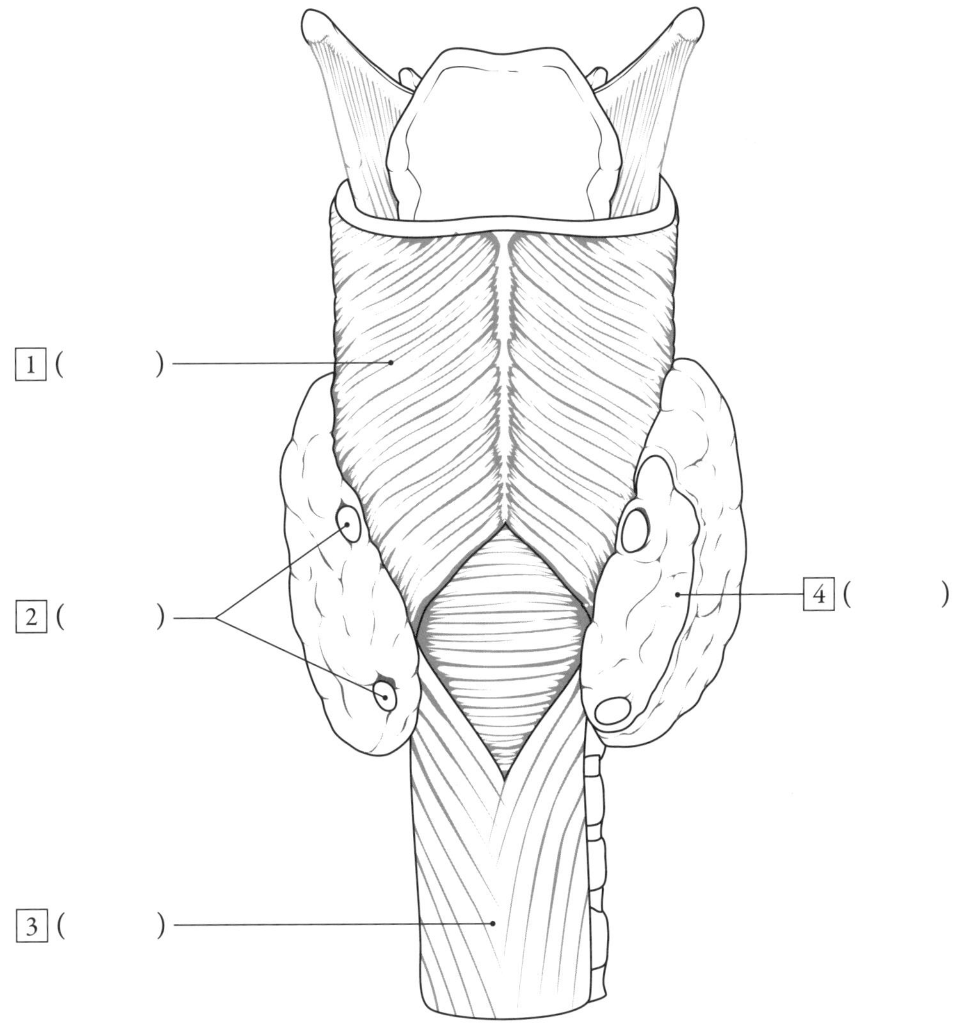

1 인두(pharynx) 2 부갑상샘(부갑상선; parathyroid gland) 3 식도(esophagus) 4 갑상샘(갑상선; thyroid gland)

5. 부신

부신의 위치와 구조

부신은 콩팥신장(kidney)의 위 끝에 놓여 있는 좌우 두 개의 내분비샘이며, 또한 콩팥과 함께 후복벽의 지방에 묻혀 있어 복막후장기이다. 이 부신 역시 뇌하수체의 경우처럼 독립된 두 개의 부분으로 나누어진다. 그것은 바깥쪽의 부신겉질부신피질(adrenal cortex)과 안쪽의 부신속질부신수질(adrenal medulla) 부분으로 구분된다.

부신겉질의 세포층

- **토리층(zona glomerulosa)**
- **다발층(zona fasciculata)**
- **그물층(zona reticularis)**

부신 호르몬 기능

부신겉질의 기능

- 부신겉질자극호르몬의 자극을 받아 알도스테론, 코르티손, 안드로겐을 분비한다.
- **부신겉질의 기능항진** : 쿠싱증후군(Cushing's syndrome)
- **부신겉질의 기능저하** : 애디슨병(Addison disease)

부신속질의 기능

- **아드레날린(adrenalin), 에피네프린(epinephrine) 분비** : 75%
- **노르아드레날린(noradrenalin), 노르에피네프린(norepinephrine) 분비** : 25%

1. 부신의 위치를 확인 한 후 겉질과 속질을 구분하여 색칠하시오.
2. 부신겉질의 세 층을 구분하여 색칠하시오.

Main Point. 부신에 대하여 이해한다.

괄호에 알맞은 용어를 쓰고 도색하시오.

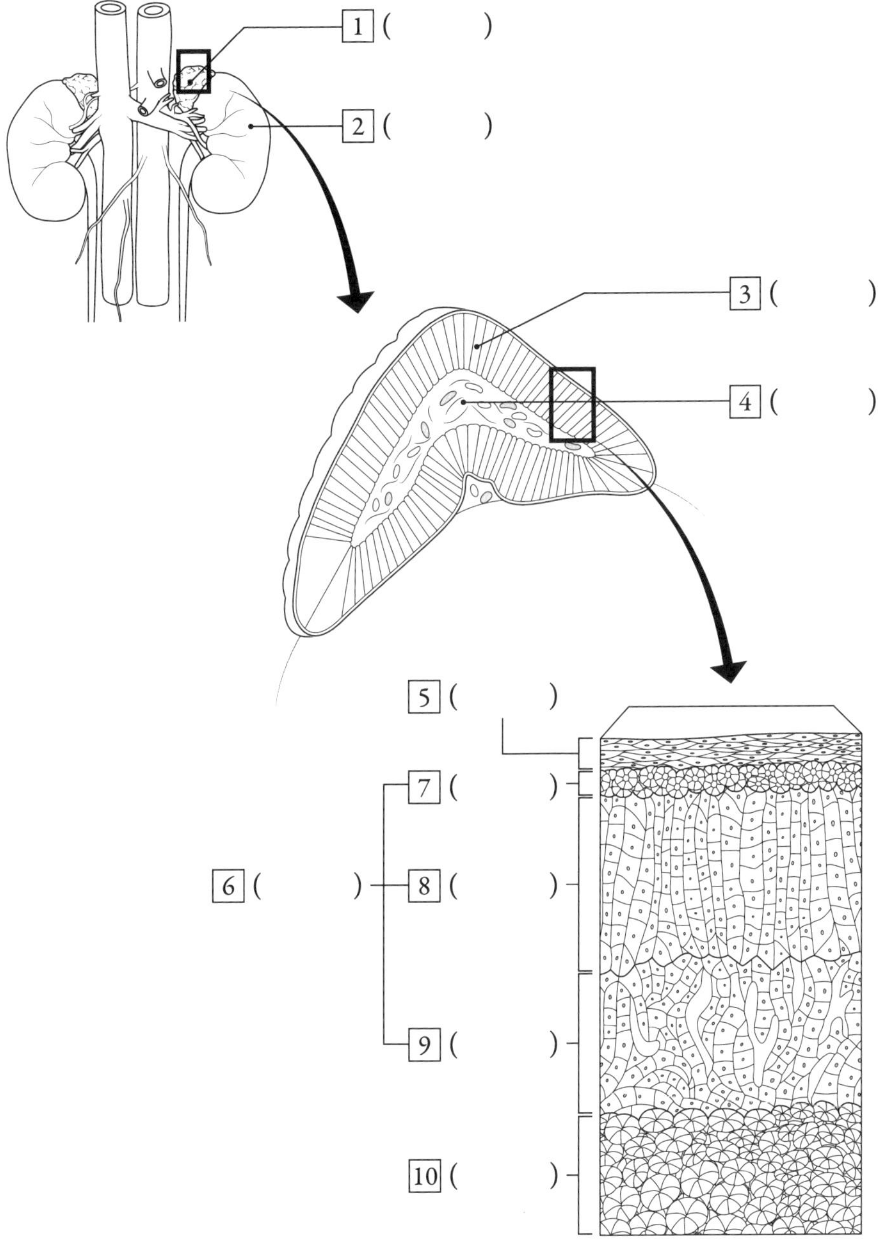

1 부신(adrenal gland) 2 콩팥(신장; kidney) 3 겉질(피질; cortex) 4 속질(수질; medulla) 5 부신의 표면(surface of adrenal gland) 6 겉질(피질; cortex) 7 토리층(사구대; zona golmerulosa) 8 다발층(속상대; zona fasciculata) 9 그물층(망상대; zona reticularis) 10 속질(수질; medulla)

6. 이자

이자의 위치와 구조

이자는 원래가 소화계통의 부속샘(accessory gland)의 하나로서 외분비샘(exocrine gland)인 동시에 내분비샘(endocrine gland)의 부분도 겸하고 있는 내분비기관이다. 외분비를 맡는 부위가 이자의 대부분을 차지하고 있고 그 중간 중간에 흩어져 있는 상피세포의 무리들이 내분비를 맡는 부위이다.

이 세포 무리는 주위의 샘꽈리(acinus)와는 현미경하에서 명백히 구분되는 부위로서 이자섬(pancreatic)이라고 하며 발견한 사람의 이름을 따서 랑거한스섬(islets of Langerhans)이라고 한다.

이자 호르몬 기능

A–cell : 20%

- **글루카곤(glucagon) 분비, 혈당 올림** : 간의 glycogen → glucose

B–cell : 75%

- **인슐린(insulin) 분비, 혈당 내림** : glucose → 간의 glycogen

D–cell : 5%

- **소마토스타틴(somatostatin) 분비** : insulin, glucagon, gastrin 등의 분비 억제 조절

Q. 이자의 위치를 확인 한 후 색칠하시오.

Main Point. 이자에 대하여 이해한다.

괄호에 알맞은 용어를 쓰고 도색하시오.

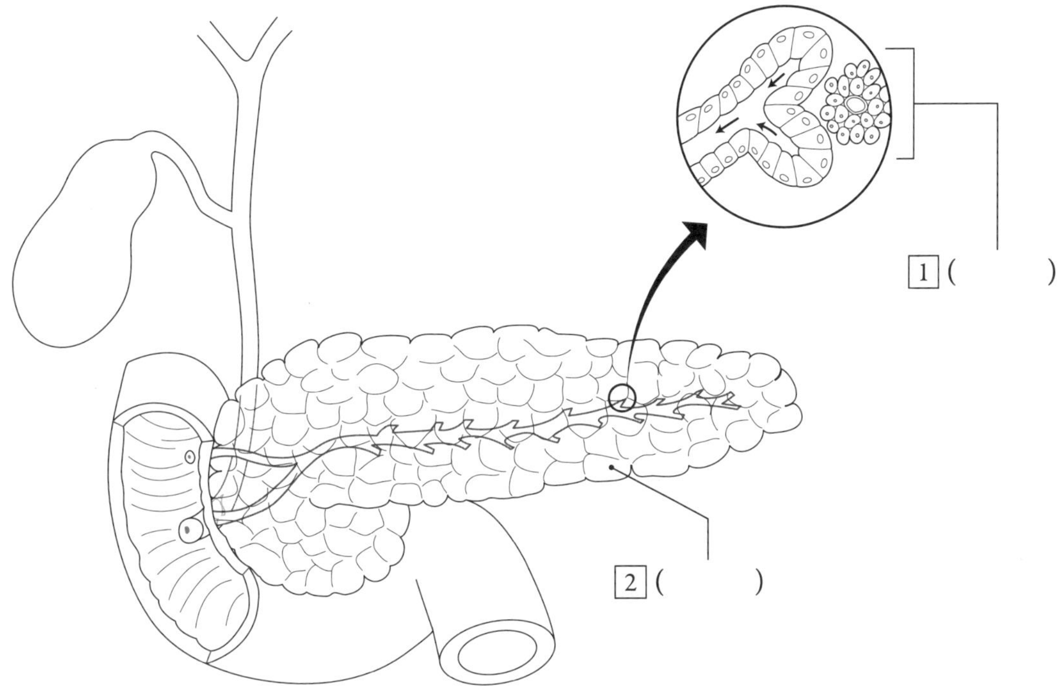

1 랑게르한섬(islet of langerhans) 2 이자(pancreas)

7. 고환

고환의 구조

고환은 음낭의 양쪽에 하나씩 들어 있는 남성 속 생식기관의 하나로서 남성 생식세포인 정자(spermatozoa)를 만들어 배출하는 역할 외에도 내분비기관으로서의 기능을 겸하고 있다. 내분비 기능은 정세관(seminiferous tubule) 사이사이에 있는 사이질 세포(interstitial cell, Leyding cell)에서 이루어진다.

고환 호르몬 기능

- **테스토스테론(testosterone)** : 남성의 이차성징의 발육과 유지를 맡고 있다.

0. 고환의 위치를 확인한 후 정세관과 사이질 세포를 구분하여 색칠하시오.

Main Point. 고환에 대하여 이해한다.

괄호에 알맞은 용어를 쓰고 도색하시오.

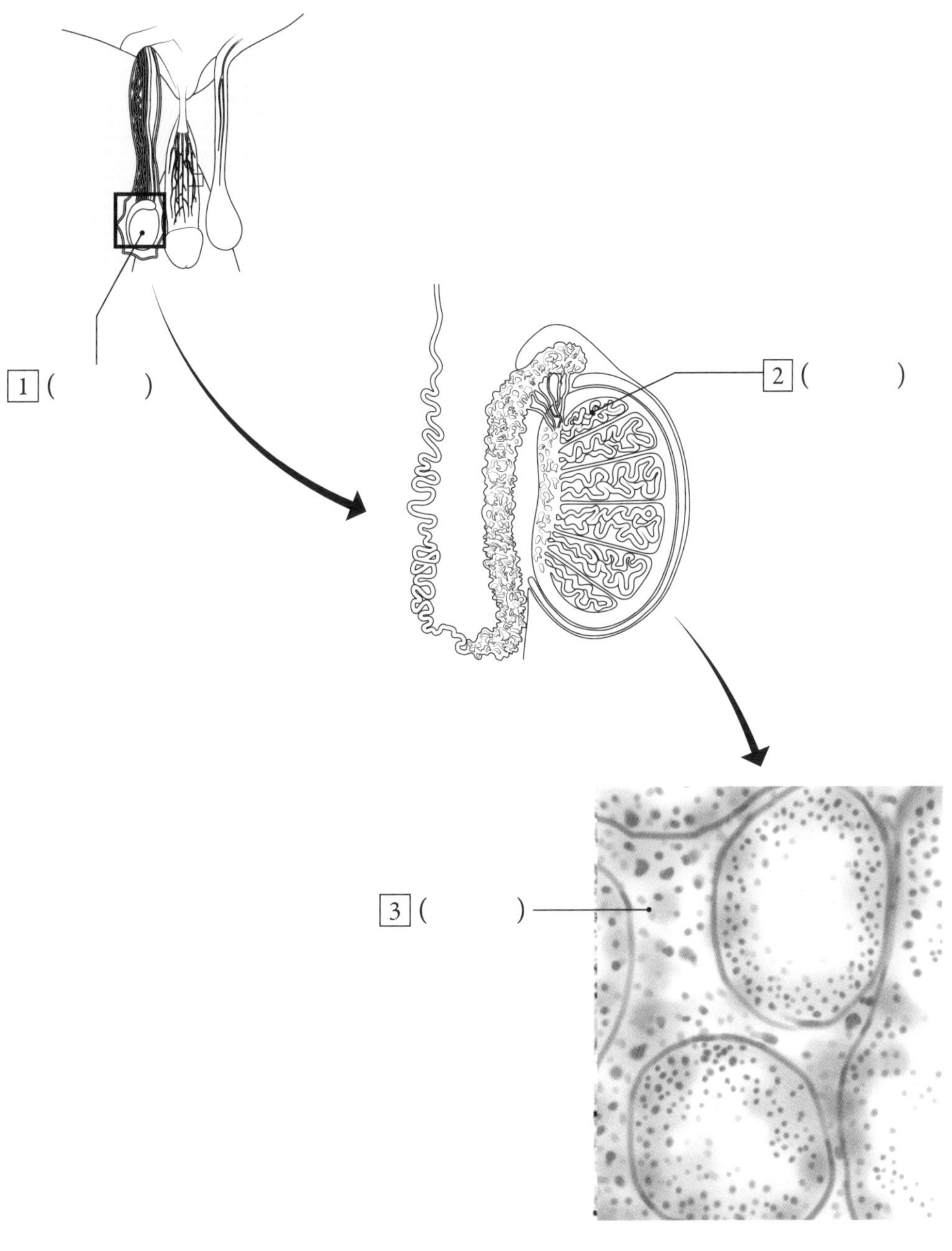

1 고환(testis) 2 정세관(seminiferous tubule) 3 사이질세포(간질세포; interstitial cell)

8. 난소

난소의 위치와 구조

난소는 골반 공간(pelvic cavity)의 좌우에 있는 두 개의 여성 속 생식기관으로서 여성 생식세포인 난자(ovum)를 만들어 배출시키는 역할을 한다.

난소 호르몬 기능

에스트로겐(estrogen)

- 난포(follicle)에서 만들어져 분비 : 여성의 이차성징을 발현시킨다.

프로게스테론(progesterone)

- 황체(corpus luteum)에서 만들어져 분비 : 난자의 착상과 젖을 분비하는 세포를 발육시킨다.

Q. 난소의 위치를 확인한 후 황체와 난포를 구분하여 색칠하시오.

Main Point. 난소에 대하여 이해한다.

괄호에 알맞은 용어를 쓰고 도색하시오.

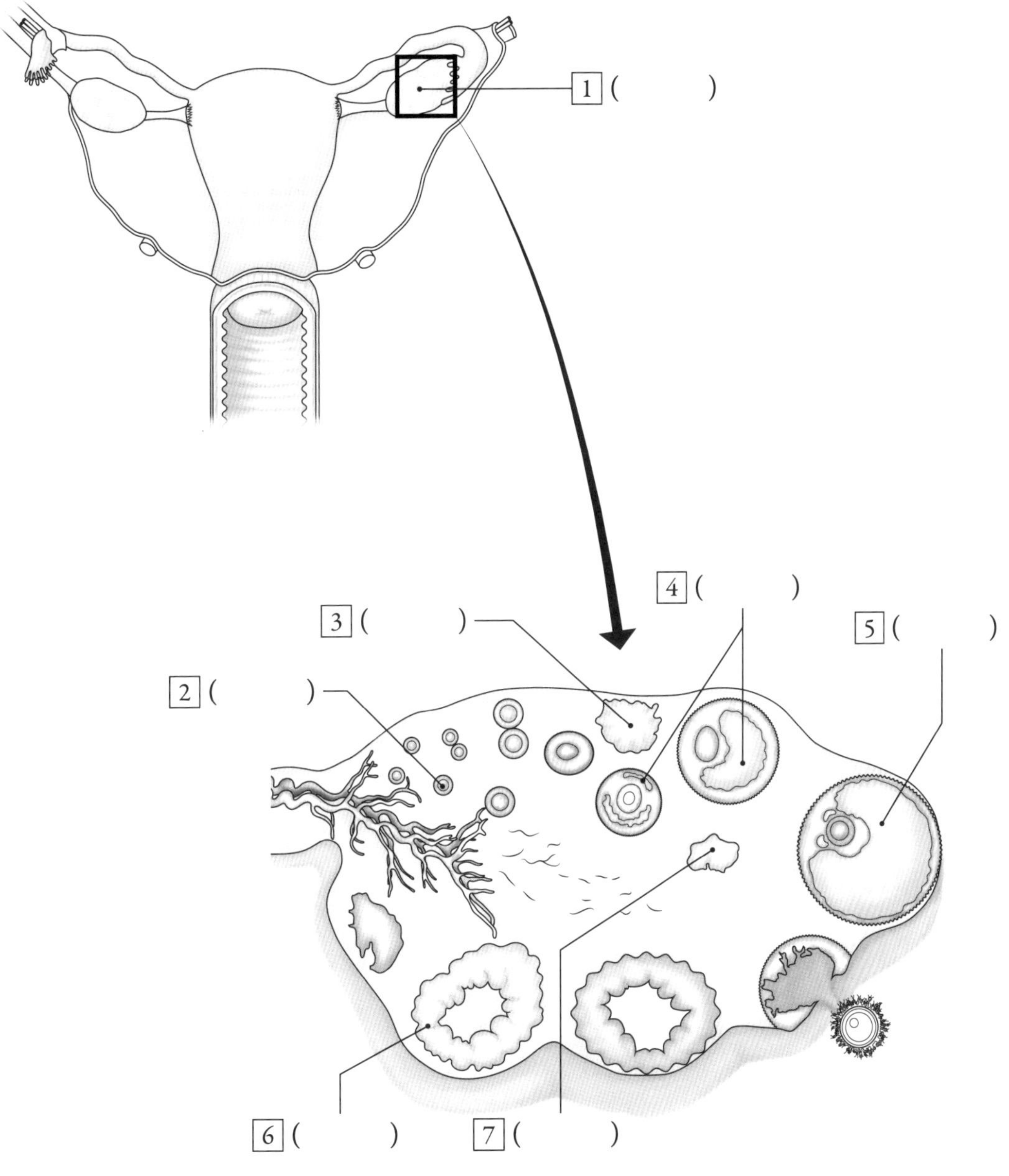

1 난소(ovary) 2 원시난포(primordial follicle) 3 폐쇄난포(퇴축성난포; atertic follicle) 4 이차난포(secondary follicle) 5 성숙난포(graffian follicle) 6 황체(corpus luteum) 7 폐쇄난포(atertic follicle)

9. 솔방울샘

솔방울샘의 위치와 구조

송발울샘은 시상(thalamus)의 뒤쪽 셋째뇌실제3뇌실의 지붕에 달려 있는 원뿔 모양의 구조물로서 길이가 약 8mm인 작은 기관이다. 사람의 하루하루 생활주기(circadian rhythm)를 조절하는 곳으로 알려져 있는데 솔방울샘을 구성하는 세포는 솔방울샘세포송과체세포(pinealocyte)와 신경아교세포(neuroglial cell)이다.

솔방울샘 호르몬 기능

- **멜라토닌(melatonin)** : 밤과 낮의 생활주기를 조절한다.

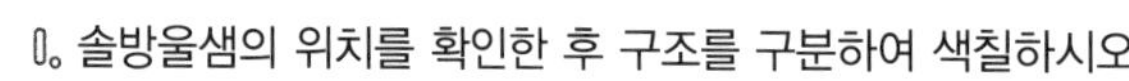

0. 솔방울샘의 위치를 확인한 후 구조를 구분하여 색칠하시오.

Main Point. 솔방울샘에 대하여 이해한다.

괄호에 알맞은 용어를 쓰고 도색하시오.

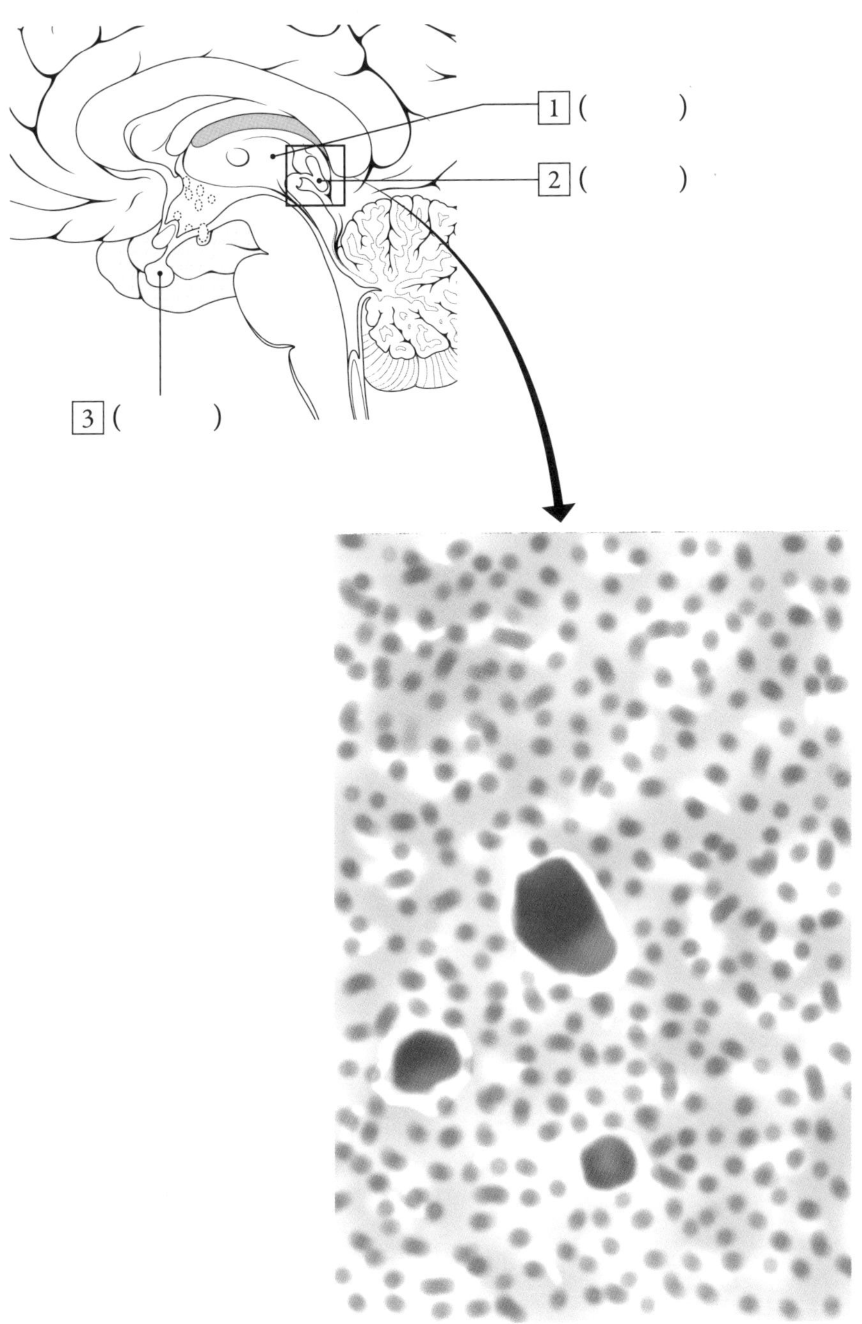

1 시상(thalamus) 2 솔방울샘(송과선; pineal gland) 3 셋째뇌실(제3뇌실; third ventricle)